Bauer, Reich und Reformation

Bauer
Reich
und
Reformation

Festschrift für Günther Franz
zum 80. Geburtstag am 23. Mai 1982

Herausgegeben von
Peter Blickle

Mit Beiträgen von
Wilhelm Abel – Peter Bierbrauer – Peter Blickle
Renate Blickle – Horst Buszello – Rudolf Endres
Hans-Jürgen Goertz – Heinz Haushofer
Wolfgang von Hippel – Marc Lienhard – Hans-Georg Rott
Winfried Schulze – Max Steinmetz – Claudia Ulbrich
Rainer und Trudl Wohlfeil – Heide Wunder

Verlag Eugen Ulmer Stuttgart

CIP-Kurztitelaufnahme der Deutschen Bibliothek

Bauer, Reich und Reformation: Festschr. für
Günther Franz zum 80. Geburtstag am 23. Mai 1982/
hrsg. von Peter Blickle. Mit Beitr. von Wilhelm
Abel . . . – Stuttgart: Ulmer, 1982.
   ISBN 3-8001-3057-2

NE: Blickle, Peter [Hrsg.]; Abel, Wilhelm [Mitverf.];
Franz, Günther: Festschrift

© 1982 Eugen Ulmer GmbH & Co.,
Wollgrasweg 41, 7000 Stuttgart 70 (Hohenheim)
Printed in Germany
Satz: Ungeheuer+Ulmer KG GmbH+Co, Ludwigsburg
Druck: Offsetdruckerei Karl Grammlich, Pliezhausen

Ein Brief anstelle eines Vorworts

Lieber Herr Franz,

würde ich von einem in der deutschen Historiographie nicht bewanderten Kollegen gefragt, worin Ihre wissenschaftliche Leistung hauptsächlich läge, ich würde sie mit den Stichworten „Bauer, Reich und Reformation" benennen. Das verkürzt gewiß Ihr weitgreifendes Œuvre, das zeitlich vom Spätmittelalter bis ins 20. Jahrhundert und thematisch von der Kartographie bis zur Universitätsgeschichte reicht, doch wird damit sicher zu Recht jener Forschungsschwerpunkt betont, der für den wissenschaftlichen Diskurs durch seinen innovatorischen Charakter von besonders weitreichender Bedeutung geworden ist.

Daß der Bauer als politische Größe in die deutsche Geschichte eingeführt wurde, ist recht eigentlich Ihr Verdienst. Mit Ihrer Interpretation des Bauernkriegs, die durch den methodisch neuen Zugriff auf die Beschwerden als Dokumente des subjektiven Bewußtseins möglich wurde, haben Sie Thesen geliefert, die heute noch, 50 Jahre nachdem sie von Ihnen formuliert wurden, die Forschung zu immer neuer Auseinandersetzung herausfordern.

Zum Konzept Ihrer Bauernkriegsinterpretation gehört, daß die Aufständischen von 1525 auf gemeindlicher Grundlage das Reich reformieren wollten. Diese These ist in der Diskussion der Nachkriegszeit nicht weiterverfolgt worden, nicht zuletzt deswegen, weil die auch politisch bedingte Festlegung der Verfassungsgeschichte auf Landesgeschichte das Reich lange dem forschenden Interesse entzogen hat. Immerhin liegt hier aber ein Interpretament zum Reichsbewußtsein des 16. Jahrhunderts vor, von dem ich glaube, daß es nochmals aufgegriffen werden wird.

Von Ihren Bauernkriegsforschungen aus ergab sich auch eine wichtige Aussage zur Reformation, die nach Ihrer Einschätzung durch die militärische Niederwerfung des Aufstandes einen Bruch erlitt, jedenfalls den Charakter als Volksbewegung einbüßte. Erst jüngst wurde durch die auf Norddeutschland konzentrierte jüngere Stadtgeschichtsforschung diese These ernsthafter kritisiert, und es bleibt abzuwarten, ob sie prinzipiell preisgegeben werden muß.

Um die Begriffe „Bauer", „Reich" und „Reformation" lagern sich eine Vielzahl von Publikationen, die weitere Forschungen veranlaßt, ja erst ermöglicht haben. Dazu gehören gewiß und nicht zuletzt Ihre editorischen Leistungen, ohne die nicht nur die Bauernkriegsforschung, sondern auch die Müntzer-Forschung schwer denkbar wäre.

Durch Interpretation und Edition sind Sie für die Historiker, die sich mit dem 16. Jahrhundert beschäftigt haben, ein wie wenige fruchtbarer Anreger gewesen. Das wird man nach 11 Auflagen Ihrer Habilitationsschrift sagen dürfen. Gleiches bringt die Festgabe zu Ihrem 80. Geburtstag zum Ausdruck. Sie weicht nämlich von den üblichen Festschriften durch den Kreis der Mitarbeiter ab. Nicht eigentlich Schüler, die Ihnen durch politische Ereignisse und persönliches Schicksal versagt blieben, und nicht Kollegen im engeren Sinn, die bei Ihrer beruflichen Bindung an die Landwirtschaftliche Hochschule Hohenheim naturgemäß aus Agrarwissenschaftlern bestanden, sind die Autoren dieser Festschrift, sondern eine überwiegend jüngere und junge Generation von Historikern, die sich durch Ihre Arbeiten angeregt weiß. Das war auch eine gewisse Vorgabe hinsichtlich des Charakters der Beiträge. Sie sind im wesentlichen dadurch bestimmt, daß sie neues Quellenmaterial erschließen und auf diese Weise einen Beitrag zur Geschichte des 16. Jahrhunderts liefern wollen. Die „allgemeine Geschichte" bringt hier zum Ausdruck, was sie Ihnen schuldet, nicht die „Agrargeschichte". Dies ermöglicht zu haben, ist einer großzügigen und souveränen Geste von Herrn Roland Ulmer zu verdanken, die man bei Verlegern heute eher suchen als finden wird.

Mit den Mitautoren und Herrn Ulmer grüßt Sie herzlich zu Ihrem Geburtstag

Ihr
Peter Blickle

Inhaltsverzeichnis

IV. Bauernkrieg

I. Bauer

WILHELM ABEL

Die Lasten der Bauern im Zeitalter des Feudalismus

Die Lasten der Bauern vor den Bauernbefreiungen wurden oft schon beschrieben, auch systematisiert, in Zahlen präsentiert und erläutert. Auf ihre Schwere hinzuweisen, ist bei den Fronden relativ einfach, da die Tage oder die auf Tage bezogenen Leistungen als Maßstab dienen können, bei den Abgaben schwieriger. Die Erträge der Bauernwirtschaften auf den Feldern, beim Vieh und in den Gärten müssen berücksichtigt, auf Werte reduziert und summiert werden. Auch dies geschah schon mehrfach. Voran steht in der deutschsprachigen Literatur die Arbeit von F.-W. Henning, der die Gesamtheit aller Abgaben und Dienste, die von den Bauern an berechtigte Personen und Institutionen zu leisten waren, heranzog, sie als Feudalquote des Agrarprodukts bezeichnete und dem verbleibenden Einkommen der Bauern, der Bauernquote, gegenüberstellte[1]. Es wird darauf zurückzukommen sein.
Weniger wurden bei den meisten der vorliegenden Rechnungen und Schätzungen die wechselnden Umstände und Bedingungen berücksichtigt, auf die die Aussagen bezogen wurden. Es darf vermutet werden, daß die „säkularen Wechsellagen" der abendländischen Wirtschaft, im angelsächsischen Schrifttum *secular trends* genannt, auf das Verhältnis der Feudalquote zur Bauernquote eingewirkt haben. Aber ob und wie dies geschah, wurde noch kaum erforscht. Hierzu soll, dem Jubilar gewidmet, ein bescheidener Beitrag geleistet werden.
Mit dem Hochmittelalter sei begonnen. Es ist die Zeit einer starken Bevölkerungszunahme, der Städtegründungen und des Landesausbaus, der Rodungen, Sumpfentwässerungen und einiger Fortschritte auch der agraren Technik, aber auch die Zeit der Zunahme von Kleinst- und Kleinbetrieben, der Bodenzerstückelung und der Inkulturnahme von wenig ergiebigen Böden, die später wieder aufgegeben wurden. Das steht mit der Bevölkerungszunahme in Verbindung, wozu auch die Auflösung von Villikationen gehören mag. Die agrare Produktion stieg ohne Zweifel, doch sagt dies noch nichts aus über die Verteilung der Einkommen im Agrarsektor.

---

[1] F.-W. HENNING, Dienste und Abgaben der Bauern im 18. Jahrhundert (Quellen und Forschungen zur Agrargeschichte 21), 1969, S. 156.

Unbestritten ist seit langem, daß die Grundrenten stiegen[2]. F. J. Mone brachte für den Oberrhein, K. Lamprecht für das Moselgebiet einige Preise für Ackerland vom 12. bis zum beginnenden 14. Jahrhundert, die sich nahezu verdoppelten. Die Angaben beziehen sich auf nur wenige Jahre und wohl auch auf nicht gleichartige Böden. Aufschlußreicher ist eine Liste von Hufenpreisen in Ostfalen, die in relativ geschlossener Reihe die Preise von rund 300 Hufen in kölnischer Mark enthält. In gewogenem Mittel stiegen diese Preise von 9,5 Mark je Hufe in den Jahren 1150/75 auf 28,6 Mark in den Jahren 1250/91, also auf das Dreifache.

Doch solche Preise lassen sich nicht eindeutig als Vermögenswerte der Bauern begreifen. Sie schließen Gewinnchancen der Bauern nicht aus, doch beziehen sie sich in aller Regel auf Vermögenswerte der Herren. Sie enthalten, freilich wohl noch in sehr roher Schätzung, die Abgaben und Dienste der Bauern, die kapitalisiert in der Ebene der Leistungsempfänger den Besitzer wechselten[3].

Auch die wenigen Rechnungen und Schätzungen, die von den Einkommen der Bauern vorliegen, sagen wenig aus. Die Unterschiede der Maßstäbe, Herkommen und Ergebnisse sind zu groß. M. Postan wies für einige englische Grundherrschaften, C. A. Christensen für dänische Bauernschaften nach, daß die Dienste und Lasten den Bauern kaum das Existenzminimum ließen. Sie seien auf eine „Spitze" gestiegen, die zum Verlassen der Höfe führte, wenn noch ein besonderes Unglück, wie eine Fehlernte oder ein Viehsterben, die Bauern traf. Auch in einer Urkunde des Klosters Maria im Capitol zu Köln vom Jahre 1158, die Franz veröffentlichte[4], findet sich die Bemerkung, daß die zu den Höfen gehörenden Eigenleute wegen einer zu hohen Belastung in die Fremde gingen, und daß die verbliebenen Bauern, die neben dem eigenen Zins auch noch die Zinsen der geflohenen Bauern entrichten sollten, sich „zur Flucht wandten und die Hufen verließen". Dagegen vermutete Lamprecht, „daß seit dem 12. Jahrhundert mindestens 4/5 der Grundrente den landbauenden Klassen, nur 1/5 den grundherrlichen Zinsherrn zugute kam". Doch Lamprecht schrieb an anderer Stelle auch, daß die Zeitpacht, die sich seit dem 13. Jahrhundert durchsetzte, die Grundherren „in den Vollgenuß der Rente ihres Grundeigentums brachte".

Man sieht, daß die Urteile über die bäuerliche Belastung im Hochmittelalter weit auseinandergehen. Vielleicht gelingt es, sie noch anzureichern, doch scheint es mir ohnedies auch nützlich, auf die städtisch-ländliche Umwelt der Bauern hinzuweisen, von der aus grundherrlicher Willkür im Hochmittelalter

---

[2]   Fast sämtliche Nachrichten dieses Beitrages wurden meinen Büchern entliehen, die hier nicht zitiert werden sollen. Nur einige Gedanken sind neu.

[3]   Erst sehr viel später entwickelten sich aus groben Schätzungen genaue Kalkulationen, vgl. ein Beispiel aus dem 17. Jahrhundert, S. 15.

[4]   G. FRANZ (Hg.), Quellen zur Geschichte des deutschen Bauernstandes im Mittelalter (Ausgewählte Quellen zur deutschen Geschichte des Mittelalters. Freiherr-vom-Stein-Gedächtnisausgabe 31), 1967, S. 227.

Grenzen gezogen wurden. Das gilt zum ersten für die Chancen der Auswanderung, insbesondere in den Osten, und zum anderen, noch viel wichtiger, für die Möglichkeit der Abwanderung in die nahen Städte. Die aufblühenden Städte brauchten Menschen. Sie konnten sich, wie auch später noch, aus eigener Kraft nicht halten, geschweige über ihren Bestand hinauswachsen. Die Gewerbe, der Handel, nicht zuletzt der Höker- und Hausiererhandel, auch Dienstleistungen noch anderer Art boten Arbeitsmöglichkeiten, wie sich u. a. bei den Löhnen zeigt. Soweit sich bisher erkennen läßt, stiegen die Löhne im Hochmittelalter sowohl nominal in Silberwerten wie auch real in ihrer Kaufkraft gegenüber den Gegenständen des täglichen Bedarfs. Das nicht zuletzt, so darf angenommen werden, zog auch Bauern und Bauernkinder in die aufblühenden Städte.

Doch die Erwerbs- und Aufstiegsmöglichkeiten in den Städten, die noch wenig durch Zünfte und starre Aufstiegsleitern (vom Lehrling über den Gesellen zum Meister) beengt waren, wirkten zurück auch auf die in den Dörfern und Weilern verbliebenen Bauern. Sie beeinflußten diejenige Quote der Bauerneinkommen, die als ihr Arbeitsentgelt bezeichnet werden kann. Das ist zwar nur eine fiktive Größe, doch darum nicht weniger real im alltäglichen Geschehen. Beim städtischen Handwerk ist sie im Lohn, im Preishandwerk in den Preisen enthalten. Bei den Bauern verbirgt sie sich im Einkommen, bei dem nach Abzug der Grundrente und allenfalls einer Quote für den Kapitaleinsatz ein Rest verbleibt, der der Bauernarbeit zugerechnet werden kann. Über diesen Rest hinweg waren die Bauern in die Arbeitsumwelt eingebunden. Und sie profitierten, auch wenn ihnen von der Grundrente nicht viel verblieb, von den günstigen Arbeitsbedingungen der Zeit.

Im Spätmittelalter, dessen Beginn mit fließenden Grenzen hier in das 14. Jahrhundert verlegt wird, brach in der Produktions- wie Einkommensebene vieles ab, anderes setzte sich fort. Dem Zeitalter des Landesausbaus folgte das Jahrhundert der Wüstungen, der Besiedlung schloß sich die Entsiedlung, dem Anstieg der Preise der Agrarprodukte und der Grundrenten ihr Rückgang an. Nur die Löhne stiegen weiter.

Über die Lasten der Bauern liegen jetzt schon besser belegte Rechnungen vor. Lamprecht ermittelte aus dem Moselgebiet anhand von Nachrichten aus rund 2000 hörigen Hufen eine Zinslast je Hufe, ohne Zehnt und Bede, von etwa $1/6$ der Getreideernte. E. Tross kam für 50 Güter des Zehntamtes Obernberg am Inn auf eine Belastung der Bauernhöfe von 10–34 v. H. der Erträge. Auf der Insel Poel in Mecklenburg führte die hörige Hufe an Grundherren, Kirche und Landesherren in Natural- und Geldformen rund 30 v. H. der Felderträge ab.

In die Zeit des Bauernkrieges führen zwei neuere Arbeiten. D. W. Sabean stellte für die Höfe des Klosters Weingarten nach einem Urbar des Jahres 1531 fest, daß die Durchschnittsbelastung aller Höfe rund 30 v. H. der Getreideerträge ausmachte, aber die Spanne der Belastung von nur 15 v. H. bei den Höfen über 55 ha bis zu 49 v. H. bei den Höfen unter 5 ha reichte. B. Asmuss wies der Arbeit Sabeans einige Fehler nach, doch kam auch er für die Höfe der

Herrschaft Kronburg, südlich von Memmingen, zu einem der Sache nach ähnlichen Ergebnis: „Mindestens die Hälfte der untersuchten Bauernwirtschaften lag regelmäßig unter dem Existenzminimum und war auf einen ständigen Zuerwerb angewiesen."

Die beiden zuletztgenannten Arbeiten[5] reichen über die Wüstungsperiode hinaus. Es soll nicht bestritten werden, daß auch in dieser Zeit hohe Belastungen vorkamen, doch was die Rechnungen und Schätzungen, die sich auf Besitzstandsregister von Grund- und Zehntherren stützen, vermissen lassen, ist die Reaktion der Bauern. Es gab in der langen Zeit der spätmittelalterlichen Depressionsperiode für die Bauern einige Möglichkeiten, ihre Lage zu verbessern. Ich sehe diese Möglichkeiten, hier nur etwas anders formuliert als in früheren Aussagen[6], auf drei Ebenen:

Zum ersten im Bereich der Marktbedingungen. Sie waren nicht durchweg so übel wie bei dem Getreide. Die Preise für Vieh und Vieherzeugnisse hielten sich besser. Überdies ließ sich das Vieh auf eigenen Beinen auch über weitere Entfernungen bewegen. Auch andere Produkte eines gehobenen Bedarfs, wie Wein, Obst und feinere Gemüse, fanden in der hohen Kaufkraft der Städte eine Stütze. Ähnliches gilt für einige Rohstoffe der Gewerbe wie Flachs, Hanf, Hopfen und Färbereimittel. Bei entsprechenden natürlichen Bedingungen und dem erforderlichen Freiraum in der Feldverfassung der Gemarkungen konnten auch Bauern aus solchen differenzierten Marktbedingungen Gewinne erzielen.

Zum anderen öffneten sich Möglichkeiten für die Bauern im Rahmen der Produktionsfaktoren Boden, Arbeit und Kapital. Ihr Verhältnis untereinander hatte sich verschoben. Nach dem Durchzug der großen Seuchen gab es Boden reichlich, Arbeit war knapp. Rechnet man zum Kapital der Bauern auch den Viehbesatz (was abgewehrt werden könnte), so mag auch dieses lebende Kapital der Bauern sich vermehrt haben, soweit nicht in den vielen Fehden der Zeit Ritter und Städter das Vieh raubten.

Doch das wahrhaft prägende Merkmal der spätmittelalterlichen Landwirtschaft waren die vielen Wüstungen. Die verlassenen Äcker bedeckten sich mit Gras, Strauch, Busch und Wald, die den Tieren reichlich Nahrung boten. Der Arbeitsbedarf der Viehhaltung war weitaus geringer als der des Ackerbaues. Für die Weidezeit genügte ein Hirte und allenfalls noch ein Hütejunge; für die Schlachtungen im Herbst und die Überwinterung der Tiere reichten die Kräfte der Bauernfamilie aus. Für die Nutzung der wüsten Äcker verlangten hier und da die Grundherren eine geringe Gebühr; vielfach wurden die Wüstungen

---

[5]   D. W. Sabean, Landbesitz und Gesellschaft am Vorabend des Bauernkriegs (Quellen und Forschungen zur Agrargeschichte 26), 1972, S. 62ff. – B. Asmuss, Das Einkommen der Bauern in der Herrschaft Kronburg im frühen 16. Jahrhundert, in: Zeitschrift für bayerische Landesgeschichte 43 (1980), S. 74.

[6]   Auch diese Zusammenstellung wurde schon einmal gebracht: W. Abel, Strukturen und Krisen der spätmittelalterlichen Wirtschaft (Quellen und Forschungen zur Agrargeschichte 32), 1980, S. 21.

auch von den Bauern schlicht okkupiert. Als man später die Areale von Bauernhöfen genauer maß, zeigte sich, daß der Landbesitz nicht weniger Bauern in der Wüstungsperiode erheblich zugenommen hatte[7]. Zum dritten verschoben sich im Herren-Bauern-Verhältnis die Positionen von Macht und Ohnmacht. Zwar versuchten die Herren aus begreiflichen Gründen ihre Einkünfte zu wahren, doch war dies schwierig. Von den vielen Wüstungen ließ sich wenig gewinnen, und bei den noch besetzten Höfen drohte das „Entlaufen". Zwar versuchten die Herren schon, durch einige Instrumente aus dem Bündel ihrer Herrengewalt den Abzug der Bauern zu verhindern, so im Westen durch halb erzwungene Treueschwüre der Bauern, im Osten durch einen Freigabebrief, der aber noch eingeklagt werden konnte, wenn die Bauern ihre Pflichten erfüllt hatten. Viel häufiger, so scheint es, sahen sich die Herren zu Zugeständnissen genötigt, so zu Zinsstundungen, Zinserleichterungen, Besitzrechtsverbesserungen, wenngleich dies nicht selten erst dann geschah, nachdem schon Bauern unter dem Druck der von ihnen verlangten Leistungen abgewandert waren.

In der Literatur unserer Nachbarländer wird die Meinung vertreten, daß sich Gewinn und Verlust in der Agrarkrise des Spätmittelalters sehr verschieden verteilten. Die Herren seien die Verlierer, die Bauern die Gewinner gewesen. Das mag für die Verteilung des Agrarproduktes nicht unrichtig sein, doch sind auch die im Anfang dieses Abschnitts gebrachten numerischen Beispiele zu beachten. Die Lasten der Bauern waren auch noch im Spätmittelalter hoch, nur schoben sich hier und da Erleichterungen ein, die sich leider nicht quantifizieren lassen, doch offen zutage liegen. Und wenn man fragt, wodurch sie ermöglicht wurden, so kommt man doch letztlich wieder auf die Städte. Sie boten den Bauern vieles, was sie lockte und noch über die Abwandernden hinaus in das Land wirkte: Freiheit, besseren Schutz für Leib und Leben, Geselligkeit, die in den halbleeren Dörfern verlorengegangen war, und nicht zuletzt hohe Entgelte für Tätigkeiten, die sie in den Städten ausüben konnten. Es waren dies Löhne, die in ihrer Kaufkraft gegenüber dem Warenkorb eines schlichten Haushalts erst wieder im 19. oder gar 20. Jahrhundert erreicht wurden.

Im 16. Jahrhundert verschoben sich in der klassischen Triade der Produktionsfaktoren und der abgeleiteten drei Einkommensarten die Werte und Gewichte abermals. Grundrenten und Profite stiegen, die Löhne sanken. Mit den Löhnen sank auch das Bauernentgelt, wie sich noch zeigen wird. An den Profiten, die mit Vorrang im wachsenden Handel anfielen, nahmen auch einige Bauern an den Küsen der Nordsee und in Südwestdeutschland teil, doch interessiert das hier weniger. Die wichtigeren Fragen ranken sich wieder um das Verhältnis von Grundrente und Lohn.

---

[7] Diese Nachricht, die sonst wohl nicht leicht gefunden werden könnte, sei belegt: W. ABEL, Die Wüstungen des ausgehenden Mittelalters (Quellen und Forschungen zur Agrargeschichte 1), 1976³, S. 63.

Die Grundrenten stiegen. Sie kamen mit Vorrang dem Adel zugute, in einigen Landschaften auch den Bauern. In Eiderstedt in Holstein entstanden damals die mächtigen Haubarge, bäuerliche Herrensitze. Prächtige Staatszimmer in Bauernhäusern, Schnitzarbeiten in den Kirchen, Kleidung und Speisen zeugen von dem Wohlstand, der sich dort und abgestuft auch in einigen anderen Landschaften ausbreitete. Wo gute Besitzrechte sich mit nicht zu kleinen Betriebsgrößen verbanden, wie etwa auch in der deutschsprachigen Ostschweiz, in Oberbayern und in Schwaben, erlaubte die Agrarkonjunktur des 16. Jahrhunderts einen nicht unerheblichen Aufwand. Das gilt selbst noch für einige Bauern im deutschen Osten. Dem Bericht Kantzows, der in den 30er Jahren des 16. Jahrhunderts Sekretär der Herzöge von Pommern war, ist zu entnehmen, daß Bauern „englisch und ander gut Gewand (trugen), so schön als ehemals der Adel oder Bürger getan haben".

Doch im Osten der deutschen Territorien waren dies seltene Ausnahmen. Hier setzte sich im 16. Jahrhundert die Gutsherrschaft und mit ihr die „zweite Leibeigenschaft" durch. Dafür gab es Gründe im politischen, sozialen und wirtschaftlichen Raum, die oft schon genannt wurden.

Hier sei nur darauf hingewiesen, daß die wachsende Last im Osten eine Parallele auch im freieren Westen hatte, wo Grundherren in verschiedenen Formen sich der steigenden Grundrente zu bemächtigen versuchten.

Die Löhne sanken. Die Löhne der Bauhandwerker, die am besten die allgemeine Richtung der Lohnbewegung spiegeln, verringerten sich in ihrer Kaufkraft gegenüber den wichtigsten Lebensmitteln im Verlaufe des 16. Jahrhunderts um ein Drittel und mehr. Zünfte sperrten den Zugang zu vielen Gewerben, die Aufstiegschancen für junge Leute zum Gesellen und Meister verschlechterten sich. Die Arbeitslosigkeit wuchs, Bettlerscharen wurden zu einer Landplage. Wohin sollten sich Bauern wenden, die sich dem Druck ihrer Herrschaft entziehen wollten? Die guten Zeiten, in denen die Städte noch Arbeits- und Verdienstmöglichkeiten boten, waren vorbei.

Es ist merkwürdig, daß im deutschen Osten die Gutsherren, die sich um den Ausbau ihrer Betriebe bemühten, sich nicht mit der freien Werbung von Arbeitskräften begnügten, die sie in den kinderreichen Dörfern zu niedrigsten Löhnen anwerben konnten. Doch die gewöhnliche Gewalt eines Arbeitgebers reichte ihnen nicht aus, sie wünschten mehr. Sie wünschten herrscherliche Gewalt. Und wo solches Streben nach Macht über die Menschen sich mit dem Streben nach Gewinn („kapitalistischer Geist") verbindet, sind menschlichem Verhalten bis zur rohesten Willkür kaum Grenzen gezogen.

Mit dem 30jährigen Krieg brach der langfristige Aufschwung der Agrarpreise ab. Das geschah nicht sogleich und auch nicht zugleich in allen deutschen Territorien, doch etwa seit der Mitte des 17. Jahrhunderts sanken die Preise der Agrarprodukte, voran wieder die Getreidepreise, in Deutschland und ganz Mitteleuropa. Die Löhne hielten sich besser oder stiegen gar, wo die Menschenverluste besonders groß gewesen waren. Großbauern, die Gesinde beschäftigten, hatten Mühe, Knecht und Magd zu leidlichen Löhnen zu bekommen. In den klein- und mittelbäuerlichen Familienbetrieben wirkte sich der Preissturz weniger, der Lohnanstieg eher positiv aus. Die Entgelte für Heimarbeit und Beschäftigung außerhalb der Höfe tendierten nach dem allgemeinen Lohnniveau. Auch mochten Bauern vom Krieg verwüstete und verlassene Äcker vielleicht zu billigen Gebühren nutzen, doch entzieht sich dies noch dem sicheren Urteil. Man wünschte sich weiteres Material, um in die Hütten und Häuser der kleinen Leute auf dem Lande hineinzuschauen.

Besser begründet läßt sich sagen, daß sich im Herren-Bauern-Verhältnis nach vorübergehender Verwirrung wenig änderte. Die verarmten Herren waren noch weniger als ehedem geneigt, ihre Forderungen an die Bauern zu ermäßigen. Den Bauern mochte die Einkehr friedlicherer Zeiten genügen. Es regte sich auch kaum, soweit das zu erkennen ist, Widerstand gegen die nunmehr verstärkt einsetzende rechtliche und administrative Formalisierung ihrer Abgaben und Dienste. Was früher nur in Ansätzen und vagen Schätzungen geschah, wurde nunmehr genauer berechnet, in Geldwerten summiert und über den Zinsfuß kapitalisiert in die Vermögenswerte der Gutsherren eingebracht. Das stellte bereits Carl Brinkmann fest, der sich auf eine Veranschlagung (Taxierung) des Zietengutes Wustrau in der Mark Brandenburg vom Jahre 1696 bezog[8]. Es entfielen auf die gesamten landwirtschaftlichen Bestandteile des Gutes (60 ha Ackerland, 30 Stück Rindvieh, 300 Schafe, Fischerei, Jagd und Weinberg) 2434 Taler, auf Dienste und Gefälle von eigenen und fremden Untertanen, kapitalisiert zu 4 und 6 v. H., 3001 Taler. Das ganze Gut wurde in diesem Jahr, das noch in die Depressionsperiode nach dem großen Krieg fiel, zu nur 5435 Talern veranschlagt. Davon entfiel mehr als die Hälfte auf Dienste und Abgaben.

Für die Anrechnung der Dienste gab es in der agrarhistorischen Literatur Meinungsunterschiede. Da die Dienste die Einkünfte der Bauern nur indirekt belasteten, wurde daran gedacht, sie in die bäuerliche Ertragsrechnung nicht einzubeziehen. Das hätte freilich das merkwürdige Ergebnis gebracht, daß die Abgaben zahlender Bauern stärker als die anderen, die nur Dienste leisteten, belastet waren. Auch stimmt dies nicht mit den zeitgenössischen Vorstellungen überein. Es zeigte sich an dem soeben gebrachten Beispiel des Gutes Wustrau, daß die Dienste ebenso wie die Abgaben in der Gutsherrenrechnung als Einnahmen erschienen. Sie müssen also in die Bauernrechnung, die freilich nicht die Bauern selbst aufmachten, doch die Historiker bedenken sollten, als Ausgaben eingesetzt werden.

Soweit die Dienste festlagen, war dies für die Gutsherren nicht weiter schwierig, da es an Richtsätzen für die Hand- und Spanndienste nicht fehlte. Wurden die Dienste „ungemessen" verlangt, so gab es eine Regel, die für die Gutsbauern des deutschen Ostens aufschlußreicher als jede Rechnung ist. Es hieß da,

---

[8]   C. BRINKMANN, Wustrau. Wirtschafts- und Verfassungsgeschichte eines brandenburgischen Rittergutes (Staats- und sozialwissenschaftliche Forschungen 155), 1911.

daß „alles das, was über deren Erhaltung übrig bleibt, als ein der Herrschaft schuldiges Dienstgeld" anzusehen sei (Benekendorf, 1790).

Doch sei auch noch eine solche Rechnung angeschlossen, weil sie zeigt, was den Bauern bis zu „deren Erhaltung" noch verblieb. Sie ist wieder auf das Zietengut bezogen, dessen Durchleuchtung C. Brinkmann zu danken ist. Zum Gut gehörten sieben Bauern. Bei einer Getreideernte zum dreifachen Korn verblieb den Bauern nach Abzug für Aussaat und Getreideabgaben für den Eigenverzehr, die Viehhaltung und für den Schwund ein Drittel des Rohertrages, beim vierten Korn die Hälfte. Hinzu kamen Abgaben aus der Viehhaltung, Steuern und Dienste, die zwei- oder dreimal die Woche in Anspruch genommen wurden.

Im 18. Jahrhundert erhöhten sich die Getreidepreise zunächst leicht, in der zweiten Hälfte des Jahrhunderts verstärkt und an seinem Ende geradezu stürmisch. Doch auch diese steigenden Preise des Getreides und anderer Agrarprodukte halfen den Bauern mit schlechtem Besitzrecht nur wenig, vielleicht veranlaßten sie ihre Herren sogar, die Bauern noch zu stärkeren Dienstleistungen heranzuziehen. Aus Schlesien hört man (1804), daß „der enorm erhöhte Preis der Lebensmittel allein dem adligen Stand zugute gekommen" sei. Den Bauern hätte er nur erhöhte Dienstleistungen gebracht[9].

Gewiß gab es neben solchen Bauern mit schlechtestem Besitzrecht auch im östlichen Deutschland noch andere, in Ostpreußen die Köllmer, Schatuller, die königlichen Hochzinser und Scharwerker, in Schlesien das „niederschlesische Eigentum" mit bäuerlichem Erbrecht. In Nordwestdeutschland streute um die Wende zum 19. Jahrhundert die Belastung der Roherträge von Bauernhöfen zwischen 8 v. H. in Friesland und 40 v. H. in Südhannover. Mittelzahlen zu bringen läßt sich bei solchen Unterschieden kaum verantworten, doch meinte Henning wohl zu recht, daß im größten Teil der deutschen Territorien der Masse der Bauern kaum das Nötigste verblieb. Er schätzte, daß 70–80 v. H. aller Höfe in den von ihm untersuchten Räumen nur den Lebensunterhalt oder nicht einmal diesen gewährten.

Es liegt mir daran, auch auf die Städte hinzuweisen. Am Ende des 18. Jahrhunderts litt auch die große Mehrheit der Städter bittere Not. Ein Bauhandwerker, der gegenüber Gelegenheitsarbeitern oder gar Bettlern eine gehobene Gruppe der städtischen Unterschichten darstellte, verdiente, so er Arbeit fand, selten mehr als den Gegenwert von 7 kg Roggen je Tag. Davon konnte er Frau und Kinder kaum ernähren, geschweige für Miete und Kleidung noch einiges abzweigen.

Bauern, die nicht an der steigenden Grundrente teilhatten, und Handwerker fanden sich vereint auf der Arbeitsebene und dem dort herrschenden Lohndruck. Die Grundrente wurde durch die Feudalrente abgesogen, der Lohn-

---

[9]   Weitere Nachrichten aus anderen Provinzen in meiner Geschichte der deutschen Landwirtschaft, 1978³, S. 342 und zusammenfassend F.-W. HENNING, Dienste und Abgaben (wie Fußnote 1).

druck resultierte aus dem Mißverhältnis der Bevölkerung zu den von ihr genutzten wirtschaftlichen Ressourcen. Bauern und Arbeiter waren im Feudalsystem einander eng benachbart. Ging es den Arbeitern gut, so besserte sich auch die Lage vieler Bauern und umgekehrt. Beide waren vom Wechsel der allgemeinen Wirtschaftslage abhängig, den „säkularen Wellen" der wirtschaftlichen Entwicklung im vorindustriellen Zeitalter.

HORST BUSZELLO

„Wohlfeile" und „Teuerung" am Oberrhein 1340–1525 im Spiegel zeitgenössischer erzählender Quellen

Im Vorwort zu seinem 1933 erschienenen, nunmehr in 11. Auflage vorliegenden Bauernkriegs-Buch schrieb G. Franz die oft zitierten Sätze: „Über die wirtschaftliche Lage der Bauern in früheren Jahrhunderten werden sich nie klare und unwiderlegliche Feststellungen treffen lassen. Zu viele Tatsachen können wir heute kaum oder gar nicht mehr nachprüfen..."[1]. Folgerichtig enthielt sich Franz jeder eindeutigen Stellungnahme zur wirtschaftlichen Lage der Bauern um und nach 1500. So sprach er einerseits von den „reichen Bauern" als den Trägern der Erhebung von 1524/25, verwies jedoch andererseits auch auf den zunehmenden Bevölkerungsdruck, auf die negativen Folgen der Realteilung, auf Gefahren zunehmender Marktwirtschaft, auf Ernährungsschwierigkeiten, Preisschwankungen usw.[2]. Überdies war die Frage nach der wirtschaftlichen Lage der Bauern für Franz nur von untergeordneter Bedeutung, da er den Ausbruch des Bauernkriegs letztlich aus einem politisch-rechtlichen Konflikt erklärte – aus dem Gegeneinander des (älteren) gemeindlich-genossenschaftlichen und des (jüngeren) territorialstaatlich-herrschaftlichen Prinzips. „Der Bauernkrieg" – so Franz – „ist eine Auseinandersetzung zwischen dem genossenschaftlichen Volksrecht und dem obrigkeitlichen Herrschaftsrecht"[3].
Dreißig Jahre später (1964) beantwortete A. Waas die Frage nach den materiellen Lebensbedingungen der Bauern sehr viel entschiedener. Ohne

---

[1] G. FRANZ, Der deutsche Bauernkrieg, 1933, 1977[11], S. IXf.
[2] Ebda, S. 287, 292.
[3] Ebda, S. 291. Diese Interpretation des Bauernkriegs auch in: DERS., Geschichte des deutschen Bauernstandes vom frühen Mittelalter bis zum 19. Jahrhundert (Deutsche Agrargeschichte 4), 1976[2], S. 132–153. – Zur Frage der Träger des Aufstandes s. DERS., Die Führer im Bauernkrieg, in: Bauernschaft und Bauernstand 1500–1970, hg. v. G. Franz (Deutsche Führungsschichten in der Neuzeit 8), 1975, S. 1–15; wieder in: DERS., Persönlichkeit und Geschichte. Vorträge und Aufsätze, 1977, S. 104–116. – Wie sehr das von G. Franz gezeichnete Bild des Bauernkriegs die nachfolgende Forschung beeinflußt hat, zeigt z. B.: W. P. FUCHS, Das Zeitalter der Reformation, in: Bruno Gebhardt, Handbuch der deutschen Geschichte, hg. v. H. Grundmann, 2, 1970[9], S. 1–117, bes. S. 64–72.

Einschränkung sprach er vom Bauern als einem „wohlhabenden, selbstbewußten und trotzigen Mann". „Überhaupt kann, im ganzen gesehen, die Lage der deutschen Bauern gegen Ende des Mittelalters eigentlich nicht als schlecht bezeichnet werden." Wie bei Franz war der Bauernkrieg auch für Waas „eine Verteidigung der Bauern gegen politische Bestrebungen der Fürsten und Herren". Und nur insofern, als „diese über die Wege der Wirtschaft sich durchzusetzen such[t]en, muß[te] der Kampf auch auf diesem Gebiet ausgetragen werden"[4].

Die These vom – zumindest relativen – wirtschaftlichen Wohlstand der Bauern um 1500 schien bei oberflächlicher Lektüre auch in den inzwischen erschienenen Arbeiten von W. Abel eine Stütze zu finden[5]. Für Abel stand das Jahrhundert von ca. 1370 bis ca. 1470 im Zeichen einer tiefgehenden Agrarkrise oder -depression. Verursacht durch den rapiden Bevölkerungsrückgang im Gefolge der Pest (1348 ff.) fielen die Preise für Grundnahrungsmittel, während Löhne und Preise für Gewerbeprodukte stiegen. Auf diese Phase folgte ab ca. 1470 jedoch ein neuer „Aufschwung der Landwirtschaft", der im 16. Jahrhundert in eine „Preisrevolution" ausmündete. Die Preise für landwirtschaftliche Produkte stiegen (der Getreidepreis in Deutschland bis zum

---

[4]   A. WAAS, Die Bauern im Kampf um Gerechtigkeit. 1300–1525, 1964, 1976[2], S. 23f., 35. – Die Annahme einer guten wirtschaftlichen Lage der Bauern um 1500 hat eine lange Tradition. Beispielhaft verweisen wir auf: J. G. A. WIRTH, Die Geschichte der Deutschen, Bd. 3: Die Geschichte der Reformation in Deutschland, 1843, S. 70ff., bes. S. 73f.: „Unter solchen Umständen mußten mit zunehmendem Nationalwohlstand auch die Bauern reicher werden, und zu Ausgang des 15. Jahrhunderts war dies ganz entschieden der Fall." – Weiterhin: F. KIENER (Zeitschrift für die Geschichte des Oberrheins NF 19, 1904), H. NABHOLZ (Aus Sozial- und Wirtschaftsgeschichte. Gedächtnisschrift für Georg von Below, 1928) und wiederholt W. STOLZE (u. a. in: Zur Vorgeschichte des Bauernkrieges = Staats- und Sozialwissenschaftliche Forschungen, hg. v. G. Schmoller, 18, 4, 1900).

[5]   Vor allem ist zu nennen: W. ABEL, Agrarkrisen und Agrarkonjunktur vom 13. bis zum 19. Jahrhundert, 1935, 2. u. 3. Auflage unter dem Titel: Agrarkrisen und Agrarkonjunktur. Eine Geschichte der Land- und Ernährungswirtschaft Mitteleuropas seit dem hohen Mittelalter, 1966 bzw. 1978. Knappere Zusammenfassungen seither in: DERS., Geschichte der deutschen Landwirtschaft ... (Deutsche Agrargeschichte 2), 1978[3], S. 112–207; DERS., Landwirtschaft 1350–1500 bzw. 1500–1648, in: Handbuch der deutschen Wirtschafts- und Sozialgeschichte, hg. v. H. Aubin u. W. Zorn, 1, 1971, S. 300–333 bzw. 386–413. – Auf die jüngste Diskussion um die Thesen von W. ABEL gehen wir nicht ein. Wir verweisen dazu auf die Literaturübersicht in: E. MEUTHEN, Das 15. Jahrhundert (Oldenbourg Grundriß der Geschichte 9), 1980, S. 3–26, 178–187; P. KRIEDTE, Spätmittelalterliche Agrarkrise oder Krise des Feudalismus?, in: Geschichte und Gesellschaft 7 (1981), S. 42–68.

Ende des 16. Jahrhunderts um 255 %[6]), wogegen die Reallöhne und die Preise für gewerbliche Erzeugnisse deutlich zurückblieben.

Von dieser Entwicklung auf eine gute wirtschaftliche Lage *der* Bauern um 1500 zu schließen, wäre jedoch voreilig:

- Steigende Preise für Agrarerzeugnisse und retardierende Löhne kamen in erster Linie nur solchen Bauern zugute, die – bei Einsatz von Lohnarbeitern – für den Markt produzierten. Wer dagegen gelegentlich oder gar regelmäßig Nahrungsmittel (dazu-)kaufen mußte, litt unter der Entwicklung.

- Hinter der Preis-/Lohnbewegung stand ohne Zweifel ein rascher Bevölkerungsanstieg. Dieser führte nicht nur zu sozialen Spannungen im Dorf, sondern auch zu einer fortschreitenden Güterzersplitterung sowie zum Anstieg der Zahl ländlicher Lohnarbeiter (Tagelöhner).

- Die materielle Lage der bäuerlichen Bevölkerung ist nicht nur von der Preis-Lohn-Relation abhängig, sondern auch von der Höhe der „feudalen Abschöpfung" in Form von Abgaben, Diensten, Gebühren usw. Es ist unbestritten, daß diese seit dem 15. Jahrhundert zunahm.

Mit diesen Argumenten stellt die neuere Bauernkriegsforschung eine gute materielle Lage der Bauern um 1500 in Abrede – von einem breiten bäuerlichen Wohlstand ganz zu schweigen[7].

---

[6]   W. ABEL, Agrarkrisen und Agrarkonjunktur (wie Fußnote 5), 3. A., S. 122.

[7]   S. vor allem: D. W. SABEAN, Landbesitz und Gesellschaft am Vorabend des Bauernkriegs (Quellen und Forschungen zur Agrargeschichte 26), 1972; P. BLICKLE, Die Revolution von 1525, 1975, 1981[2]; DERS., Thesen zum Thema – Der „Bauernkrieg" als Revolution des „gemeinen Mannes", in: Revolte und Revolution in Europa, hg. v. P. Blickle (Historische Zeitschrift, Beiheft 4 NF), 1975. S. 127–131; R. ENDRES, Zur sozialökonomischen Lage und sozialpsychologischen Einstellung des „Gemeinen Mannes". Der Kloster- und Burgensturm in Franken 1525, in: Der Deutsche Bauernkrieg 1524–1526, hg. v. H.-U. Wehler (Geschichte und Gesellschaft, Sonderheft 1), 1975, S. 61–78. Zusammenfassend: J. C. STALNAKER, Auf dem Wege zu einer sozialgeschichtlichen Interpretation des Deutschen Bauernkrieges 1525–1526, in: ebda, S. 38–60. – Auch die These einer schlechten – zumindest verschlechterten – wirtschaftlichen Lage der Bauern um 1500 hat ihre Tradition: W. ZIMMERMANN, Allgemeine Geschichte des großen Bauernkrieges, Bd. 1, 1841, S. 106f.: „Wo der Nährstand hungert, sittlich und materiell elend ist, da ist die Verfassung im Argen, trotz alles Rühmens von trefflichen Friedens- und Kriegskünsten und Einrichtungen." Weiterhin: W. VOGT, Die Vorgeschichte des Bauernkrieges (Schriften des Vereins für Reformationsgeschichte 20, Jg. 5), 1887; M. A. HÖSSLER, Zur Entstehungsgeschichte des Bauernkriegs in Südwestdeutschland ..., Phil. Diss. Freiburg 1895; E. KELTER, Die wirtschaftlichen Ursachen des Bauernkrieges, in: Schmollers Jahrbuch 65 (1941), S. 641–682. Dazu jetzt auch: W. ABEL, Massenarmut und Hungerkrisen im vorindustriellen Europa, 1974, bes. S. 43–47.

Einen Beitrag zur Frage nach der wirtschaftlichen Lage der Bauern in den Jahrzehnten vor 1525 möcht auch dieser Aufsatz geben. Für einen begrenzten Raum, den südlichen Oberrhein, haben wir aus zeitgenössischen erzählenden Quellen alle Angaben zusammengestellt, die uns einen Hinweis auf die materiellen Lebensbedingungen des „gemeinen Mannes" zwischen 1340 und 1525 geben.

Ausgewertet wurden die folgenden Quellen (von Nord nach Süd):

1 Jahrgeschichten des Landes. Von 495 bis 1573 bzw. 1012 bis 1697, in: F.-J. Mone (Hg.), Quellensammlung der badischen Landesgeschichte, 4 Bde., 1848ff., hier 1 u. 3, S. 214–231, 581–594.

2 Speierische Chronik. 1406–1476, in: Mone (Hg.), Quellensammlung . . ., 1, S. 367–520.

3 Jahrgeschichten von Oberachern. Von 1471–1601, in: Mone (Hg.), Quellensammlung . . ., 3, S. 656–658.

4 Fritsche (Friedrich) Closener's Chronik. 1362, in: Die Chroniken der oberrheinischen Städte. Straßburg, 1 (Die Chroniken der deutschen Städte 8), 1870, Ndr. 1961, S. 15–151.

5 Chronik des Jacob Twinger von Königshofen. 1400 (1415), in: Die Chroniken der oberrheinischen Städte. Straßburg, 1 u. 2 (Die Chroniken der deutschen Städte 8 u. 9), 1870, 1871, Ndr. 1961, S. 230–498, 499–917.

6 Fortsetzungen des Königshofen. Straßburger Zusätze, in: Mone (Hg.), Quellensammlung . . ., 1, S. 252–280.

7 Straßburger Jahrgeschichten (1424 bis 1593), in: Mone (Hg.), Quellensammlung . . ., 2, S. 138–145.

8 Sebastian Franck, Chronica, Zeytbuoch und geschychtbibel von anbegyn biß inn diß gegenwertig M.D.XXXI. jar . . ., Straßburg 1531.

9 Die älteste deutsche Chronik von Colmar, hg. v. A. Bernoulli, 1883.

10 Jahrgeschichten des Pfarrers Anton von Ihringen (1459 bis 1470), in: Mone (Hg.), Quellensammlung . . ., 1, S. 241–244.

11 Jahrgeschichten von Güntherstal (1455 bis 1519), in: Mone (Hg.), Quellensammlung . . ., 2, S. 136–138.

12 Heinrich Hugs Villinger Chronik, hg. v. Ch. Roder (Bibliothek des literarischen Vereins in Stuttgart 164), 1883.
Eine jüngere Abschrift der Chronik mit einzelnen Zusätzen auch in: Mone (Hg.), Quellensammlung . . ., 2, S. 80–118.

13 Stiftungsbuch von St. Blasien, von Abt Caspar I. (1323 bis 1571), in: Mone (Hg.), Quellensammlung . . ., 2, S. 56–80.

14 Chronik des Andreas Lettsch (1519 bis 1531), in: Mone (Hg.), Quellensammlung . . ., 2, S. 42–56.

15 Die Chronik des Fridolin Ryff. 1514–1541 . . ., in: Basler Chroniken, hg. v. W. Vischer, A. Stern, H. Boos, A. Bernoulli, 1872ff., 1, S. 1–229.

16 Johannis Knebel capellani ecclesiae Basiliensis diarium. Hans Knebels, des Kaplans am Münster zu Basel, Tagebuch. Sept. 1473–Juni 1476, Juni 1476–Juli 1479, in: Basler Chroniken, 2 u. 3.

17 Chronikalien der Ratsbücher. 1356–1548, in: Basler Chroniken, 4, S. 3–162.

18 Die Chronik Erhards von Appenwiler. 1439–1471, mit ihren Fortsetzungen bis 1474, in: Basler Chroniken, 4, S. 223–408.

19   Anonyme Zusätze und Fortsetzungen zu Königshofen. 1120–1454, nach der
     Abschrift Erhards von Appenwiler, in: Basler Chroniken, 4, S. 411–459.
20   Die Größeren Basler Annalen. 238–1416, in: Basler Chroniken, 5, S. 3–47.
21   Die Kleineren Basler Annalen. 1308–1415, in: Basler Chroniken, 5, S. 51–71.
22   Die Röteler Chronik. 1376–1428, in: Basler Chroniken, 5, S. 105–200.
     Ein älterer, jedoch ungenügender Druck auch in: Mone (Hg.), Quellensamm-
     lung . . ., 1, S. 280–300.
23   Die Chronik Henmann Offenburgs. 1413–1445, in: Basler Chroniken, 5,
     S. 203–325.
24   Die Chroniken Heinrichs von Beinheim. 1365–1452, samt Fortsetzung
     1465–1473, in: Basler Chroniken, 5, S. 329–469.
25   Die anonyme Chronik von 1445, in: Basler Chroniken, 5, S. 473–498.
26   Die anonyme Chronik der Burgunderkriege, 1473–1479, mit Beilagen, in: Basler
     Chroniken, 5, S. 501–539.
27   Des Kaplans Niklaus Gerung genannt Blauenstein Fortsetzung der Flores Tem-
     porum. 1417–1475, in: Basler Chroniken, 7, S. 21–92.
     Kurzer Auszug: Aus den Schriften des Nikolaus Gerung (1414–1475), auch in:
     Mone (Hg.), Quellensammlung . . ., 2, S. 146–153.
28   Jahrgeschichten von Säckingen. Von 1378 bis 1494, in: Mone (Hg.), Quellen-
     sammlung . . ., 3, S. 655–656.
29   Die Chroniken Stetters, des Anonymus und Dachers, in: Das alte Konstanz in
     Schrift und Stift. Die Chroniken der Stadt Konstanz, hg. v. Ph. Ruppert, 1891,
     S. 1–269.
     Z. T. auch in: Mone (Hg.), Quellensammlung . . ., 1, S. 309–349.
30   Fortsetzungen des Königshofen. Konstanzer Zusätze, in: Mone (Hg.), Quellen-
     sammlung . . ., 1, S. 300–309.
31   Jahrgeschichten von Reichenau (830 bis 1561), in: Mone (Hg.), Quellensamm-
     lung . . ., 1, S. 231–241.
32   Zimmersche Chronik, hg. v. K. A. Barack, 4 Bde. (Bibliothek des literarischen
     Vereins in Stuttgart 91–94), 1869, hier nur Bd. 2.
33   Johannes Keßlers Sabbata, hg. v. E. Egli u. R. Schoch, 1902.
34   Die Berner Chronik des Conrad Justinger, hg. v. G. Studer, 1871.
35   Die Berner Chronik des Valerius Anshelm, 6 Bde., hg. v. E. Blösch u. a.,
     1884–1901.

Für den Zeitraum von 1340 bis 1525 fanden wir mehr als 400 Mitteilungen zu
guten und schlechten Ernten, den jeweiligen Ursachen und Folgen sowie den
begleitenden Erscheinungen. Da es uns nicht auf die einzelnen Vorkommnisse,
sondern auf die Entwicklung insgesamt ankommt, haben wir alle Angaben in
Form einer Grafik zusammengestellt (S. 30–34). Für deren Anlage gelten die
folgenden Grundsätze:
– Die einzelnen Symbole erscheinen in einer festen Reihenfolge – jeweils von
  der Zeitleiste aus zu lesen: Naturereignisse (v. a. Witterungsumstände) –
  gute oder schlechte Ernte, Überfluß oder Hunger – auffallende Krankheiten
  – Verhalten gegenüber Minderheiten (Juden).
– Oberhalb der Zeitleiste stehen die negativen, unter ihr die positiven Nachrichten (z. B. Mißernte, Teuerung bzw. Wohlfeile).

- Die Ziffer auf der linken Seite der Symbole nennt den Fundort (die Quelle – Verweis auf S. 21f.), die Ziffer auf der rechten Seite verweist auf eine erklärende oder ergänzende Anmerkung (S. 35ff.).
- Die Angabe „kalter Winter" zu einem bestimmten Jahr meint den Winter, der sich von November/Dezember des Vorjahres in das genannte Jahr hinüberzog.
- Bei einer Teuerung oder Hungersnot[8] erscheint das entsprechende Symbol grundsätzlich bei dem Jahr, das auch in der Quelle genannt wird. Nur aus den Umständen läßt sich entscheiden, ob die Teuerung oder Hungersnot a) die Folge eines Ereignisses im Vorjahr war oder b) erst im genannten Jahr ausbrach und sich dann in das folgende Jahr hineinzog. – Für eine Wohlfeile gilt gleiches.

So beginnt, um das Gesagte an einem Beispiel zu verdeutlichen, das Jahr 1364 mit einem ungewöhnlich kalten Winter im gesamten Untersuchungsgebiet (Belege von Straßburg bis Bern); die Reben erfroren. Im Sommer suchten Heuschrecken die Region heim. Die Folge waren eine Mißernte mit anschließender Teuerung 1364/65 und eine spezielle Teuerung bei Holz 1364 (dazu Anmerkung zur Grafik 4). Für Straßburg wird ein neuerlicher Pestausbruch gemeldet.

Selbstverständlich stellen die 35 Quellen nur eine Auswahl dar. Doch darf man davon ausgehen, daß die Durchsicht weiterer Quellen zwar noch zu Ergänzungen, nicht jedoch zu einer Korrektur des Befundes führen würde. Dies zeigt ein Vergleich unserer Arbeitsergebnisse mit den Zusammenstellungen von A. Hanauer (Ernten und Preise im Elsaß) und von C. Weikinn (hydrographische Verhältnisse in Deutschland und Europa)[9]. Die grundsätzli-

---

[8]   Zu den Begriffen s. W. ABEL, Massenarmut (wie Fußnote 7), S. 37–41, bes. S. 38.

[9]   A. HANAUER, Études économiques sur l'Alsace ancienne et moderne, 2: Denrées et salaires, 1878, bes. S. 29–40. Hanauer wertet neben Closener, Königshofen und den Basler Chroniken neun kleinere elsässische (Städte-) Chroniken aus. C. WEIKINN, Quellentexte zur Witterungsgeschichte Europas von der Zeitwende bis zum Jahre 1850. Hydrographie, 1: bis 1500, 2: 1501–1600 (Quellensammlung zur Hydrographie und Meteorologie, Bd. 1, 1+2), 1958, 1960; Weikinn stellt Quellen zusammen für Überschwemmungen, Zu- und Aufgänge der Gewässer, Wasserstände und Sturmfluten. – Für die Nachbargebiete der Oberrheinlande liegen einige Zusammenstellungen gleicher oder verwandter Thematik vor. Augsburg (1401–1648): M. J. ELSAS, Umriß einer Geschichte der Preise und Löhne in Deutschland, 1, 1936, S. 182–197; Frankfurt (1324–1818): ebda, 2A, 1940, S. 49–54; Speyer (1514–1816): ebda, S. 84–87; Bern: H. MORGENTHALER, Teuerungen und Maßnahmen zur Linderung ihrer Not im 15. Jahrhundert, in: Archiv des Historischen Vereins des Kantons Bern 26 (1921), S. 1–61; H. WERMELINGER, Lebensmittelteuerungen, ihre Bekämpfung und ihre politischen Rückwirkungen in Bern vom ausgehenden 15. Jahrhundert bis in die Zeit der Kappelerkriege (ebda, 55), 1971. – Ergänzend: F. CURSCHMANN, Hungersnöte im

che Übereinstimmung gilt mit einer Ausnahme: Für die Jahre 1458 und 1460 melden unsere Quellen nur einen Hagel 1460; dagegen verzeichnet die von Hanauer beigezogene Chronik der elsässischen Stadt Thann für beide Jahre eine „Teuerung" bzw. „große Teuerung"[10]. Beide Angaben haben wir zusätzlich in unsere Grafik aufgenommen.

Die gesammelten chronikalischen Angaben kann man auch mit vorliegenden Preisreihen vergleichen, wie sie etwa W. Abel grafisch dargestellt hat (s. die Abbildung S. 25). Die Höhen und Tiefen der Preise decken sich mit den Angaben der Chronisten zu „teueren" bzw. „wohlfeilen" Jahren. Wie weit die Übereinstimmung reicht, macht folgende Beobachtung deutlich. Die Roggenpreise stiegen in Frankfurt/Main zwischen 1480 und 1490 kontinuierlich an, in Straßburg gab es dagegen einen Preisrückgang, der vor der Mitte der 80er Jahre begann und etwa 5 Jahre anhielt. Unsere Chroniken melden nach dem Teuerungsjahr 1481/82 eine gute Ernte 1482, eine normale Ernte 1483 und wieder eine besonders gute Ernte 1484; die nächste Teuerung wird für 1489 verzeichnet. Leider beginnt die Preiskurve für Straßburg erst ca. 1450; und wie oben deutlich wurde, kann man Preisreihen für andere Städte bzw. Regionen (z. B. für Frankfurt/Main) nicht ohne weiteres als Ersatz heranziehen. Doch helfen uns hier einige Preise weiter, die Hanauer aus Straßburger Quellen zusammengestellt hat[11]. Demnach war die Teuerung von 1414 – nach Conrad Justinger in Bern und „in andren landen" – wohl doch auf Bern und seine Umgebung begrenzt. Andererseits hat sich die Teuerung, die Königshofen für 1401 erwähnt, allem Anschein nach über mehrere Jahre erstreckt (1400, 1401, 1404).

Für eine umfassende Analyse des vorgelegten Materials fehlt an dieser Stelle der notwendige Raum. Wir beschränken uns deshalb auf wenige Beobachtungen und Hinweise. Darüber hinaus muß und kann die Grafik für sich selbst sprechen.

Zunächst einmal – das Blickfeld der Chronisten ist weit. Gewissenhaft registrieren sie kalte Winter, späten Schneefall, Hagel, nasse und trockene Sommer, Heuschrecken-, Raupen- oder Wühlmausplagen.

Mittelalter (Leipziger Studien aus dem Gebiet der Geschichte, 6), 1900 (mit einer „Chronik der elementaren Ereignisse" bis 1317); L. KELLER, Zur Geschichte der Preisbewegung in Deutschland während der Jahre 1466–1525, in: Jahrbücher für Nationalökonomie und Statistik 34 (1879), S. 181–207; E. LE ROY LADURIE, Le climat des XIe et XVIe siècles, in: Annales 20 (1965), S. 899–922; W. ABEL, Hungersnöte und Absatzkrisen im Spätmittelalter, in: Festschrift Hermann Aubin zum 80. Geburtstag, 1965, 1, S. 3–18; DERS., Massenarmut (wie Fußnote 7). Eine Teuerung analysiert P. MEYER, Studien über die Teuerungsepoche von 1433 bis 1438, insbesondere über die Hungersnot von 1437–38, Phil. Diss. Erlangen 1914.

[10] A. HANAUER, Études économiques (wie Fußnote 9), 2, S. 37. S. auch Anmerkung zur Grafik 40a.

[11] Ebda, S. 91f.

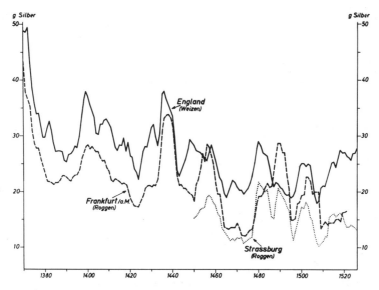

Aus: W. ABEL, Agrarkrisen und Agrarkonjunktur . . ., 1978[3], S. 70.

Anklagend notieren sie – wirkliche oder vermutete – Preismanipulationen bei Getreide, dem Grundnahrungsmittel jener Zeit, durch die „Fürkäufer" (1434, 1503, 1516)[12]. Anerkennung zollen sie dagegen den Bemühungen der städtischen Behörden, in Teuerungsjahren durch Billigverkäufe oder andere regulierende Eingriffe den schlimmsten Mängeln zu steuern (1416, 1481, 1491, 1501, 1502, 1516, 1517).

Berichte über Mißernten, Teuerungen und Hungersnöte ziehen sich wie ein roter Faden durch die Chroniken. Die Teuerungsursachen waren in der Regel witterungsbedingte Ernteausfälle[13]. Doch konnten auch ein Königsbesuch (in Bern 1414) oder durchziehende „huren und buben on arbeit" (vielleicht entlassene Söldner mit ihrem Troß, 1501) die Preise in die Höhe treiben.

Daß auch überdurchschnittlich gute Ernten wirtschaftliche Probleme mit sich brachten, blieb den Chronisten gleichfalls nicht verborgen. 1421 war die Korn- und Weinernte so reichhaltig, „das der rebman, der ackerman clagte, su mustend [wegen der niedrigen Preise] verderben". 1472 ließ ein besonders gutes Weinjahr die Preise für Weinfässer sprunghaft steigen, „und musten die lüt den win in den zubern lassen sten".

---

[12]   Dazu jetzt auch: H. WERMELINGER, Lebensmittelteuerungen (wie Fußnote 9), S. 58–87.

[13]   Eine Beobachtung am Rande: Zweimal, 1418 und 1438, werden negative Ereignisse (ein Pestausbruch und eine Teuerung) durchziehenden Zigeunern zur Last gelegt. Vgl. dazu die Anmerkungen zur Grafik 21 und 33. Eine interessante Beschreibung der Zigeuner in: Die älteste deutsche Chronik von Colmar, hg. v. A. Bernoulli, 1883, S. 24.

Trockene Jahre zwangen viele Bauern, einen Teil ihres Viehbestands wegen Futtermangels zu verkaufen (1442, 1517). Die Fleischpreise fielen.

Dem Historiker, der aus der ‚Vogelschau' rund 180 Jahre überblickt, enthüllt sich noch ein anderer Zusammenhang, der den Chronisten in dieser Form zumeist verborgen blieb. Seuchen aller Art (einschließlich der Pest) traten vermehrt im Gefolge von Mißernten auf. Bei einer guten bis auskömmlichen Versorgung waren die Menschen weniger anfällig; eine schlechte Ernährung verringerte die Widerstandskraft[14]. Zudem mangelte es in Notjahren mehr als sonst an notwendiger Hygiene. Rein rechnerisch berichten die Chronisten für den Zeitraum von 1348 bis 1370 alle 2 Jahre

1371 bis 1430 alle 5 Jahre

1431 bis 1440 alle 2,5 Jahre

1441 bis 1470 alle 8 Jahre

1471 bis 1525 alle 4 Jahre

über auffallende Krankheiten. Die Ernährungslage jener Zeit wird unten, S. 27f, näher dargestellt.

33mal berichten die Chronisten von Teuerungen und/oder Hungersnöten. Hinzu kommen einige Nachweise über Mißernten, die wir nach aller Erfahrung mit einer Teuerung gleichsetzen können; dies gilt z. B. für das Jahr 1456, in dem anhaltender Regen das Getreide verdarb bzw. nicht reif werden ließ. – Dagegen handelt es sich bei den Angaben zu 1482 und 1512 nicht um eine neue, eigenständige Teuerung, sondern lediglich um die Fortdauer der im Herbst 1481 bzw. 1511 einsetzenden Teuerung[15]; s. die Anmerkungen zur Grafik 57 und 78.

Dabei handelt es sich durchweg um solche Teuerungen, die (wie unsere Grafik zeigt) durch witterungsbedingte Ernteausfälle verursacht waren. Eine Ausnahme macht die Teuerung von 1501. Sie ging schon nach Meinung der Zeitgenossen auf Kriegsfolgen oder kriegsbedingte vermehrte Nachfrage zurück: „. . . es was kain korn ferhanden, der fergangen krieg hat es alls ferbrucht" (Heinrich Hug in Villingen) oder „. . . und was doch uf den märkten keiner dingen mangel. Ward dem zugemessen, dass im land vil gelts,

---

[14] Die Zeitgenossen legten die Pest den Juden zur Last, wenngleich es schon damals nicht an kritischen Stimmen fehlte, vgl. Anmerkung zur Grafik 1. – Irrig ist u. E. die Annahme von E. Kelter, daß die intervallartig auftretenden Pestepidemien die eigentliche (und nicht nur eine verschärfende) Ursache der Teuerungen und des Hungers gewesen seien; E. KELTER, Das deutsche Wirtschaftsleben des 14. und 15. Jahrhunderts im Schatten der Pestepidemien, in: Jahrbücher für Nationalökonomie und Statistik 165 (1953), S. 161–208, bes. S. 164f. Die von uns beigezogenen Quellen bieten ein anderes Bild: Mißernten und Hunger bereiteten direkt oder indirekt Krankheiten und Seuchen den Weg.

[15] Vgl. dazu o. S. 23.

und vil huren und buben on arbeit, on mauss woltend vol sin" (Valerius Anshelm in Bern)[16].

Nun sind die Auswirkungen der einzelnen Teuerungen sicherlich nicht gleich groß gewesen. Von speziellen und/oder lokalen Teuerungen ganz abgesehen, ließ sich eine kurzfristige, einjährige Teuerung leichter ertragen als eine Kette dicht folgender Notjahre. Unschwer erkennt man sieben mehrjährige, allgemeine Teuerungswellen[17]: 1365/1366/1368/1370; 1430/1433/1437/1438/1439; 1456/1458/1460; 1476/1477/1478/1481; 1489/1491; 1501/1502; 1511/1515/1516/1517. Nicht sichtbar wird in den chronikalischen Angaben dagegen eine weitere Teuerungswelle gleich zu Beginn des 15. Jahrhunderts: 1400/1401/1404. Während in den Chroniken nur 1401 als Teuerungsjahr erscheint, weisen Preise aus Straßburg und anderen Orten auch die Jahre 1400 und 1404 als „teuer" aus[18].

In der wirtschaftsgeschichtlichen Literatur gilt die Zeit um 1470 als eine „Epochengrenze", als das Ende der spätmittelalterlichen Agrardepression und als Beginn eines neuen Aufschwunges[19]. Bezogen auf den Bauernkrieg hat dieser Zeitraum noch eine andere Bedeutung: Ein Mensch, der damals geboren wurde, konnte als etwa 50jähriger noch am Aufstand teilnehmen. Gliedern wir die 160 Jahre von ca. 1360 bis 1520 in einen Zeitabschnitt vor und in einen solchen nach 1470 (110 bzw. 50 Jahre umfassend), dann ergibt sich folgendes Bild: Den vier Teuerungswellen der Zeit vor 1470 stehen ebenfalls vier in den Jahren nach 1470 gegenüber. Mehrjährige Versorgungskrisen folgten in der zweiten Phase also doppelt so schnell aufeinander wie zuvor; die Intervalle, Jahre der Erholung, verkürzten sich auf die Hälfte. Ungünstige Witterungsverhältnisse: kalte Winter, späte Fröste, trockene oder nasse Sommer sowie Ungeziefer führten zu Ernteausfällen, die bei einer rasch wachsenden Bevölkerung immer spürbarer wurden. Das vermehrte Auftreten von

---

[16] S. Anmerkung zur Grafik 69. Vergleichbar die Teuerung in Bern 1414 und in Konstanz 1414–1418.

[17] Zur Sicherheit weisen wir noch darauf hin, daß es sich in allen Fällen um überlokale, regionale oder gar allgemeine Teuerungen handelt. Eine Unsicherheit besteht nur hinsichtlich der Teuerungen von 1458 und 1460. Die von uns beigezogenen Quellen weisen jene Teuerungen nur für das mittlere und südliche Elsaß aus. Andererseits wird bei M. J. ELSAS, Umriß einer Geschichte der Preise (wie Fußnote 9), 1, S. 540ff., 2A, S. 461ff., W. ABEL, Agrarkrisen (wie Fußnote 5), S. 70 (und wieder o. S. 25), D. W. SABEAN, Landbesitz und Gesellschaft (wie Fußnote 7), S. 68ff., deutlich, daß die Preise für Korn und andere Lebensmittel damals nicht nur in Straßburg, sondern auch in Frankfurt, Augsburg, München kräftig anstiegen. Gleiches gilt für die Teuerungen von 1400, 1401, 1404; vgl. W. ABEL, Agrarkrisen (wie Fußnote 5), S. 70 (und wieder o. S. 25).

[18] Dazu vgl. o. S. 24f.

[19] Etwa W. ABEL, Agrarkrisen (wie Fußnote 5).

Krankheiten und Seuchen nach 1470 – vgl. dazu o. S. 26 – steht mit dieser Entwicklung sicherlich in einem engen, ursächlichen Zusammenhang.

Nach den Aufzeichnungen des Ratsherrn Heinrich Hug kosteten in Villingen im ‚Normaljahr' 1496 ein Malter Fesen 1 Pfund 7 Schilling und ein Malter Hafer 18 Schilling. Danach betrugen die Preise[20]:

	Fesen	Hafer
1501 (vor der Ernte)	5 Pfd. h.	
(nach der Ernte)	2½ Pfd.	
1503 (15. Okt.)	2 Pfd. 5 Sch.	1 Pfd. 8 Sch.
1504 (2. Juni)	2 Pfd. h.	
1505	1 Pfd. 1 Sch.	17 Sch.
1506	1 Pfd. 3 Sch.	16 Sch.
1507	1 Pfd. 5 Sch.	1 Pfd. 8 Sch.
1509	32 Sch.	1 Pfd. 7 Sch.
1511 (Juli)	1 Pfd. 6 Sch.	
1512 (März)	3 Pfd. h.	
1513 (Sept./Weihnachten)	30 Sch.	1 Pfd. 2 Sch.
1516 (Dez.)	3 Pfd. 4 Sch.	2 Pfd. 5 Sch.
1517 (25. Juli)	2 Gld. ¼ Kr.	2½ Pfd. h.
1518 (Sommer)	2 Gld. 8 Kr.	2½ Pfd. h.
(21. Dez.)	2 Pfd. h.	1 Pfd. 2 Sch.
1521	31 Sch.	1 Pfd.
1523	32 Sch.	1 Pfd. 5 Sch.

Mißernten und Teuerungen trafen die bäuerliche Bevölkerung in unterschiedlichem Maße.

Für die Dörfer um die Reichsstadt Ravensburg (im südlichen Oberschwaben) hat D. W. Sabean errechnet[21], daß in einem normalen Erntejahr nach Abzug der Abgaben und der Aussaat

– knapp 40 % der Bauern über die eigene Ernährung hinaus mehr oder weniger für den Markt produzierten,

– etwa 30 % der Bauern von den eigenen Erträgen leben und evtl. einen kleinen Teil davon auf dem Markt verkaufen konnten[22],

---

[20]   Heinrich Hugs Villinger Chronik, hg. v. Ch. Roder (Bibliothek des literarischen Vereins in Stuttgart 164), 1883, S. 2–96. – Fesen oder Dinkel ist Kern, der noch nicht enthülst ist; er vertrat in weiten Teilen Südwestdeutschlands den Weizen.

[21]   D. W. Sabean, Landbesitz und Gesellschaft (wie Fußnote 7), S. 48–85, bes. S. 64–67.

[22]   Für diese Bauern „hing fast alles von der Ernte ab", ebda, S. 66. W. Abel, Agrarkrisen (wie Fußnote 5), S. 87: Für diesen Bauern „blieb ... nach Abzug der Aussaat nicht mehr viel übrig. Seine Wirtschafts- und Lebensführung balancierte ‚auf

– bei gut 30 % der Bauern die Erträge nicht zur Ernährung der eigenen Familie ausreichen, so daß diese ständig auf Zuverdienst durch Lohnarbeit angewiesen waren.

Die Bauern der ersten Gruppe kannten auch in Mißerntejahren keinen Hunger. Die meisten konnten noch auf dem Markt verkaufen und hatten somit Anteil an den gestiegenen Preisen. Da gleichzeitig die Lohnkosten sanken, konnten sie den quantitativen Ernteausfall ganz oder zum Teil ausgleichen. Großbauern konnten sogar an der Teuerung verdienen[23].

Die Bauern der mittleren Gruppe konnten im günstigen Fall von den eigenen Erträgen noch ausreichend leben. Es fehlte jedoch an Geldeinkommen. So mußten sie entweder den eigenen Verbrauch einschränken[24] oder Lohnarbeit annehmen; doch waren die Verdienstmöglichkeiten gerade in Mißerntejahren gering[25]. Im ungünstigen Fall reichten die Erträge nicht einmal mehr zur Selbstversorgung aus.

Die Bauern der dritten Gruppe litten in Mißernte- und Teuerungsjahren am meisten. Bei gesunkenem Verdienst hätten sie mehr Nahrungsmittel zu höherem Preis kaufen müssen. Minderwertige Kost („krusch") mußte den Hunger stillen[26].

Fassen wir zusammen:

Nach 1470 häuften sich Mißernten und Teuerungen in einem zuvor nicht gekannten Ausmaß. Verglichen mit den Jahrzehnten zuvor, standen der überwiegende Teil der bäuerlichen Bevölkerung und die wachsende Zahl der reinen Lohnarbeiter in ungewöhnlich rascher Folge vor Einkommensverlusten und/oder Hunger.

---

der Spitze'". Vgl. jetzt auch: H. FREIBURG, Agrarkonjunktur und Agrarstruktur in vorindustrieller Zeit . . ., in: Vierteljahrschrift für Sozial- und Wirtschaftsgeschichte 64 (1977), S. 289–327.

[23] Vgl. dazu die Rechnung bei W. ABEL, Agrarkrisen (wie Fußnote 5), S. 23–25, und das Beispiel der Herrschaft Hohenberg, ebd., S. 69.

[24] Evtl. auch durch Übergang zu schlechteren Brotsorten – vgl. U. DIRLMEIER, Untersuchungen zu Einkommensverhältnissen und Lebenshaltungskosten in oberdeutschen Städten des Spätmittelalters (Mitte 14. bis Anfang 16. Jahrhundert) (Abhandlungen der Heidelberger Akademie der Wissenschaften, phil.-hist. Klasse, Jg. 1978, Abh. 1), 1978, S. 352–357.

[25] Dies zeigt D. W. SABEAN, Landbesitz und Gesellschaft (wie Fußnote 7), S. 76–82, bes. S. 76.

[26] Dabei dürfte die Lage leibeigener Bauern durch einen besonderen Umstand noch verschärft worden sein. In Zeiten der Mißernte und des Hungers häuften sich Krankheiten und Seuchen (s. o. S. 26); entsprechend hoch war die Zahl der Todesfälle. Dies aber würde bedeuten, daß Todfallabgaben überdurchschnittlich oft dann zu entrichten waren, wenn die wirtschaftliche Situation ohnehin krisenhaft war.

Der bäuerliche Kampf gegen jede, evtl. noch so geringfügige Erhöhung von Abgaben und Diensten oder gegen die Einschränkung von Nutzungsrechten wird vor diesem Hintergrund erst voll verständlich. Den großen Bauern mag es dabei um die prinzipielle Wahrung alter Rechte gegangen sein; Mittel- und Kleinbauern sowie Tagelöhner opponierten sicher auch aus wirtschaftlichen, materiellen Gründen.

„Wohlfeile" und „Teuerung" am Oberrhein

1340 – 1525

Grafische Darstellung

(unter Mitarbeit von Karl–Heinz Debacher)

⌒	Erdbeben
□	Sturm / Unwetter
⌣	Hochwasser
△	Kalter Winter
⌐	Großer Reif / Späte Kälte
✳	Später Schneefall
×	Hagel
≤	Nasses Jahr / Starker Regen
⊙	Trockenheit
⋈	Feldmäuse
α	Heuschrecken
⌀	Raupen / Käfer etc.
▽	Reben erfroren
=	Wenig Wein
+	Viel Wein
≥	Mißernte / Ernteschäden
≤	Gute Ernte
▲	Teuerung
▼	Wohlfeile
—	Hungersnot
■	Pest / Großes Sterben / Krankheit
≫	Judenverbrennung / - vertreibung

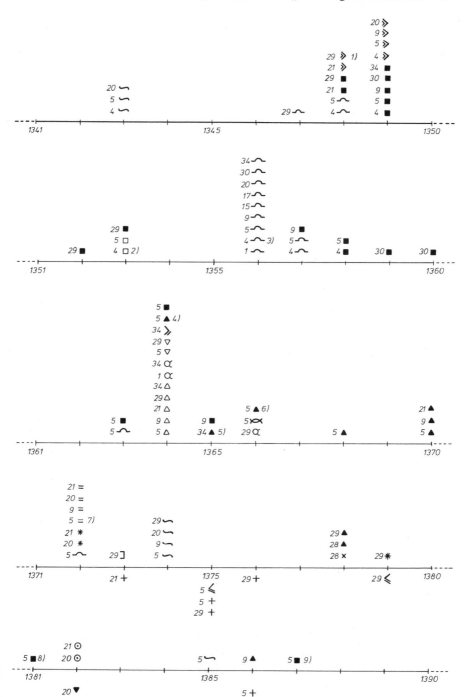

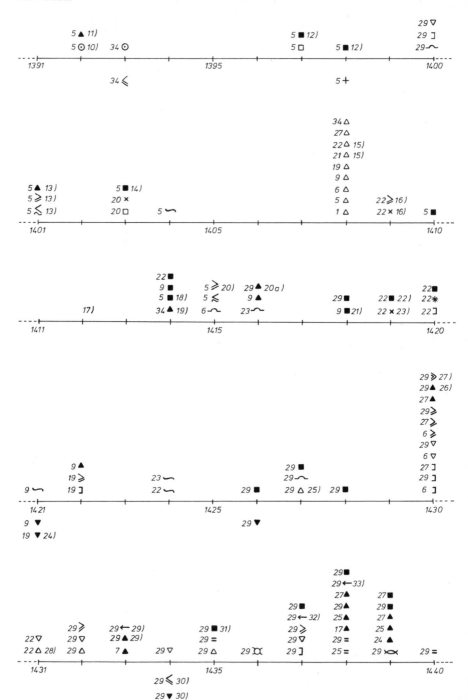

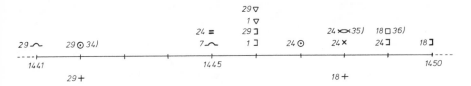

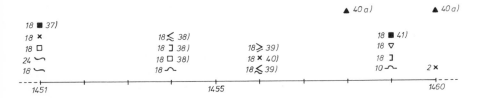

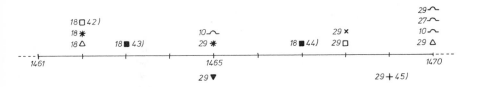

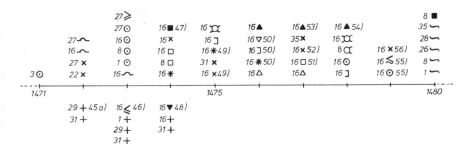

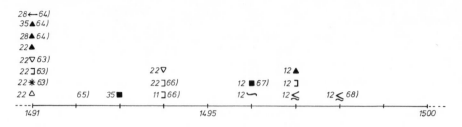

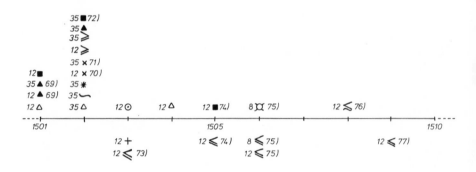

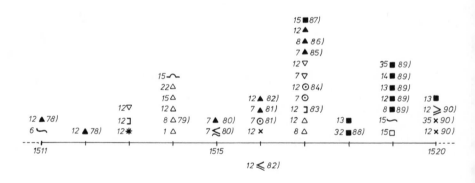

Anmerkungen zur Grafik:

1 „Item anno domini 1348 an dem dritten tag in Mertzen wurdent die Juden verbrent ze Costentz . . . Und beschach das darumb, daß der erst groß tod angefangen hatt und zich man die Juden, sy trügent gift umb und dorumb stürbent die lüt. Es befand sich aber darnach, das den Juden unrecht beschach, dan der selb sterbet darnach vil lang weret, nachdem und sy verbrent wurden und och verschickt und verbotten. Und in dem gemelten jar giengen die lüt, die sich selbst geiselten." Chroniken der Stadt Konstanz, S. 55.

2 Der Sturm beschädigte Türme, Häuser und Scheunen; er entwurzelte starke Bäume. Chroniken der oberrheinischen Städte. Straßburg, 1, S. 136.

3 Das Erdbeben vom 18. Oktober richtete vor allem in Basel großen Schaden an: „. . . und Basel die stat viel ouch dernider . . . derzu ging ein füwer an mit dem vervallende und brante etwie manigen dag . . . und mustent die lüte in den garten und zu velde ligen under gezelten . . ." Chroniken der oberrheinischen Städte. Straßburg, 1, S. 136.

4 Die Teuerung bezieht sich auf Holz, da man es auf dem gefrorenen Rhein nicht transportieren konnte. Chroniken der oberrheinischen Städte. Straßburg, 2, S. 865.

5 „. . . daz ein gros türe kam in dise lant, ouch gen berne und anderswa, und werte etwe menig jar." Berner Chronik des Conrad Justinger, S. 128.

6 Die Mäuse vernichteten die halbe Ernte, „und wart korn darnoch türe vil jor". Chroniken der oberrheinischen Städte. Straßburg, 2, S. 868.

7 In diesem Jahr war der Wein teuer. Nach Königshofen waren in Straßburg auch Erbsen besonders teuer. Chroniken der oberrheinischen Städte. Straßburg, 2, S. 869.

8 Das Sterben in Straßburg war so groß wie keines zuvor. „Von disem sterbotte wurdent die kirchen also rich . . ." Chroniken der oberrheinischen Städte. Straßburg, 2, S. 772.

9 Keuchhusten, an dem viele alte Menschen starben. Chroniken . . . Straßburg, 2, S. 772.

10 Als Folge des trockenen Sommers führten Flüsse und Bäche wenig Wasser, so daß die Mühlen still standen (8. Sept.–30. Nov.). Chroniken . . . Straßburg, 2, S. 694.

11 Hier handelt es sich um eine lokale Teuerung in Straßburg bei Holz, Salz, Heu, Hafer und anderem Viehfutter. Chroniken . . . Straßburg, 2, S. 694.

12 Das Sterben in Straßburg („an der bülen") war nicht so groß wie in anderen Gebieten, doch dauerte es länger als zwei Jahre. Nach einem Bittgang am 31. Oktober 1398 ließ das Sterben nach; dann brach es erneut aus – „doch bescheidenliche, und das treib es wol 8 jor nohenander". Chroniken . . . Straßburg, 2, S. 773.

13 „. . . es regnete vil tage annander, daz men zu ernen kume gesnyden möchte, und was gros breste an korne und an andern früthen in dem

lande". In Straßburg wird ein Bittgang veranstaltet. Chroniken . . . Straßburg, 2, S. 773f.

14 Keuchhusten, wie o. Anmerkung 9.

15 „. . . das nieman so alt was, der ie gedecht oder ie gehorte sagen also von eym kalten winter, und von solichem ysz und wasser". Basler Chroniken, 5, S. 136. Viele Menschen erfroren, ebd., S. 67.

16 Der Hagel ging am 1. und 2. Juli zwischen Binzen (nw. Lörrach) und Hausen im Wiesental nieder; er zerstörte den größten Teil von Wein und Korn. Basler Chroniken, 5, S. 138.

17 Ergänzend möchten wir noch auf den großen Brand in Schopfheim am 25. und 29. November 1412 hinweisen. Basler Chroniken, 5, S. 147f.

18 Keuchhusten; in Straßburg waren alle Bäcker davon befallen. Chroniken . . . Straßburg, 2, S. 773.

19 Conrad Justinger berichtet von einer Teuerung in Bern und in Konstanz als Folge des Besuchs König Sigmunds in Bern bzw. des Konzils in Konstanz. „Und werte die erste und die nagende türe untz in daz fünfte jar. Es waz ouch in andren landen tür, da der küng nit (hin) kam." Berner Chronik des Conrad Justinger, S. 220.

20 Früchte und Heu verdarben als Folge des langen Regens, der Wein verfaulte an den Reben; Äcker und Wiesen waren überflutet, Straßen und Wege kaum mehr befahrbar. Chroniken . . . Straßburg, 2, S. 774.

20a Teuerung in Konstanz infolge des Konzils. Die Stadt versuchte, durch einen Vertrag mit den benachbarten Städten und Herren der Teuerung Herr zu werden: Verkauf von Korn nur auf öffentlichen Märkten, Verbot des Einkaufs und der Lagerung von Korn in größeren Mengen. Chroniken der Stadt Konstanz, S. 336–340.

21 Die Chronik von Colmar, hg. v. Bernoulli, S. 24, gibt die Schuld am neuerlichen Pestausbruch durchziehenden Zigeunern. Vgl. auch Basler Chroniken, 5, S. 180; Chroniken der Stadt Konstanz, S. 174.

22 „. . . pestelentz, und alt und junge sturbent des gebresten". Basler Chroniken, 5, S. 188.

23 Hagel im Wiesental von Lörrach bis Schopfheim. Ebd., S. 188.

24 „. . . was so wolfeil, das der rebman, der ackerman clagte, su mustend verderben". Basler Chroniken, 4, S. 433.

25 Ein kalter Winter, „als man schätzt, vor in hundert jaren nie als ain kalter gewesen wäre . . ." Chroniken der Stadt Konstanz, S. 132.

26 Durch den starken Reif in der Nacht vom 14. zum 15. Mai erfroren am ganzen Oberrhein die Reben; ebenso Roggen und Gerste im Hegau und in der Baar sowie weiter östlich. „. . . und ward tür win und korn . . ." Chroniken der Stadt Konstanz, S. 165.

27 In Ravensburg, Überlingen und Lindau. Chroniken der Stadt Konstanz, S. 162.

28 „. . . ein grosser kalter winter . . . und erfror vil geflugels, lute und vich; und erfrurent reysig gesellen und suste ander lute zu rosze und zu fus uf

dem velde. Und beschach grosser schad an win und an obes, und an allerley." Basler Chroniken, 5, S. 136.

29 „. . . das es im 33. jar so tür ward, das man vil jammers und hungers an den lüten und an dem vech sach und vil mer an dem vech, den man vand nit futers . . . Etlich lüt außent halb grusch in irem brot." Das Vieh wurde mit Mistel- und Tannenzweigen, auch mit dem Stroh von den Hausdächern gefüttert. Chroniken der Stadt Konstanz, S. 175, auch S. 176: Die weniger reichen Leute mußten ihr Vieh verkaufen.

30 Die beste Kornernte seit 30 Jahren. „Nu wäre (es) denoch also wolfail nit worden, wan die richen hettent in aller ding hinter sich gelait, wan sy hattent groß schulden gemacht und uff die armen geschlagen in den vordrigen zwayen jaren. Denn das groß genügen kam, als man schniden solt, und mocht das korn nit geligen. Und das was sach, das man den kernen also wolfail gab." Chroniken der Stadt Konstanz, S. 180.

31 Ein „Siechtag" unbekannter Ursache, dauerte sechs bis acht Wochen; doch wenig Todesfälle. Chroniken der Stadt Konstanz, S. 186f.

32 „. . . ward gar groß liden, jamer und not im land." Chroniken der Stadt Konstanz, S. 194.

33 „. . . das solicher großer hunger und not was in dem lande allenthalb, das die welt nach verzaget ist worden . . . Man seit, das vil lüt hunger sturben, wan es vand nieman kain korn . . . und schickt man vil lüt uß um korn, aber sy schuffent nüt." Chroniken der Stadt Konstanz, S. 201. Ebd., S. 174, klingt zumindest indirekt an, daß durchziehende Zigeuner an der Teuerung schuld gewesen seien. Basel kaufte Korn in Ulm, Biberach und Überlingen, ebd., S. 203. Vgl. auch Basler Chroniken, 4, S. 46, 5, S. 477.

34 Es herrschte Wassermangel, Tiere fanden nicht mehr genug zu trinken; Viehfutter wurde teuer. Chroniken der Stadt Konstanz, S. 221.

35 Die Mäuse richteten großen Schaden an um Colmar und Freiburg/Br.; sie fraßen das Korn auf, vor allem den Roggen. Basler Chroniken, 5, S. 408.

36 Das Unwetter richtete jedoch nur um Rheinfelden Schaden an. Basler Chroniken, 4, S. 302.

37 Pest in Basel, doch nicht „zu grossz"; es starben mehr Männer als Frauen. Basler Chroniken, 4, S. 308.

38 Große Kälte herrschte Mitte Mai, Mitte Juni und Ende August – im Juni und August verbunden mit starkem Regen; vom 10. bis 16. Januar gab es Sturm und Regen. Basler Chroniken, 4, S. 315–318.

39 Regen vom 24. Juni bis 16. Oktober; „was gut korn, aber der regen het es verderbet", es wurde nicht reif. Basler Chroniken, 4, S. 330.

40 Der Hagel vom 11. Juli zerschlug Korn und Wein. Basler Chroniken, 4, S. 323.

40a Für die Jahre 1458 und 1460 berichten die von uns ausgewerteten Quellen lediglich von einem Hagel 1460. Dagegen erwähnt die Chronik der elsässischen Stadt Thann von Malachias Tschamser (verfaßt 1724) zu beiden Jahren eine Teuerung. Als Grund für die Teuerung von 1460 gibt Tschamser einen sehr kalten Winter, eine Trockenheit und einen Kälteeinfall im Juni an. Malachias Tschamser, Annales oder Jahrs-Geschichten der Baarfüßeren oder Minderen Brüdern . . . zu Thann . . ., 1864, 1, S. 609; dazu auch A. Hanauer, Études économiques sur l'Alsace ancienne et moderne, 2, 1878, S. 37. Die genannten Teuerungen sind in Preisreihen aus dem Elsaß belegt; sie sind zudem auch an anderen Orten (z. B. Frankfurt, Augsburg, München) nachweisbar; s. A. Hanauer, Études, 2, S. 82ff., und M. J. Elsas, Umriß einer Geschichte der Preise und Löhne in Deutschland, 1, 1936, S. 540ff., 2A, 1940, S. 461ff. Beide Teuerungen haben wir ausnahmsweise noch in unsere Grafik aufgenommen. Die Richtigkeit der Witterungsangaben ist dagegen nicht nachprüfbar.

41   „. . . pestilency zu Basel, aber nit grosz. duravit succesive duos annos." Basler Chroniken, 4, S. 308.

42   Großes Unwetter im Elsaß von Obermorsweiler/Obermorschwihr (s. Colmar) bis Sigolsheim (n. Colmar) am 4. Juni; es spülte die Erde von den Rebbergen, „das nie kein man grösser böser wetter ie gesach". Basler Chroniken, 4, S. 339f.

43   Pest, ausgebrochen in Kleinbasel. Basler Chroniken, 4, S. 344.

44   Pest in Basel „groplich". Basler Chroniken, 4, S. 350.

45   „. . . vil wins und obß und habern und beshaidenlich korn umb den Bodmersee und in derselben gegne da umb." Chroniken der Stadt Konstanz, S. 265.

45a   1472 war ein besonders gutes Weinjahr; „es ward sovil wins, das man das kom behalten mocht und wurden vaß vast tüer und musten die lüt den win in den zubern lassen sten . . ." Chroniken der Stadt Konstanz, S. 267.

46   „. . . habundancia fuit omnium frugum, ita quod valor eorum pro nullo estimabatur . . ." Basler Chroniken, 2, S. 20.

47   „Magna pestilencia" im Elsaß als Folge der warmen Witterung während der letzten Jahre, Anfang November in Basel. Basler Chroniken, 2, S. 101, 115, 151.

48   „. . . et omnia erant in bono foro ex gracia dei." Basler Chroniken, 2, S. 141.

49   Am 12. Februar in Basel; am 17. Juni um Basel, Einsiedeln und Zürich, zur gleichen Zeit auch in Speyer; vor dem 24. Juni im Schwarzwald (am 24. Juni dort Schneefall). Basler Chroniken, 2, S. 182, 251, 268.

50   Ende April Regen und Schnee im Schwarzwald und im Elsaß; Schaden an den Reben. Am 4. Mai großer Reif, schädigte die Reben und die Baumblüte. Basler Chroniken, 2, S. 417.

51   Am 16. Juni um Bern. Basler Chroniken, 3, S. 159.

52   In mehreren Teilen der Schweiz. Ebd., S. 162.

53   In Süddeutschland und am Oberrhein „magna est caristia vini et bladi". Ebd., S. 169.

54 Fleischteuerung im deutschen Südwesten. Ebd., S. 187, 194.

55 Trockenheit um Basel, März und April; danach im Mai und Juni starker Regen. Ebd., S. 235, 263.

56 Von Delle/Dattenried bis zum Bodensee. Ebd., S. 234.

57 Teuerung bei Korn und allen Dingen des täglichen Bedarfs, „. . . gemein und groß klag umb essen . . ."; dauerte bis zur nächsten Ernte (1482). Mone, 3, S. 655f.

58 „. . . uss türe aller früchten an vil enden . . . vil hungers gestorben . . ." Maßnahmen der Stadt Bern und der Eidgenossen: Korn und Wein darf nicht aus dem Land geführt werden; Verbot des Fürkaufs; Nahrungsmittel dürfen nur auf öffentlichen Märkten verkauft werden; „Gotteshäuser und Prälaten" müssen eine bestimmte Menge Korn an die Stadt abführen, „denen und ouch iren, der stat, eignen amptlüten bevohlen, den armen lüten ze beiten, si gnädiklich zu halten und biss zu besserung mit rechts kosten nit zu beschweren". Valerius Anshelm, 1, S. 188f.

59 „. . . was fast thur, das man vil krusch koufft . . .", „. . . und furt man weyssen von Stroszburg gon Basel." Basler Chroniken, 5, S. 533.

60 Nach der Ernte wurde das Korn „wolfeyl". Ebd., S. 533.

61 „Von wolfeyli wins und korns". Ebd., S. 534.

62 „. . . ungewitter, türe, todschlag, mort und ufrur . . ." Gegen das schlechte Wetter ein Kreuzgang; Strafen für Fürkauf, Reislaufen usw. Valerius Anshelm, 1, S. 334.

63 Der Schneefall am 2. Mai und der nachfolgende Reif am 9. Mai ließen Reben, Getreide und Obstbäume erfrieren. Basler Chroniken, 5, S. 196f. Auch Mone, 1, S. 300.

64 „Anno 1491 was ein grossi türi im land obben und niden an korn . . . und mocht mans kum überkomen . . . was groß not umb essen, den es was vast tür . . ." Mone, 3, S. 656. Valerius Anshelm spricht von „harter türe"; Bern traf Maßnahmen: Verbot des Fürkaufs und der Ausfuhr von Korn aus dem Land; „landgricht und klöster" müssen Korn und Brot in die Stadt bringen. Valerius Anshelm, 1, S. 391.

65 Ergänzend verweisen wir noch auf den Brand in Waldshut, Mone, 2, S. 67, und auf den Meteoriten, der am 7. November bei Ensisheim niederging, Mone, 3, S. 656.

66 Der Reif vom 22. April zerstörte Reben und Obstbäume; Kirschen, Birnen und Äpfel wurden von Zürich nach Basel gebracht, „und gab man es wolveil". Basler Chroniken, 5, S. 197f. Auch Mone, 2, S. 137.

67 „. . . ain blag schier in alle landt mit beßen blauttern . . . und sturbend alhie zue Villingen feyll menschen daran . . ." Heinrich Hugs Villinger Chronik, hg. v. Roder, S. 2.

68 Am 8. September; Schaden v. a. an Öhmd und Hanf. Heinrich Hug, S. 6.

69 „. . . do kam ain solich große ture . . ., dan es was kain korn ferhanden, der fergangen krieg hat es alls ferbrucht." Villingen mußte in Straßburg Korn kaufen, „und gab es dem gemainen man in der statt". Großer

Mangel herrschte auch im Hegau und in der Schweiz. „. . . es was fasst ain ernsthlichen ture." Heinrich Hug, S. 17f. – „Und diss jars Ostren viel ein unversehne grosse türe gählingen in, in allen ässigen dingen . . . und was doch uf den märkten keiner dingen mangel. Ward dem zugmessen, dass im land vil gelts, und vil huren und buben on arbeit, on mauss woltend vol sin." Huren, Krieger und Krämer, Landstreicher und Bettler wurden aus dem Land verwiesen. Valerius Anshelm, 2, S. 339.

70   Hagel am 22. Juli; zerstörte alle Frucht, „das kain sichel in den esch ging". Heinrich Hug, S. 19.

71   Großer Hagel am 22. Juni von Genf bis zum Bodensee und weiter bis nach Schwaben hinein; er zerstörte alle Früchte. „Hievon kam ein . . . mangel und türe"; die Stadt Bern kaufte Korn in Basel und Mülhausen. Valerius Anshelm, 2, S. 363.

72   „Grosse pestilenz" wird vom Rhein und aus Schwaben eingeschleppt; viele Tote in Bern und Basel. Valerius Anshelm, 2, S. 364.

73   „Es was alle ding an allem follkumen . . . aber die ferkeffler [= Verkäufer] die zuckend in aber in ir hußer, wie formals och geschach." Heinrich Hug, S. 23.

74   „. . . und was in allen landen fil frucht worden allenthalben. Aber die welt was fasst kranck noch an den platern, was bis uff die zit 10 jar . . . Aber ein geluckhafft jar ist das gewessen in allen landen an frucht." Heinrich Hug, S. 28.

75   „. . . wuchsen alle Früchte überflüssig, aber von den Raupen abgefressen . . ." Sebastian Franck, S. 219. „. . . was ain gut geluckhafft jar gemainlich aller fruchten, win und korn und eckerig . . ." Heinrich Hug, S. 29.

76   „. . . da kam das kor[n] und der haber fasst waich in die hußer." In diesem Jahr war auch ein großes Bienensterben. Heinrich Hug, S. 37.

77   „. . . uss der maßen gut korn . . ." Heinrich Hug, S. 39.

78   Ende September 1511 „herhub sich ain kornture", die bis 1512 anhielt. Korn wurde aus dem Hegau, der Baar und Straßburg herbeigeführt. Heinrich Hug, S. 45.

79   „Was ein stäter kalter winter für und für, dz schier auff allen wassern, Rhein, Thonaw etc. landstrassen waren." Sebastian Franck, S. 224.

80   „In disem jar war ein naßer summer und groß waßer . . ., das nie zwen oder drei tag schön an einander war, also das wein und korn auffschlug . . ." Mone, 2, S. 141.

81   Ein dürrer Sommer, „darumb die summerfrucht theür wardt, als gersten, habern auch kraut und ruben"; auch Weizen und Roggen wurden teurer. „Der ancken und käß war fast theür, dann es kain ömat wuchs." Mone, 2, S. 141.

82   „. . . und ward ain fast gut korn und fast gut haber und uß der maßen gut win . . . und mocht man es denocht nit wol ankumen for den furkoffern." Der Rat der Stadt Villingen ließ Roggen in Straßburg kaufen. „Und wo

das selbig nit gewesen wer, so wer zu besorgen gewesen, es were an trig guldin kumen; dan die fürkouffer wolt nit benugen, und hatend di richen mit den armen klene erbermd." Heinrich Hug, S. 65.

83 Nach einem warmen März und April hatten die Bäume früh ausgetrieben, ebenso die Reben. Der große Reif im Mai richtete deshalb besonders viel Schaden an. Heinrich Hug, S. 66.

84 Die große Hitze und Trockenheit ließ die Wiesen verdorren; Heu und Viehfutter wurden knapp. „. . . do fingent die puren uff dem land an und ferkoufftend ir fech allso dermaußen . . ." Die Viehpreise fielen. Der Rat der Stadt setzte Höchstpreise für Stroh und Spreu fest. Heinrich Hug, S. 67f.

85 „. . . schlug wein und korn auf . . ., dann es auch gantz dürr wetter was . . ." Mone, 2, S. 141.

86 „Ist ein theürung an Brot und Wein in Teütschland gewesen." Sebastian Franck, S. 224.

87 „. . . kam ein groser sterben mit grosem houptwe, das die lut in grose doubsucht fiellen, und kam die pestilentz dormit . . ." Basler Chroniken, 1, S. 23.

88 Großes Sterben zu Mösskirch, am Bodensee, im Schwarzwald und in fast allen Oberlanden. Zimmersche Chronik, 2, S. 332.

89 In Villingen starben mehr als 1300 Menschen. Heinrich Hug, S. 90. – „. . . also das unzalberlich menschen jung und alt sturben . . ." Mone, 2, S. 44. – In Bern waren von der „pestilenz" vor allem Knechte und Mägde betroffen. Valerius Anshelm, 4, S. 358. – „Ein solche Pestilentz gewesen, das vil ort schier gar außstarben." Sebastian Franck, S. 224. – In St. Blasien dauerte die Seuche von 1518 bis 1520. Ihr folgte ein großes Viehsterben. Mone, 2, S. 67.

90 Am 10. August zerstörte der Hagel die Früchte von Löffingen bis Ulm und in der Baar, „das kain sichel in das feldt gieng". Heinrich Hug, S. 90. In Bern zerstörte der Hagel die Dächer der Häuser. Valerius Anshelm, 4, S. 385.

91 Die Teuerung „in hochtütschen landen und in der Eidgnoschaft" bezieht sich nur auf Fleisch. Valerius Anshelm, 4, S. 503.

92 „. . . was fruchtbar und gut in win und korn . . . und uberflussig epffel und bieren, aber gar wenig jung imen [= Bienen] . . ." Heinrich Hug, S. 96.

93 Am 6. Januar „kam ain sollichs gewesser im teutschen land und alhie im closter [St. Blasien], das man mainet, es welte die welt undergangen sein . . . beschediget stett und lender an haben, ligenden und varenden güttern, das alle brugken an den flüssenden wassern hinweg gefürt warden, und desgleichen wassergüsse kain mensch erlept noch gedacht het." Mone, 2, S. 46.

94 „Es war ain großer jomer in allem land." Heinrich Hug, S. 96.

95 Der Hagel am 6. Juli zerschlug Wein und Korn, Dächer und Fenster im

ganzen Klettgau, am Rhein und Bodensee; die Reben litten so sehr, daß sie drei Jahre lang keinen Wein gaben. Mone, 2, S. 47.

96 Ein „fin, lustig, trucken und fruchtbar jar gewesen". Johannes Kessler, S. 136.

97 „Item es ward in selbem jar aller frucht genug allenthalb, korn, haber, gerssten, win fill und fast gutt, des gelich ops, epffel, biern, nuss und eckrid fast fill . . ." Heinrich Hug, S. 151.

RENATE BLICKLE

Die Haager Bauernversammlung des Jahres 1596
Bäuerliches Protesthandeln in Bayern

Am Abend des 5. Januar 1596 verfaßte Georg Pettenpeck, Landrichter in Haag, einen Bericht für Herzog Ferdinand von Bayern über die Ereignisse des Tages:
„An heut aber siche und Erfahr Ich, das ain grosse menig volkh in .1500. starkh, auf dem Khirchdorffer freyem Felde, bey dem Pfarrhof zesamen begeben, alls sie nun in gehörter anzal beysamen gewest, haben sy sich samentlich und miteinander in die Tafern, alda zu Khirchdorf begeben, damals hat sich ain yeder so mit Inen heben und legen wellen, mit Namen beschreiben, ain yeder auch alßbalt ein Pfening Schreibgelt, und .2. kr in die Anlag geben müessen, und sind alle underthonen an drey underschidlichen Tischen, Inbeysein der durch sie selbs verordtneten und erwelten Rädlfüerer beschriben worden.
Wie nun die Beschreibung füryber gewest, seind sy wider in völliger anzall auf das feldt an vorbenantes orth und stat hinausgangen, alda hat sich ein yeder underthon, in dessen Pfarr er angesessen, zu ainem hauffen besonderbar begeben, und von einander abthailen müessen. Und nachdeme der Pfarrn in der Graffschafft fünff, also seind fünf undterschidliche hauffen gemacht worden. Es seind auch alßbalt zu yedem Hauffen die durch mich, der Grafschafft zu gueten vorlangst gesezte Obleuth zu ainem ausschuß erwelt, verorndt und also zu yedem hauffen 10. oder 12. gesezt worden . . .
Ebenmessig ist auch ungeverlich zwischen 2. und 3. Uhr mein Diener Hanns und ain Pueb ins Feldt, und da sy die Paurn beysamen gesehen, denselben zuegerith, zuvernemen, wa Ir Intent gewest, da hab Er gesehen, das Sy alle zegleich, der ganze hauffen, ein yeder zwen finger aufgerekht, aber nit hören khöndten, was sie under einander geredt. Volgents seyen sy von einander yeder seinen weeg wider anhaimbs gangen . . .“[1].

---

[1] BayHStA, GL Haag 42, Nr. 1 (Original). – Die Zitate werden buchstabengetreu wiedergegeben. – Es werden folgende Abkürzungen verwendet: BayHStA – Bayerisches Hauptstaatsarchiv München. StAM – Staatsarchiv München. G – Gericht. L – Literalien. U – Urkunden. RB – Regesta sive rerum Boicarum autographa, 11 (1847) und 13 (1854).

Dies ist die Schilderung einer Bauernversammlung, die in der historischen Literatur als „Bauernrevolte"[2], „Empörung"[3] oder „Aufstand"[4] bezeichnet wird. Die Darstellung stammt aus der Feder eines Gegners der Bauern, sie ist also nicht in besänftigender Absicht geschrieben. Der disziplinierte Verlauf des Treffens wird durch einige bäuerliche Schreiben durchweg bestätigt, lediglich in Einzelheiten ergänzt und korrigiert[5]. Da auch die peinlichen Verhöre keine weiteren ‚Untaten' der Bauernschaft ans Tageslicht beförderten, bedeutete die Versammlung unbestreitbar den Höhepunkt der ganzen Haager ‚Rebellion'. Die Haager Bauernversammlung ist neben den beiden bayerischen Bauernkriegen von 1633/34 und 1705/06 die einzige bäuerliche Protestbewegung in Bayern, die in der überregionalen Literatur Erwähnung findet. Ihr Bekanntsein und ihre Einordnung verdankt sie Sigmund Riezler, der im vierten Band seiner Geschichte Baierns auf anderthalb Seiten über den „Aufruhr" als „kleines Nachspiel des Bauernkriegs" berichtete[6]. Ihm lag für diese – bislang ausführlichste – Abhandlung des Themas eine abschriftliche Zusammenstellung der Haager Ereignisse vor, die sich heute im Stadtarchiv München befindet[7]. Für die besondere Stellung der Haager Bauernversammlung von 1596 in der historischen Forschung gibt es in der historischen Realität keine Entsprechung: Weder kann sie bei näherer Betrachtung als Revolte angesehen werden, noch stellt sie in der Grafschaft Haag oder gar im Herzogtum Bayern ein einmaliges Vorkommnis dar. Ihre unangemessene historiographische Position zwischen dem Bauernkrieg von 1525 und den bayerischen Bauernkriegen belegt sinnfällig die Tatsache, daß Konflikte der ländlichen Bevölkerung Altbayerns mit ihrer Obrigkeit bisher nicht untersucht wurden und ihre abgewogene Beurteilung deshalb nicht möglich war. Die Haager Bauernversammlung steht in der langen Tradition wachsamer Protesthaltung der bayerischen Bauern und ihrer eigenen Haager Vorfahren[8]./

---

[2]   W. SCHULZE, Bäuerlicher Widerstand und feudale Herrschaft in der frühen Neuzeit (Neuzeit im Aufbau 6), 1980, S. 54.

[3]   H. SCHULTZ, Bäuerlicher Klassenkampf und „zweite Leibeigenschaft", in: Der Bauer im Klassenkampf, hg. v. G. Heitz, A. Laube, M. Steinmetz, G. Vogler, 1975, S. 391–404, bes. S. 394.

[4]   O. SCHIFF, Die deutschen Bauernaufstände von 1525 bis 1789, in: Historische Zeitschrift 130 (1924), S. 189–209, bes. S. 198.

[5]   BayHStA, GL Haag 42, Nr. 24, Beilage 2 und 3.

[6]   S. RIEZLER, Geschichte Baierns, 4, 1899, S. 675f.

[7]   Stadtarchiv München, Historischer Verein MS Nr. 107.

[8]   Die allgemeineren Aussagen zum Protesthandeln der bayerischen Bauern beruhen auf dem im Rahmen des VW-Forschungsprojekts „Konflikte im agrarischen Bereich 1400 bis 1800" von mir bearbeiteten bayerischen Material. Als Vorarbeiten zu einer zusammenfassenden Darstellung verweise ich auf die beiden Studien: R. BLICKLE, „Spenn und Irrung" im „Eigen" Rottenbuch. Die Auseinandersetzungen zwischen Bauernschaft und Herrschaft des Augustiner-Chorherrenstifts, in: Aufruhr und Empörung? Studien zum bäuerlichen Widerstand im Alten Reich, hg. v. P. Blickle, 1980,

Als ungewöhnlich muß allerdings 1596 die Reaktion der bayerischen Regierung bezeichnet werden. Ihre Schärfe gründete in äußeren Faktoren: der Furcht der Obrigkeit vor einem Übergreifen der gleichzeitigen oberösterreichischen Bauernunruhen auf Bayern sowie in Persönlichkeit und politischer Unerfahrenheit des jungen Herzogs Maximilian, der die Regierungsmaßnahmen leitete. Unter dem Blickwinkel der Herrschaft läßt sich auch am ehesten die zweite gelegentlich in der Forschung vorgenommene Einordnung der Haager Ereignisse rechtfertigen, die Haag in Abhängigkeit vom oberennsischen Bauernaufstand und im Zusammenhang mit den gleichzeitigen Allgäuer Unruhen sieht[9]. Von seiten der Bauern erlauben weder Formen und Mittel, noch Voraussetzungen und Ursachen diese Verknüpfung.

Um das Unternehmen der Haager Bauern von 1596 besser erfassen, Einmaliges und Typisches deutlicher erkennen zu können, erweist es sich daher als notwendig, näher auf die Haager Geschichte einzugehen, die Handlungsvoraussetzungen nach Lage und Stand im herrschaftlichen Rahmen und zeitlichen Umfeld zu erörtern und besonders das Verhältnis Bauernschaft–Herrschaft zu berücksichtigen (1). Da für das Handeln der Bauern im Konfliktfall nicht auf bereits Bekanntes verwiesen werden kann, erfahren auch die Auseinandersetzungen der Haager Bauern mit ihrer Obrigkeit im 16. Jahrhundert eine relativ breite Darstellung (2). Nach diesen Vorbereitungen werden sodann die Vorgänge um die Haager Bauernversammlung von 1596 des näheren betrachtet und erläutert (3).

I

Die Grafschaft Haag liegt in Oberbayern und war bis zum Jahre 1566 als freie Reichsgrafschaft eine der wenigen Enklaven im Herzogtum Bayern[10]. Den

---

S. 69–145, und DIES., Agrarische Konflikte und Eigentumsordnung in Altbayern 1400–1800, in: Aufstände, Revolten und Prozesse. Beiträge zum bäuerlichen Widerstand, hg. v. W. Schulze, 1982.

[9] So H. SCHULTZ, Bäuerlicher Klassenkampf (wie Fußnote 3). DIES., Bäuerliche Klassenkämpfe zwischen frühbürgerlicher Revolution und Dreißigjährigem Krieg, in: Zeitschrift für Geschichtswissenschaft 20 (1972), S. 156–173, bes. S. 165.

[10] Den bislang besten Überblick über die gesamte Haager Geschichte gibt R. MÜNCH, Die Reichsgrafschaft Haag, 1980. Allerdings handelt es sich ebenso wie bei der zweiten Gesamtdarstellung: A. TRAUTNER, Tausend Jahre Haager Geschichte, 1951, um keine wissenschaftliche Arbeit, da auf Belege verzichtet wird. Daten und Fakten sind häufig nicht richtig wiedergegeben. Die verläßlichsten Detailstudien sind: L. v. BORCH, Die Rechtsverhältnisse der Besitzer der Grafschaft Haag bis zur Erlangung der Reichsstandschaft, 1884, W. GOETZ, Ladislaus von Fraunberg, der letzte Graf von Haag, in: Oberbayerisches Archiv für vaterländische Geschichte 46 (1889/90), S. 108–165; E. SCHLERETH – J. WEBER, Die ehemalige Grafschaft Haag, in: Der Inn-Isengau 4 (1926), S. 3–8, 37–44, 61–68, 78–84, 85–100 und die Bemerkungen S. RIEZLERS in den Bänden 3, 4 und 5 seiner Geschichte Baierns.

Herzögen war ihre Reichsunmittelbarkeit ein steter Dorn im Auge. Sie versuchten die Grafschaft mit allerlei Mitteln ihrer Landeshoheit zu unterwerfen; den Wildhag, der die Grenzen der Herrschaft markierte, brannten sie mehrmals nieder, die Marksteine ließen sie versetzen[11]. Doch brachte erst der Tod des letzten Grafen im Haag, Ladislaus von Frauenberg, sie ans Ziel ihrer Wünsche. Am 1. September 1566 zogen Herzog Albrechts Kommissare, die seit Tagen ‚pietätvoll' an der Grenze bereitgestanden hatten, in Schloß Haag ein[12]. Für die Bauern der Grafschaft schien eine Alternative zur bayerischen Herrschaft nirgends in Sicht. So vollzog sich der Herrschaftswechsel geräuschlos – ohne Jubel aber auch ohne Protestgeschrei.

Die Haager Selbständigkeit war zum erstenmal 1246 sichtbar geworden, als Kaiser Friedrich II. Siegfried von Frauenberg und seinen Erben die hohe Gerichtsbarkeit in der Grafschaft Haag bestätigte[13]. Die Frauenberger waren zwar Ministerialen der bayerischen Herzöge – sie wurden erst 1465 in den Reichsfreiherrenstand und 1509 zu Grafen erhoben[14] –, aber es gelang ihnen mit diesen vom Kaiser übertragenen Gerichtsrechten trotzdem, der Grafschaft Haag den Charakter eines Reichslehens zu geben[15]. Anfang des 16. Jahrhun-

---

[11] Das Abbrennen des Hags ist überliefert für 1466 und 1548. S. RIEZLER, Geschichte Baierns, 3, 1889, S. 783. BayHStA, Kurbayern U 24 347; 1548 Juni 18. 1550 klagte Graf Ladislaus von Frauenberg beim Reichskammergericht wegen des abgebrannten Wildhags und der versetzten Grenzsteine. BayHStA, GL Haag 38, Fasz. 4.

[12] BayHStA, Kurbayern Äußeres Archiv 553, fol. 12–17'. Bericht der Pfleger von Kling und Erding an Herzog Albrecht vom 4. Sept. 1566 (Original).

[13] Druck: Monumenta Boica 30 a, 1834, Nr. 775, S. 294f. Auszug: K.-L. Ay, Altbayern von 1180 bis 1550 (Dokumente zur Geschichte von Staat und Gesellschaft in Bayern I, 2), 1977, S. 352f. – In der Urkunde wird als Ausstellungsdatum der Mai 1245 genannt, sie wurde aber wegen des Ausstellungsortes dem Mai 1246 zugeordnet. J. F. Böhmer – J. Ficker, Regesta Imperii V, 1 Nr. 3556. In der Literatur werden beide Daten verwendet.

[14] L. v. BORCH, Die Rechtsverhältnisse (wie Fußnote 10), S. 39, 54. – Der Besitz einer Grafschaft erhob die Inhaber nicht zu Grafen. Die Bemerkung Spindlers, die Frauenberger „behaupteten trotz der Eingriffe der Herzöge in den Jahren 1469/71 als Reichsgrafen eine gewisse Sonderstellung", ist daher leicht mißverständlich. M. SPINDLER, Die Anfänge des bayerischen Landesfürstentums (Schriftenreihe zur bayerischen Landesgeschichte 26), 1937, Neudruck 1973, S. 116. Umgekehrt hat K.-L. Ay die Standeserhöhung der Frauenberger 1509 übersehen, wenn er ihre Bezeichnung als Grafen in der Reichsmatrikel 1521 für irrtümlich hält. K.-L. AY, Altbayern (wie Fußnote 13), S. 232.

[15] Ob die Einräumung der hohen Gerichtsbarkeit in der Grafschaft Haag 1246 eine lehensrechtliche Verleihung darstellt, ist nach Ansicht H. Lieberichs nicht zu entscheiden. H. LIEBERICH, Zur Feudalisierung der Gerichtsbarkeit in Baiern, in: Zeitschrift für Rechtsgeschichte, Germanistische Abteilung 71 (1954), S. 243–338, bes. S. 272. Kaiserliche Lehenbriefe für die Grafschaft Haag nennt L. v. Borch zu 1434, 1437, 1467, 1478 und 1494. L. v. BORCH, Die Rechtsverhältnisse (wie Fußnote 10), S. 34, 36, 40, 47, 50.

derts stärkte König Maximilian ihre Stellung durch die ausdrückliche Befreiung der Grafschaft von jeder bayerischen Oberherrlichkeit[16]. Haag zählte zu den Reichsständen: 1510 unterzeichnete Sigmund von Frauenberg, Graf im Haag, den Abschied des Reichstags zu Augsburg für die Grafen und Herren[17]. In der Matrikel von 1521 wurde Haag mit vier Pferden und 18 Fußknechten veranschlagt[18]. Die Frauenberger saßen auf der Wetterauischen Grafenbank[19] und führten eine Stimme im Bayerischen Reichskreis[20]. Ihre „Regalien, Privilegien und Freiheiten"[21] umfaßten das Geleit-[22], Steuer-[23], Münz-[24], Jagd-, Hoch- und Niedergerichtsrecht. Sie hatten das ius reformandi und unterhiel-

---

[16]   BayHStA, Kurbayern U 23 476; 1503 Dez. 6.

[17]   L. V. BORCH, Rechtsverhältnisse (wie Fußnote 10), S. 55.

[18]   Auszugsweise gedruckt bei K.-L. Ay, Altbayern (wie Fußnote 13), S. 104. – Nach W. GOETZ, Ladislaus von Fraunberg (wie Fußnote 10), S. 136 stellte Laßla von Frauenberg die doppelte Anzahl, nämlich acht Reiter und 36 Fußsoldaten, zum Reichskontingent.

[19]   B. ZÖPF, Kurze Geschichte der ehemaligen Reichsgrafschaft Haag, in: Oberbayerisches Archiv für vaterländische Geschichte 16 (1856), S. 283–294, bes. S. 293.

[20]   Auszugsweiser Druck bei K.-L. Ay, Altbayern (wie Fußnote 13), S. 112. Der von K.-L. AY vertretenen Auffassung (wie Fußnote 13, S. 232), die bayerischen Herzöge hätten die Frauenberger von Haag nicht als Kreisstand anerkannt, möchte ich mich nicht anschließen, da im Anschlag für das Herzogtum 1531 gerade die Ortenburger, Haager, Degenberger und Stauf nicht mit inbegriffen waren. – Nach 1566/67 führten die Herzöge im bayerischen Kreis eine Stimme für Haag. D. ALBRECHT, Staat und Gesellschaft, 2. Teil: 1500–1745, in: Handbuch der bayerischen Geschichte, 2, Das Alte Bayern. Der Territorialstaat, 1969, Nachdruck 1974, S. 561. Vgl. auch den bei M. LOSSEN, Die Ehe Herzog Ferdinands mit Maria Pettenbeck, in: Jahrbuch für Münchner Geschichte 1 (1887), S. 328–356, S. 352–355 gedruckten Bericht (nach 1595 vor 1602), wonach Herzog Maximilian „desto mehr Bedenken (hat) Haag also wegzugeben, weil es ein Grafschaft für sich und ein fein Stück Landes, die auch auf Reichs- und Kreistagen Session und Stimme habe".

[21]   So summiert Kaiser Karl V. die Rechte der Reichsgrafschaft Haag in seiner Vorladung Herzog Wilhelms von Bayern vor eine kaiserliche Schiedskommission. BayHStA, Kurbayern U 24 347; 1548 Juni 18. – Obwohl König Maximilian 1503 (ebd. U 23 476) auch vom Zoll der Grafschaft spricht, wurde dort weder Zoll noch Maut erhoben. StAM, GL Haag 64, Diarium der Grafschaftsverwaltung Haag pro 1590.

[22]   BayHStA, Kurbayern U 23 476; 1503 Dez. 6. Zu Geleit und Freiung in der Grafschaft vgl. vor allem StAM, GL Haag 64; 1589.

[23]   RB 11, S. 151; 1399 März 13. – BayHStA, Kurbayern Äußeres Archiv 530, fol. 293 f. und 274; 1478/79. – L. V. BORCH, Die Rechtsverhältnisse (wie Fußnote 10), S. 47 (zu 1478).

[24]   W. GOETZ, Ladislaus von Fraunberg (wie Fußnote 10), S. 164f. J. KERSCHBAUMER, Der Markt Haag und seine tausendjährige Geschichte, in: Stadt- und Landkreis Wasserburg am Inn, 1970, S. 62–67, bes. S. 64.

ten in Haag eine Lehenstube[25]. Für den Erhalt der Haager Unabhängigkeit aber erwiesen sich weniger diese Menge und Dichte der Hoheitsrechte als entscheidend, als vielmehr die Verankerung der Grafschaft im Reich und das Überleben des Geschlechts der Frauenberger.

Die Bedrohung der Reichsfreiheit Haags war sozusagen naturgegeben: Die Grafschaft lag mitten im wittelsbachischen Herzogtum[26]. Ihr Zentrum, Burg und Markt Haag, erreichte man von München kommend „zwischen der 13 und 14 Stundensäule"[27] auf der Straße München–Altötting–Wien. In der Grafschaft selbst konnte man aus allen Orten bequem in höchstens dreistündigem Fußmarsch nach Haag gelangen. Ihre Fläche umfaßte rund 300 km[2] [28]. Das moränige, mäßig fruchtbare Hügelland war vorwiegend von Weilern und Einzelhöfen – mit rund 500 Ortschaften – besiedelt[29]. 1595 zählte man ca. 1550 Haushalte[30]. Die Verwaltung der Grafschaft erfolgte von der Burg Haag aus. Als Amtleute lassen sich Ende des 14. Jahrhunderts ein Richter und ein Propst „zu dem Hag" nachweisen[31]. Anfang des 15. Jahrhunderts erscheint zusätzlich ein Pfleger[32]. Graf Ladislaus von Frauenberg beschäftigte offenbar keinen Richter, dessen Aufgaben[33] wurden zeitweise von einem Kanzler[34] und

---

[25]   In seinem Testament verfügt Sigmund von Frauenberg 1522 die Lehenvergabe in der Grafschaft Haag durch seinen Enkel Ladislaus. W. GOETZ, Ladislaus von Fraunberg (wie Fußnote 10), S. 117. Zu Verlehnungen in bayerischer Zeit vgl. BayHStA, GU Haag 1229, 1230, 1260, 1262, 1261/1 und die Lehenbücher im StAM.

[26]   Nur im Nordwesten grenzte sie an die bischöflich freisingische Herrschaft Burgrain.

[27]   F. D. REITHOFER, Chronologische Geschichte des Marktes Haag in Baiern, 1818, S. 1. Ein Fußgänger brauchte von Haag nach München 13 Stunden, ein berittener Eilbote sechs und eine halbe Stunde. L. WILLKOFER, 300 Jahre Post in Haag (Oberbayern), in: Archiv für Postgeschichte in Bayern 12 (1964), S. 23–35, bes. S. 29.

[28]   L. WILLKOFER, 300 Jahre Post (wie Fußnote 27), gibt genau 309 km[2] an.

[29]   J. HAZZI, Statistische Aufschlüsse über das Herzogtum Baiern, aus aechten Quellen geschöpft, 2.3, 1804, S. 501 zählt um 1800 im Gericht Haag 1833 Häuser mit 1912 Herdstätten in 481 Orten. Die Ortsaufstellung bei R. MÜNCH, Die Reichsgrafschaft (wie Fußnote 10), S. 190–206, umfaßt 517 Orte. PH. APIAN vermerkt um die Mitte des 16. Jahrhunderts in seiner Topographie von Bayern (abgedruckt in: Oberbayerisches Archiv für vaterländische Geschichte 39 (1880), S. 121) zur Grafschaft Haag: „Villas . . . habet innumeras, passim per totum comitatum dispersas . . .".

[30]   StAM, GL Haag 51. – Im Diarium der Grafschaft für 1599 erwähnt Landrichter Pettenpeck „biß in 1600 Manschaft item ungeverlich bis in 5500 Communicanten" in Haag. StAM, GL Haag 64, fol. 1.

[31]   RB 11, S. 151; 1399 März 13. – R. MÜNCH, Die Reichsgrafschaft (wie Fußnote 10), S. 208, erwähnt bereits zu 1323 einen Richter in Haag.

[32]   RB 13, S. 88; 1427 Jan. 16.

[33]   Das Haager Gericht ist im 16. Jahrhundert allerdings auf grafschaftsinterne Angelegenheiten beschränkt. Im 15. Jahrhundert wurde an seiner Schranne auch über Leben und Tod reichsstädtischer Bürger (Nürnberger) gerichtet. RB 13, S. 345; 1435 Juli 9.

später von einem Gerichtsschreiber[35] wahrgenommen. In der bayerischen Epoche (ab Ende 1566) gab es immer einen Landrichter in Haag[36], der bekannteste von ihnen war Georg Pettenpeck, vormaliger Rentschreiber in München und Schwiegervater Herzog Ferdinands von Bayern. Im 16. Jahrhundert bestand die Grafschaft aus den vier Ämtern oder Vierteln Kirchdorf (oder Schwindkirchen), Mehring (Rechtmehring), Albaching, Schwindau (Großschwindau) und dem Markt Haag[37]. Jedem Amt stand ein herrschaftlich gesetzter Amtmann vor. Ihn unterstützten ab 1589 vom Landrichter bestimmte Obleute[38]. Im Unterschied zu den Amtleuten handelte es sich bei den Obleuten um Bauern. In den Dörfern Kirchdorf und Albaching mit Berg wählte die Gemeinde Vierer zu ihrer Vertretung[39]. Am äußersten nördlichen und östlichen Rand der Grafschaft lagen die „gefreiten Häuser" Armstorf, Schönbrunn und Hampersberg. Sonst gab es in der ganzen Herrschaft kein konkurrierendes Gericht. Der Markt Haag und das von den Frauenbergern Anfang des 15. Jahrhunderts gegründete Klösterchen Ramsau waren die einzigen von der ländlichen Gesellschaft abgehobenen Gemeinschaften, aber auch sie unterstanden völlig der Zwangsgewalt der Grafen. Dabei beruhte die Herrschaft der Frauenberger auf den vom Gericht abgeleiteten und auf verliehenen Hoheitsrechten, nicht auf der autochthonen, lokalen Gewalt der

---

[34]   Von Ende 1553 bis 1557 war Johann Gering von Augsburg Kanzler in Haag. BayHStA, Kurbayern U 5781; 1556 Dez. 17 und U 33 111; 1557 Febr. 15.

[35]   BayHStA, Kurbayern Äußeres Archiv 553, fol. 12–17' und 551, fol. 18–48'.

[36]   Beim Übergang an Bayern wurde der vormalige gräfliche Pfleger Hieronymus Schnöd Landrichter. BayHStA, Kurbayern Äußeres Archiv 533, fol. 209; 1567 Mai 14. Auf Schnöd folgten Hieronymus Renz und Georg Pettenpeck. Die Angabe bei F. D. REITHOFER, Chronologische Geschichte (wie Fußnote 27), S. 21, und R. MÜNCH, Die Reichsgrafschaft (wie Fußnote 10), S. 208, daß Georg Pettenpeck bereits 1572 Landrichter in Haag war, entbehrt jeder Grundlage. – Von Mai 1569 bis Juli 1575 erscheint regelmäßig Hieronymus Schnöd als Haager Landrichter. BayHStA, Kurbayern U 31 231, U 24 086, U 24 085, U 2723. Vom 1. Jan. 1576 datiert die Bestallung des Hieronymus Renz. StAM, GL Haag 65, Fasz. 1, Prod. 8. Am 1. Dez. 1588 zieht Georg Pettenpeck in Haag ein. StAM, GL Haag 64, fol. 27'.

[37]   StAM, GL Haag 41.

[38]   Bis 1589 gab es weder Obmannschaften noch Hauptmannschaften in Haag. StAM, GL Haag 64. 1590 notiert dagegen der Landrichter, daß die Amt- und Obleute jährlich im November „in gelübd" genommen werden müssen. Ebd. 1596 klagt Landrichter Pettenpeck über die durch ihn „der Grafschafft zu gueten vorlangst gesezte(n) Obleuth". BayHStA, GL Haag 42, Nr. 1.

[39]   StAM, GL Haag 64. „Ehaftrecht zu Albaching und Berg" und „Ordnung des dorfs zu Kirchdorf"; 1590. Teildruck bei J. Grimm, Weisthümer 3, 1842, S. 667.

Grundherrschaft[40]. Denn obwohl die Haager Grafen, wie die meisten Herren, im 16. Jahrhundert den Eigenbesitz der Bauern aufkauften und die Höfe in grundherrlicher Leihe wieder zurückgaben[41], zeigt das Türkensteuerbuch von 1595 noch einen außerordentlich hohen Anteil an bäuerlichem Eigen- und Lehenbesitz[42]. Außerdem waren Kirchen, Klöster, Adelige und der bayerische Herzog in der Grafschaft begütert. Da die Grundherrschaft als Bindeglied zwischen Herr und Untertanen weitgehend ausfiel, suchten die Grafen durch Betonung der Leibherrschaft ihren Herrschaftsbereich vor dem Aufgehen in der bayerischen Umgebung zu wahren und Zugriff auf das Vermögen der Bauern zu erhalten. Der freie Zug, die freie Heirat, die freie Verfügung über die eigene Arbeitskraft waren nicht verboten, aber teuer. Bei Verehelichung eines Haager Leibeigenen mit einem herzoglichen – „des man doch nit gern hat"[43] – verdoppelten sich Heiratsbuße und Leibsteuer[44]. Die Scharwerksanforderungen blieben mäßig, da die gräfliche Familie im 16. Jahrhundert nur einen Haushalt unterhielt[45] und der Hofbau beim Schloß nicht groß war[46]. Allerdings lassen sich Ansätze zum Ausbau einer „Wirtschaftsherrschaft"[47]

---

[40]   Die Einnahmen der Grafen aus der Herrschaft spiegeln deutlich diesen Zustand: Sowohl bei den Natural- wie bei den Geldgefällen machen die Gülten nur einen Bruchteil des Einkommens aus. Futtersammlung, Vogtei- und Hundshafer übertreffen das Gültgetreide ebenso wie Ungeld, Bußen und Leibeigenschaftsgefälle die Geldgülten. BayHStA, Kurbayern Äußeres Archiv 553, fol. 76–80'; 1566 Sept. 1. – Zu den Einnahmen aus der Grafschaft in bayerischer Zeit vgl. BayHStA, GL Haag 52, Fasz. 3; für die Jahre 1567 (rd. 2367 fl), 1576 (rd. 3952 fl), 1577 (rd. 3834 fl), 1578 (rd. 2359 fl).

[41]   BayHStA, Kurbayern U 24 308, U 24 306, U 24 304, U 24 301, U 24 294, U 24 298, U 24 299. – Verkäufe an die herzogliche Kammer: ebd. U 24 086, U 24 085, U 2723.

[42]   StAM, GL Haag 51. – Vgl. auch E. KLEBEL, Freies Eigen und Beutellehen in Ober- und Niederbayern, in: Zeitschrift für bayerische Landesgeschichte 11 (1938), S. 45–85, bes. S. 52, 55, 59.

[43]   BayHStA, Kurbayern Äußeres Archiv 563, fol. 108; Mitte 16. Jahrhundert.

[44]   Ebd. – Graf Ladislaus' rigorose Haltung zeigt das „Mandatum die Leibaigen personen etc. belangend" aus der Fastenzeit 1549, für dessen Einhaltung er von allen Untertanen einen Eid verlangte sowie hohe Strafen androhte und für die Denunziation von Leibeigenen Belohnung versprach. Ebd. fol. 106–107'. Die Leibeigenschaft bestand in der Grafschaft bis zu deren Aufhebung in Bayern im Jahre 1808. Das belegen die Leibsteuerbücher, Leibsteuerregister und Verzeichnisse von den Leibzinsen im StAM. Vgl. auch H. LIEBERICH, Die Leibeigenschaft im Herzogtum Baiern, in: Mitteilungen für die Archivpflege in Oberbayern Nr. 28 (1948), S. 741–761, bes. S. 747. A. SANDBERGER, Entwicklungsstufen der Leibeigenschaft in Altbayern, in: Zeitschrift für bayerische Landesgeschichte 25 (1962), S. 71–92, bes. S. 91.

[45]   W. GOETZ, Ladislaus von Fraunberg (wie Fußnote 10), S. 119–123.

[46]   BayHStA, Kurbayern Äußeres Archiv 553, fol. 78'; 1566.

[47]   Anfeil- und Tavernenzwang zählt A. HOFFMANN, Wirtschaftsgeschichte des Landes Oberösterreich, 1952, S. 126, zu den Mitteln der Konzentration interner Kräfte im

feststellen, wenn den Haager Untertanen geboten wird, ihr Getreide kurzfristig und ausschließlich auf dem Haager Markt anzubieten[48], der Fürkauf untersagt wird[49] und den Leibeigenen vorgeschrieben wird, alle Hochzeiten und Vertragsabschlüsse in den beiden Haager Wirtshäusern zu feiern[50].

II

In die geschlossene Gerichts- und Landesherrschaft der Grafen im Haag wirkten von außen zwei politische Mächte hinein: der Kaiser und der bayerische Herzog. Die normale herrschaftliche Achse Untertan – nahe Obrigkeit – hohe Obrigkeit existierte in Haag wegen des Zusammenfallens von naher und hoher Obrigkeit in der Person des Grafen nicht, doch nahm in mancher Hinsicht der Kaiser die Position der hohen Obrigkeit ein, da die Haager Bauern als des „Reichs liebe getreue" galten, am Reichskammergericht gegen den Grafen prozessierten[51] und sich in ihren Beschwerden auf die „kaiserlichen Rechte" beriefen[52]. Ihre spezifische Prägung erhielt die Konstellation der politischen Kräfte aber durch die besondere Rolle des bayerischen Herzogs. Seine Schlüsselstellung beruhte nicht auf seinen wenigen grund- und leibherrlichen Rechten, obwohl ihm diese den besten Hebel zum Eingreifen in der Grafschaft boten, sondern auf seiner mächtigen und aggressiven Nachbarschaft. Die Herzöge verfuhren beispielsweise mit Graf Ladislaus von Frauenberg weitaus gewaltsamer und willkürlicher als dieser mit seinen Bauern[53].

Hinblick auf den allgemeinen Markt, die im 16./17. Jahrhundert zur Wirtschaftsherrschaft führte. Allerdings gründeten die Maßnahmen in Haag nicht in der Grundherrschaft, sondern in der Zwangsgewalt des Grafen. – Für Bayern vgl. zum Thema die Überlegungen bei E. SCHREMMER, Agrarverfassung und Wirtschaftsstruktur. Die südostdeutsche Hofmark – eine Wirtschaftsherrschaft?, in: Zeitschrift für Agrargeschichte und Agrarsoziologie 20 (1972), S. 42–65.

[48]   BayHStA, Kurbayern Äußeres Archiv 551, fol. 42; 1562 Okt. 11 (Datierung nach ebd. fol. 29). – 1552 gab es bereits einen Befehl Graf Ladislaus', alles „Pfennwert" zuerst in Haag anzubieten. BayHStA, GL Haag 38, Fasz. 5. E. SCHLERETH – J. WEBER, Die ehemalige Grafschaft Haag (wie Fußnote 10), S. 90.

[49]   BayHStA, Kurbayern Äußeres Archiv 563, fol. 107; 1549.

[50]   Dank dieser Maßnahme betrugen die Ungeldeinnahmen aus den Haager Tavernen 1566 800 fl. BayHStA, Kurbayern Äußeres Archiv 553, fol. 77'.

[51]   BayHStA, GU Haag 1120; 1559 Mai 22.

[52]   BayHStA, Kurbayern Äußeres Archiv 551, fol. 41'; 1562.

[53]   Die Herzöge waren nie zimperlich im Umgang mit den Haager Grafen. Die schmählichste Gewalttat unternahm Herzog Albrecht, der Graf Ladislaus im September 1557 in Altötting gefangennahm, in München zwei Monate eingesperrt hielt, dann unter Bewachung von 60 Soldknechten auf sein Schloß nach Haag führen ließ und dort 25 000 Gulden von ihm erpreßte. Für die Tat gab es nicht die Spur eines Rechtsgrunds. W. GOETZ, Ladislaus von Fraunberg (wie Fußnote 10), S. 149–156. BayHStA, Kurbayern U 2783; 1557 Okt. 29. Vertragsdiktat Herzog Albrechts. BayHStA, GU Haag 1121; 1558 Nov. 2. Androhung der Reichsacht für Herzog Albrecht durch Kaiser Ferdinand. – BayHStA, GL Haag 38, Fasz. 2, 3, 4.

Die schwierige Situation des Grafen konnten vor allem die herzoglichen „Urbars- oder Kastenbauern" in der Grafschaft nutzen. Das Zentrum der bäuerlichen Aktivitäten lag daher in der Grafenzeit im Norden der Herrschaft, in der Pfarrei Schwindkirchen, weil es hier den meisten herzoglichen Besitz gab. Die Schwindkircher Urbarsbauern weigerten sich Anfang des 16. Jahrhunderts[54] und wahrscheinlich auch 1538[55], den Grafen Steuern zu zahlen. Die Schwindkircher Untertanen zählten zu den eifrigsten Anhängern der evangelischen Lehre, forderten einen eigenen Prädikanten, unterhielten ihn auf eigene Kosten[56] und zwangen den katholischen Pfarrer durch Zehntverweigerung, sich an dessen Besoldung zu beteiligen[57]. Die Religionsfreiheit, die ihnen der Graf bot – er hatte sich 1559 auf dem Reichstag zu Augsburg vor Kaiser und Reich zur Confessio Augustana bekannt[58] – und die sie in Gegensatz zu den streng katholischen Herzögen stellte, hinderte sie nicht, mit dem Herzog gegen den Grafen zu taktieren, als dessen Polizeimaßnahmen ihr Mißfallen erregten.

Der „Haager Schweinekrieg" im Herbst und Winter 1562/63 war ein Unternehmen der Schwindkircher Bauern unter Führung der herzoglichen Kastenbauern. Graf Ladislaus hatte „auf vilfeltige Beschwerungen" der Untertanen[59] und „zue ehaltung guetter nachberschafft und von gemaines nuez wegen"[60], wie er mehrmals beteuerte, durch ein Mandat am 9. August 1562 angeordnet, daß hinfort jeder seine Schweine bis zur Dechelzeit nur noch auf seinem eigenen Grund und Boden halten sollte. Die Schweinezucht hatte in den letzten 15 Jahren in der Grafschaft rapide zugenommen[61]. Die bisher übliche gemein-

---

[54]   BayHStA, Kurbayern U 21 945; 1508 Juli 14.

[55]   In einer Klage beim Reichskammergericht 1548 brachte Ladislaus von Frauenberg u. a. vor, der Herzog habe ihn durch Gewaltandrohung gezwungen, etlichen Bauern die Steuer, die er anläßlich der Hochzeit seiner Schwester rechtmäßigerweise erhoben hatte, zurückzugeben. BayHStA, Kurbayern U 24 347; 1548 Juni 18. Die Hochzeit Maximilianes von Frauenberg mit Karl von Ortenburg fand 1538 statt. W. GOETZ, Ladislaus von Fraunberg (wie Fußnote 10), S. 125. Das Eingreifen des Herzogs legt eine Initiative der Urbarsbauern nahe.

[56]   H. RÖSSLER, Geschichte und Strukturen der evangelischen Bewegung im Bistum Freising 1520–1571 (Einzelarbeiten aus der Kirchengeschichte Bayerns 42), 1966, S. 120. – BayHStA, Kurbayern Äußeres Archiv 533, fol. 63'; 1555.

[57]   Zum Zehntstreit der Gemeinde Schwindkirchen mit dem Pfarrer Leonhard Seemiller siehe BayHStA, Kurbayern Äußeres Archiv 533, fol. 124–131. – H. RÖSSLER, Geschichte und Strukturen (wie Fußnote 56), S. 121.

[58]   H. RÖSSLER, Geschichte und Strukturen (wie Fußnote 56), S. 121.

[59]   BayHStA, Kurbayern Äußeres Archiv 551, fol. 18.

[60]   Ebd., fol. 20.

[61]   Ebd., fol. 26'. Nach den von der gräflichen Verwaltung angestrebten Normen sollte ein halber Hof nicht mehr als sieben Schweine halten. Ebd., fol. 27. Hans Filser von Stollenkirchen, der Anführer der bäuerlichen Opposition, aber erklärte, auf seinem halben Kastengut 12 Schweine wintern zu können. Ebd., fol. 21. Der Schweinebesatz

same Weide auf der Gmain (Allmende), im Wald und auf den Brachfeldern der Nachbarn wurde unter Strafe gestellt. Die Verordnung galt in der ganzen Grafschaft. Widerstand dagegen läßt sich nur in der Pfarrei Schwindkirchen feststellen. Die Bauern versammelten und besprachen sich, wählten einen Ausschuß[62] und baten den Grafen in mehreren Suppliken um Widerruf des Mandats[63]. Sie erklärten seine Bestimmungen rundweg für undurchführbar und sich selbst für durchaus in der Lage, die Schweinehut ohne die Herrschaft zu regeln[64]. Auch einem weiteren Mandat Ladislaus', wonach der gedroschene Weizen binnen drei, der ungedroschene binnen acht Tagen auf der Schranne in Haag zum Wasserburger Tagespreis zu verkaufen sei, behaupteten sie, „khain volg thun" zu können, da nach altem Herkommen der Verkauf frei sei und sie damit gegen ihren „nuz und wolfarth" handeln würden, was der Graf nicht wünschen könne, da er berufen sei, von ihnen, seinen Untertanen, Schaden und Verlust abzuwenden[65].

Die Schwindkircher Bauern begründeten ihre Ablehnung der herrschaftlichen Gebote mit mehreren, in bäuerlichen Beschwerden üblichen Argumenten: Der Graf verstoße gegen das alte Herkommen, die ersessenen Rechte; sein Befehl sei ihnen an ihrer „narung schmelerlich, abbruchig und beschwerlich"; seinem Gebot stünden die „kaiserlichen Rechte" entgegen. Was ihrer Beweisführung aber eine eigene Note gab und sicherlich auch besonderen Nachdruck verlieh, waren die Darlegungen über ihre Eigentumsverhältnisse; denn an diesem Punkt brachten sie den Herzog mit ins Spiel. Gemäß den Rechtsvorstellungen des 16. Jahrhunderts und insoweit wieder ganz zeittypisch, ließen sie durch den Schreiber ihrer Eingabe ausführen, daß ihrem „nießlichen Eigentum" ebenso wie dem „dominium directum" der Grundherren an ihren Gütern die Weiderechte als Servitut anhingen, und es keinesfalls in ihrer Macht stünde, daran etwas zu ändern; denn dies bedeute einen Eingriff in das grundherrliche – also auch das herzogliche – Eigentum[66]. Diese Argumentation mußte Graf Ladislaus sehr vertraut erscheinen. Er bekämpfte nämlich mit derselben Rechtsfigur beim Reichskammergericht die Übergriffe des Herzogs auf seine Grafschaft[67]. Wie der Kaiser die „Verpflichtung" des Grafen zur Wahrung

der übrigen widerständischen Bauern entsprach dagegen ziemlich genau den Maßzahlen.
[62] Dem Ausschuß gehörten an: Hans Filser und Leonhard Talmair von Stollenkirchen sowie Georg Schlosser und Georg Lip von Schiltern. Ebd., fol. 21–22'.
[63] Im Wortlaut erhalten ist nur eine der Bittschriften. Ebd., fol. 40–43'; vor dem 26. Okt. 1562.
[64] Ebd., fol. 24 f. Hans Filser spricht für sich selbst und anstatt der „gmain".
[65] Ebd., fol. 42 f.
[66] Ebd., fol. 40–43.
[67] BayHStA, Kurbayern U 24 347; 1548 Juni 18. Vorladung Herzog Wilhelms von Bayern auf Klage Graf Ladislaus' von Frauenberg vor eine kaiserliche Kommission durch Kaiser Karl V.

„des Reichs aigenthumbs" und damit zur Abwendung jeden Schadens von seiner Grafschaft betonte und den Herzog zur Rechtfertigung vorlud, so ergriff auch der Herzog jede Gelegenheit, die ihm sein „Lehenmann", der Urbarsbauer, zuspielte, um die obrigkeitliche Gewalt des Grafen zu beschränken. Den „Aufrurern zu Schwindtkirchen"[68] stand er nicht nur mit drohenden Schreiben an den Grafen bei[69], sondern er – beziehungsweise die Regierung in Landshut – verschärften die Auseinandersetzungen, indem sie den Bauern schriftlich Scharwerksverbote erteilten. Die Bauern trugen das Schreiben flugs zum Grafen, der sperrte sie empört im Haager Gefängnis ein, forschte dem Umfang ihres „verpuntnis" nach, bot aber am Ende Straferlaß gegen Scharwerkszusage[70]. Die Bauern lehnten ab: „Sy khünen sich ausserhalb eines beschaits irer gruntherrn inn khain Pürgschafft noch in verrer schwarwerch nicht einlassen"[71]. Das Ende der Affäre ist den Akten nicht zu entnehmen. Die letzte Nachricht enthält das Schreiben Herzog Albrechts vom 3. Februar 1563, mit dem er den Grafen aufforderte, die gefangenen Bauern zu entlassen und sein Schweinemandat zu widerrufen[72].

Die Übernahme der Herrschaft in Haag durch Bayern veränderte 1566 die Voraussetzungen des politischen Handelns der Haager Bauern. Das Bild des Kaisers verblaßte möglicherweise, doch blieb es während der nächsten Jahrzehnte noch in Bewußtsein und Kalkül der Bauern[73], obwohl die Herzöge die Verbindung zum Reich – etwa über den Rechtszug[74] – unterbanden. Die Rechte eines Grafen im Haag übernahm zunächst Herzog Albrecht[75], nicht aber seine Stellung, denn zwangsläufig regierte er nicht persönlich die Grafschaft, sondern mittelbar durch seine Beamten. Nachdem Haag seit 1578 zu

---

[68] So nennt die gräfliche Verwaltung die protestierenden Bauern. BayHStA, Kurbayern Äußeres Archiv 551, fol. 24', 28'.

[69] BayHStA, Kurbayern Äußeres Archiv 565, fol. 264–265.

[70] BayHStA, Kurbayern Äußeres Archiv 551, fol. 45–49; 1563 Jan. 14.

[71] Ebd., fol. 49.

[72] BayHStA, Kurbayern Äußeres Archiv 565, fol. 264'.

[73] Noch 1596 diskutierten die Bauern darüber, ob sie sich mit ihren Beschwerden an den Kaiser wenden sollten.

[74] Die bayerischen Herzöge unterbanden den Rechtszug aus dem Herzogtum mit Vorliebe durch die Bevorzugung summarischer Prozesse, bei denen die Appellation aus dem Herzogtum untersagt war. Das privilegium de non appellando illimitatum erhielt Bayern erst 1620.

[75] Kaiser Karl V. hatte Herzog Albrecht V. bereits 1555 die Expektanz auf die Reichslehen der Grafschaft Haag erteilt. BayHStA, Kurbayern U 2825; 1555 Sept. 20. Nach dem Tod Graf Ladislaus' von Frauenberg nahmen am 1. September 1566 herzogliche Beamte sofort alle wichtigen Dokumente in Beschlag. Die Bestätigung der Reichslehen erfolgte am 21. März 1567; ebd. U 2828. – Die Allodialverlassenschaft des Grafen kaufte Herzog Albrecht V. durch zwei Verträge vom Mai 1568 und Februar 1569 den Erben, einer Schwester und zwei Nichten Ladislaus', ab. Ebd., U 2831; 1568 Mai 11 und U 2833; 1569 Febr. 4.

den Apanagen nachgeborener wittelsbachischer Söhne geschlagen wurde, gliederte sich die Obrigkeit faktisch in drei Stufen: Landesherr war der regierende bayerische Herzog, hohe und niedere Obrigkeit standen einem anderen Mitglied der Familie zu, tatsächlich ausgeübt wurde die Herrschaft durch Beamte, die beiden Herzögen mit Eid verpflichtet waren[76]. Auch die Haager Bauern huldigten jeweils zwei wittelsbachischen Herzögen[77].

Mit den veränderten Voraussetzungen endete die Sonderrolle der Schwindkircher Bauern innerhalb der Grafschaft. Auch drängte die – verglichen mit dem altbayerischen Umland – gemeinsame Andersartigkeit die internen Haager Differenzierungen in den Hintergrund. Bei Unternehmungen der Haager Bauernschaft trat nun die „gantze gemain der Graffschafft Hag" auf. Einen beachtlichen Teil ihrer Energie verwendete sie auf den Erhalt dieser Eigenart; sie geriet dabei in Konflikt mit allen drei herrschaftlichen Instanzen. Bereits 1567 setzte sich die ganze Bauernschaft für die im Zuge der Rekatholisierung gefangenen und des Landes verwiesenen Nachbarn ein[78]. Wahrscheinlich noch im gleichen Jahr strengte sie ein Verfahren gegen die Alloderben Graf Ladislaus' an[79], die sich weigerten, des Grafen auf dem Totenbett vorgeblich gegebenes Versprechen der Dienst- und Gültfreiheit aller Untertanen für ein Jahr zu erfüllen[80]. Ein Jahr später begannen die Auseinandersetzungen mit den bayerischen Beamten, die in den folgenden 30 Jahren immer wieder aufbrachen.

Die Wittelsbacher residierten im 16. Jahrhundert nur gelegentlich in Haag, im Schloß wohnten jetzt ihre Amtleute, die Pfleger und Richter. Zur Besoldung

---

[76] Die Aufteilung der Herrschaftsrechte und die Bestimmung über die Eidesleistung der Beamten ist der Anweisung für die Kommission, die in Haag am 13. März 1581 die Huldigung entgegennehmen sollte, zu entnehmen. BayHStA, Kurbayern Äußeres Archiv 554, fol. 672–675'. – Herzog Albrecht V. hatte in seinem Testament vom 11. 4. 1578 bestimmt, daß die Grafschaft Haag, die Herrschaft Hohenschwangau und die Stadt Schongau seinem dritten Sohn, Herzog Ferdinand, eingeräumt werden sollten. S. RIEZLER, Geschichte Baierns, 4, 1899, S. 648.

[77] Die Huldigung für die Herzöge Wilhelm V. und Ferdinand erfolgte am 13. März 1581. Die Bauern erschienen dazu alle persönlich in Haag. BayHStA, Kurbayern Äußeres Archiv 554, fol. 672–675'. Nach dem Rücktritt Herzog Wilhelms huldigten die Haager im November 1599 dem neuen Landesherrn, Herzog Maximilian. BayHStA, Kurbayern U 33 109 und U 2765; 1599 Nov. 1.

[78] H. RÖSSLER, Geschichte und Strukturen (wie Fußnote 56), S. 132. „Die gantze nachbarschaft samt der gefangenen weib und kinder Haager landsgerichts" übergab eine Bittschrift für Leonhard Kistler und Wolfgang Wielerstetter. Die beiden wurden des Landes verwiesen. – Die Aussage Rößlers, ebd. S. 131, wonach noch mindestens weitere vier bis sechs Personen das Land verlassen mußten, scheinen mir die Akten nicht eindeutig zu erweisen. BayHStA, Kurbayern Äußeres Archiv 533, fol. 198–205 (= früher GL Haag 4).

[79] Vgl. Fußnote 75.

[80] BayHStA, Kurbayern Äußeres Archiv 553, fol. 237–259.

des ersten herzoglichen Pflegers, Dionysius Schellenberger, gehörte der sog.
„Strobelhof"[81]. In der Grafenzeit war er entweder an einen Bauern verstiftet,
oder er wurde mit dem Hofgeschirr, dem Gespann des Bauhofs, bearbeitet.
Der Pfleger hingegen verlangte die Bebauung durch bäuerliche Scharwerke.
Sein mit den vier Amtleuten getroffenes Abkommen, wonach im jährlichen
Turnus jeder Amtmann mit neun oder zehn Bauern seines Viertels die Hoffel-
der anbauen, dafür diese Bauern aber von allen übrigen Scharwerken befreit
sein sollten, stieß bei den Betroffenen als „beschwerliche Neuerung" und
Verstoß gegen den Landsbrauch auf Widerstand. Die Bauern des vierten
Viertels (Schwindau) verweigerten im Frühjahr 1570 die Arbeit, mobilisierten
die Nachbarn der übrigen Viertel, hielten – ohne Wissen der Amtleute – eine
„gmain" (Versammlung), erhoben unter sich eine Geldanlage und verfaßten
eine Beschwerdeschrift an Herzog Albrecht[82]. Der Herzog forderte vom
Pfleger einen Rechenschaftsbericht und befahl ihm, die Supplikanten wider
das alte Herkommen nicht zu beschweren[83]. Die Rechtfertigung des Pflegers
wurde den Bauern zugeschickt. Sie replizierten sofort[84], wiederholten ihre
Beschwerden und verwahrten sich nachdrücklich gegen die Behauptung des
Pflegers, sie seien Aufrührer. In seiner Entschließung gab der Hofrat in
München jedoch dem Pfleger Recht und stellte außerdem eine Bestrafung der
Bauern für die unerlaubte „Gmain" in Aussicht[85].
Der nächste überlieferte Konflikt mit der Obrigkeit spielte sich etwa zehn
Jahre später ab. Anläßlich der Huldigung für die Herzöge Ferdinand und
Wilhelm V.[86] – also zu einem klassischen Beschwerdetermin – legte die
Bauernschaft der angereisten Kommission im März 1581 ihre Gravamina
vor[87]. Zu ihrer Erledigung lud man einen Ausschuß der Untertanen und die
beklagten Beamten der Grafschaft nach München zum Verhör. Es gelang,
einige Streitfragen zu schlichten, andere, bei denen kein Übereinkommen
gefunden wurde, entschied der Herzog selbst. Das Ergebnis wurde in zwei
gleichlautenden Urkunden festgehalten, eine davon erhielten die Bauern im
August ausgehändigt[88]. Den Frieden bewirkte der Vergleich nicht. Im März
1582 gaben Hofmeister und Kanzler eine weitere Erklärung ab[89]. Um die
Annahme des Rezesses durchzusetzen und um den „mutwilligen widersäßigen

---

[81] Die Darstellung beruht auf BayHStA, Kurbayern Äußeres Archiv 557, fol. 168–177'.
[82] Ebd., fol. 169–170'; vor dem 6. April 1570.
[83] Ebd., fol. 168; 1570 Apr. 6.
[84] Ebd., fol. 175–177; vor dem 29. April 1570.
[85] Ebd., fol. 177'; 1570 Apr. 29.
[86] Vgl. Fußnoten 76 und 77.
[87] Erhalten sind nur die Beschwerden über den Wildschaden. BayHStA, Kurbayern Äußeres Archiv 569, fol. 290 f.
[88] BayHStA, GU Haag 1238; 1581 Aug. 14.
[89] BayHStA, Kurbayern Äußeres Archiv 567, fol. 296; 1582 März 19.

underthonen ir zusamen rottiren" zu verweisen, reisten im April zwei Kommissare aus München nach Haag[90]. Sie hielten den „Aufwiglern" vier Artikel vor[91], und weil „sy sich dessen trutzig verwidert", legten sie einige „Rädelführer" im Amtshaus gefangen[92] und befahlen, sie solange dort zu belassen, bis die Bauern den Entscheid akzeptierten. Die Frauen der Inhaftierten wandten sich vergeblich[93] mit der Bitte um Freilassung ihrer Männer an den Landesherrn, Herzog Wilhelm V.[94].

Die Beschwerden der Haager Untertanen können nur dem Rezeß vom August 1581 entnommen werden. Die Wildschadensklage begriff Herzog Ferdinand als gegen sich gerichtet. Er reagierte pikiert, erklärte sie für völlig unbegründet und drohte im Wiederholungsfall mit ernsten Strafen[95]. Die meisten Gravamina galten Maßnahmen der Beamten. Der Landrichter forderte Scharwerke zum Strobelhof; der Gerichtsschreiber folgte seinem Vorbild und verlangte Scharwerk zu dem von ihm gekauften Bergmairhof. Weitere Streitpunkte betrafen den Schreiberlohn bei Gericht, die Entlohnung der Amtleute und Holzfuhren zur Beheizung der Gerichtsstube. Während diese Fragen alle eindeutig entschieden wurden[96], war das Urteil über die Dienste zum Strobelhof so sibyllinisch abgefaßt, daß jede Seite es zu ihren Gunsten auslegen konnte. Das Fortdauern der Auseinandersetzungen hatte hier seine Hauptursache[97].

Die Haager Vorgänge zeigen das normale Protesthandeln bayerischer Bauern des 16. Jahrhunderts: Stießen Gebote oder Maßnahmen der Obrigkeit bei den Untertanen auf Ablehnung, so verweigerten sie die Ausführung, trafen sich zu Versammlungen, um Meinung und Grad der Übereinstimmung in der Bauernschaft zu überprüfen und eine Supplikation, u. U. auch eine förmliche Klageschrift, an die Regierung vorzubereiten, was eine Geldumlage zur Deckung der Kosten für die nötigen Reisen und den Schreiber sowie die Wahl von Bevollmächtigten oder Ausschüssen erforderte. Die Einschaltung des Landesherrn durch die Bauern in ihre Konflikte mit der nahen Obrigkeit ist in Bayern

---

[90]   Ebd., fol. 292–293; 1582 Apr. 24.

[91]   Ebd., fol. 296 f.

[92]   Die Kommissare nennen „bei siben" Bauern, die sie gefangensetzten. Die Bittschrift der Frauen um Freilassung ihrer gefangenen Ehemänner spricht von neun Personen. Ebd., fol. 294–295; undatiert, April 1582.

[93]   Ebd., zwischen fol. 292' und 293 liegender Notizzettel; Datum: 29. Apr. 1582.

[94]   Ebd., fol. 294–295.

[95]   Einsichtiger hatte sein landesherrlicher Bruder, Herzog Wilhelm V., auf entsprechende Klagen der Landstände 1579 reagiert. Er erließ 1580 ein Mandat, das den Bauern Schutzmaßnahmen gegen das Wild gestattete. BayHStA, Staatsverwaltung 1493, S. 100; Mandat vom 30. März 1580 (Druck).

[96]   Die Arbeiten zum Bergmairhof wurden abgeschafft; die Entlohnung für Schreiber und Amtleute sollte nach der Bayerischen Polizeiordnung erfolgen; die Holzfuhren wurden beibehalten.

[97]   BayHStA, Kurbayern Äußeres Archiv 567, fol. 297.

spätestens seit dem Ende des 14. Jahrhunderts üblich. Sie erfolgte im 15. Jahrhundert nicht durch Bittschriften, sondern durch mündlichen Vortrag bevollmächtigter Abgeordneter vor dem Herzog und seinen Räten. Die Regierung favorisierte seit dem 16. Jahrhundert stark die Form der Supplik. Auch die Haager Bauern wurden immer wieder auf diesen Weg verwiesen[98]. Die Bauern hielten sich an diese Forderung. Differenzen ergaben sich lediglich aus den Begleitumständen. Die Obrigkeit wollte sowohl bei der Vorbereitung der Bittschriften wie bei deren Übergabe möglichst wenig Untertanen beisammen sehen, die Bauern dagegen strebten bei ihren Versammlungen möglichst vollständige Beteiligung der Bauernschaft an und organisierten in dringlichen Fällen große Züge von Hunderten von Bauern zur Überreichung der Supplik in der Landeshauptstadt[99].

Daher erregten 1570 und 1581/82 die Ansammlungen der Haager Bauernschaft die größte Aufmerksamkeit und den entschiedenen Unwillen der Obrigkeit, sie bekämpfte die Bauernversammlungen mit Ausdauer: 1576 verpflichtete sich Landrichter Hieronymus Renz in seinem Bestallungsvertrag „Rottierungen" nicht zu gestatten[100]. 1590 notierte sich Landrichter Pettenpeck zur eigenen Ermahnung ins Diarium: „Die Obleuthen für zuhalten, daß sie fleissig obacht sollen halten auf alle Paurschaff zusammenrottirung, haimliche anschleg, Wildpretschüzen, verdechtige Zusammenkunften, da dergleichen fürübergeht, der obrigkeit alsobald anzaigen, damit man dem Unheil fürkommen"[101]. Als sich am 30. Mai 1592 auf dem Kronberg 200 Bauern der Pfarrei Kirchdorf versammelten, vor den Pfarrhof zogen und durch einen Ausschuß dem neuen Pfarrer „ettliche Articl und vermeinte habende Mengel müntlich fur(hielten), darauff antwurt und ersolvirung begert(en)", verwies ihnen der Landrichter bei dem darauf verabredeten Vergleichstermin zuerst „die verpotten Zusammenkunft und Rottirung zum hechsten". Die Bauern aber verteidigten sich damit, „daz sy allein gueter meinung waren zesamen khomen, ime Herrn Pfarrer etlich habende mengl zeundersagen"[102]. Wenn die Obrigkeit immer wieder nachdrücklich betonte, daß Versammlungen ohne Wissen der

---

[98]   „Sollen sy die beschweren nit durch rottierung sonder in einer Supplication durch ainen oder zween hochgedachtem userm genedigsten fursten und Herrn underthenig anbringen." BayHStA, Kurbayern Äußeres Archiv 567, fol. 296; 1582 April 25. Ähnlich StAM, GL Haag 53 1/2, Fasz. 2, Prod. 5.

[99]   Solche Züge nach München sind mir bis jetzt bekanntgeworden von den Haager, Steingadener, Ammergauer und Rottenbucher Bauernschaften. Vgl. zu Haag: BayHStA GL Haag 42, Nr. 2; 1596. Zu Steingaden: BayHStA, Civilakten 1201, Nr. 43; 1716 Mai 24 und Okt. 14. Zu Ammergau: BayHStA, Civilakten 1452/702 I, fol. 408, 411'; 1728 Sept. 15. Zu Rottenbuch vgl. Fußnote 8, S. 103, 104, 110, 112, 128.

[100]   StAM, GL Haag 65, Fasz. 1, Prod. 8.

[101]   StAM, GL Haag 64, fol. 30'.

[102]   StAM, GL Haag 53 1/2, Fasz. 2, Prod. 2; 1592 Juni 8. Bericht des Landrichters an den Herzog.

Herrschaft verboten seien und Bestrafungen in Aussicht stellte[103], berief sie sich dabei zur Begründung etwas vage auf den Landsbrauch und 1596 zusätzlich auf „jerlich ausgerueft" Mandate[104]. Die Haager Ereignisse erlauben also einen Blick auf die jahrzehntelangen vorbereitenden staatlichen Maßnahmen, die dem Verbot der Versammlungsfreiheit, wie es 1616 in der Landesordnung ausgesprochen wird[105], vorangingen. Die bayerischen und ebenso die Haager Bauern haben sich auch nach 1616 nicht an dieses Verbot gehalten, da seine Befolgung jeden effektiven Widerstand gegen die Obrigkeit unmöglich gemacht hätte, aber sie waren hinfort zur Heimlichkeit gezwungen.

III

In dieser Tradition bäuerlicher Protestunternehmen steht die Haager Bauernversammlung des 5. Januar 1596. Ihr waren Aktionen der Bauern in den Jahren 1593[106] und 1594[107] vorhergegangen, die nur durch die Erwähnung herzoglicher Rezesse und Entscheide zu erschließen sind. Ihr gingen Züge von 100 bis 200 Haager Bauern nach München voraus, die dort „oft klagt . . . und ir nott fürbracht" haben, wie Herzog Wilhelm V. sich 1596 erinnert[108]. Ihr war am 3. Januar 1596 ein Treffen von 500 Bauern auf dem Kirchdorfer Feld vorangegangen – alles, ohne besondere Erregung bei der Obrigkeit hervorzurufen. Auch am 5. Januar versammelten sich die Bauern am hellichten Tag in aller Offenheit[109]. Ihr Versammlungsort lag Haag gegenüber; Kirchdorf war ein altes Zentrum der Grafschaft, die Kirche bis 1807 Mutterkirche von Haag. Landrichter Pettenpeck fühlte sich nicht bedroht, wie seinem maßvollen

---

[103]   Zu 1570 vgl. BayHStA, Kurbayern Äußeres Archiv 557, fol. 173 und 177'; zu 1582 BayHStA, Kurbayern Äußeres Archiv 567, fol. 292 und 296.

[104]   StAM, GL Haag 41, fol. 4.

[105]   Landrecht, Policey – Gerichts – Malefitz und ander Ordnung Der Fuerstenthumben Obern und Nidern Bayern, 1616, Buch 5, Titel 6, Artikel 3 „Von der Bawrschafft Gemeinhaltung und Zusammenkunfften". Vgl. dazu H. LIEBERICH, Die Anfänge der Polizeigesetzgebung des Herzogtums Baiern, in: Festschrift für Max Spindler zum 75. Geburtstag, hg. v. D. Albrecht, A. Kraus, K. Reindel, 1969, S. 307–378, bes. S. 370.

[106]   StAM, GL Haag 41, fol. 7 b.

[107]   Stadtarchiv München, Historischer Verein MS 107, fol. 13.

[108]   BayHStA, GL Haag 42, Nr. 2.

[109]   Wenn der Landrichter in seinem Bericht an den Herzog vom 5. 1. und in seiner Zusammenstellung der Ereignisse von 1596 behauptet, die Bauern hätten sich „in ganzer still und geheim" getroffen, so soll diese Formulierung ausdrücken, daß sie ihn nicht um Erlaubnis gefragt haben und ihr Tun in die anrüchige Nähe der nächtlichen Tat gerückt werden.

Bericht[110] zu entnehmen ist. Es war ihm vollkommen klar, daß hier die Vorbereitungen für eine Supplikation getroffen wurden; was er nicht genau wußte, war, über welche Gegenstände Beschwerde geführt und ob die Bittschrift ihm oder direkt dem Herzog überreicht werden sollte[111]. Er meldete die Vorgänge vor allem deshalb weiter, weil die jüngst publizierten herzoglichen Mandate ihm dies zur Pflicht machten[112]. Die Reaktion des Landrichters und die Arglosigkeit der Bauern sind nur verständlich, wenn es sich hier um keine ungewöhnlichen Vorgänge handelte.

In die gleiche Richtung weist der ruhige, wohlorganisierte Ablauf des Treffens. Da die Haager zur Durchführung ihrer Absichten nicht an eine institutionalisierte Einrichtung, etwa eine periodisch stattfindende Gemeindeversammlung der Grafschaftsuntertanen[113], anknüpfen konnten, erklärt allein die lebendige Tradition von Handlungsmustern in Konfliktfällen ihr diszipliniertes und planvolles Vorgehen. Die Bauern wußten, was man zu tun hatte und wie man es zu tun hatte. Die Versammlung wickelte ein Programm ab wie eine routinierte Landsgemeinde: Alle Teilnehmer wurden von drei des Schreibens kundigen Bauern verzeichnet. Sie entrichteten ihren finanziellen Beitrag, Schreibgeld und Anlage. Die Menge ordnete sich zu Haufen nach den vier Ämtern der Grafschaft[114]. Jedes Viertel wählte aus sich einen Ausschuß mit 15 Personen, also insgesamt 60 Bauern. Diese wiederum bestimmten eine engere Vertretung von acht Männern, die im Auftrag der gesamten Gemeinde die Supplikationsschrift vorbereiten und niederschreiben lassen sollte[115]. Die Spielregeln demokratischer Handlungsweisen waren den Bauern offenbar geläufig, obwohl es keine offizielle Institution gab, wo sie hätten eingeübt werden können.

---

[110]   S. RIEZLER, Geschichte Baierns, 4, 1899, S. 676, glaubt Landrichter Pettenpeck die Schuld an dem harten Vorgehen der Regierung zuschreiben zu müssen. Er verweist auf das Tagebuch des Abraham Kern von Wasserburg, der meint, der Landrichter hätte von der Bauernversammlung „etwas gaeh und Scharf nach Muenchen bericht". L. WESTENRIEDER, Beytraege zur vaterlaendischen Historie, Geographie, Statistik und Landwirthschaft, 1, 1788, S. 155. – Für diese Ansicht finden sich in den Quellen keine Anhaltspunkte.

[111]   BayHStA, GL Haag 42, Nr. 1.

[112]   Ebd.

[113]   Mir sind offizielle Versammlungen der gesamten Haager Bauernschaft nur anläßlich der Huldigungen bekanntgeworden.

[114]   Die Bauern stellten sich auf dem Kirchheimer Feld nicht nach Pfarreien geordnet auf, wie es im Bericht des Landrichters heißt, sondern nach Ämtern, also in vier Haufen. BayHStA, GL Haag 42, Nr. 24, Beilage 2. StAM, GL Haag 41, fol. 2–3.

[115]   Der Bericht des Landrichters wird hier ergänzt durch das Schreiben des Bauern Georg Schlosser von Schiltern. Georg Schlosser war am 5. Januar zu einem der acht Vertreter bestimmt worden, die mit der Beibringung der Supplikationsschrift beauftragt worden waren. BayHStA, GL Haag 42, Nr. 24, Beilage 2.

Bevor die Versammlung sich auflöste, kam es zu dem Vorgang, mit dem die Regierung später ihre Maßnahmen vor allem rechtfertigte. Die Bauern bekräftigten ihr Vorhaben durch Anrufung Gottes, und ein großer Teil hob zum feierlichen Gelöbnis zwei Finger gen Himmel. Die Überlieferung erlaubt nicht zu erkennen, was dort gelobt oder beschworen wurde[116]. Die Obrigkeit legte dieses Ereignis als Begründung einer Einung aus. Diese Deutung muß bezweifelt werden, denn der Einungseid war ein feierlicher, Leib und Leben umfassender Schwur, der sorgfältig jedem einzelnen abverlangt wurde. Außer der mangelnden Form spricht auch der Zeitpunkt des Gelöbnisses gegen die Vermutung eines Einungsschwurs. Er bildete gewöhnlich den Auftakt, nicht den Abschluß eines solchen Unternehmens. Einungen von Bauernschaften verboten die bayerischen Herzöge schon seit Anfang des 15. Jahrhunderts[117], sie wurden trotzdem auch um 1600 noch beschworen, allerdings geheim gehalten. Eine bäuerliche Einung wider die Herrschaft bedeutete tatsächlich – wenn auch befristet, inhaltlich beschränkt und nicht grundsätzlich – ein Außerkraftsetzen des Herrschaftsverhältnisses; denn der Gehorsam des einzelnen galt jetzt vor den Anordnungen der Herrschaft den Beschlüssen der Gemeinschaft[118]. In dieser Bewertung trafen sich die Ansichten der Bauern und der Herren. Da die Obrigkeit in Haag eine Einung unterstellte, verlangte sie die Erneuerung des Huldigungseides.

Die Überreaktion der bayerischen Regierung auf den Bericht des Haager Landrichters mag ihren Grund z. T. in dem Verdacht einer bäuerlichen Schwurgemeinschaft haben, sie war – wie erwähnt – noch mehr bestimmt von der Furcht vor dem Ausgreifen des oberösterreichischen Aufstandes auf Bayern und dem Umstand, daß seit Anfang 1595 der junge Herzog Maximilian als Mitregent seines Vaters Wilhelm V. und in dessen Namen die Regierung führte[119]. Landrichter Pettenpeck richtete sein Schreiben an Herzog

---

[116] Außer dem Bericht des Landrichters gibt es nur eine zweite Darstellung der Vorgänge durch den Bauern Christoph Reitmair: „. . . alda wier gesehen, das wol die maisten in dem hauffen, etliche aber und ierer vül die aussen herumb gestanden, die fünger nit auf gereckt haben, sondern dieselben dise wordt geredt Helf unß Gott und unser lieber Herr". Ebd., Beilage 3.

[117] Soweit ich sehe, enthält der Schiedsspruch der Herzöge Ernst und Wilhelm für das Kloster Steingaden und seine Bauernschaft von 1423 das früheste Einungsverbot. Monumenta Boica, 6, 1766, S. 616–620.

[118] Diesen Sachverhalt belegen besonders klar die Auseinandersetzungen der Bauernschaft mit dem Stift Rottenbuch 1614 bis 1628.

[119] Die Etappen des Übergangs der Regierung von Herzog Wilhelm auf Herzog Maximilian werden dargestellt bei F. STIEVE, Die Politik Baierns 1591–1607, 1. Hälfte (Briefe und Acten zur Geschichte des Dreissigjährigen Krieges in den Zeiten des vorwaltenden Einflusses der Wittelsbacher, 4), 1878, S. 407–440. H. DOLLINGER, Studien zur Finanzreform Maximilians I. von Bayern in den Jahren 1598–1618 (Schriftenreihe der historischen Kommission bei der bayerischen Akademie der Wissenschaften 8), 1968, S. 15–100.

Ferdinand, den Inhaber der Grafschaft Haag, die weiteren Maßnahmen aber organisierte allein die bayerische Regierung. Herzog Maximilian bestimmte bereits am 6. Januar eine Kommission aus Räten und Militärs – Eustachius von Törring, Oberst Plankenmair, Heinrich von Haslang, Dr. Gabler, Hauptmann Fraunberg[120] –, die andern Tags mit 150 Bewaffneten nach Haag reiste[121]. Gleichzeitig alarmierte er die Nachbarherrschaften, die Bischöfe von Freising (wegen der Herrschaft Burgrain) und Salzburg (wegen Mühldorf) und den Herzog der Jungen Pfalz in Neuburg[122], sowie die Pfleger zahlreicher bayerischer Landgerichte und die drei bayerischen Regierungen[123]. Die Stadt Wasserburg und die Märkte Rosenheim und Schwaben sollten aus ihrer Bürgerschaft 100 Musketiere und Schützen ausschießen und auf Anforderung den Haager Kommissaren zur Verfügung stellen[124]. Der Kanonenschuß auf den Haager Spatzen demonstriert die ganze Unerfahrenheit des Schützen: Maximilian[125] sprach in seinem ersten Befehl an die Kommission bereits mehrmals und ausführlich vom ungesäumten Hängen und Köpfen der Rädelsführer, im post scriptum zusätzlich vom Vierteilen. Sein Vater mußte ihn zur Besonnenheit mahnen[126], die Räte ihn darauf hinweisen, daß die Strafe des

---

[120] Bedeutung und Tätigkeit dieser Personen läßt sich in etwa über das Register bei Felix Stieve erschließen. Selbst die dort am häufigsten Genannten, Heinrich von Haslang und Dr. Johann Gabler, gehörten nicht zu denjenigen Männern, deren sich Maximilian in wichtigen politischen Angelegenheiten vorzugsweise bediente. F. STIEVE, Die Politik Baierns (wie Fußnote 119), S. 613. Vgl. auch M. LANZINNER, Fürst, Räte und Landstände. Die Entstehung der Zentralbehörden in Bayern 1511–1598 (Veröffentlichungen des Max-Planck-Instituts für Geschichte 61), 1980, S. 345, 358.

[121] BayHStA, GL Haag 42, Nr. 2 und 3. Befehle Herzog Maximilians für die Kommissare vom 6. Jan. 1596 (Konzept). – StAM, GL Haag 41, fol. 3'.

[122] BayHStA, GL Haag 42, Nr. 4, 5, 8.

[123] Ebd., Nr. 7, 9.

[124] Ebd., Nr. 6, 10.

[125] H. DOLLINGER, Studien zur Finanzreform (wie Fußnote 119), S. 310, zitiert eine ähnliche Gesinnung bezeugende Glosse Maximilians zu einem Hofkammerdekret vom April 1596. Auch H. DOTTERWEICH, Der junge Maximilian. Jugend und Erziehung des bayerischen Herzogs und späteren Kurfürsten Maximilian I. von 1573 bis 1593, 1962, S. 135, bemerkt bereits am jungen Herzog einen Zug zu Hochmut und Kälte. – Eine 1596 vergleichbare Situation ergab sich im Frühjahr 1634 nach dem Aufstand der südostbayerischen Bauern. Damals steuerten die Räte, vor allem die Regierung Burghausen und ihr standhafter Hauptmann Frh. Rudolf von Donnersberg, der Härte des Kurfürsten. BayHStA, Dreißigjähriger Krieg 349.

[126] BayHStA, GL Haag 42, Nr. 2. Herzog Wilhelm kommentiert Herzog Maximilians Kommissionsbefehl durch Randglossen: Er habe gehört, die Bauern hätten mehrmals versucht, in München Gehör zu finden. Man solle sich deshalb Zeit nehmen, durch die Kommissare keine Hinrichtungen vollziehen lassen, sondern die Angelegenheit erst untersuchen und beraten. Maximilian fügte sich den väterlichen Befehlen und instruierte die Kommissare nachträglich in diesem Sinne. Ebd., Nr. 13; Schreiben Herzog Maximilians an Herzog Wilhelm und an die Haager Kommission vom 9. Jan. 1596.

Hängens hier rechtens nicht angewandt werden könne[127]. Sein Onkel, Herzog Ferdinand, der eigentliche Herr der Grafschaft, fragte gekränkt an, ob er ihn für einen „goffo" und für unverständig hielte oder ihn völlig ausschließen wollte, weil er seit dem Bericht des Landrichters vor einer Woche überhaupt nichts mehr über die Maßnahmen in Haag berichtet hatte[128]. Der Markt Schwaben teilte mit, es gäbe im ganzen Markt nicht mehr als drei Personen, „die mit Pixen und Rohren versehen" seien[129]. Maximilians Vorstellungen von der bayerischen Wehrkraft erwiesen sich also als völlig illusorisch.

Für das weitere Geschehen spielte dieser Umstand natürlich keine Rolle, da die Haager nie daran gedacht hatten, ihre „Pixen und Rohre" zu zählen oder gar zu ergreifen[130], und zum Zeitpunkt all dieser Aufregung friedlich ihrer Arbeit nachgingen. Nur die Kommission der Acht war nach Kling gereist, um das Supplikationsschreiben aufsetzen zu lassen[131]. Bereits am Sonntag abend, den 7. Januar, trafen die Regierungsvertreter in Haag ein. Gemäß den herzoglichen Instruktionen gingen sie vor allem gegen die Führer der Bauern vor. Nachdem sie den Landrichter und die Amtleute befragt hatten, setzten sie noch montags rund 30 Personen gefangen.

Wie bei den meisten Aktionen von Bauernschaften ist es auch in Haag schwer festzustellen, wie weit das Unternehmen auf der Agitation einzelner beruhte, wieweit es von der Mehrheit oder der Gesamtheit der Bauernschaft getragen wurde. Denn die überkommenen Quellen sind mit geringen Ausnahmen herrschaftlicher Herkunft, und alle Herrschaften haben Widerstandshandlungen der Bauern mit ihrer Verführung durch einige boshafte Rädelsführer erklärt. Diese Deutung verlangte der herrschaftliche Selbsterhaltungstrieb – wären alle Untertanen gleich schuldig und treulos, müßte man alle gleich hart strafen, also köpfen oder des Landes verweisen – und sie war nötig zur Selbstrechtfertigung – hätte die Herrschaft den Widerstand aller Untertanen zugegeben, wäre das einer Bankrotterklärung ihrer Funktion im feudalen System gleichgekommen. Infolgedessen werden in den Quellen immer genügend Bauernführer zu finden sein. Auch in Haag war die Suche nach den Rädelsführern die wichtigste Aufgabe der Kommission. Laut herzoglichem Befehl sollten sie ernstlich und peinlich befragt, nötigenfalls geköpft oder gehängt, gevierteilt und zur Abschreckung an den Straßen ausgestellt werden.

---

[127] Ebd., Nr. 23; 23. Jan. 1596. Gutachten der Hofräte.

[128] Ebd., Nr. 17; undatiert (Original). – Goffo = ital. Dummkopf, Narr.

[129] Ebd., Nr. 12; 7. Jan. 1596.

[130] In diesem Punkt unterscheiden sich die Verhältnisse in Bayern deutlich von den gleichzeitigen im benachbarten Oberösterreich. Dort versammelten sich die Bauern in Waffen. Wie gut sie ausgerüstet waren, läßt sich aus den Inventaren der Höfe schließen. G. GRÜLL, Der Bauer im Lande ob der Enns am Ausgang des 16. Jahrhunderts (Forschungen zur Geschichte Österreichs 11), 1969.

[131] BayHStA, GL Haag 42, Nr. 24, Beilage 2.

Dem verführten Rest der Bauernschaft dagegen sollte „Vertroestung" und Abhilfe der Beschwerden nach Billigkeit zugesichert werden.

Der weitere Gang der Ereignisse läßt sich ziemlich genau, doch ebenfalls nur unter herrschaftlichem Blickwinkel, rekonstruieren. Die Maßnahmen und der „Intent" der Regierung liegen klar zutage, die Absichten der Bauern und ihre Handlungen können nur erschlossen werden, selbst ihre Beschwerden sind nirgends klar formuliert erhalten. So ließen sich die Haager Bauern allem Anschein nach ruhig gefangennehmen, jedenfalls wird weder von Widerstand noch von Flucht[132] etwas berichtet. Sie lagen teils mit Stricken, teils mit Ketten gefesselt in der Torstube des Schlosses. Die Kommissare befahlen, ihre Beschwerden aufzuschreiben. Dann begannen die Befragungen, erst gütlich, später für die meisten peinlich, auf der Folter.

Was ein Gefängnisaufenthalt für einen Bauern damals bedeutete, läßt sich heute nur schwer abschätzen. Wirtschaftlich wirkte er selbstverständlich nachteilig, weil seine Arbeitskraft auf dem Hof fehlte und der Haftaufenthalt bezahlt werden mußte[133]. Sicher belasteten die Angst vor einer Strafe und vor der Folter die Gemüter stark. Doch bleibt zweifelhaft, inwieweit die Haft für ehrenrührig gehalten wurde. Mit dem Makel eines heutigen Gefängnisaufenthalts war sie nicht zu vergleichen. Die Bauern, die seit dem 16. Jahrhundert in den zahllosen Auseinandersetzungen mit ihrer Herrschaft ziemlich regelmäßig gefangengesetzt wurden[134], waren nämlich keine Außenseiter der Gesellschaft, sondern im Gegenteil meist die Elite ihrer Gemeinde. Diese Art der Haft schadete dem Ansehen in der Gemeinde in keiner Weise. Ihr hing wohl die Glorie eines Opfers für die Gemeinde, für das Recht und die eigene Überzeugung an, sie galt als Folge und Zeichen von Standhaftigkeit und Mut[135]. Haft und Strafen waren damals hart und häufig, da sie aber für Taten verhängt wurden, die im Bewußtsein der Leute nicht unehrlich oder kriminell waren, wurden sie mit Trotz ertragen und bedeuteten für den Häftling innerhalb seines Lebensraums keine Schande. Doch strebte die Herrschaft danach, das Ehrgefühl zu treffen. Hierzu vor allem sollten die Fahrten mit den auf offenen

---

[132]   Hofrat und Regierung sprechen von drei bzw. vier geflohenen Bauern. Sie waren aber nicht eigentlich flüchtig, sondern zu dem Zeitpunkt, als sie sich den Kommissaren stellen sollten, nicht zu Hause. Zwei von ihnen stellten sich später freiwillig, einer bot Bürgschaft an. Ebd., Nr. 23 und 24 mit 3 Beilagen.

[133]   Besonders teuer waren Aufenthalte in der zentralen Haftanstalt des alten Herzogtums, dem Falkenturm in München. Dort kostete um 1620/30 ein Tag pro Mann einen Gulden.

[134]   In Haag waren Bauern z. B. 1563, 1582 und 1596 gefangen. – Die Gefängnishaft wurde als Untersuchungshaft, als Strafe und zur Erzwingung der Zustimmung zu herrschaftlichen Entscheiden oder Befehlen angewendet.

[135]   So konnte es dazu kommen, daß Bauernführer ihre Gefängnistage zählten und sich deren rühmten, wie der „Bauernkönig" Jakob Stickel aus Pischlach in der Klosterhofmark Rottenbuch.

Wagen angeschmiedeten Bauern durch das Land zum Falkenturm nach München und das Ausstellen auf Prangern und Schragen dienen.

Auch aus Haag rollten am 17. Januar[136] zwei Wagen mit 12 „Rädelsführern" wie die Obrigkeit sagte – oder mit 12 „fändlfierern" wie ihre Frauen sie nannten – in Richtung München. 13 Bauern blieben im Zwinger des Haager Schlosses inhaftiert, vier wurden entlassen. Am selben Tag noch mußte sich die Gemeinde auf freiem Feld versammeln. Die Kommissare hoch zu Roß ließen ihr im Namen Herzog Wilhelms durch Dr. Gabler die „hochstrefliche emperung" vorhalten, derwegen sie alle eine „ernstliche leibs und lebens straff" verdient hätten, sie brachten es dahin – wie Herzog Maximilian gefordert hatte –, daß alle gemeinsam einen „general fueßfall" taten und um Gnade baten, sie setzten daraufhin „gnadt und güette der scherff" vor, verlangten eine neuerliche Huldigung auf die Herzöge Ferdinand und Wilhelm sowie die Übernahme der aufgelaufenen Kosten. Die Obleute wurden abgesetzt und an ihrer Stelle andere bestimmt[137].

Damit war für die Mehrheit – bis auf die Kosten[138] und die nach wie vor unerledigten Beschwerden – der Fall vorläufig ausgestanden. Gefährlich blieb die Lage vor allem für die 12 Männer im Falkenturm. Ihnen versuchte man, mit der üblichen Flut von Bittschriften zu helfen. Die Frauen wandten sich mit dem Wunsch um Fürbitte an Herzog Ferdinand, an Herzogin Renata, an die Geistlichen der Grafschaft und an den Prior des Klosters Ramsau. Alle kamen diesen Gesuchen nach und baten ebenso wie die ganze Gemeinde der Grafschaft und der Markt Haag[139] um Gnade für die Gefangenen. Sie verwiesen dabei auf die friedlichen Absichten der Bauern, deren kleine Kinder, die bereits ausgestandene Tortur und behaupteten stereotyp, das ganze Unternehmen sei aus „Ainfald" und „Unnverstannd" erfolgt[140].

Dem Hofrat in München lagen diese Supplikationen vor, als er am 22. und 23. Januar den Bericht Dr. Gablers anhörte, die Akten mit den Urgichten (Geständnissen) der Gefangenen studierte und den ganzen Haager Fall beriet.

---

[136] Das Datum folgt aus BayHStA, GL Haag 42, Nr. 20. Die Datierung in StAM, GL Haag 41, fol. 3', wo diese Vorgänge für den 10. Januar behauptet werden, ist falsch, ebenso die gleiche Angabe bei A. TRAUTNER, Tausend Jahre (wie Fußnote 10), S. 64, und bei R. MÜNCH, Die Reichsgrafschaft (wie Fußnote 10), S. 176.

[137] StAM, GL Haag 41, fol. 4–5. Die Absetzung erfolgte, weil die Obleute sich am Ansagen der Bauernversammlung beteiligt hatten.

[138] In den Hofzahlamtsrechnungen erscheint 1596 ein Posten von 1046 fl 58 kr „Haag'sche uncosten wegen der aufrührer". E. ROTH, Ueber die Hofzahlamtsrechnungen im K. Kreis Archiv für Oberbayern, in: Archivalische Zeitschrift, 2, 1877, S. 53–69, bes. S. 65. – A. TRAUTNER, Tausend Jahre (wie Fußnote 10), S. 65, und ihm folgend R. MÜNCH, Die Reichsgrafschaft (wie Fußnote 10), S. 178, geben als Unkosten 2537 fl 11 kr 2 Pf. [!] an.

[139] An den Versammlungen der Bauern hatte kein Haager Bürger teilgenommen. StAM, GL Haag 41, fol. 5'.

[140] BayHStA, GL Haag 42, Nr. 25–32.

Die Räte mühten sich, die „Rädelsführer" in mehr und weniger Schuldige zu sortieren: Sie eruierten zwei „fürnembste rädlfüehrer und aufwigler", drei „Schreier", sieben „Ansager", sechs, „die sich brauchen ließen" sowie vier „Schreiber" und stuften ihre Strafvorschläge entsprechend ab. Hans Stieler und Georg (Mair) Hitzenberger sollten Gott und dem Recht befohlen dem Malefizgericht überstellt werden – ihre Verurteilung und anschließende Begnadigung wurde gleich mit vorgeschlagen. Bezüglich Hans Ranhörs, Simon Huebers und Georg Harbands[141] waren die Räte geteilter Meinung. Einige wollten sie auf den Pranger stellen und auf ewig des Landes verweisen. Andere hielten nichts davon, sie durch die Hand des Nachrichters zu diffamieren und durch die Verbannung zu verleiten, sich unruhigen Elementen anzuschließen, „und also eine gefahr aus der anderen entstee(n)" zu lassen. Sie empfahlen Geld- und Turmstrafen sowie Zwangsarbeit beim Festungsbau in Schärding für diese drei wie für die übrigen Gefangenen[142]. Das herzogliche Dekret vom 29. Januar folgte den Vorschlägen des Hofrats, befahl aber die Schanzarbeit in Schärding der großen Zahl der Bauern wegen nur für die schwereren Fälle zu reservieren, ansonsten sich mehr ans Vermögen der Delinquenten zu halten. Im ganzen – und im deutlichen Gegensatz zu den anfänglichen Regierungsmaßnahmen – zielte es auf möglichst rasche, ziemlich milde und unauffällige Erledigung der Angelegenheit[143].

Hans Stieler und Georg Mair von Hitzberg wurden unter Berufung auf die Halsgerichtsordnung Kaiser Karls V. von 1532 als Aufrührer des gemeinen Volkes wider die Obrigkeit[144] und unter Hinweis auf den Bruch ihres Huldigungsgelübdes vor 14 Jahren als Meineidige in einem nicht öffentlichen Verfahren, das nach dem Vorbild des Prozesses gegen den Goldmacher

---

[141] Georg Harband hatte am 5. 1. einen kräftigen Schlag auf den rechten Arm des Amtsknechts Basl Stein getan, als dieser mit dem Amtmann Peter Schwab auf Geheiß des Landrichters zu den versammelten Bauern kam, um sich nach deren Vorhaben zu erkundigen. BayHStA, GL Haag 42, Nr. 1. Dieser Umstand wird bei S. RIEZLER, Geschichte Baierns, 4, 1899, S. 676 etwas ungenau referiert („Zwei vom Landrichter an die Bauern entsandte Amtleute wurden mißhandelt.") und durch R. MÜNCH, Die Reichsgrafschaft (wie Fußnote 10), S. 175, sehr ungenau wiedergegeben und ausgemalt, um seine Ansicht von einem heftigen Aufstand in Haag zu belegen. Die Regierungskommission stellte bei ihren Verhören fest, daß es sich bei dem Schlag um einen privaten Racheakt gehandelt hatte, „aus einem grollen heer, einer straff wegen, darein er (der Amtsknecht) ine (Georg Harband) gebracht". BayHStA, GL Haag 42, Nr. 23. Weil es also der Absicht nach kein Angriff auf die Obrigkeit war, sprach sich der Hofrat für eine mildere Strafe aus (ebd.), und der Herzog meinte in seinem Dekret sogar, daß „dem Harband aus angezogenen ursachen, vor annderen mechte mitler weil, gnad und erlassung widerfahren" (BayHStA, GL Haag 42, Nr. 34).

[142] BayHStA, GL Haag 42, Nr. 23.

[143] Ebd., Nr. 34.

[144] Artikel 127 der Constitutio criminalis Carolina. E. A. Koch (Hg.), Neue und vollständigere Sammlung der Reichs-Abschiede, 2, 1747, S. 385.

Bragadin[145] durchgezogen wurde, durch den Bannrichter des Oberlandes, Christoph Neuchinger, am 6. Februar zur Enthauptung verurteilt[146]. Herzog Wilhelm begnadigte sie am selben Tag[147]. Des Meineids wegen – als spiegelnde Strafe – schlug ihnen der Nachrichter an der Ratsstiege zu München die zwei vorderen Finger der linken Hand ab[148]. Sie wurden sofort freigelassen, die anderen Bauern kamen am 7. Februar aus dem Falkenturm. Hans Stieler und Georg Mair waren starke Naturen. Nur unter der Folter konnte Hans Stieler – er war ein alter Mann und ihm wurde dabei die Schulter ausgerenkt – dazu gebracht werden, das Verzeichnis der Bauern, das er zusammen mit dem eingesammelten Geld aufbewahrte, der Obrigkeit zu verraten[149]. Knapp dem Tode entronnen und mit blutigen Händen machten sie sich in München sofort auf die Suche nach einem Prokurator, nahmen ihn mit nach Haag und zogen neuerlich von Haus zu Haus, um die Beschwerden der Bauern niederschreiben zu lassen. Der Obrigkeit blieb das nicht verborgen. Beide wurden noch einmal wochenlang im Falkenturm gefangengelegt, mußten dann Urfehde schwören und wurden der Grafschaft Haag auf ewig verwiesen[150].

Einen Monat lang brauchte die bayerische Regierung, um den aufwendigen Auftakt ihrer Haager Inszenierung einigermaßen gerechtfertigt ausklingen zu lassen. Am 10. Februar schworen die 13 Haager Häftlinge Urfehde, erneuerten ihre Huldigung und zogen heim[151]. Als die oberösterreichischen Stände am 23. Februar schrieben, sie hätten gehört, in der Grafschaft Haag gäbe es einen „fast . . . gleichmessigen Aufstandt und Conspiration" wie bei ihnen im Lande ob der Enns[152], antwortete Herzog Maximilian kühl, der Vergleich wäre zwar

---

[145] BayHStA, GL Haag 42, Nr. 23. Der Hofrat empfahl: „Der Proceß mecht sonst angestellt und gehalten werden, wie hievor, mit dem Bragadin, one offentliche Clag und defension, wie etwas sonst in malefizrechts sachen, bisher gehandlet, beschehen." Der Herzog ging auf diesen Vorschlag ein. Ebd., Nr. 34. Vgl. zu Bragadin und dessen Prozeß J. STRIEDINGER, Der Goldmacher Marco Bragadino. Archivkundliche Studie zur Kulturgeschichte des 16. Jahrhunderts (Archivalische Zeitschrift Beiheft 2), 1928, Beilage Nr. 347 (Hofratsgutachten vom 20. Apr. 1591) und Nr. 348 (Hofratsgutachten vom 23. Apr. 1591). – Zur Rolle des Hofrats im Malefizverfahren vgl. G. CHRISTL, Die Malefitzprozeßordnung des Codex Maximilianeus von 1616, dargestellt in ihrem Verhältnis zur Carolina und den Rechtsquellen des 16. Jahrhunderts im Herzogtum Bayern, 1975, S. 47–52.

[146] StAM, GL Haag 41, fol. 5' f.

[147] Ebd., fol. 6.

[148] Ebd., fol. 6'. Die Rechnung des Nachrichters Georg Vischer lautete über 8 Gulden 6 Schilling: 3 fl pro Person für das Urteil der Enthauptung, 4 sch für das Abschlagen eines Fingergliedes und 4 sch für Strick und Handschuh. Stadtarchiv München, Historischer Verein MS 107, fol. 14'.

[149] BayHStA, GL Haag 42, Nr. 23.

[150] StAM, GL Haag 41, fol. 7–7a.

[151] Ebd., fol. 6' f.

[152] BayHStA, GL Haag 42, Nr. 35; 1596 Febr. 23 (Original).

nicht abwegig, aber dank seiner starken Hand wäre in Haag die Unruhe „hingelegt und gestillt", was die Österreicher auch erreicht haben würden, wenn sie wie er „anfangs ein mehrer ernst gebraucht" hätten. Die von den Ständen angenommene Anwesenheit oberennsischer Bauern in Bayern fände in den Aussagen der Haager Bauern keine Bestätigung[153].

Die bayerische Regierung war ursprünglich selbst von einem direkten Zusammenhang zwischen der Haager Bauernversammlung und den oberösterreichischen Aufständen ausgegangen und hatte gerade deshalb anfangs so scharf reagiert. Daher wurde in den Verhören und bei den Folterungen der Bauern dieser Frage sicherlich nachgegangen – aber offenbar ergebnislos, wie Maximilans Antwort an die Stände zu entnehmen ist. Da die Obrigkeiten in diesem Punkt bestens zusammenarbeiteten, braucht man nicht anzunehmen, der Herzog hätte etwas verschwiegen. Andererseits wußten natürlich die Haager und alle anderen bayerischen Bauern um die Vorgänge im Nachbarland[154]. Die Mandate mit den verschärften Versammlungsverboten im Herbst 1595 nahmen ausdrücklich darauf Bezug. Auch der Vorhalt, den die Kommissare der Haager Gemeinde verlasen, ging auf die Rottierungen der Österreicher ein. Die Informationen der Bauern über Unternehmungen anderer Bauerngemeinden stammten aber nur zum Teil aus der herrschaftlichen Gegenpropaganda, überwiegend wurden sie ganz direkt bezogen: Die Bauern umliegender Herrschaften hatten häufig Beobachter bei den Versammlungen benachbarter Bauernschaften. Das Haager Bauerntreffen verfolgten nachweislich Bauern aus dem Gericht Mühldorf und der Herrschaft Burgrain[155], sehr wahrscheinlich auch aus den umliegenden bayerischen Gerichten. Die Rolle des reinen Beobachters konnte in die eines gültigen neutralen Zeugen umschlagen – so boten die Rottenbucher Bauern als Beleg für die rechtliche Korrektheit ihres Vorgehens bei der Aufstellung einer Supplikation zwei Ettaler Untertanen als Zeugen an[156] – oder in die eines beauftragten Unterhändlers, wenn die Steingadener Bauern zwei Hohenschwangauer zu ihrer nächtlichen Versammlung zuzogen und diese beauftragten, einer Hofratskommission ihren Beschluß, nicht zu einem angesetzten Termin erscheinen zu wollen, mitzuteilen[157]. Diese Art der Verbindung zwischen den Bauerngemeinden bei ihren nicht institutionalisierten Versammlungen und Unternehmen erklärt z. T. die Gleichartigkeit des bäuerlichen Protesthandelns in Bayern, sie läßt aber ande-

---

153   Ebd., Nr. 36; 1596 März 6 (Konzept).
154   So sollen sich beim Aufstand im Hausruckviertel „aus Bayern ... nicht wenig Untertanen dabey ... gefunden haben", wie Landeshauptmann Hanns Löbl am 25. Nov. 1595 dem Kaiser meldet. G. GRÜLL, Der Bauer im Lande ob der Enns (wie Fußnote 130), S. 18.
155   BayHStA, GL Haag 42, Nr. 1 und Nr. 24, Beilage 3.
156   Bayerische Staatsbibliothek München, Handschriftenabteilung, Clm 27 208, fol. 28'; 1628.
157   BayHStA, Civilakten 1201 Nr. 43, Lage 38; 1716 Sept. 15.

rerseits die ebenso durchgängige Beschränkung des Konfliktaustrags auf den Raum einer Herrschaft – oder einer Bauernschaft – um so erstaunlicher erscheinen. So kann man auch jenseits dieses gegenseitigen Wissens voneinander und außer der Herrenfurcht vor einem Zusammenhang keinen konkreten Einfluß der oberösterreichischen Bauern auf die Haager Handlungen feststellen.

So typisch bayerisch die Haager beim Austrag ihrer Konflikte mit der Obrigkeit handelten, so ungewöhnlich für bayerische Verhältnisse war der Hauptgrund ihres Protestes im Jahre 1596; denn die verstreuten Bemerkungen in den Quellen deuten alle darauf hin, daß die Haager in erster Linie der Steuern wegen klagen wollten; mit einer Steuerbeschwerde aber stehen die Haager – soweit sich das bis jetzt sagen läßt – in Bayern allein da. Trotz der deutlichen Zunahme der Steuertermine in der zweiten Hälfte des 16. Jahrhunderts – nach 1563 werden regelmäßig in drei Jahren zwei Landsteuern gezahlt[158] –, sind hier keine bäuerlichen Beschwerden über Steuern bekannt[159]. Auch die Umfragen der Regierung in den altbayerischen Landgerichten, die an Haag grenzten, ergaben 1596 keine Steuerklagen[160]. Das Haager Steuergravamen kann daher nicht mit einer allgemeinen hohen Steuerbelastung in Bayern erklärt werden, sondern hat seinen Grund in der speziellen Lage der Grafschaft als bayerisches ‚Neuland‘.

Die Haager Bauernschaft – der Markt Haag beteiligte sich nicht[161] – klagte 1596 über die Erhöhung des Steuersatzes[162]. Sie gab an, früher einen Kreuzer Steuer von einem Gulden Vermögen gezahlt zu haben, während jetzt zwei bis drei Kreuzer verlangt würden. Diese Angaben sind zutreffend, wie die Landsteuerbücher für 1566, 1581 und 1595 belegen[163]. Nach dem Steuerbuch von 1595 versteuerten die Haager damals tatsächlich die fahrende Habe mit 5 %,

---

[158]   M. V. FREYBERG, Pragmatische Geschichte der bayerischen Gesetzgebung und Staatsverwaltung seit den Zeiten Maximilian I., 1, 1836, Beilage zum 1. Buch, S. 52 f.
[159]   Das Fehlen der Steuerklagen in Bayern ist erstaunlich. In der Literatur wird verbreitet die Ansicht vertreten, „die Verschlechterung der Lage der bayerischen Bauern im sechzehnten und siebzehnten Jahrhundert wurde vornehmlich durch die steigenden landesherrlichen Steuern verursacht", wie D. ALBRECHT, Staat und Gesellschaft (wie Fußnote 19), S. 575, zusammenfaßt. Das subjektive Empfinden der Bauern scheint dieser Meinung nicht entsprochen zu haben, ihre zahlreichen Beschwerden richteten sich gegen die Forderung der nahen, nicht die der landesherrlichen Obrigkeit.
[160]   BayHStA, Generalregistratur Fasz. 1230, fol. 1–41.
[161]   StAM, GL Haag 41, fol. 5'.
[162]   Die Beschwerden sind nur in einer summarischen Notiz des Landrichters Pettenpeck überliefert. Stadtarchiv München, Historischer Verein MS 107, fol. 12'–13'. Außerdem ist ein Rezeß wegen der Klagen über die Beamten und den Pfarrer von Kirchdorf erhalten. StAM, GL Haag 41, fol. 7a'; 1597 März 26.
[163]   StAM, GL Haag 49 (1566); 50 (1581); 51 (1595).

das liegende Gut mit ca. 3 %[164]. Das entspricht zwar in etwa dem im Herzogtum seit den 60er Jahren des 16. Jahrhunderts bei der sog. Landsteuer üblichen Steuersatz des 20. Teils vom Vermögen[165], aber es bedeutete gegenüber dem noch 1581 in Haag zugrundegelegten Anteil eine Steigerung von 100 bis 200 %; konkret: 1566 betrugen die Steuereinnahmen aus der Grafschaft rund 2463 fl, 1595 erbrachten sie 6873 fl. Die Haager bekämpften diese Forderung als eine Neuerung und einen Verstoß gegen ihre Privilegien. Sie hätten „Freyheyten, das man sie nit hecher steuern solle"[166], und da der Herzog kein Kaiser sei, könne er hierin auch keine Änderung vornehmen. Sie erörterten daher wohl auch – zum besonderen Ärger Herzog Maximilians – die Möglichkeit, sich direkt an den Kaiser zu wenden[167]. Ob die Haager Steuerbeschwerde in irgendeiner Weise von der Landesregierung berücksichtigt wurde, läßt sich nicht feststellen. Wahrscheinlich behielt der alte Georg Schlosser von Schiltern recht – er war 1563 im ‚Schweinekrieg' und 1596 Mitglied des Ausschusses –, der realistisch räsonierte, daß „uber die geschehen anlag schwerlich mer zuerlangen" sein würde[168].

Von den übrigen Gravamina erwuchsen nicht wenige ebenfalls aus dem Sonderstatus Haags innerhalb des Herzogtums und blieben damit für Bayern ebenso untypisch wie das völlige Fehlen der hier sonst verbreiteten Klagen über die Grundherrschaft. Die Haager erhoben Beschwerde gegenüber allen Stufen der Obrigkeit: Die Steuerklage richtete sich an die Landesherrschaft; die Wildschadensklage und einige Fronklagen gingen an die Adresse des Herrschaftsinhabers, Herzog Ferdinand; die meisten Monita betrafen die Beamtenschaft vom Landrichter über den Gerichtsschreiber bis zu den Amtleuten; mit der geistlichen Obrigkeit in Gestalt der Kirchdorfer Pfarrherren stritten sie schon seit 1592.

Wildschaden belästigte die Haager Bauern seit die in der Grafschaft ansässige Obrigkeit nicht mehr die Jagd ausübte, sondern diese den herzoglichen Herrschaftsinhabern vorbehalten war, also seit Haag zur Apanage der nachgeborenen Wittelsbacher gehörte. Schon 1581 hatten die Haager über das Wild

---

[164] Der Bauer schätzte den Wert seines Hofes selbst, d. h. soweit dieser sein Vermögen darstellte, also entweder sein Eigentum, sein Erbrecht, sein Leibrecht oder die ihm verliehenen Bestandjahre. Bloße Freistift mit jährlicher Abstiftung war steuerfrei. Von dem Schätzwert gab er unter Eid ein Viertel der Steuerkommission an, und diese legte danach seinen Steueranteil fest. L. HOFFMANN, Geschichte der direkten Steuern in Baiern vom Ende des 13. bis zum Beginn des 19. Jahrhunderts (Staats- und socialwissenschaftliche Forschungen, hg. v. G. Schmoller, 4, 5), 1883, S. 73.

[165] Sehr instruktiv ist die „Uebersicht der seit 1514 bis 1656 einschließlich eingebrachten Steuern" bei M. V. FREYBERG, Pragmatische Geschichte (wie Fußnote 158).

[166] Stadtarchiv München, Historischer Verein MS 107, fol. 12'. – Ob es diese Privilegien gegeben hat, ist unbekannt.

[167] BayHStA, GL Haag 42, Nr. 16 und Nr. 23.

[168] Ebd., Nr. 24, Beilage 2.

geklagt, 1594 wies Herzog Ferdinand sie zurück[169], 1596[170] und 1628[171]
beschwerten sie sich neuerlich. Den direkten Zusammenhang zwischen herzoglicher Jagdausübung und überhöhtem Wildstand belegen die gleichzeitigen
Klagen der Bauern in der benachbarten bischöflich freisingischen Herrschaft
Burgrain, wo Herzog Ferdinand seit 1584 ebenfalls die Jagd besaß[172]. Gegen
diesen Herzog richtete sich auch die Beschwerde der Haager über Scharwerks-
fuhren mit Mauersteinen von Isen nach München. Die Steine waren wohl für
den prächtigen Neubau der ferdinandeischen Residenz am Rindermarkt bestimmt.

Die Unzufriedenheit der Bauern mit den Beamten war so alt wie die Zugehö-
rigkeit Haags zum Herzogtum. Die Hauptursache für die Auseinandersetzungen mit den Amtleuten muß in deren dürftiger Besoldung und vor allem im
Modus ihrer Entlohnung gesehen werden. Gleich nach dem Übergang an
Bayern z. B. reduzierte der Herzog das Amtsgeld des Landrichters von 200 fl
auf 100 fl und verschrieb ihm ersatzweise die Gebühren, die bei Hochzeiten,
Inventuren, Vertragsabschlüssen und Auszügen aus der Grafschaft fällig wur-
den[173], so daß sein Einkommen ganz konkret davon abhing, wie viele solcher
Vorgänge er erledigte und wie hoch er die Gebühren anschlug. Auch die
Gefälle der übrigen Beamten waren nicht fixiert, sondern bestanden großteils
aus Gebühren, die die Bauern den Amtleuten direkt entrichteten. Die Verlok-
kung, überhöhte Forderungen zu stellen, lag den Beamten also sehr nahe.
Diesen Teil der Haager Beschwerden sollte ein Rezeß Herzog Ferdinands vom
April 1597 beilegen, in dem die Staatsdiener versprachen, alle Amtsgeschäfte
in Haag nach den Bestimmungen der bayerischen Polizei- und Landesordnung
durchzuführen[174].

Auch die Regionalbeschwerden der Pfarrgemeinde Kirchdorf über ihren Pfarrer wurden in diesem Rezeß abgehandelt. Die Gemeinde befand sich seit 1592,
als Thomas Schießl dort die Pfarrei übernommen hatte, in Unruhe, die
offenbar auch durch die Absetzung dieses Pfarrers nicht gestillt werden
konnte, sondern sich unter seinem Nachfolger Paulus Prandtmair fortsetzte.
Der fürstliche Entscheid gibt nur zu erkennen, daß die Auseinandersetzungen
um die Seelgerät-, Kleinzehnt- und Hochzeitsweinforderungen der Pfarrer
kreisten. Einige andere Berichte und Protokolle der Jahre 1592 bis 1594 aber
zeigen, wie tiefgehend und grundsätzlich der Streit eigentlich war[175]. Die
Kirchdorfer lehnten es nämlich ab, den Pfarrer überhaupt anzuerkennen, weil
sie bei seiner Berufung nicht gefragt worden waren[176]. Ihr Auftreten läßt ein

169 Stadtarchiv München, Historischer Verein MS 107, fol. 13.
170 Ebd., fol. 12'.
171 M. v. FREYBERG, Pragmatische Geschichte (wie Fußnote 158), 2, 1836, S. 234.
172 L. HEILMAIER, Die ehemalige freisingische Herrschaft Burgrain, 1911, S. 123 f.
173 BayHStA, GL Haag 52, Fasz. 3. Einnahmen der Grafschaft Haag 1567.
174 StAM, GL Haag 41, fol. 7 b.
175 StAM, GL Haag 53 1/2, Fasz. 2, Prod. 1–7; 1592–1594.
176 Ebd., Prod. 6.

Ausmaß an Eigenverantwortlichkeit und Selbstgestaltung der Lebensformen und -umstände erkennen, das zwangsläufig zum Zusammenstoß mit den ausgeprägten Entmündigungstendenzen des hausväterlichen und frühabsolutistischen Staates führen mußte. Wohl auch in Nachklang ihrer evangelischen Vergangenheit (ca. 1550–1566) fühlten sie sich zuständig für den Unterhalt ihrer Pfarrer, die Gestaltung des Gottesdienstes und den Inhalt der Predigt: Der Pfarrer sollte von ihnen nichts verlangen, „sie wöllen (ihn) khain nott lassen leiden"[177]. Sie beanspruchten zu entscheiden, welches Lied vor der Predigt gesungen wurde, wie laut der Pfarrer zu sprechen hatte, welche Segensformen er gebrauchte. Sie verlangten in echt protestantischem Sinn, der Pfarrer „solte sunsten nichts predigen, als was Gottes Wort das Evangelium ausweist"[178]. Die Haltung der Kirchdorfer Bauern durch den Begriff „evangelische Gesinnung" erklären zu wollen, wäre aber zu kurz gegriffen, die geistlichen Angelegenheiten sind nur ein Sektor aus dem Lebensbereich der Bauern, dem als ganzem das Bewußtsein hoher Eigenverantwortlichkeit unterlegt war.

Die Vorgänge um die Haager Bauernversammlung von 1596 wurden hier als in Formen und Mitteln typisch für bäuerliches Protesthandeln in Bayern erkannt. Der Konfliktaustrag zwischen Bauernschaften und Obrigkeiten verlief in traditionellen Bahnen, war aber nur zum Teil institutionalisiert und daher selbst Gegenstand von Differenzen. Zwar blieb das Recht der Untertanen auf Beschwerde und auf Anrufung des Landesherrn prinzipiell immer anerkannt, aber praktisch wurde es durch die Bekämpfung des Selbstversammlungsrechts in den letzten Jahrzehnten des 16. Jahrhunderts und dessen schließliches Verbot 1616 stark erschwert.

Da Versammlungen für die effektive Wahrnehmung der Interessen bäuerlicher Gemeinden eine der wichtigsten Voraussetzungen darstellen, bedeutete ihr Verbot einen tiefen Einbruch in die gemeindliche Autonomie und in das Mitgestaltungsrecht der Bauernschaft am staatlichen Leben. Der Bauer in seiner Gemeinde wurde aus dem staatlichen und politischen Bereich weiter in den privaten und gesellschaftlichen abgeschoben. Politisches Handeln wurde für ihn bald nur mehr heimlich und im Untergrund möglich. Die Haager Ereignisse liegen in diesem Prozeß an einer Übergangsstelle: Die Bauern handeln noch im Bewußtsein der Rechtmäßigkeit ihres Vorgehens und agieren daher offen, die Obrigkeit erklärt ihr Tun bereits für verboten und strafwürdig. Sie ist zugleich bemüht, das Recht auf den Gnadenweg abzudrängen – was sich am sinnfälligsten in der Bevorzugung des Supplikationswesens äußert – und ihm zudem die Öffentlichkeit zu nehmen – neben das nichtöffentliche

---

[177] Ebd.
[178] Ebd.

Inquisitionsverfahren tritt der Prozeß „one offentliche Clag und defension" als eine Neuerung[179].

Angesichts dieser Tatsachen könnte die These von der „Verrechtlichung sozialer Konflikte nach 1525"[180] auf Bayern allenfalls bei vordergründiger Betrachtung der Vorgänge übertragen werden, zumal sie auch den bayerischen Verhältnissen des 15. Jahrhunderts nicht gerecht würde. Die Haager Bauern z. B. erhoben ihre Waffen erstmals in den beiden Bauernkriegen 1633/34 und 1705/06.

---

[179]   Vgl. Fußnote 145. – Zu der eigenartigen Mischform zwischen öffentlichem und nichtöffentlichem Malefizverfahren in Bayern Ende des 16. Jahrhunderts, bei dem das Urteil vom Hofrat gefällt, dann aber ein öffentlicher Rechtstag mit Verteidigungsreden abgehalten wurde, vgl. W. LEISER, Strafgerichtsbarkeit in Süddeutschland. Formen und Entwicklungen (Forschungen zur deutschen Rechtsgeschichte 9), 1971, S. 98 f.
[180]   W. SCHULZE, Bäuerlicher Widerstand (wie Fußnote 2), S. 76 ff.

CLAUDIA ULBRICH

Die Huldigung der Petersleute
Zu den Folgen des Bauernkriegs im Kloster Schwarzach

Als sich der Willstätter Wirt Wolff Schytterlin Ende April 1525 den Bauern des Oberkircher Haufens anschließen und ihr Hauptmann werden sollte, stellte er die Bedingung: „wellen ir nit anders, dan den geistlich nemen, so wil ich mit uch zihen, aber doch, das ir wellen schweren, fridlich zu sin . . ., auch keinem f(ürsten) und herren das sin zu nemen"[1]. Diese Aussage verdeutlicht den ausgeprägten Antiklerikalismus, von dem der Bauernkrieg in der Ortenau getragen war. Zwar blieb die Haltung gegenüber der weltlichen Obrigkeit nicht so positiv, wie Wolff Schytterlin es sich ausbedungen hatte[2], doch lassen der Verlauf der Unruhen ebenso wie der schließlich ausgehandelte Ortenauer Vertrag keinen Zweifel daran, daß die Hauptgegner der Aufständischen die Geistlichkeit, genauer gesagt die Klöster waren[3]. Auch die meisten Herrschaftsinhaber in der Ortenau, einer herrschaftlich stark zersplitterten Kleinlandschaft zwischen Rhein und Schwarzwaldkamm[4], waren der Reformation

---

[1] H. VIRCK, Politische Correspondenz der Stadt Straßburg im Zeitalter der Reformation 1 (1517–1530) (Urkunden und Akten der Stadt Straßburg 2. Abt.), Straßburg 1882, S. 201.

[2] Die Bauern zeigten gegenüber den Adligen große Verhandlungsbereitschaft. Es kam nur in ganz wenigen Fällen zu Drohungen, Belagerungen oder Plünderungen. Vgl. L. LAUPPE, Der Schwarzacher Haufe 1525, in: Die Ortenau 34 (1954), S. 94 ff., und G. FRANZ, Der deutsche Bauernkrieg. Aktenband, 1977⁴, Nr. 186, S. 370. Diese Haltung änderte sich erst, als sich herausstellte, daß die Herren von Hanau-Lichtenberg sich nicht an den Ortenauer Vertrag halten wollten. Vgl. K. HARTFELDER, Zur Geschichte des Bauernkriegs in Südwestdeutschland, 1884, S. 400.

[3] Die beiden in der südlichen Ortenau gelegenen Klöster Schuttern und Ettenheimmünster wurden von den Bauern eingenommen und ausgeraubt. Das gleiche Schicksal erlitten die Klöster Schwarzach und Allerheiligen und die Propsteien Oberkirch und Lautenbach in der nördlichen Ortenau. Im Kloster Gengenbach im Kinzigtal waren bereits vor 1525 Unruhen ausgebrochen (1523 Supplikation der Landschaft der Ortenau an das Reichsregiment in Nürnberg wegen des vom Kloster geforderten Todfalls). Graf Wilhelm von Fürstenberg erstrebte als Kastvogt des Klosters bereits im Januar 1525 die Umwandlung in ein weltliches Stift. Vgl. K. HARTFELDER, Bauernkrieg (wie Fußnote 2), S. 372 ff., und L. LAUPPE, Der Schwarzacher Haufe (wie Fußnote 2), S. 96.

[4] O. KÄHNI, Artikel „Ortenau", in: M. Miller (Hg.), Handbuch der historischen Stätten Deutschlands 6: Baden-Württemberg, 1965, S. 518f. Die wichtigsten Herr-

nicht abgeneigt, so daß eine partielle Interessenidentität zwischen Aufständischen und weltlicher Obrigkeit entstand[5]. Am Beispiel der Geschicke des Klosters Schwarzach soll im folgenden untersucht werden, welche Bedeutung dieses Faktum für den Verlauf und die Folgen des Bauernkriegs in der Ortenau hatte[6].
Das Benediktinerkloster Schwarzach wurde im Bauernkrieg besonders hart getroffen. Am 25. April 1525 erstürmten die aufständischen Bauern – in der Mehrzahl waren es Elsässer – das schlecht vorbereitete Kloster, plünderten es aus und zerstörten Gebäude und Kirchengeräte[7]. Acht Tage lang lagerte der etwa dreitausend Mann starke Bauernhaufe im Kloster Schwarzach[8]. In dieser Zeit verhandelten die Aufständischen mit den Räten des Markgrafen und den Gesandten der Stadt Straßburg, die durch ein weitgehendes Eingehen auf die bäuerlichen Forderungen eine Eindämmung der Aufstandsbewegung zu erreichen suchten. Der etwa gleichzeitig entstandene Oberkircher Haufe hatte den Gesandten bereits am 27. April auf einer Zusammenkunft in Achern zugesagt,

---

schaftsinhaber in der Ortenau waren: der Bischof von Straßburg, die Stadt Straßburg, der Markgraf Philipp von Baden, die Herren von Hanau-Lichtenberg, die Grafen von Fürstenberg und die Herren von Geroldseck sowie die oben in Fußnote 3 erwähnten Klöster.

[5] Für die konfessionelle Entwicklung in der Markgrafschaft Baden vgl. G. KATTER-MANN, Die Kirchenpolitik Markgraf Philiberts von Baden (1515–1533) (Veröffentlichungen des Vereins für Kirchengeschichte in der evangelischen Landeskirche Badens 11), 1936. – H. BARTMANN, Die badische (und vom August 1535 bis Juni 1536 baden-badische) Kirchenpolitik unter den Markgrafen Philipp I., Ernst und Bernhard III. (1515–1536), in: Zeitschrift für die Geschichte des Oberrheins 108 (1960), S. 1–48. – DERS., Die Kirchenpolitik der Markgrafen von Baden-Baden im Zeitalter der Glaubenskämpfe (1535–1622), in: Freiburger Diözesanarchiv 81 (1961), S. 1–352, und H.-J. KÖHLER, Obrigkeitliche Konfessionsänderung in Kondominaten. Eine Fallstudie über ihre Bedingungen und Methoden am Beispiel der baden-badischen Religionspolitik unter der Regierung Markgraf Wilhelms (1622–1677) (Reformationsgeschichtliche Studien und Texte 110) 1975. – Für Hanau-Lichtenberg: F. EYER, La guerre des paysans dans le comté de Hanau-Lichtenberg et les seigneuries voisines, in: A. Wollbrett (Hg.), La guerre des paysans 1525, 1975, S. 43–48, und L. LAUPPE, Die Reformation im klösterlich-schwarzachischen Kirchspiel Scherzheim-Lichtenau, in: Die Ortenau 32 (1952), S. 71–84 und 33 (1953), S. 167–178. – Für Straßburg: F. RAPP, Réformes et Réformation à Strasbourg (1450–1525) (Collection de l'Institut des Hautes Études Alsaciennes XXIII) o. J.
[6] Zur Geschichte des Klosters Schwarzach vgl.: A. HARBRECHT, Die Reichsabtei Schwarzach, in: Die Ortenau 31 (1951) – 37 (1957); K. REINFRIED, Zur Geschichte des Gebietes der ehemaligen Abtei Schwarzach, in: Freiburger Diözesanarchiv 22 (1892), S. 41–142, und L. LAUPPE, Der Schwarzacher Haufe (wie Fußnote 2).
[7] Der Abt, der die Aufständischen 1527 in Eßlingen verklagte, schätzte den Schaden auf 5000 fl (GLAK 105/904).
[8] Zum Verlauf vgl. K. HARTFELDER, Bauernkrieg (wie Fußnote 2), S. 378 ff., und L. LAUPPE, Der Schwarzacher Haufe (wie Fußnote 2).

alle feindlichen Handlungen einzustellen und eine gütliche Einigung auf der Grundlage der Zwölf Artikel abzuwarten. Dafür wurde den Aufständischen Straffreiheit und sicheres Geleit versprochen. Auch die Bauern des Schwarzacher Haufens willigten, nachdem sie sich mit ihren elsässischen Bundesgenossen verständigt hatten, in diesen Abschied ein und waren bereit, auseinanderzugehen, zumal die Verpflegung immer mehr Schwierigkeiten bereitete. Die Vorräte des Klosters Schwarzach – über 2000 Viertel Getreide, 60 Rinder, 250 Schafe, 250 Schweine, 1000 Fische, 6 Fuder Wein u. a. m.[9] – waren aufgebraucht, der Plan, weitere kirchliche Einrichtungen zu plündern, nach dem Einschlagen des Verhandlungswegs nicht mehr realisierbar[10]. Die Bauern ließen sich vom Stift zu Baden und vom Kloster Lichtental eine Schatzung von 200 fl geben und zogen ab[11].

Die Ziele des Schwarzacher Haufens, in dem die Klosteruntertanen eine kleine Minderheit bildeten[12], sind nur allgemein formuliert. Die Bauern forderten erstens, „das ewangylium und das wort gots zu hanthaben, das inen von der priesterschaft lang verhalten worden yst", und zweitens, „zu hanthaben das getlich recht, das dem armen besche als dem rychen, das bysher nit beschen yst und die artikel inen vorgelesen, wie dan uß dem lant zu Schwoben komen ist"[13]. Konkrete Beschwerden gegen das Kloster Schwarzach sind nicht überliefert. Sie wurden vermutlich auch nie vorgetragen, zumal seit der Erstürmung des Klosters und der Flucht von Abt und Konvent nach Baden das Herrschaftsverhältnis zwischen Abt und Klosteruntertanen für längere Zeit unterbrochen war. „Zu meherer Stillung" der Unruhen hatte Conrad von Venningen, der Landhofmeister des Markgrafen Philipp von Baden, die Eigenleute, Wildfänge und anderen Hintersassen in Eid genommen und dem Markgrafen huldigen lassen[14]. Der Abt hatte dieser Aktion zugestimmt, da ihm versprochen worden war, daß das dadurch begründete Herrschaftsverhältnis nur solange bestehen sollte, bis die Bauern „wyddrumb von einander kommen wurden". Gleichzeitig wurde die Verwaltung des Klosters einem

---

[9] GLAK 105/904.

[10] So beklagte sich der Schwarzacher Haufe bspw. beim badischen Kanzler, daß man keinen Wein mehr hätte. Dabei drohten die Bauern, „si wellen lugen, wo die pfaffen sitzen, die win haben, denselben holen". Vgl. H. VIRCK, Correspondenz (wie Fußnote 1), Nr. 352, S. 204.

[11] Ebd. Nr. 362, S. 209 f.

[12] Die Angaben über die Teilnahme von Schwarzacher Klosteruntertanen sind dürftig. Mit Sicherheit waren die beiden Klostergemeinden Ulm und Hunden beteiligt, denn sie wurden später besonders hart bestraft. A. HARBRECHT, Schwarzach (wie Fußnote 6), in: Die Ortenau 32 (1952), S. 8. Daß auch andere Petersleute beteiligt waren, geht aus den Verhandlungen, die der Abt 1526 wegen der Wiedergutmachung des im Bauernkrieg angerichteten Schadens führte, hervor (GLAK 105/146).

[13] G. FRANZ, Bauernkrieg. Aktenband (wie Fußnote 2), Nr. 186, S. 369.

[14] Rechtsgrundlage war die Kastvogtei (vgl. u. S. 81f).

weltlichen Schaffner übertragen[15]. In den Verhandlungen der beiden Ortenauer Haufen mit der Obrigkeit wurde das Kloster in keiner Weise berücksichtigt. Für die Aufständischen, die sehr viel Wert darauf legten, von allen an
den Vergleichsverhandlungen beteiligten Herrschaften Sicherheitsschreiben zu
erhalten[16], war der Abt, dem im Klostergebiet die alleinige Strafgewalt
zustand[17], offensichtlich kein Verhandlungspartner. Auch im Ortenauer Vertrag, der am 22. 5. 1525 zwischen den Teilnehmern des Schwarzacher und
Oberkircher Haufens und den meisten Herrschaftsinhabern in der Ortenau
abgeschlossen worden war, wurde das Kloster nicht erwähnt, obwohl es von
den Vertragsbestimmungen in wesentlichen Punkten betroffen war[18]. Dieser
Vertrag, den schon Günther Franz als den „ernsthaftesten Versuch, für ein
größeres Gebiet das Programm der Zwölf Artikel den gegebenen Verhältnissen anzupassen und in die Wirklichkeit umzusetzen", bezeichnete[19], enthält in
seinen beiden ersten Artikeln Bestimmungen über die Neuregelung der kirchlichen Verhältnisse: Die Pfarreien werden von der Obrigkeit („der Pfarren
Lehenherr"), soweit es sich nicht um Klöster handelt[20], mit „Wissen, Rate und
Gutbedunken" der Gerichte und Gemeindeausschüsse be- und entsetzt. Aufgabe der Pfarrer, die erst nach einer Probepredigt eingestellt werden, ist es,
„das Gotswort lauter und unverdunkelt" zu verkünden, so daß sie ihre

---

[15]   GLAK 105/403, Supplikation des Abtes v. 1528 Mai 30.

[16]   Die Bauern forderten eine schriftliche Bestätigung ihres freien Geleites und eine
Versicherung, daß die gesamte Aktion straffrei bleiben sollte. Die Briefe sollten bei der
Stadt Straßburg hinterlegt werden. H. VIRCK, Correspondenz (wie Fußnote 1),
Nr. 356, S. 206.

[17]   Das Salgericht des St.-Peter-Klosters war vor der Mediatisierung die letzte Appella-
tionsinstanz für Urteile aus dem Klosterterritorium und aus den Reichsdörfern in der
Landvogtei Hagenau (GLAK 105/146: 1499 und 1605). Bzgl. der Rechte des Abtes
vgl. die Weistümer von Schwarzach, Ulm und Vimbuch, ediert in: J. GRIMM, Weisthümer 1, 1840, S. 423 ff.

[18]   Ediert bei: G. FRANZ, Quellen zur Geschichte des Bauernkriegs (Ausgewählte
Quellen zur Geschichte der Neuzeit 2), 1963, Nr. 197, S. 563 ff. Der Vertrag wurde
abgeschlossen unter Vermittlung der Räte des Markgrafen von Baden und der Gesandten der Stadt Straßburg von Bischof Wilhelm von Straßburg, Graf Reinhard von
Zweibrücken, Herr zu Bitsch, Graf Wilhelm von Fürstenberg, Landvogt der Ortenau,
Graf Philipp zu Hanau-Lichtenberg, den Rittern Wilhelm Hummel von Staufenberg
und Wolf von Windeck als Vertretern der Herrschaften und von den Bürgermeistern
und Gerichten von Oberkirch, Stollhofen, Steinbach, Lichtenau, Bühl, Achern,
Bischofsheim, Willstett, Oppenau und Staufenberg als Vertreter der Aufständischen.

[19]   G. FRANZ, Der deutsche Bauernkrieg, 1977[11], S. 139.

[20]   Im Vertrag heißt es wörtlich: daß „der Pfarren Lehenherr, so derselb von der
Ritterschaft geboren oder Adelsgenoß oder deren gemeß und kein Ordensmann oder
Frau ist . . .". Ortenauischer Vertrag (wie Fußnote 18), § 1. An anderer Stelle wird
noch einmal betont, daß die „Versehung der Pfarren den Lehenherren, so nit Ordens-
leut seind, sampt den Gerichten und Usschuß der Gemeinden . . . zugestelt" sei (§ 2).

Aussagen „mit der Schrift beweren und meniglichem, der sie anfordern wurdet, darumb wissen, Rede und Antwurt" geben könnten[21]. Der große Zehnt bleibt bestehen. Er wird von „erberen Personen", die von den Zehntinhabern dazu bestimmt wurden, eingesammelt und dient nur der Besoldung der Pfarrer und der Armenfürsorge. Der Kleinzehnt und die Stolgebühren sollen dagegen abgeschafft werden.

Neben diesen beiden ersten Artikeln brachten auch der dritte und elfte dem Kloster große Nachteile. Hierin wurde den am Vertrag beteiligten Untertanen Ehefreiheit und eine beschränkte Freizügigkeit zugestanden[22]. Der Leibfall wurde abgeschafft, der Güterfall – er entsprach dem anderwärts üblichen Erschatz – in seiner Höhe festgesetzt[23]. Insgesamt bedeutete der Ortenauer Vertrag für den Abt eine erhebliche Einschränkung seiner politischen (Leibherrschaft), kirchlichen (Patronatsrecht) und wirtschaftlichen Stellung (Entzug des Zehnten, Zusicherung der Straffreiheit). Daran änderte auch die spätere Aufhebung des Ortenauer Vertrags wenig[24]. Den durch die Entmachtung der Klöster entstandenen Freiraum teilten sich Obrigkeit und Untertanen in der Folgezeit auf.

Unmittelbar nach dem Bauernkrieg kam es zunächst zu einer Neuordnung der kirchlichen Verhältnisse. Diesbezüglich war man im Ortenauer Vertrag den Untertanen entgegengekommen, die eine Beseitigung der Mißstände im kirch-

---

[21]   Ebd., § 1.
[22]   Ebd., S. 565. Das Zugeständnis der Freizügigkeit darf nicht allzu hoch bewertet werden, da die meisten Herrschaften, auch Baden, ein Recht auf die Kontrolle der Mobilität ihrer leibeigenen Untertanen hatten. Vgl. dazu: C. ULBRICH, Leibherrschaft am Oberrhein im Spätmittelalter (Veröffentlichungen des Max-Planck-Instituts für Geschichte 58), 1979, bes. S. 227 ff.
[23]   Ebd., S. 568 f. Das Kloster Schwarzach hatte bis dahin von allen in seinen Gerichten gesessenen Leuten Todfallabgaben gefordert und diese mit der Nutzung von Wald und Weide begründet. Vgl. J. GRIMM, Weisthümer (wie Fußnote 17), S. 424.
[24]   Für die Auseinandersetzungen um die Gültigkeit des Ortenauer Vertrags vgl. K. HARTFELDER, Bauernkrieg (wie Fußnote 2), S. 421 ff., und L. LAUPPE, Aus dem Bauernkrieg, in: Die Ortenau 35 (1955), S. 72–80. Der Streit war entstanden, als die Grafen von Hanau und Bitsch ihre Untertanen strafen wollten; dazu: H. VIRCK, Correspondenz (wie Fußnote 1), Nr. 406, S. 227 f. Die Behauptung der Grafen, sie hätten den Vertrag nicht bzw. nur unter Protest ratifiziert, ist unrichtig (ebd., Nr. 408, bes. Fußnote 1). Als Reaktion auf den Vertragsbruch und die damit verbundene Lossagung der hanau-lichtenbergischen Gemeinden vom Ortenauer Vertrag, forderte Baden von diesen Strafgelder für die Wiedergutmachung des im Bauernkrieg angerichteten Schadens (ebd., Nr. 415, Fußnote 2). Die Interessen des Abtes als einem der Hauptgeschädigten wurden aber weiterhin kaum berücksichtigt. Der Schadensersatz, der ihm nach Verhandlungen vor dem badischen Hofgericht zugestanden werden sollte – insgesamt 400 fl – war verglichen mit der Schadensersatzforderung – 5000 fl – äußerst gering (vgl. Fußnote 7).

lichen Bereich gefordert hatten und schon vor dem Bauernkrieg der Reformation zugetan waren[25].

Durch das Mitspracherecht bei der Besetzung der Pfarreien war außerdem die innerdörfliche Autonomie gestärkt worden, wenn auch nicht in dem Umfang, in dem es in den Zwölf Artikeln gefordert worden war. Der Obrigkeit (mit Ausnahme der Klöster) wurde im Ortenauer Vertrag ein erheblicher Machtzuwachs zugestanden. Markgraf Philipp von Baden, der seit Beginn seiner Regierung sein Mitspracherecht in kirchlichen Belangen ausgebaut hatte, nahm die Patronatsrechte der Klöster wahr und besetzte u. a. die Pfarreien Schwarzach und Vimbuch mit Weltgeistlichen bzw. lutherisch gesinnten Ordensleuten[26]. Im Oktober gestattete der Markgraf Abt und Konvent die Rückkehr ins Kloster. Der Abt wollte sogleich die Pfarrstelle wieder selbst versorgen, was ihm aber von der Gemeinde Schwarzach verwehrt wurde[27]. Die Pfarrei wurde weiterhin von einem reformierten Leutpriester versehen. Dieser hetzte, so klagte der Abt 1528, die Untertanen gegen das Kloster auf, so daß er Mühe hatte, Knechte und Mägde zu finden. Es wurden, so heißt es in der gleichen Beschwerde weiter, keine Feiertage mehr gehalten weder „Christi oder der heyligen, so gatt man stetig ane die arbeyt, wye er auch mitt den sacramenten umbgang leyt offenbarlich am tag"[28]. Auch die Pfarrei Stollhofen zählte 1528 noch zu den Anhängern der Reformation. Damals war der Lutheraner Ambrosius Phöberius, ein ehemaliger Schwarzacher Konventuale, Leutpriester zu Stollhofen[29]. Später (bis 1538) war er als Priester in der Pfarrei Vimbuch tätig, in der auch die Wiedertäufer Einfluß zu gewinnen suchten[30]. In der badischen Kirchenpolitik setzte 1528 mit der allmählichen Rückwendung zum Katholizismus eine Wende ein. Religionsmandate bzgl. Predigten und Sakramentenempfang wurden erlassen, der Kleinzehnt und die Stolgebühren z. T. noch einmal eingeführt[31]. Bis zur endgültigen Rekatholizierung in Baden-Baden änderte sich der religionspolitische Kurs jedoch noch mehrere Male[32]. Unabhängig davon, welche Konfession sie bevorzugten, war die Kirchenpoli-

---

[25] In der Pfarrei Lichtenau wirkte beispielsweise bereits im Winter 1524/25 der Prädikant Martin Enderlin. K. F. VIERORDT, Geschichte der evangelischen Kirche in dem Großherzogthum Baden 1, 1847, S. 161, und L. LAUPPE, Reformation (wie Fußnote 5), in: Die Ortenau 32 (1952), S. 74.

[26] H. BARTMANN, Badische Kirchenpolitik (wie Fußnote 5), S. 3, G. KATTERMANN, Kirchenpolitik (wie Fußnote 5), S. 45, und L. LAUPPE, Reformation (wie Fußnote 5), S. 76.

[27] L. LAUPPE, Reformation (wie Fußnote 5), in: Die Ortenau 32 (1952), S. 77.

[28] GLAK 105/403.

[29] L. LAUPPE, Reformation (wie Fußnote 5), S. 77.

[30] A. HARBRECHT, Schwarzach (wie Fußnote 6), in: Die Ortenau 32 (1952), S. 10.

[31] H. BARTMANN, Badische Kirchenpolitik (wie Fußnote 5), S. 24f.

[32] Einen knappen Überblick gibt H.-J. KÖHLER, Konfessionsänderung (wie Fußnote 5), S. 8 ff.

tik der Markgrafen sehr ähnlich. Sie nahmen ihr Aufsichtsrecht über die Kirche wahr und mischten sich auch in innerkirchliche Angelegenheiten ein[33]. Für die Schwarzacher Klosteruntertanen war es bis zum Ende des 16. Jahrhunderts eine Selbstverständlichkeit, daß der Markgraf den Abt einzusetzen bzw. seine Wahl zu bewilligen hatte[34]. So wandten sie sich beispielsweise 1588 mit einer Supplikation an den Landesherrn und baten ihn, er möge die Prälatur mit einer tauglichen und dazu qualifizierten Person besetzen[35]. Durch diese Kirchenpolitik wurde der politische Spielraum des Klosters sehr eng.

Auch in dem in der Grafschaft Hanau-Lichtenberg gelegenen schwarzachischen Kirchspiel Scherzheim wurden 1525 die kirchlichen Verhältnisse neu geregelt. Die Grafen von Hanau-Lichtenberg, die sich dem Abschluß des Ortenauer Vertrags lange widersetzt hatten und nach der endgültigen Beilegung der Unruhen seine Gültigkeit nicht mehr anerkennen wollten[36], hielten sich an die ersten beiden Paragraphen des Ortenauer Vertrags. Sie besetzten – entsprechend dem Willen der Kirchspielangehörigen und unter ausdrücklichem Hinweis auf den Ortenauer Vertrag – die Pfarrei Scherzheim mit einem reformierten Geistlichen[37]. Außerdem beanspruchten sie Pfarrsatz und Zehntrecht, was zu Differenzen mit dem Markgrafen führte, der als Kastvogt die früheren Rechte des Klosters für sich haben wollte. Der Kleinzehnt wurde dem Schwarzacher Klosterschaffner mit Billigung der Grafen verweigert[38].

Jahrelang kam es im Kirchspiel immer wieder zu Unruhen, beschwerten sich die Untertanen, sie hätten Priester, die „gantz untauglich" seien „und also geschaffen gewesen, daß wir von denen der gepür nach nit haben versehen werden mögen"[39]. Das Patronatsrecht hatte mehrfach zwischen Grafen und Äbten gewechselt, doch mußte sich der Schwarzacher Abt meist damit zufriedengeben, daß die Grafen den Priester einsetzten und er, da er den Zehnten zurückerhalten hatte, für ihre Besoldung sorgte. Der Verkauf des Zehnten an Graf Philipp von Hanau im Jahre 1554 beendete die Auseinandersetzungen und führte endgültig zur Einführung der Reformation in Scherzheim[40].

---

[33]   F. v. WEECH, Badische Geschichte, 1890, 135ff.

[34]   GLAK 105/421: 1571 (Huldigungsprotokoll).

[35]   GLAK 105/421: 1589.

[36]   Vgl. o. Fußnote 24.

[37]   L. LAUPPE, Reformation (wie Fußnote 5), in: Die Ortenau 32 (1952), S. 79 f. Da der eingestellte Geistliche seinen Dienst nicht ordnungsgemäß versah, kam es zu Unruhen – die Amtleute zerstörten das Pfarrhaus – und zu Prozessen, in deren Verlauf deutlich wird, welche Schwierigkeiten selbst in dieser Straßburg nahegelegenen Gegend bestanden, geeignete Geistliche zu finden.

[38]   Ebd., S. 78.

[39]   DERS., in: Die Ortenau 33 (1953), S. 168.

[40]   Ebd., S. 169 ff., und F. STENGEL, Lichtenau und das Hanauer Land, in: Die Ortenau 31 (1951), S. 123–140.

Gravierender und dauerhafter als die kirchlichen waren die politischen Änderungen, die durch den Bauernkrieg eingeleitet bzw. beschleunigt wurden: die Mediatisierung des Klosters und damit verbunden die Integration der Klosteruntertanen in den badischen Staat. Wie bereits erwähnt, hatte Conrad von Venningen 1525 die Petersleute dem Markgrafen huldigen lassen. 1532 war der Abt noch nicht wieder in seine alten Herrschaftsrechte eingesetzt[41]. Relativ hilflos mußte er zusehen, wie sich die Eigenleute des St.-Peter-Klosters mit markgräflichen Leibeigenen und „andern Lůth deß Ortennaůwischen vertrags" verheirateten. Dadurch minderte sich die Zahl der Klosteruntertanen, denn ein Austausch von Eigenleuten, wie er sonst üblich war, wurde im Falle Schwarzach nicht vorgenommen. Auch das Recht auf Wegzug nahmen der Beschwerde des Abtes zufolge viele Petersleute wahr. Soweit sie in die badischen Ämter Stollhofen, Steinbach und Bühl zogen, wurde dem Abt keinerlei Nachjagerecht zugestanden. Diese Leute sollten vielmehr nach Jahresfrist als markgräfliche Leibeigene vereidigt werden. Umgekehrt aber war es dem Abt untersagt, Zuziehende aus den badischen Ämtern als Leibeigene anzunehmen, denn der Markgraf seinerseits beharrte auf seinem Nachjagerecht[42].

Nach dem Augsburger Reichstag wurde die Haltung des Markgrafen gegenüber den Klöstern milder[43]. Nun kam es auch wieder zu Verträgen zwischen Schwarzach und Baden, so z. B. 1532 wegen des Nachjagerechtes, der Todfälle, Steuern und Frondienste und 1533 wegen den Wald- und Holzeinungen sowie den leib- und grundherrlichen Rechten[44]. Eine weitere Festigung der markgräflichen Position stellte 1545 die Bestätigung der Regalien dar[45], doch sah es bei der Huldigung 1548 so aus, als hätte die Abtei ihre Selbständigkeit im wesentlichen wiederherstellen können. Der Eid, den die Petersleute dem neuen Abt leisteten, enthielt lediglich eine Vorbehaltsklausel bezüglich der Rechte, die dem Markgrafen als Schirm- und Kastvogt zustanden[46]. Dies änderte sich bis zur nächsten Abtswahl grundlegend. 1569 schworen die Klosteruntertanen einen doppelten Eid: Sie huldigten dem Markgrafen als Landesfürsten, Schirm- und Kastvogt und Michael Schwan als Abt[47]. Es ist zu vermuten, daß nicht nur die klosterfeindliche Einstellung Philiberts, der ein Anhänger der Reformation war[48], sondern auch die in der Zwischenzeit erfolgte Einbeziehung der Klosterdörfer in die Landschaft diesen Wandel

---

[41] Die Überlieferung ist lückenhaft.

[42] GLAK 105/403.

[43] G. KATTERMANN, Kirchenpolitik (wie Fußnote 5), S. 107.

[44] GLAK 67/1319, fol. 23 und GLAK 37/251: 1533 I. 28.

[45] A. HARBRECHT, Schwarzach (wie Fußnote 6), in: Die Ortenau 32 (1952), S. 9. Markgraf Philipp ließ die Regalien im Schwarzacher Klosterterritorium „als marggrävliche Rechte und als der Hohen Obrigkeit anhängig erkennen".

[46] GLAK 67/1319.

[47] GLAK 105/403.

[48] H.-J. KÖHLER, Konfessionsänderung (wie Fußnote 5), S. 9.

verursacht hat[49]. Michael Schwan, ein Laienpriester, wurde bereits zwei Jahre später wieder abgesetzt. Dies geschah mit Einverständnis der inzwischen in Baden amtierenden Vormundschaftsregierung, die sehr um die Wiederherstellung der katholischen Religion bemüht war[50]. Bei der Huldigung für den neuen Abt Caspar Brunner sollten die Untertanen wieder dem Markgrafen und dem Abt zugleich schwören. Sie beschwerten sich darüber, waren aber laut Huldigungsprotokoll leicht zu überreden, den Eid in der vorgesehenen Form zu leisten[51]. In die weiteren Bemühungen, das Kloster Schwarzach völlig badischer Oberhoheit zu unterwerfen, schaltete sich 1572 der Bischof von Speyer als „Grund-, Eigentums- und Lehensherr" des Klosters ein. Es kam nach langen Verhandlungen zu einem Vergleich, in dem bestimmt wurde, daß die Untertanen dem Markgrafen als ihrem Schirmherr keinen gesonderten Eid leisten sollten[52]. Ungeachtet dieser Abmachung forderten Kanzler und Räte nur wenige Jahre später beim Regierungsantritt Eduard Fortunats (1588) die Petersleute auf, dem Markgrafen zu huldigen. Die Untertanen weigerten sich und machten die Eidesleistung von der Beilegung ihrer Beschwerden abhängig[53]. Außerdem wollten sie die Huldigung nur zusammen mit dem Eid für einen neu einzusetzenden Prälaten leisten[54]. Unbestreitbar ist, daß sie den Markgrafen als Landesfürsten, Erb-, Schutz- und Schirmherrn anerkannten, ein Faktum, das die Äbte im 18. Jahrhundert zu leugnen versuchten[55].

Die Mediatisierung des Klosters Schwarzach war nicht nur durch die Ausweitung der Huldigungspflicht auf den Markgrafen, sondern auch durch die parallel laufende Integration der Klosteruntertanen in die Landschaft erfolgt. Auf dem ersten nachweisbaren Landtag in der Markgrafschaft baden-badischen Teils im Jahre 1558 waren neben den acht Ämtern auch die Dörfer der unter badischer Schirmvogtei stehenden Klöster Schwarzach, Lichtental, Herren- und Frauenalb geladen. Die Schwarzacher Klosterdörfer nahmen an

---

[49]   Zur Landschaft der Markgrafschaft Baden-Baden vgl.: J. GUT, Die Landschaft auf den Landtagen der markgräflich badischen Gebiete (Schriften zur Verfassungsgeschichte 13), 1970, und P. BLICKLE, Landschaften im Alten Reich. Die staatliche Funktion des gemeinen Mannes in Oberdeutschland, 1973, S. 144 f.

[50]   H.-J. KÖHLER, Konfessionsänderung (wie Fußnote 5), S. 10.

[51]   GLAK 105/421: 1571.

[52]   GLAK 105/421: 1584–88.

[53]   GLAK 105/421: 1589. Für die Unruhen 1588/89 vgl. J. GUT, Landschaft (wie Fußnote 49), S. 347.

[54]   GLAK 105/421: 1589. Caspar Brunner hatte das Kloster hoch verschuldet, was zu Auseinandersetzungen mit dem Konvent führte. 1588 verließ er das Kloster. Vgl. A. HARBRECHT, Schwarzach (wie Fußnote 6), in: Die Ortenau 32 (1952), S. 21.

[55]   Der Streit ist auszugsweise dargestellt bei J. J. MOSER, Neues teutsches Staatsrecht 13, 1769 (Neudruck 1968). – Zur Bedeutung des Eides als Mittel zur Durchsetzung landesherrlicher Forderungen vgl. SAARBRÜCKER ARBEITSGRUPPE, Huldigungseid und Herrschaftsstruktur im Hattgau, in: Jahrbuch für westdeutsche Landesgeschichte 6 (1980), S. 117–155.

diesem und allen folgenden Landtagen teil[56]. Die Klosteruntertanen bewilligten 1558 „mit zulassung eins Abts" die geforderte, auf zehn Jahre befristete Steuer[57]. Sie übernahmen von da an die gleichen Lasten wie die markgräflichen Untertanen und hatten ebenso wie diese sehr unter der hohen Schuldenlast und den zahlreichen Frondiensten zu leiden[58]. Die Bewilligung erfolgte jedoch immer nur mit Wissen des Abtes[59]. Dies ist vielleicht mit ein Grund dafür, warum die Markgrafen seit 1582 auch die Geistlichkeit auf die Landtage einluden. Wie J. Gut für Kloster Lichtental nachweisen kann, waren sowohl die Äbtissin als auch die Vertreter der Dörfer geladen[60]. Die Belege für Schwarzach sind sehr dürftig, doch scheint es hier ähnlich gewesen zu sein, denn 1627 waren der Großkeller, der vom Markgraf eingesetzte Schaffner und der Schultheiß auf dem Landtag anwesend[61], 1631 der Schaffner des Klosters zusammen mit acht anderen Mitglied des engeren Ausschusses der Landschaft[62]. Dies zeigt, wie eng die Verbindung zwischen Schwarzach und der Markgrafschaft geworden war. Deutliches Zeichen der Zusammengehörigkeit ist auch das Siegel, das die „Gemeinde Landschaft der obern Markgraveschaft Baden" 1582 führte: Es zeigt neben den Wappen der acht Ämter auch das des Abtes von Schwarzach[63]. Auch in den landesherrlichen Verfügungen taucht Schwarzach gleichberechtigt neben den badischen Ämtern auf. Die Ausschreiben sind an die Amtleute und Schaffner, z. T. aber auch an die einzelnen Pfarreien und Dörfer gerichtet. Die Klostergemeinden Schwarzach, Vimbuch und Ulm werden nicht selten namentlich erwähnt[64].

Die Integration der Klosteruntertanen in den badischen Staat und die badische Landschaft erfolgte in Schwarzach reibungslos[65]. Sie war mit der Übernahme zahlreicher Lasten verbunden, und man kann davon ausgehen, daß sie nicht unfreiwillig geschah, denn die Kastvogtei war für den Ausbau landesherrlicher

---

[56]   J. Gut, Landschaft (wie Fußnote 49), S. 316 f.

[57]   GLAK 105/421: 1589. Beschwerden der Gerichtsstäbe Schwarzach und Vimbuch.

[58]   Die Fronen waren wegen der Bautätigkeit des Markgrafen in der zweiten Hälfte des 16. Jahrhunderts sehr hoch. Jeder Untertan mußte 30 Fronfuhren pro Jahr leisten. Dazu: K. H. Roth von Schreckenstein, Landesherrliche Verfügungen des Markgrafen Phillipp II. von Baden-Baden aus den Jahren 1581–1588, in: Zeitschrift für die Geschichte des Oberrheins 24 (1872), S. 399–420. Die Schwarzacher Klosteruntertanen waren zusätzlich verpflichtet, für das Kloster zu fronen (GLAK 105/421: 1589).

[59]   Ebd.

[60]   J. Gut, Landschaft (wie Fußnote 49), S. 323 f.

[61]   F. v. Weech, Die badischen Landtagsabschiede von 1554 bis 1668, in: Zeitschrift für die Geschichte des Oberrheins 29 (1877), S. 323–423.

[62]   Ebd., S. 386 f.

[63]   A. E. Adam, Zur Geschichte der badischen Landstände, in: Zeitschrift für die Geschichte des Oberrheins 45 NF 6 (1891), S. 178–180.

[64]   K. H. Roth von Schreckenstein, Verfügungen (wie Fußnote 58).

[65]   Die Stellung der herrenalbischen Dörfer war dagegen immer umstritten, die von Frauenalb zweifelhaft. J. Gut, Landschaft (wie Fußnote 49), S. 319.

Rechte nur eine schmale und leicht anfechtbare Rechtsgrundlage[66]. Der erste entscheidende Schritt war die Huldigung der Petersleute im Bauernkrieg. Wenn sich die Bauern in einer Situation militärischer Überlegenheit bereit erklären, dem Markgrafen zu huldigen, dann zeigt dies, daß sie den badischen Staat und nicht die feudale Klosterherrschaft als Obrigkeit anerkennen wollen. Wie sehr diese Haltung dem politischen Bewußtsein der Petersleute, die nicht Untertanen im pejorativen Sinn, sondern Verhandlungspartner sein wollten[67], entsprach, macht eine Aussage aus einem Prozeß der Klostergemeinde Ulm gegen die Grafen von Hanau-Lichtenberg im Jahre 1533 deutlich: „dann war sey, das sie nie haben wellen leiden, das man inen dernhalben gepotten hette, sonder haben wellen gepetten sein"[68].

---

[66]　In Herrenalb konnte sich der Markgraf häufig nicht durchsetzen, die Dörfer erschienen zwar oft auf den Landtagen, widersetzten sich aber häufig der Einhaltung der gegebenen Bewilligung (ebd.).

[67]　Zum Begriff Untertan vgl. P. BLICKLE, Deutsche Untertanen. Ein Widerspruch, 1981.

[68]　GLAK 229/107 007: Kundschaft und Zeugensag in Sachen Hanau-Bitsch gegen Ulm und Hunden. Einen knappen Überblick über diesen Prozeß gibt L. LAUPPE, Bauernkrieg (wie Fußnote 24), S. 79 f.

II. Reich

RUDOLF ENDRES

Der Kayserliche neunjährige Bund vom Jahr 1535 bis 1544

Das deutsche Spätmittelalter ist geprägt von einer Vielzahl von innerständischen und zwischenständischen Einungen und Bündnissen, die alle unter dem Vorgebot standen, Frieden und Recht zu wahren[1]. Damit blieben die Bünde eingespannt in die Herausforderung zur Stiftung eines allgemeinen Landfriedens und seit dem 15. Jahrhundert in die Bewegung zu einer Reichsreform[2]. Dabei dienten die Einungen sowohl der ständischen Reichsreform wie auch der zentralistischen, denn auch das Reichsoberhaupt bediente sich der Bünde inner- und zwischenständischer Art, um eigene politische Ziele zu erreichen[3]. Immer wieder wurden ständische Einungen in die königlichen Landfriedensgebote einbezogen, wie bei der „Handhabung Friedens und Rechts", auf die sich 1495 König Maximilian und die Reichsstände gegenseitig geeinigt hatten.

Zur gleichen Zeit wurde der Schwäbische Bund, der 1488 als übergreifendes Bündnis der Ritter und Städte zu Schwaben zum Schutz des gemeinen Landfriedens gegründet worden war und dem auch mehrere Fürsten beitraten, zu einem Instrument der habsburgischen Politik, speziell seit der Vertreibung Ulrichs von Württemberg[4]. Als die Reichsorgane gegen die aufständischen Ritter unter Franz von Sickingen[5] und gegen die aufrührerischen Bauern versagten[6], da übernahm der Schwäbische Bund, der 1522 nur mit Mühe auf 11 Jahre verlängert worden war, die Niederwerfung der Aufstände und die

---

[1] Siehe R. KOSELLECK, Artikel ‚Bund', ‚Bündnis', in: Geschichtliche Grundbegriffe, hrsg. von O. BRUNNER, W. CONZE, R. KOSELLECK, 1972. Bd. 1, S. 582 ff.

[2] Eingehend bei H. ANGERMEIER, Königtum und Landfriede im deutschen Spätmittelalter, 1966.

[3] E. BOCK, Monarchie, Einung und Territorium im späteren Mittelalter, in: Historische Vierteljahrsschrift 24 (1929), S. 557 ff.

[4] E. BOCK, Der Schwäbische Bund und seine Verfassungen 1488–1534, 1927, Neudruck 1968.

[5] G. FRANZ, Franz von Sickingen, in: DERS., Persönlichkeit und Geschichte. Aufsätze und Vorträge, 1977, S. 51–66.

[6] Noch immer wichtig, G. FRANZ, Der deutsche Bauernkrieg, 1977[11], S. 92 ff.

Wiederherstellung des Landfriedens. Dabei konnten die inneren Konflikte im Bund nur schwer überwunden werden, was dann nicht mehr gelang, als die religiöse Frage und die konfessionellen Streitigkeiten hinzukamen.

Denn unter dem Einfluß der Reformation erhielt der Begriff ‚Bund' eine neue Dimension gegenüber der bisher politisch-ständischen Ebene. Das Bündnisrecht der Reichsstände wurde nun theologisch fundamentiert und erhielt eine neue Legitimation durch den Glaubensschutz. Der Bund der protestantischen Stände konnte oder mußte sich sogar gegen den Kaiser richten, wenn es um die Verteidigung des evangelischen Glaubens ging[7].

Das Widerstandsrecht gegen den Kaiser war das Ergebnis der Lehre Luthers, daß man schuldig sei, den „Mißbrauch wider Gott und kaiserliche Recht" durch Tyrannen nicht zu dulden, wobei mit Tyrann Karl V. gemeint war[8]. Durch diese neue Legitimation konnte sich der Schmalkaldische Bund gegen die Rechtsordnung des Heiligen Reiches richten, zumindest sofern geistliche Sachen und daraus folgende strittige Besitzrechte betroffen waren[9]. Da nun Landfriede und Glaubensschutz einander widersprachen, suchten die protestantischen Stände im Schwäbischen Bund alle Religionssachen aus diesem herauszunehmen und die Religionsfrage nicht durch den Bund lösen zu lassen, woran der Schwäbische Bund zerbrach[10].

Aber auch Karl V. griff immer wieder auf die Bündnis-Idee zurück, um mit einer Bundes-Organisation das zu erreichen und zu leisten, wozu die Reichsorgane nicht fähig waren, nämlich den allgemeinen Reichsfrieden, der 1521 in Worms erneuert worden war, aufzurichten und zu wahren[11]. Schließlich suchte der Kaiser in mehreren Anläufen einen katholischen Gegenbund zu initiieren, wobei der sog. Nürnberger Bund von 1538 ausdrücklich gegen die „Protestierenden des Schmalkaldischen Bunds verwandte Stände" gerichtet war[12]. Doch blieb der katholische Gegenbund politisch erfolglos, da sich die Kurfürsten verweigerten; allerdings war damit der Weg zu den konfessionellen Sonderbünden vorbereitet, zur Union und zur Liga.

Die erste Hälfte des 16. Jahrhunderts war also bestimmt von einer schwer zu überblickenden Reihe von Bündnissen oder nur Bündnisprojekten. Man erprobte die verschiedensten Formen von Einungen oder heimlichen und offenen Verträgen, alles Symptome für das Versagen der Reichsorgane sowie

---

[7]   ‚Bund' und ‚Bündnis' zwischen Reformation und Revolution, in: R. KOSELLECK, Artikel Bund (wie Fußnote 1), S. 600–609.

[8]   F. NEUER-LANDFRIED, Die Katholische Liga, 1968, S. 5, Zitat.

[9]   E. FABIAN, Die Entstehung des Schmalkaldischen Bundes und seiner Verfassung 1524/29–1531/35, 1962², S. 63 ff.

[10]   E. BOCK, Schwäbischer Bund (wie Fußnote 4), S. 199 ff.

[11]   Vgl. M. SALOMIES, Die Pläne Kaiser Karls V. für eine Reichsreform mit Hilfe eines allgemeinen Bundes, in: Annales academiae scientiarum Fennicae 83 (1953), S. 73–85.

[12]   Druck der Verfassung des Nürnberger Bundes bei F. HORTLEDER, Von den Ursachen des teutschen Krieges 1546–47, 1645, S. 1518–1527.

für die Unsicherheit im Zusammenleben von Reichsoberhaupt und Reichsständen, wozu nun noch die große Unsicherheit im Zusammenleben der
verschiedenen Bekenntnisgruppen kam.
In die Vielzahl der Bündnisse und Bündnisprojekte gehört auch der sog.
„Kayserliche neunjährige Bund" von 1535 bis 1544, der in der Literatur
entweder überhaupt nicht erwähnt oder mit einigen wenigen Worten in seiner
Bedeutung verächtlich abgetan wird. Selbst Philipp Ernst Spieß, der sich vor
fast 200 Jahren bisher als einziger Forscher etwas eingehender mit dem Bund
beschäftigt hat, schätzt seinen Wert als gering ein[13]. Martii Salomies, der
zuletzt die Bündnisbestrebungen zur Zeit Karls V. genauer untersucht hat,
wertet den kaiserlichen neunjährigen Bund sogar als völlig bedeutungslos ab[14]
– meines Erachtens zu Unrecht. Denn die Kaiserliche Einung hat über die Zeit
ihres Bestehens hinweg weitgehend den Landfrieden in Oberdeutschland
gewahrt; sie hat speziell im Fränkischen Kreis eine Reihe von offenen Streitigkeiten zwischen den Ständen beendet und neue Auseinandersetzungen unterbunden, und sie hat vor allem verhindert, daß die wachsenden konfessionspolitischen Spannungen in Oberdeutschland zu Religionskriegen führten.
Als im Jahre 1533 der Schwäbische Bund auslief, bemühten sich Kaiser Karl
und König Ferdinand um eine erneute Verlängerung, doch aus unterschiedlichen Gründen lehnten die Mitglieder eine Weiterführung ab[15]. Im Vordergrund standen die ungelöste Württemberger Frage[16], die habsburgisch-wittels-
bachische Rivalität[17] und die strittige Religionsfrage, die auch nach dem
Nürnberger Anstand von 1532 keineswegs gelöst war[18]. Mit der Gründung
des Schmalkaldener Bundes und dem Ausscheiden der wichtigen rheinischen
Stände Kurmainz, Kurpfalz, Kurtrier und Hessen, die sich am 8. November

---

[13] E. P. SPIESS, Geschichte des Kayserlichen neunjährigen Bunds vom Jahr 1535 bis
1544 als eine neue Erscheinung in der Teutschen Reichsgeschichte aus den Original-
Akten dargestellt, Erlangen 1788, S. 2f. Spieß wertete die Unterlagen aus dem Plassen-
burger Archiv aus, die jetzt im Staatsarchiv Bamberg aufbewahrt werden (Signatur ex
Rep J 8[II], Nr. 108), die allein das Brandenburger Material umfassen. Ergänzt werden
müssen diese archivalischen Unterlagen durch die Bamberger Urkunden und Akten des
Kaiserlichen neunjährigen Bundes im Staatsarchiv Bamberg (Rep. C 17[III] Nr. 60) und
durch die Nürnberger Materialien im Staatsarchiv Nürnberg (S I L 83 Nr. 34; S I L 80
Nr. 3–9, S I L 61 Nr. 2; S I L 74 Nr. 32 und 40).
[14] M. SALOMIES, Die Pläne Kaiser Karls V. (wie Fußnote 11), S. 83–86. Salomies
stützt sich allein auf die bei Spieß abgedruckten Quellen und Unterlagen, ohne weitere
archivalische Forschungen zu betreiben.
[15] E. BOCK, Schwäbischer Bund (wie Fußnote 4), S. 183 ff.
[16] S. RIEZLER, Geschichte Baierns, 1899, Bd. IV, S. 265–267.
[17] Vgl. W.-P. FUCHS, Baiern und Habsburg 1534–36, in: Archiv für Reformationsgeschichte 41 (1948), S. 1–31; H. LUTZ, Karl V. und Bayern. Umrisse einer Entscheidung, in: Zeitschrift für bayerische Landesgeschichte 22 (1959), S. 13–41.
[18] O. WINCKELMANN, Der Schmalkaldische Bund 1530–1532 und der Nürnberger
Religionsfriede, 1892, 291 ff.

1532 mit dem Bischof von Würzburg zur „Rheinischen Einung" zusammenge-
schlossen hatten[19], war dem Schwäbischen Bund die Existenzgrundlage entzogen. Daß die drei mächtigen Reichsstädte Nürnberg, Augsburg und Ulm sich
am 26. Mai 1533 zum Dreistädtebund zusammenschlossen, rundete die
Absetzungstendenz nur ab[20].
Als auf Einladung König Ferdinands Ende Januar 1535 in Donauwörth die
ehemaligen Schwäbischen Bundesstände erneut zusammenkamen, priesen
wiederum die kaiserlichen Kommissäre, Bischof Christoph von Augsburg,
Graf Wolf von Montfort und Dompropst Marquard von Stein, die Vorteile
eines Bündnisses mit Kaiser und König an. Diesmal fanden sie Gehör und
Zustimmung bei den Gesandten der Bischöfe von Bamberg, Augsburg und
Eichstätt, des Erzbischofs von Salzburg, der Herzöge von Bayern, des Markgrafen Georg von Brandenburg-Ansbach sowie der Pfalzgrafen Ottheinrich
und Philipp von Pfalz-Neuburg[21]. Allerdings wollten die genannten geistlichen
und weltlichen Fürsten lediglich einen Fürstenbund mit Kaiser und König
schließen und die Städte aus der Einung ausschließen. Auch einigte man sich
darauf, die Verfassung des vergangenen Schwäbischen Bundes als Grundlage
zu übernehmen, allerdings dem protestantischen Markgraf Georg die Ausnahme der Religionsfrage zuzugestehen[22].
Am 29. Januar eröffneten die Gesandten der Fürsten den erstaunten Vertretern der Städte die neue Bündnisabsprache, die ihrerseits sogleich ihre Bereitschaft erklärten, dem Bündnis beizutreten, sofern die Religionsfrage und vor
allem die geistliche Gerichtsbarkeit in dem neuen Bund ausgenommen werden[23]. Man kam am 30. Januar 1535, nachdem das Kaiserliche Bündnis
unterzeichnet war, überein, den nächsten Bundestag auf den 11. April nach
Lauingen einzuberufen, wo die kaiserliche Einung feierlich gesiegelt werden
sollte, und bis dahin mit allen interessierten Ständen in Oberdeutschland zu
verhandeln. Als jedoch die zweite Bank des Schwäbischen Bundes, die Ritter
und Prälaten, ihren Beitritt zum neuen Bündnis verweigerten, drängten die
Fürsten auf die Aufnahme Nürnbergs und anderer Reichsstädte, um einen
Gegenbund der Städte oder gar der Städte, Ritter und Prälaten zu verhindern[24]. So erfolgte in Lauingen die offizielle Aufnahme der protestantischen
Reichsstadt Nürnberg und ihrer Klientelstädte Windsheim und Weißenburg,
die alle ebenfalls die Religionsfrage ausnahmen[25]. Schwierig gestalteten sich

---

[19]   Bündnisurkunde abgedruckt bei E. P. SPIESS, Kayserlicher Bund (wie Fußnote 13),
      S. 50–66.
[20]   Ebd., S. 66–76; Staatsarchiv Nürnberg, S I L 93 Nr. 34.
[21]   E. P. SPIESS, Kayserlicher Bund (wie Fußnote 13), S. 10–13.
[22]   E. P. SPIESS, Kayserlicher Bund (wie Fußnote 13), Beylage VII, S. 88–96.
[23]   Staatsarchiv Bamberg, Rep. C 17^{III} Nr. 60.
[24]   E. P. SPIESS, Kayserlicher Bund (wie Fußnote 13), Beylage VIII, S. 96f.
[25]   Staatsarchiv Nürnberg, S I L 83 Nr. 34.

die Aufnahmeverhandlungen mit den Städten Ulm und Augsburg, die mit Nürnberg in dem Dreistädtebund standen. Streitpunkt war die Auslegung des Nürnberger Religionsfriedens, den Ulm und Augsburg dahingehend ausgedehnt wissen wollten, daß er auch für die Stände Anwendung finden sollte, die nach 1532 die Reformation einführten. Dies aber lehnte die Bundesversammlung ab, mit den Stimmen auch seiner protestantischen Mitglieder, da der kaiserliche Bund sich ausdrücklich zur Aufrechterhaltung des religionspolitischen Status quo verstand. Da sich Ulm und Augsburg weigerten, den Stillstand des Nürnberger Anstands anzuerkennen, konnten sie nicht in die Kaiserliche Einung aufgenommen werden[26].

Es ist nun zu fragen, warum die protestantischen Reichsstädte Nürnberg, Weißenburg und Windsheim und der protestantische Markgraf Georg der überwiegend katholischen Einung beitraten, welche Motive andererseits Kaiser Karl, König Ferdinand und die Herzöge Wilhelm und Ludwig dazu veranlaßten, ein neues Bündnis zu gründen, wobei zu bedenken ist, daß der seit 1524 vorherrschende, weitreichende Gegensatz zwischen Wittelsbach und Habsburg die reichsfürstlich-ständische und europäische Opposition gegen Habsburg entscheidend mitbestimmt hat[27].

Als 1525 Tirol, Vorderösterreich und Württemberg offiziell an Ferdinand von Habsburg übertragen wurden und dieser dann auch noch die böhmische Königskrone gewann, wobei Wilhelm von Bayern unterlag, da fühlten sich die Wittelsbacher von drei Seiten vom habsburgischen Machtbereich umklammert[28]. Die dynastische Rivalität erreichte ihren Höhepunkt, als am 5. Januar 1531 Ferdinand in Köln auch zum Römischen König gewählt wurde und wiederum Herzog Wilhelm unterlag[29]. Daraufhin beschloß Bayern, das mehr und mehr zur katholischen Vormacht im Reich wurde, mit den Schmalkaldischen Fürsten in Saalfelden am 24. Oktober 1531 ein Bündnis, dessen wichtigster Punkt die Nichtanerkennung der Wahl Ferdinands war[30]. Selbst mit den europäischen Gegnern der Habsburger wurde Verbindung aufgenommen, mit England, Dänemark, mit dem ungarischen Gegenkönig Johann Zapolya und vor allem mit Franz I. von Frankreich, mit dem Bayern am 26. Mai 1532 den

---

[26]   Staatsarchiv Bamberg, ex Rep J 8[II], Nr. 108. Die umfangreichen Verhandlungen zwischen den Kaiserlichen Kommissaren und den beiden Städten Ulm und Augsburg wurden zusammengefaßt und sogar gedruckt.

[27]   W.-P. FUCHS, s. Bayern (wie Fußnote 17) und H. LUTZ, Karl V. und Bayern (wie Fußnote 17).

[28]   S. RIEZLER, Geschichte Baierns IV (wie Fußnote 16), S. 210.

[29]   G. VON PÖLNITZ, Anton Fugger und die Römische Königswahl Ferdinands I., in: Zeitschrift für bayerische Landesgeschichte 16 (1951/52), S. 317–349.

[30]   S. RIEZLER, Geschichte Baierns IV (wie Fußnote 16), S. 239–248.

Allianzvertrag von Scheyern abschloß, woraufhin französische Hilfsgelder nach München flossen[31].

Die Wiedereinsetzung Ulrichs von Württemberg in sein Herzogtum, die Landgraf Philipp von Hessen im Frühjahr 1534 unter einer besonders günstigen politischen Konstellation überraschend durchführte, veränderte aber schlagartig das Verhältnis zwischen Habsburgern und Wittelsbachern. Die Eroberung Württembergs war nicht nur ein erfolgreicher Gewinn für die deutsche Fürstenopposition, sondern entwickelte sich rasch zu einem beträchtlichen Gewinn für den Protestantismus, was nicht ohne Auswirkung auf Bayern blieb. Leonhard von Eck, der bayerische Kanzler, war nun bereit, den konfessionellen Gegensätzen den Vorrang vor der bisherigen anti-habsburgischen Politik einzuräumen[32].

Zunächst suchte Bayern nach dem Ende des Schwäbischen Bundes nach einer neuen Einung, die ihm im oberdeutschen Raum den bisher wahrgenommenen Einfluß sichern und erhalten sollte. Bayern wollte die seit dem Bauernkrieg übernommene Rolle als Garant für Sicherheit und Ordnung in Süddeutschland weiterhin spielen, zugleich aber auch die politische Isolation sprengen, in die es seit der Restituierung Ulrichs von Württemberg geraten war.

Die bayerische Politik hatte Erfolg mit der Gründung der sog. Eichstättischen Einung am 4. Mai 1534, einem Defensivbündnis auf 10 Jahre. Mitglieder waren die beiden Herzöge von Bayern, Kurfürst Ludwig von der Pfalz und sein Bruder Pfalzgraf Friedrich, die somit dem bisherigen Einfluß Landgraf Philipps entzogen wurden, ferner Bischof Weigand von Bamberg und der protestantische Markgraf Georg von Brandenburg-Ansbach sowie die Pfalzgrafen Ottheinrich und Philipp von Pfalz-Neuburg. Erklärtes Ziel dieses fürstlichständischen Sonderbundes war die Aufrechterhaltung des Landfriedens. Für den Fall eines Angriffes wurde die gegenseitige Bundeshilfe verabredet, bei Streitigkeiten wurde ein Schiedsgericht tätig. Die Religionsfrage wurde dahingehend geregelt: „Was aber die Religion sach und Hanndlung belanngt, derwegen soll es bei kay. Mt. unnseres allergnedigsten Herren auffgerichten und publicirten friden und ausschreibens bleiben"[33].

Mit der erneuerten Machtstellung in Oberdeutschland durch die Eichstätter Einung konnte Bayern an die Überwindung des Gegensatzes zu den Habsburgern herantreten. Aber auch der Kaiser drängte seinen Bruder Ferdinand zu einem Ausgleich mit Bayern. Als dann im Gefolge der Württemberger Ereignisse 1534 die bayerisch-hessisch-sächsische Allianz und Opposition zerbrach,

---

[31] H. LUTZ, Karl V. und Bayern (wie Fußnote 17), S. 23; DERS., Bayern im Kreise der Opposition gegen Habsburg, in: Handbuch der bayerischen Geschichte, hrsg. von M. Spindler, 1977², Bd. II, S. 317–323.
[32] W.-P. FUCHS, Baiern (wie Fußnote 17); J. WILLE, Philipp von Hessen und die Restitution Ulrichs von Wirtemberg 1526–1535, 1882.
[33] E. P. SPIESS, Kayserlicher Bund (wie Fußnote 13), S. 76–88, Zitat S. 82; siehe auch S. RIEZLER, Geschichte Baierns, Bd. IV (wie Fußnote 16), S. 265.

war der Weg der Aussöhnung zwischen Bayern und Habsburg frei. Bereits im September 1534 schloß Leonhard von Eck mit König Ferdinand den Linzer Vertrag, der die Kehrtwendung der bisherigen bayerischen Politik besiegelte[34]. Damit war der Weg frei für eine gemeinsame Politik und auch Religionspolitik.

Diese fand ihren Niederschlag in der Konstituierung der „Newniärigen Aynung des löblichen Kayserlichen Bundts"[35], deren erklärtes Ziel die Erneuerung des Landfriedens und die Aufrechterhaltung des Status quo war, die gegenseitige Anerkennung aller Rechte und Besitzungen, auch der kirchlichen, auf der Grundlage des Nürnberger Anstandes. Diese Voraussetzungen ermöglichten auch Markgraf Georg dem Frommen und der Reichsstadt Nürnberg den Beitritt zum kaiserlichen Bund, die beide in ihren Territorien als Obrigkeit das Kirchenregiment und die Kirchenzucht übernommen und 1533 gemeinsam eine Kirchenordnung erlassen hatten[36]. Ansbach und Nürnberg, die als Vorkämpfer für den Protestantismus auftraten[37], hatten sich aber auch geweigert, dem Schmalkaldischen Bund beizutreten, da er sich gegen den Kaiser richtete[37a]. In einem umfangreichen Gutachten hatte der einflußreiche Ratsschreiber Spengler festgestellt: „Nürnberg oder ein anderer Reichsstand sollen sich, wollen sie anders Christen sein und heißen, verrer keiner Gegenwehre gebrauchen oder unterstehen, des Kaisers Gewalt mit Gewalt und der Tat zu widerstehen, die Stadt zuzuschließen oder sich mit Kriegsübungen dagegen zu setzen"[38]. Damit war der Kerngedanke der Nürnberger Politik der nächsten Jahrzehnte festgehalten: unbeirrbares Festhalten am evangelischen Glauben, aber auch am katholischen Kaiser als der „christlichen Oberkeit". Religionsfreiheit und Reichsfreiheit waren die Maximen der künftigen Nürnberger Politik, wenn dies auch von den kämpferischen protestantischen Ständen als schwankende Haltung oder gar als Verrat an der „evangelischen Sache" verurteilt wurde.

---

[34] H. M. KLINKENBERG, Der Linzer Vertrag zwischen Bayern und Österreich vom 11. September 1534 nach Münchener Akten, in: Historische Zeitschrift 194 (1962), S. 568–598.
[35] Druck der Bundes-Urkunde bei E. P. SPIESS, Kayserlicher Bund (wie Fußnote 13), S. 97–142.
[36] Die evangelischen Kirchenordnungen des 16. Jahrhunderts, hrsg. von E. Sehling, XI/1: Franken, bearb. von M. Simon, 1961, S. 140–283.
[37] Markgraf Georg und die Reichsstadt Nürnberg gehörten zu den Unterzeichnern der „Confessio Augustana" von 1530.
[37a] A. ENGELHARDT, Die Reformation in Nürnberg, in: Mitteilungen des Vereins für Geschichte der Stadt Nürnberg 34 (1937), S. 267–292.
[38] Zitat bei E. FRANZ, Nürnberg, Kaiser und Reich. Studien zur reichsstädtischen Außenpolitik, 1930, S. 106. Zu Spengler und seinem Einfluß vgl. H. VON SCHUBERT, Lazarus Spengler und die Reformation in Nürnberg (Quellen und Forschungen zur Reformationsgeschichte 17), 1934.

Seit dem Nürnberger Religionsfrieden von 1532 und dem Ende des Schwäbischen Bundes suchte die protestantische Reichsstadt zu einer grundlegenden
Neuorientierung ihrer Politik zu gelangen, d. h. die Aussöhnung mit dem
Kaiser zu erreichen. So wuchs die Bereitschaft, mit dem katholischen Reichsoberhaupt in ein Bündnis einzutreten und damit zugleich der Gefahr der
politischen Isolation zu entgehen, in die man bei den sich abzeichnenden
konfessionellen Sonderbünden im Reich zu geraten drohte. Im überkonfessio-
nellen Bund mit Kaiser und König sollte, unter Sicherung der Reformation, die
Einheit des Reiches gewahrt werden, an der der Handelsstadt schon aus
wirtschaftlichen Gründen gelegen sein mußte[39].

Diese Grundhaltung der reichsstädtischen Politik brachte treffend ein Gutachten des Bürgermeisters Sebald Pfinzing zum Ausdruck, das anläßlich der
Beitrittsverhandlungen zum Kaiserlichen neunjährigen Bund eingeholt wurde:
„Nürnberg aber, das am besten erkannt wird, je weiter man davon kommt, ist
allein darum Nürnberg, daß sie allzeit ihren Herrn, den römischen Kaisern
und Königen, wie billig, angehangen"[40].

Neben der wichtigen Aussöhnung mit dem Reichsoberhaupt brachte die
Kaiserliche Einung von 1535 auch die Sicherung des Landfriedens und seinen
Mitgliedern noch den Schutz der Bundeshilfe bei Angriffen sowie bei Streitig-
keiten oder „Irrungen" die rasche Regelung und Schlichtung vor einem
Bundesrichter oder einem eigens berufenen Bundesschiedsgericht.

Die Verfassung des neunjährigen Bundes[41] sah, im Gegensatz zum Schwäbischen Bund, nur einen Bundesrichter vor, dessen Urteilsspruch sich auch
Kaiser und König unterwarfen. Eine Appellation war nur an die Bundesversammlung möglich, nicht aber an das kaiserliche Kammergericht. Der Gang
des Gerichtsverfahrens wurde in der Bundessatzung genau geregelt, um vor
allem rasche Entscheidungen herbeiführen zu können. Der Bundesrichter
sollte die gefällten Urteile selbst vollstrecken und Widerspenstige mit hohen
Geldstrafen belegen können. Konnte er sich nicht durchsetzen, so sollte er den
Streitfall vor die Bundesversammlung bringen; die Exekution des Urteils
wurde dann vom Bundeshauptmann vorgenommen.

Der Kaiserliche Bund hatte, anders als der Schwäbische Bund, nur einen
Bundeshauptmann, der von allen Mitgliedern gemeinsam gewählt wurde.
Dabei sah die Stimmenverteilung im Bundesrat folgendermaßen aus: Kaiser
und König hatten zusammen 2 Stimmen, Salzburg, Bamberg, Augsburg und
Eichstätt je 1 Stimme, die Herzöge von Bayern 1 Stimme, Markgraf Georg
und sein unmündiger Neffe Albrecht 1 Stimme und die Pfalzgrafen von
Neuburg 1 Stimme; Nürnberg und Windsheim erhielten mit der Aufnahme

---

[39] G. Pfeiffer, Politische und organisatorische Sicherung der Reformation, in: Nürnberg – Geschichte einer europäischen Stadt, hrsg. von G. Pfeiffer, 1971, S. 158–165.
[40] Staatsarchiv Nürnberg S I L 74 Nr. 32.
[41] E. P. Spiess, Kayserlicher Bund (wie Fußnote 13), S. 97–142.

ebenfalls 1 Stimme, Weißenburg war stimmlos. Entschieden wurde im Bundesrat durch Mehrheit, die Beschlüsse waren bindend. Auch die Bundeshilfe wurde nach längeren Verhandlungen für die einzelnen Bundesmitglieder durch die Satzung genau festgeschrieben, wobei für den Kriegsfall ein Fürst und Bundesmitglied zum Kriegshauptmann gewählt werden sollte, dem 4 Kriegsräte zur Seite standen. Folgende Rüstung wurde beschlossen: Kaiser Karl und König Ferdinand hatten 200 Reiter und 1600 Fußsoldaten zu stellen, der Erzbischof von Salzburg 100 Reiter und 400 zu Fuß, Bamberg 100 Reiter und 250 zu Fuß, Eichstätt 40 Reiter und 225 zu Fuß, Augsburg 40 Reiter und 350 zu Fuß, Bayern 200 Reiter und 1400 zu Fuß, Ansbach 100 Reiter und 400 zu Fuß, die Neuburger 40 Reiter und 225 zu Fuß; die Reichsstädte Nürnberg und Windsheim hatten als gemeinsame Leistung 70 Reiter und 600 zu Fuß und Weißenburg 10 Fußsoldaten zu stellen. Je 100 Reiter mußten zusätzlich 8 Wagen und je 100 Fußsoldaten 3 Wagen samt Schaufeln, Hauen, Hakenbüchsen und „anderer Notdurft" aufgebracht werden.

Bezüglich der Religionsfrage hielt die Bundesverfassung ausdrücklich fest: „Demnach wir Kaiser Karl und wir Künig Ferdinand und wir die anndern Fürsten bewilligen und zulassen, daß es gegen yetzgedachtem Marggraf Jörigen und anderen seinen, seiner lieb und gnaden verwanndten Protestierenden Stennden, mit denen der Friden zu Nürnberg durch die zwen Churfürsten gemacht und schloßen worden, der Religion sachen und handlung halben, bey unser Kaiser Karls aufgerichten und publicirten Friden und Außschreiben beleiben und gelassen und kain tail von dem andern in zeit der Ainung, dawider und darumb angezogen, sollichs auch kainem tail an seinen derohalb habenden Gerechtigkaiten nachtailig noch abbrüchig sein"[42]. In diese Ausnahmeregelung wurden auch Nürnberg, Weißenburg und Windsheim sowie alle anderen protestantischen Städte, die später Mitglieder des Bundes wurden, aufgenommen[43].

Auf dem Bundestag zu Lauingen am 11. April 1535 wurden auch die Beamten des Bundes gewählt und angenommen: Bundeshauptmann wurde der Reichserbmarschall Leonhard von Pappenheim, Bundesschreiber wurde Hans Schreiber – später erscheint ein Matthes Steinberger aus Augsburg –, dem noch ein Substitut namens Heinrich Scherb zugeteilt wurde, und zum Bundesrichter wurde der Augsburger Domherr Dr. Caspar von Kaltenthal ernannt, dessen Vertrag von Jahr zu Jahr erneuert wurde. Sitz des Bundesgerichts wurde Augsburg.

Im Sommer 1535 wurde in die Bundesverfassung noch der für die fränkische Verfassungsgeschichte interessante Zusatz aufgenommen, daß in allen gemischten Orten der Inhaber der Hochgerichtsbarkeit auch in allen Fällen

---

[42]   Ebd., S. 132.
[43]   Ebd., S. 144–148.

der Niedergerichtsbarkeit zuständig sein soll[44]. Dieser Zusatz ist eindeutig gegen den Niederadel und die Klöster gerichtet und hätte in Franken, sofern er wirksam geworden wäre, die Verfassungs- und Territorialgeschichte grundlegend verändert.

Bis zum Ende der Einung blieb die Verfassung ohne weitere Änderungen; lediglich einige Neuaufnahmen erfolgten, ohne allerdings die innere Organisation zu beeinflussen[45]. Schon im Herbst 1535 stellten die schwäbischen Reichsstädte Überlingen, Wangen, Ravensburg, Leutkirch, Pfullendorf und Buchhorn den Antrag auf Mitgliedschaft, wurden aber vorerst vertröstet und dann abschlägig beschieden, da sie sich weigerten, sich dem Urteil des Bundesrichters auch in Religionssachen zu unterwerfen. Diese unabdingbare Voraussetzung war auch mit entscheidend dafür, daß die Aufnahmegesuche der 4 Reichsstädte Nördlingen, Hall, Heilbronn und Dinkelsbühl abgelehnt wurden, denn auch sie waren nicht bereit, eine Änderung in Religionssachen vorzunehmen bzw. das Urteil des Bundesrichters anzuerkennen. Dabei war der Bund sogar bereit, den 4 Städten gemeinsam 2 Stimmen im Bundesrat zuzugestehen, also den Einfluß der Städte in der Einung beträchtlich zu verstärken. Aufgenommen wurden schließlich nur die Städte Kaufbeuren, Schwäbisch-Gmünd und Rothenburg, die jedoch kein weiteres Stimmrecht erhielten. Der Antrag der Reichsstadt Schweinfurt, der grundsätzlich befürwortet wurde, konnte gegen Ende des Bundes nicht mehr realisiert werden. Abschlägig entschieden wurde auch das Ansuchen der Äbte von Ursberg und Roggenburg sowie des Propstes von Ellwangen, nachdem sie sich weigerten, an Stelle der Bundeshilfe ein nicht unbeträchtliches Schutzgeld zu bezahlen.

Mehr Beachtung als die Diskussionen und Verhandlungen um Neuaufnahmen oder Ablehnungen neuer Mitglieder muß den Aufgaben und Leistungen des Bundes gewidmet werden, wobei sich die politischen Aktivitäten des Bundes auf 3 Ebenen vollzogen:

1. in der Wahrung des Landfriedens gegenüber Landfriedensbrechern;
2. in der Schlichtung von Streitigkeiten unterschiedlicher Natur zwischen Bundesverwandten oder mit Bundesmitgliedern;
3. in der Erhaltung des Status quo des Nürnberger Religionsfriedens und der Verhinderung des mehrfach drohenden Religionskrieges in Oberdeutschland.

ad 1: Der Bundestag am 1. November 1537, in Ingolstadt, war weitgehend bestimmt von der Fehde des Ritters Rochius von Streitberg gegen Bischof Weigand von Bamberg und seinen Hochstift[46]. Die Ursache der Fehde war die Ermordung des Ritters Gabriel von Streitberg in dem hochstiftischen Ort Tiefenpölz. Nach zahlreichen Tätlichkeiten auf beiden Seiten und Plünderun-

---

[44] Ebd., S. 160.
[45] Ebd., S. 161–218.
[46] Staatsarchiv Bamberg, Rep. ex J 8^{II} – Verz. II, Nr. 108; vgl. auch J. LOOSHORN, Das Bistum Bamberg IV, 1900, S. 789 f.

gen bambergischer Hintersassen und Untertanen im Amte Pottenstein durch Rochius von Streitberg brachte Bischof Weigand die Fehde vor den Kaiserlichen Bund, der schließlich Markgraf Georg als Schlichter des Streites benannte. Dieser entschied am 2. August 1538, daß der Fehdebrief zurückgenommen werden müsse; dafür mußte Bamberg die besetzten Güter und Schlösser Greifenstein und Zechendorf wieder räumen. Beide Seiten nahmen den Schiedsspruch an und ließen die Entschädigungsfragen durch den Bundesrichter klären und regeln. In der Fehde zwischen der Reichsstadt Schwäbisch-Gmünd und Georg Heinrich Wöllwarth zu Lauterburg genügte es offensichtlich schon, daß sich der Bund hinter seine Bundesverwandten stellte und aktive Unterstützung zusagte, um den Friedensbrecher zum Einlenken zu bewegen[47].

Entschieden schwieriger und weniger erfolgreich für die Einung verlief die Fehde, die Nürnberg gegen Hans Thoma und Albrecht von Rosenberg zu bestehen hatte. Es war dies ein Relikt aus dem Feldzug des Schwäbischen Bundes 1523 gegen die Raubritter in Franken, in dessen Verlauf auch das Raubritterversteck Burg Boxberg des Ritters von Rosenberg erstürmt und eingeäschert wurde[48]. Neffe und Sohn setzten die Fehde gegen die Reichsstadt fort. Im Dezember 1535 überfiel Hans Thoma von Rosenberg mehrere Nürnberger Kaufleute und raubte sie aus[49]. Nürnberg beschwerte sich beim Bund über den Strauchdieb, doch verblieb dieser passiv und hinhaltend. Auf der Rückreise vom Speyrer Reichstag wurde schließlich der Nürnberger Gesandte und Ratsherr Hieronymus Paumgartner von Albrecht von Rosenberg überfallen und fast 1½ Jahre als Geisel festgehalten. Erst als ihm wieder Burg Boxberg übergeben wurde, gab er den Gefangenen frei[50]. Wiederum war der Bund tatenlos geblieben und hatte Nürnberg in seiner Fehde alleingelassen, und zwar mit der Begründung, daß der Fehdefall aus der Zeit vor der Kaiserlichen Einung stammte und eigentlich der frühere Schwäbische Bund hierfür zuständig sei[51].

ad 2: Lange in die Zeit vor den Kaiserlichen Bund zurück reichten auch die Streitigkeiten und „nachbarlichen Irrungen" zwischen Nürnberg und den Markgrafen in Ansbach, die mehrmals in offenen Kriegen ausgetragen wur-

---

[47] Bundesabschied vom 26. Februar 1539; E. P. SPIESS, Kayserlicher Bund (wie Fußnote 13), S. 182–186.

[48] Siehe Verhandlungen über Thomas von Absberg und seine Fehde gegen den Schwäbischen Bund 1519 bis 1530, hrsg. von J. Baader, 1873.

[49] Staatsarchiv Nürnberg, Ratsbücher 17 fol. 170.

[50] Staatsarchiv Nürnberg, Ratsbücher 22, fol. 146ff.

[51] Tatsächlich waren die Stände des Schwäbischen Bundes, als sie auseinander gingen, übereingekommen, daß sie alle ungelösten Fälle auch nach der Auflösung des Bundes einer Regelung zuführen wollten. Formal bestand also die Argumentation des Neunjährigen Bundes zurecht, doch war sie in Wirklichkeit nur eine Ausflucht. E. P. SPIESS, Kayserlicher Bund (wie Fußnote 13), S. 46–49.

den. Im Mittelpunkt der Auseinandersetzungen standen stets ungeklärte Probleme der Hochgerichtsbarkeit, der sog. ‚Fraisch‘, ferner des Wildbanns in den Wäldern um Nürnberg sowie neuerdings der Kirchenhoheit und dem Territorium non clausum in Franken. Wegen der Hoheitsrechte vor den Nürnberger Mauern war ein Prozeß vor dem Reichskammergericht anhängig, als Markgraf Georg und die Reichsstadt dem Kaiserlichen Bund beitraten. Noch ehe in Lauingen der Bund besiegelt wurde, konnten im sog. ‚Schwabacher Vertrag‘[52] eine Reihe von „Irrungen und Gebrechen“ beseitigt und eine kurze Beruhigung geschaffen werden. Ausdrücklich werden in dem Vertragswerk der Kaiser und König Ferdinand sowie „ander der Kaiserlichen Verainigung verwandter Fürsten verordnete Räte“ als Vermittler des Vertrages genannt, der die strittige „fraischliche Malefiz Oberkeit“ bei und um Nürnberg in salomonischer Weise für 10 Jahre dahingehend regelt, daß der Malefizfall von dem übernommen werden soll, der als erster am Tatort erscheint; erscheinen beide Parteien gleichzeitig, so sollen sie das Los werfen. Wegen mehrerer weiterer Streitpunkte versprechen beide Teile, sich aller tätlichen Übergriffe enthalten zu wollen und dem Bundesrichter die Entscheidung zu überlassen. Wenige Jahre später belastete der Streit zwischen Nürnberg und Ansbach erneut den Bund, wobei es diesmal neben Fraischerstreckung und kleinem Waidwerk um Neubauten ging, die der Markgraf in seinem Teil der Burg ausführen ließ. Beide Seiten hatten bereits zum Krieg gerüstet und konnten nur mit viel Mühe von der Bundesversammlung zu Ingolstadt, am 26. Februar 1539, zu einem Waffenstillstand bis zur nächsten Bundesversammlung bewegt werden[53]. Die Abgesandten auf der Bundesversammlung am 16. März und vor allem ihre Beistände zeigen die Bedeutung, die man im Bund wie im ganzen Reich dem Streit der beiden verfeindeten Nachbarn beimaß: die Bischöfe von Eichstätt und Augsburg waren persönlich erschienen, desgleichen Markgraf Georg und der junge Albrecht Alcibiades; die Herzöge von Bayern hatten ihren mächtigen Kanzler Leonhard von Eck entsandt, und die Reichsstadt Nürnberg wurde von Clemens Volckamer, Hieronymus Holtzschuher, dem kaiserlichen Kanzleirat Haller, Dr. Christoph Gugel und dem Ratsschreiber Ulrich Volckheimer vertreten. Als Beistände waren erschienen Kurfürst Ludwig von der Pfalz sowie Räte des Kurfürsten von Sachsen, des Kurfürsten von Brandenburg und des Landgrafen von Hessen[54]. Sie alle brachten keinen Ausgleich zustande, der jedoch der Bundesversammlung wenige Wochen später glückte, wenn auch nur in dem weniger wichtigen Punkt des Neubaus. Als im nachfolgenden Sommer beide Kampfparteien erneut zum Kriege rüsteten, versuchten die Bundesverwandten wiederum vergeblich einen friedlichen Ausgleich. Daraufhin schalteten die beiden verfeindeten Parteien das Kammer-

[52]   L. VON WÖLCKERN, Historia Norimbergensis Diplomatica, 1738, S. 901–906.
[53]   E. P. SPIESS, Kayserlicher Bund (wie Fußnote 13), S. 182–186.
[54]   Ebd., S. 187 f.

gericht ein, was eigentlich gegen die Bestimmungen der Kaiserlichen Einung verstieß. Auch war Markgraf Georg über die Entscheidungen des Bundes so verärgert, daß er seit dem Frühjahr 1540 die Bundesversammlungen mied. Daß es trotzdem zu keinem Kriegsausbruch kam, war nicht zuletzt ein Verdienst des Bundes, der die Aufstellung der ganzen Hilfe anordnete, woraufhin der Brandenburger sich zurückhielt[55].

Etwas einfacher und vor allem mit langfristigem Erfolg verlief die Lösung der vielfältigen Grenz- und Jurisdiktionsstreitigkeiten zwischen Bamberg und Markgraf Georg. Zwar mußten auch hier die Irrungen auf mehreren Bundestagen verhandelt werden, doch schließlich gelang es Bischof Christoph von Augsburg, im Auftrag des Bundes am 1. Juli 1538 in Forchheim die Streitigkeiten gütlich beizulegen[56]. In dem ins Detail gehenden Vertragswerk wurden zahlreiche Grenzen festgelegt, Hochgerichtsbezirke neu aufgeteilt, das Geleit durch den Ebermannstädter Grund umschrieben, das Amt Streitberg dem Markgrafen zuerkannt und mehrere Wildbannbezirke neu abgegrenzt. Zwei Jahre später mußte Bischof Christoph nochmals einen Vergleich über strittige Forst- und Waidrechte, Huten und Triften vermitteln[57]. Beide Verträge, die vor dem Bund verhandelt und durch den Bund vermittelt wurden, hatten bis zum Ende des Alten Reiches Bestand und haben ein friedliches, „gut nachbarliches" Zusammenleben in weiten Teilen Frankens ermöglicht.

Entschieden weniger schwerwiegend waren die Streitpunkte, die zwischen der Reichsstadt Weißenburg, dem Hochstift Eichstätt und den Marschällen von Pappenheim anhängig waren und die den Bund ständig beschäftigten. Es ging um Besitzrechte, Jagdrechte, Holzrechte, Weiderechte und Gerichtsrechte im Weißenburger Reichsforst, die von allen drei Parteien jedoch mit vollem Einsatz umkämpft wurden, bis hin zur gegenseitigen Pfändung und sogar Gefangensetzung von Untertanen[58]. Selbst eine Einberufung des Bundestages nach Weißenburg und eine eingehende Ortsbesichtigung konnten kein Ende der Streitigkeiten herbeiführen. Erst als der Bund im Sommer 1543 den Bundeshauptmann Leonhard von Pappenheim und den Domherrn Gottfried von Wolfstein als Schiedsgericht einsetzte, konnten diese einen Ausgleich vermitteln, der am 25. Oktober 1544 unterzeichnet wurde[59]. Er sah vor, daß Weißenburg im Stadtwald die Vogelwaid ausüben und am Waldsaum die Niederjagd wahrnehmen durfte. Die hohe Jagd aber und alle Jagd außerhalb des Stadtwaldes nahmen Eichstätt und Pappenheim ein. Bemerkenswert ist in diesem Streitfalle noch, daß Weißenburg im Jahr 1540 an das Kammergericht

55 Ebd., S. 192–194.
56 Staatsarchiv Bamberg Rep. C 3 Nr. 686.
57 J. LOOSHORN, Bistum Bamberg IV (wie Fußnote 46), S. 782–785.
58 W. KRAFT, Über Weißenburg und den Weißenburger Wald in ihren Beziehungen zu den Marschällen von Pappenheim, 1930 (Sonderdruck).
59 J. H. FALKENSTEIN, Codex diplomaticus. Nordgaviensium, 1733, S. 337.

appellierte, daß sich jedoch der Bund, entsprechend dem Wortlaut der Bundesverfassung, nicht um diese Appellation kümmerte und die Streitigkeiten in
Eigenregie löste.

Als Vermittler erfolgreich war die Einung auch in dem Streit zwischen der
Reichsstadt Windsheim und dem jungen Markgrafen Albrecht Alcibiades, der,
volljährig geworden, seine Lande von denen seines Onkels Georg getrennt
hatte. Albrecht war in die überwiegend windsheimischen Dörfer Schwebheim
und Wiebelsheim eingefallen und hatte Pfändungen vorgenommen, da ihm in
den beiden Ortschaften das Steuerrecht verweigert wurde. Markgraf Albrecht
war daraufhin vom Bundesrichter verurteilt worden als Rechtsbrecher, doch
wies Albrecht das Urteil zurück, da er kein Mitglied des Bundes sei. Letztere
Schutzbehauptung konnte vom Bund mühelos widerlegt werden, da Markgraf
Georg für sich und seinen unmündigen Neffen Albrecht die Bundessatzung
gesiegelt hatte und stets in allen Bundeshandlungen für seinen Neffen mit tätig
gewesen war. Albrecht mußte dies anerkennen und fügte sich schließlich auch
dem Schiedsspruch König Ferdinands, wobei nicht eindeutig zu ersehen ist, ob
Ferdinand in seiner Eigenschaft als Mitglied des Bundes oder als König tätig
geworden war. Die Bundesversammlung akzeptierte den Schiedsspruch des
Königs nachträglich[60].

Mit der Kaiserlichen Einung als Rückhalt konnte die Reichsstadt Nürnberg
auch die lange anstehenden, ungeklärten Gerichts- und Steuerverhältnisse der
Nürnberger Hintersassen in der Oberpfalz mit Pfalzgraf Friedrich vertraglich
vereinbaren[61] und vor allem die jungpfälzischen Ämter Heideck, Hilpoltstein
und Allersberg gegen 140 000 fl für 36 Jahre als Pfand gewinnen. Um dem
Bundesverwandten Pfalzgraf Ottheinrich die Summe hinterlegen zu können,
gewährten die verbündeten Reichsstädte Ulm und Augsburg ein zinsloses
Darlehen von jeweils 15 000 fl[62].

ad 3: Noch wichtiger für Nürnberg aber war die Klärung der Verhältnisse zum
Bischof von Bamberg, die seit der Einführung der Reformation durch die
Reichsstadt als feindselig bezeichnet werden müssen. Streitpunkte waren
insbesondere die Aufhebung der bischöflichen Jurisdiktion in der Reichsstadt
und im Nürnberger Landgebiet sowie die Einstellung von Kirchensteuern und
Einkünften aus Kirchengütern. Schon auf der ersten gemeinsamen Bundesversammlung im April 1535 ernannte der Bund eine Schiedskommission, beste-
hend aus dem Protestanten Georg von Heideck und dem Katholiken Hans von
Leonrod, welche die Streitigkeiten von grundsätzlicher Natur friedlich beilegen sollten. Ohne ihre eigentlichen Rechtspositionen aufzugeben, einigten sich
Bamberg und Nürnberg durch Vertrag vom 28. Juni 1537 dahingehend,

---

[60] E. P. SPIESS, Kayserlicher Bund (wie Fußnote 13), S. 207–213; J. BERGDOLT, Die
freie Reichsstadt Windsheim im Zeitalter der Reformation, 1921, S. 150 f.

[61] L. VON WÖLCKERN, Historia Norimbergensis (wie Fußnote 52), S. 915 ff.

[62] Staatsarchiv Nürnberg, Rep. 19, Nr. 773 a; Rep. 98 S. 309 Nr. 844; D-Akt 765 a.

wobei Nürnberg ausdrücklich auf die Ausnahmen des Neunjährigen Bundes Bezug nahm, daß Nürnberg bis zur Regelung durch ein Konzil die Abgaben aus den beiden Propsteien an Bamberg abführen wird, dafür aber soll der Bischof die freie Besetzung der Propsteien durch den Rat nicht weiter anfechten[63].

Entschieden leichter fiel dem Bund sein Einschreiten, als er im Auftrag des Bischofs von Eichstätt den Ritter Wilhelm von Seckendorff auffordern mußte, den Zehnt in Bertholdsdorf an das Stift in Spalt zurückzugeben[64]. Denn in diesem Falle handelte es sich um einen eindeutigen Bruch des Nürnberger Religionsfriedens, und dem Reichsritter stand die ganze Macht der Kaiserlichen Einung gegenüber.

Diese versagte bereits, als Pfalzgraf Ottheinrich in Pfalz-Neuburg die Reformation einführte und in diesem Zusammenhang in dem gemischten Dorf Unterstall den katholischen Pfarrer absetzte. Pfalz-Neuburg besaß in dem Dorf die hohe Obrigkeit, während dem Eichstätter Domkapitel das Patronatsrecht über die Kirche und die Vogteigerichtsbarkeit über die Untertanen im Ort zustanden. Auch weigerten sich die Bauern, die Pfälzische Kirchenordnung anzuerkennen, woraufhin Pfalzgraf Ottheinrich weder Mensch noch Vieh aus dem Dorf ließ. Der Bischof von Eichstätt erwirkte zwar beim Bundesrichter der Kaiserlichen Einung ein Pönalpatent gegen den Pfalzgrafen, doch blieb dieses ohne Wirkung. Als der Bundeshauptmann die Bundesversammlung wegen dieses Streitfalles einberief, einigten sich die Bundesverwandten auf den halbherzigen Vorschlag, daß Ottheinrich gegen finanzielle Entschädigung auf seine Hoheitsrechte in Unterstall zugunsten Eichstätts verzichten soll, was dieser jedoch ablehnte. Doch schließlich mußte er Zugeständnisse machen, nachdem selbst das protestantische Nürnberg ihn nicht tatkräftig unterstützte, da die Politik der Reichsstadt auf die strikte Einhaltung des Religionsfriedens ausgerichtet war[65].

Die irenische Grundhaltung der Nürnberger Politik bekam auch die verbündete Stadt Augsburg zu spüren, als diese im Sommer 1537 die Reformation einführte, was der Bischof von Augsburg vor den Kaiserlichen Bund brachte. Als sich Augsburg an die Verbündeten Nürnberg und Ulm um Hilfe und Beistand wandte[66], da brachte es den Nürnberger Rat in den Konflikt zwischen den beiden Bündnissen. Mit unverkennbarer Verärgerung verurteilte der Nürnberger Rat das eigenmächtige Vorgehen Augsburgs und erklärte sich nur im Rahmen des Rechts bereit, Hilfe zu leisten. Unter Hinweis auf die Mitglied-

---

63 L. VON WÖLCKERN, Historia Norimbergensis (wie Fußnote 52), S. 858 ff; Staatsarchiv Bamberg Rep ex J 8[II] – Verz. II, Nr. 108; J. LOOSHORN, Bistum Bamberg IV, S. 791–796.

64 E. P. SPIESS, Kayserlicher Bund (wie Fußnote 13), S. 165 f.

65 Ebd., S. 215–217.

66 Staatsarchiv Nürnberg, Ratsbücher 18, fol. 117 und 118.

schaft im Kaiserlichen Bund, der jegliche Erweiterung und Neuerungen im konfessionellen Stand untersagte, verweigerte Nürnberg dem verbündeten Augsburg die aktive Unterstützung[67], da es in einem religiösen Draufgängertum und Kämpfertum die Existenz des Nürnberger Staates gefährdet sah. Nürnberg war nicht bereit, die gewonnene religiöse Freiheit und seine Kaisertreue aufs Spiel zu setzen.

Welche Sonderstellung Nürnberg unter den protestantischen Ständen einnahm und wie diese Ausnahmestellung auch vom Kaiser honoriert wurde, zeigt das Ansuchen des kaiserlichen Gesandten Held im Februar 1537 an den Rat, ein vertrauliches Gutachten zu erstellen, wie Friede und Einigkeit im Reich aufrechterhalten und ein weiterer Abfall vom rechten Glauben verhindert werden können, falls ein allgemeines Konzil nicht zustande kommt[68]. In seinem Gutachten schlägt der Rat vor, ohne weiter auf die religiösen Streitigkeiten einzugehen, zur Aufrechterhaltung von Ruhe und Ordnung das Reich in zwei Bünde einzuteilen, und zwar neben der bereits bestehenden Kaiserlichen Einung in Oberdeutschland noch einen Bund in Niederdeutschland, bei dem ebenfalls der Kaiser Mitglied sein soll. Alle anderen Bündnisse und Einungen im Reich sollten verboten sein. Mit diesen beiden Bünden hätte, nach Meinung des Nürnberger Rates, der Kaiser ein Mittel zur Disziplinierung ungehorsamer Fürsten und Städte an der Hand, zur „Erhaltung des Friedens und des Rechts und des Gehorsams gegen den Kaiser"[69].

Wiederum sucht also Nürnberg zwischen Kaisertreue einerseits und evangelischer Freiheit andererseits zu vermitteln, wobei als Vorbild für ein mögliches friedliches Neben- und Miteinander der beiden Konfessionsparteien der Neunjährige Kaiserliche Bund dient, der letztlich auf das ganze Reich ausgedehnt werden soll.

Wenn dem Nürnberger Rat wegen dieses Gutachtens Mangel an Solidarität mit den Glaubensgenossen und mangelndes evangelisches Bewußtsein vorgeworfen wird, dann trifft dies nicht den Kern der letztlich weiterschauenden Nürnberger Politik, die voll und ganz auf Ausgleich der beiden Konfessionen gerichtet war, selbstverständlich unter voller Wahrung des eigenen reformatorischen Konfessionsstandes[70].

Deshalb lehnte der Rat auch sofort und ohne Zögern das Angebot des katholischen Sonderbundes ab, Mitglied zu werden. Am 10. Juni 1538 war der „Nürnbergische Catholische Gegenbund zur Beschirmung alter Catholischer Religion, und was derselben anhängig, dem Schmalkaldischen Bündnis

---

[67]   Ebd.

[68]   Staatsarchiv Nürnberg, Ratsverlässe Nr. 872, S. 20. Vgl. auch G. HEIDE, Nürnberg und die Mission des Vicekanzlers Held 1537/38, in: Mitteilungen des Vereins für Geschichte der Stadt Nürnberg 8 (1889), S. 189–194.

[69]   Staatsarchiv Nürnberg, Ratsbücher 18, fol. 139f; G. HEIDE, Mitteilungen (wie Fußnote 68), S. 196.

[70]   Vgl. E. FRANZ, Nürnberg (wie Fußnote 38), S. 142.

zuwider auffgericht"[71] worden, ausgerechnet in der protestantischen Stadt Nürnberg, ohne daß der Rat es wußte[72]. Die treibende Kraft war der kaiserliche Vizekanzler Dr. Held, der für den katholischen Gegenbund die Herzöge von Bayern, Georg von Sachsen, Heinrich von Braunschweig und die Erzbischöfe von Mainz und Salzburg als Mitglieder gewann. Erklärtes Ziel des Defensivbündnisses war die Aufrechterhaltung des Nürnberger Anstandes, also des Status quo in allen Religionsangelegenheiten.

Da Nürnberg bisher praktisch die gleiche Politik vertreten hatte, wurde die Reichsstadt als einziger protestantischer Stand zum Beitritt aufgefordert. Der Rat aber verweigerte sich dem Ansuchen der kämpferischen katholischen Stände mit der Begründung, daß die Reichsstadt nicht Mitglied eines gegen den Kaiser gegründeten Bündnisses sei, vielmehr durch die Neunjährige Einung mit dem Kaiser verbündet sei[73].

Auch die Bischöfe von Bamberg und Eichstätt lehnten die Aufforderung, dem Nürnberger Bund beizutreten, ab, mit dem Hinweis, daß sie Mitglied der Kaiserlichen Einung seien[74]. Der Neunjährige Bund diente also den auf Ausgleich bedachten protestantischen wie katholischen Kräften in Oberdeutschland, sich den konfessionellen Sonderbünden zu entziehen.

Diese ausgleichende, zurückhaltende Politik hatten schon die meisten Bundesstände im Frühjahr 1536 und dann nochmals im Frühjahr 1537 vertreten, als Bayern gegenüber Ulrich von Württemberg den Vorwurf eines geplanten Überfalls erhob. Nach Aufforderung des Bundeshauptmanns Lenhard von Pappenheim rüstete der Bund auf und zwang damit den Württemberger zur Zurückhaltung, aber auch Bayern mußte nachgeben. König Ferdinand drohte sogar, im Bund Bayern als Landfriedensbrecher zu behandeln, wenn es seine Rüstungen nicht einschränkte[75]. Der drohende Konfessionskrieg in Oberdeutschland konnte so durch die Tätigkeit und Existenz des Bundes vermieden werden.

---

[71] Zur Rolle Helds beim Zustandekommen des Bundes und zur Stellung des Kaisers zu der aktiven Konfessionspolitik des Nürnberger Bundes siehe P. RASSOW, Die Kaiser-Idee Karls V. dargestellt an der Politik der Jahre 1528–1540, 1932, Exkurs III; H. BAUMGARTEN, Geschichte Karls V., Bd. 3, 1892, S. 287 ff.

[72] Staatsarchiv Nürnberg, Briefbücher 117, fol. 167, 174.

[73] Staatsarchiv Nürnberg, Ratsbücher 19, fol. 11 ff und 23 ff.

[74] Bischof und Domkapitel nennen 8 Gründe, weshalb sie den Bund ablehnten, darunter: kein fränkischer Fürst sei Mitglied des Bundes; das Stift befürchte, daß der Bund die Schmalkaldischen Stände provozieren werde, und das Stift sei mit Nürnberg und dem Markgrafen verbündet und wolle keinen Unfrieden mit den benachbarten protestantischen Ständen heraufbeschwören. G. PFEILSCHIFTER, Acta Reformationis Catholicae, Bd. III, Teil 1, 1968, Nr. 1.

[75] E. P. SPIESS, Kayserlicher Bund (wie Fußnote 13), S. 170–180; vgl. auch W.-P. FUCHS, Baiern und Habsburg (wie Fußnote 17), S. 24–29).

Nach dem Scheitern des „Traums der Verständigung" auf dem Reichstag zu Regensburg 1541 trat eine spürbare Verhärtung der konfessionspolitischen Fronten ein. Bayern verfocht nun die Politik der „harten Hand" mit einer Erneuerung des Nürnberger Bundes[76]. Gleichzeitig aber wurde mit der Vertreibung Herzog Heinrichs von Braunschweig die Schwäche der katholischen Partei im Reich sichtbar. Der Kaiser war durch den neuerlichen Krieg mit Frankreich innenpolitisch zum Stillhalten gezwungen.

Auch im Neunjährigen Bund, der langsam zu Ende ging, blieben die wachsenden Spannungen und Konfrontationen zwischen den Konfessionsparteien nicht ohne Folgen. Markgraf Georg zog sich mehr und mehr zurück und entsandte zu den letzten Bundestagen nicht einmal mehr Vertreter[77]. Die Einführung der Reformation in Pfalz-Neuburg 1542 brachte neue Unruhen in den Bund, während gleichzeitig die katholischen Stände auf die Wahrung ihres Besitzstandes bedacht waren. Vor allem die kämpferischen Bayernherzöge verloren nun das Interesse an dem Bund und seiner auf friedlichen Ausgleich angelegten Politik.

Angeblich wegen der Finanznot des Bundes infolge ausbleibender Beiträge beschlossen die wenigen verbliebenen Bundesmitglieder auf dem letzten Bundestag am 11. Dezember 1543 – die größeren Bundesstände fehlten alle –, die Bundesakten dem Bischof von Augsburg zur Aufbewahrung zu übergeben[78]. Eine Verlängerung des Bundes wurde zwar diskutiert, doch wurde keine Entscheidung gefällt. Als König Ferdinand im Frühjahr 1544 auf seiner Reise von Speyer nach Prag auf eine Verlängerung und Erweiterung des Bundes drängte und für den 1. September einen Bundestag nach Donauwörth einberief, wurde dieser nicht mehr besucht[79]. Der Bund hatte sich ohne formalen Akt aufgelöst, denn die politische Landschaft hatte sich gegenüber 1535 entscheidend verändert: Der Kaiser hatte einen großen Sieg über Frankreich errungen, das Reich war in zwei Religionsparteien gespalten, zwischen denen ein friedlicher Ausgleich nicht mehr möglich war, die Reformation griff mehr und mehr um sich, und das Konzil stand vor der Tür. Der Religionskrieg war unausweichlich.

---

[76] H. LUTZ, in: Handbuch der bayer. Geschichte (wie Fußnote 31), S. 326f.

[77] E. P. SPIESS, Kayserlicher Bund (wie Fußnote 13), S. 207–217.

[78] In Augsburg ist das Archiv des Bundes offensichtlich verlustig gegangen, so daß man auf die Unterlagen der Bundesstände angewiesen ist, wie Ansbach, Bamberg oder Nürnberg. Vgl. auch E. P. SPIESS, Kayserlicher Bund (wie Fußnote 13), S. 38.

[79] Bei den Verhandlungen Ferdinands um eine Weiterführung des Neunjährigen Bundes griff Ferdinand bemerkenswerterweise auf den Nürnberger Ratschlag zurück und nahm Verbindung mit den führenden Ständen Oberdeutschlands auf, wie mit Ulrich von Württemberg, Philipp von Hessen sowie den Reichsstädten Augsburg, Ulm und Straßburg. Außer Nürnberg lehnten jedoch alle protestantischen Stände einen kaiserlichen Bund ab. Siehe M. SALOMIES, Die Pläne Kaiser Karls V. (wie Fußnote 11), S. 86–91, der allerdings m. E. zu falschen Schlüssen gelangt.

Wagt man eine zusammenfassende Würdigung und Wertung der Bedeutung des Kaiserlichen Bundes von 1535–1544, so muß die generelle Minderbewertung oder Geringschätzung grundlegend revidiert werden. Er war nicht „völlig macht- und bedeutungslos"[80]. Vielmehr war der Neunjährige Bund in der Lage, den Landfrieden zu wahren und seine Mitglieder vor Landfriedensbrechern und Plackern zu schützen[81]. Durch den Bundesrichter oder eigens berufene Schiedsgerichte konnten eine Reihe von Streitigkeiten zwischen benachbarten Bundesmitgliedern geschlichtet und damit die Grundlagen gelegt werden für das Zusammenleben und erfolgreiche Zusammenwirken der Mächte auch unterschiedlicher Konfessionszugehörigkeit im Fränkischen Kreis. Denn das Gleichgewicht der Kräfte befriedigte speziell in Franken ein tiefes staatliches Bedürfnis bis zum Ende des Alten Reiches[82]. Nicht umsonst hieß es schon wenige Jahre nach dem Kaiserlichen Bund, daß der Fränkische Kreis „der erst und furnembst" sei, „auf den andere ir Aufachtung haben und sich darnach pflegen zu regulirn"[83]. Schließlich hat die Kaiserliche Einung in ihrem Einflußbereich zur Aufrechterhaltung des Nürnberger Religionsfriedens entscheidend beigetragen und durch ihre Existenz die Ausweitung der konfessionellen Sonderbünde verhindert, ja sogar den drohenden Religionskrieg in Oberdeutschland unterbunden. Die Sicherstellung von Ruhe, Ordnung und Frieden, wenn auch nur für 9 Jahre und in einer begrenzten Region, ist eine durchaus beachtenswerte und anerkennenswerte Leistung.

---

[80] Ebd., S. 86. Allein E. Franz (Nürnberg, S. 135) weist auf die Bedeutung der Einung für die Geschichte Nürnbergs hin.
[81] Zur Durchführung der Landfrieden waren die Reichskreise noch nicht mächtig. Siehe F. HARTUNG, Geschichte des Fränkischen Kreises von 1521–1559, 1910, S. 197.
[82] Vgl. R. ENDRES, Zur wirtschaftlichen und sozialen Lage in Franken vor dem Dreißigjährigen Krieg, in: Jahrbuch für fränkische Landesforschung 28 (1968), S. 36–52; DERS., Der Fränkische Reichskreis, in: Handbuch der bayerischen Geschichte, hrsg. von M. Spindler, III/1, 1979², S. 212–216.
[83] Zitat bei H. H. KAUFMANN, Der Gedanke fränkischen Gemeinschaftsgefühls in Politik und Geschichte des fränkischen Reichskreises, in: Archiv des Historischen Vereins von Unterfranken und Aschaffenburg 69 (1931/34), S. 195.

RAINER und TRUDL WOHLFEIL

Landsknechte im Bild
Überlegungen zur ‚Historischen Bildkunde'

Zu den Feldern, auf denen Günther Franz geschichtswissenschaftlich geackert hat, zählt auch der steinige Boden, auf dem der Historiker arbeitet, wenn er Bilder im Verständnis des kunstgeschichtlichen Gattungsbegriffes ‚Bildnerei'[1] als Quellen verwendet. In einer ikonographischen Studie erfaßte Franz 1935 „Die Bildnisse Thomas Müntzers"[2], später gab er die Diaserien „Tausend Jahre abendländischer Geschichte"[3] und die „Entwicklung des Pfluges"[4] heraus. Derartige Beiträge aus dem Bereich der ‚Historischen Bildkunde' dürfen im Gesamtwerk von Franz nicht übersehen werden, zumal sie dazu herausfordern, auf diesem Felde ebenfalls weiterzuarbeiten.

Auch rein sachbezogene Gründe können im Bereich der Frühen Neuzeit zur Beschäftigung mit bildlichen Quellen herausfordern: Seit dem 15. Jahrhundert erlangte das Bild infolge sich durchsetzender Vervielfältigungsformen in der Graphik verstärkte bzw. neue Funktionen, im 16. Jahrhundert beispielsweise als propagandistisches Mittel und Waffe im Kampf um die Reformation[5]. Dieser Sachverhalt löst ein zusätzliches geschichtswissenschaftliches Erkenntnisinteresse aus.

Bilder als historische Quelle zu benutzen setzt voraus, daß wir in einem ersten Teil unseres Beitrages kurz den gegenwärtigen Stand der historischen Bild-

---

[1] Begriff nach K. G. Kaster, Kunstgeschichtliche Terminologie. Eine systematische Zusammenfassung der kunstwissenschaftlichen Begriffe und Grundannahmen mit kommentierter Bibliographie exemplarischer Schriften (Schriften des Kunstpädagogischen Zentrums im Germanischen Nationalmuseum Nürnberg 6), 1978, S. 76 f.

[2] G. Franz, Die Bildnisse Thomas Müntzers, in: Archiv für Kulturgeschichte 25 (1935), S. 21–37.

[3] G. Franz (Bearbeiter), Tausend Jahre abendländischer Geschichte (Flemmings Farbdia-Reihe), o. J.

[4] G. Franz (Bearbeiter), Entwicklung des Pfluges (Institut für Film und Bild in Wissenschaft und Unterricht LR 86 in Zusammenarbeit mit Dr. Lucas Lichtbild), 1961.

[5] R. Wohlfeil, Einführung in die Geschichte der deutschen Reformation (Beck'sche Elementarbücher), 1982, S. 133–144, mit weiterführenden Literaturhinweisen. R. W. Scribner, For the Sake of Simple Folk: Popular Propaganda for the German Reformation, 1981. R. Kastner, Geistlicher Rauffhandel. Form und Funktion der illustrierten Flugblätter zum Reformationsjubiläum 1617 in ihrem historischen und publizistischen Kontext, Phil. Diss. Masch.-Schrift Hamburg 1981.

kunde reflektieren. Im anderen Teil werden wir, anknüpfend an die Untersuchung „Vom Ursprung und Brauchtum der Landsknechte"[6] als einer weiteren Veröffentlichung, die im Gesamtwerk von Franz eine Randlage einnimmt, erste knappe Überlegungen vortragen zur These, daß den militär- und kriegsgeschichtlichen Bildern nicht nur ein beachtenswerter geschichtswissenschaftlicher Quellenwert zukommt, sondern daß durch sie über die stoffliche Thematisierung eines neuartigen Kriegswesens hinaus auch eine neue (Sonder-) Form oder Gattung des Bildes gefördert wurde: das vervielfältigte – zumindest theoretisch jedermann zugängliche – wirklichkeitserfassende ‚technologische' Sachbild.

Veröffentlichungen zu Wesen und Methodik der historischen Bildkunde finden sich im Dahlmann-Waitz[7] nicht unter dem Begriff ‚Quellenkunde' subsumiert, sondern in ihren wichtigsten Titeln eingeordnet unter dem Abschnitt ‚Bildende Künste' am Schluß der Bibliographie zu ‚Geschichte und Methode der Kunstgeschichte'[8]; weitere Titel verbergen sich im Abschnitt ‚Öffentliche Meinung und Publizistik' unter der Rubrik ‚Bildpublizistik'[9]. Hinter dieser Zuordnung verbirgt sich eine Sachlage, die Alphons Lhotsky in der Feststellung erfaßte: „Eine brauchbare, hodegetische und zugleich systematisch darstellende Übersicht ikonographischer Probleme im weiteren und höheren Sinne steht im ganzen noch aus."[10] Sie hat sich seither kaum verändert. Neueste Einführungen in die Geschichtswissenschaft beschäftigen sich gar nicht oder – wie beispielsweise Kurt Düwell[11], Ernst Opgenoorth[12], Boris Schneider[13] oder Heinz Quirin[14] – nur in knappen Ausführungen mit der

---

[6]   G. FRANZ, Vom Ursprung und Brauchtum der Landsknechte, in: Mitteilungen des Instituts für österreichische Geschichtsforschung 61 (1953), S. 79–98. Wiederabdruck in: DERS., Persönlichkeit und Geschichte. Aufsätze und Vorträge, 1977, S. 31–50.

[7]   DAHLMANN-WAITZ, Quellenkunde der deutschen Geschichte. Bibliographie der Quellen und der Literatur zur deutschen Geschichte, 1969[10]-ff.

[8]   DAHLMANN-WAITZ, Quellenkunde (wie Fußnote 7), Bd. 2, 1971[10], Abschnitt 51/ 519–546, hier Nr. 546.

[9]   DAHLMANN-WAITZ, Quellenkunde (wie Fußnote 7), Bd. 1, 1969[10], Abschnitt 36/ 242–277, hier besonders Nr. 242 u. 245 d.

[10]   A. LHOTSKY, Quellenkunde zur mittelalterlichen Geschichte Österreichs (Mitteilungen des Instituts für österreichische Geschichtsforschung, Ergänzungsband 19), 1963, S. 40.

[11]   E. BOSHOFF – K. DÜWELL – H. KLOFT, Grundlagen des Studiums der Geschichte. Eine Einführung (Böhlau-Studien-Bücher Grundlagen des Studiums), 1979[2], S. 259–263.

[12]   E. OPGENOORTH, Einführung in das Studium der neueren Geschichte, 1974[2], S. 43 ff. u. S. 177.

[13]   B. SCHNEIDER, Einführung in die Neuere Geschichte (Urban-Taschenbücher 178), 1974, S. 45–51.

[14]   H. QUIRIN, Einführung in das Studium der mittelalterlichen Geschichte, 1964[3], S. 33–36.

Problematik bildlicher Quellen. Eine gewisse Ausnahme stellen die Überlegungen von Walter Zöllner[15] dar, auf die zurückzukommen sein wird. Wer sich in diese Materie einarbeiten will, um in seine Forschungen oder in eine Darstellung historischer Phänomene bildliche Quellen einbeziehen zu können, ist demnach weiterhin angewiesen auf Methoden und Erkenntnisse benachbarter Disziplinen, vor allem der Volkskunde, der Kunst- und Literaturgeschichte. Diese Tatsache wird auch nicht dadurch korrigiert, daß die in den Dahlmann-Waitz aufgenommenen Arbeiten, vor allem von Erich Keyser[16], Willy Stiewe[17] und Hartmut Boockmann[18], noch ergänzt werden können um Titel von Sigfried H. Steinberg[19], Heinz Ladendorf[20], Werner Hager[21], Erna Patzelt[22], Hans Pauer[23], Harald Keller[24] und die einschlägigen Beiträge in den Sammelheften ‚Bild – Künstler – Gesellschaft'[25] und ‚Kunst und Geschichte'[26]. Im Einzelfall lassen sich allerdings zusätzlich Spezialuntersuchungen methodisch nutzbringend heranziehen; sie finden sich z. B. bei Lhotsky eingebracht[27] oder in der Bibliographie der Literatur zu mittelalterlichen Bildquellen im ‚Athenaion – Bilderatlas zur Deutschen Geschichte' zusammengestellt[28]. Keine

---

[15] W. Zöllner, Historische Bildkunde, in: W. Eckermann u. a. (Herausgeberkollektiv), Einführung in das Studium der Geschichte, 1979³, S. 431–434.

[16] E. Keyser, Das Bild als Geschichtsquelle, in: W. Goetz, Historische Bildkunde 2, 1935, S. 2–32.

[17] W. Stiewe, Das Bild als Nachricht. Nachrichtenwert und -technik des Bildes. Ein Beitrag zur Zeitungskunde (Zeitung und Zeit 5), 1933.

[18] H. Boockmann, Über den Aussagewert von Bildquellen zur Geschichte des Mittelalters, in: K.-H. Manegold (Hg.), Wissenschaft, Wirtschaft und Technik. Studien zur Geschichte. Wilhelm Treue zum 60. Geburtstag, 1969, S. 28–37.

[19] S. H. Steinberg, Das Porträt als historische Quelle, in: Allgemeiner Porträt-Katalog, Erster Nachtrag, Lieferung 1, 1933/34, S. III–IX.

[20] H. Ladendorf, Zur historischen Bildkunde, in: Forschungen zur Brandenburgischen und Preußischen Geschichte 47 (1935), S. 378–385.

[21] W. Hager, Das geschichtliche Ereignisbild. Beitrag zu einer Typologie des weltlichen Geschichtsbildes bis zur Aufklärung, 1939.

[22] E. Patzelt, Das Bild als urkundliche Quelle der Wirtschaftsgeschichte, in: Archivalische Zeitschrift 50/51 (1955), S. 245–253.

[23] H. Pauer, Bildkunde und Geschichtswissenschaft, in: Mitteilungen des Instituts für österreichische Geschichtsforschung 71 (1963), S. 194–200.

[24] H. Keller, Das Nachleben des antiken Bildnisses von der Karolingerzeit bis zur Gegenwart, 1970.

[25] Bild – Künstler – Gesellschaft, in: Beiträge zur historischen Sozialkunde 10 (1980), Nr. 1.

[26] Kunst + Geschichte, Themenheft in: K + U, Kunst + Unterricht, Zeitschrift für alle Bereiche der ästhetischen Erziehung 58 (1979).

[27] A. Lhotsky, Quellenkunde (wie Fußnote 10), S. 25–59, bes. S. 38–50.

[28] H. Jankuhn – H. Boockmann – W. Treue (Hg.), Athenaion-Bilderatlas zur Deutschen Geschichte (Handbuch der Deutschen Geschichte 5), 1968, S. 787–792. Neuauflage (= Sonderausgabe): Deutsche Geschichte in Bildern von der Urzeit bis zur Gegenwart, Wiesbaden 1981.

erwähnenswerten Veröffentlichungen liegen seitens der marxistisch-leninisti-
schen Geschichtswissenschaft vor.

Hinsichtlich der einführenden und allgemein problematisierenden Literatur
läßt sich zusammenfassend feststellen, daß in ihr vornehmlich das Material
vorgestellt und klassifiziert wird, Vorschläge zur Sammlung, Aufbewahrung
und Verzeichnung unterbreitet und Überlegungen zum Quellenwert vorgetragen werden, sie jedoch nur bedingt hilfreich ist in Fragen der Bildanalyse und
der Vermittlung von Methoden zur umfassenden geschichtswissenschaftlichen
Erschließung von Bildern „als eine[r] [ursprünglich] komplexe[n] künstlerische[n] Mitteilung an einen Betrachter oder eine Gruppe von Betrachtern
unter bestimmten geschichts- und gegenstandsabhängigen Bedingungen"[29] mit
dem Ziel, den historischen ‚Dokumentensinn' jeder bildlichen Darstellung zu
erfassen. Die bisherigen geschichtswissenschaftlichen Überlegungen beschränken sich weitestgehend auf einen inhaltlich begrenzten Begriff von historischer
Bildkunde, auf ihre Gleichsetzung mit Ikonographie[30]. Keyser, der die Ikonographie von der Ikonologie als der ‚Bildlehre' abgrenzt[31], den Begriff also
anders inhaltlich füllt, als er nachfolgend im Sinne von Erwin Panofsky
verstanden werden wird, schreibt zwar der Ikonographie eine umfassende
Aufgabe zu[32], aber zu deren Bewältigung im Sinne von Quelleninterpretation
weist er keinen klaren methodischen Weg.

Für die marxistisch-leninistische Geschichtswissenschaft wird von Zöllner die
historische Bildkunde ebenfalls mit Ikonographie gleichgesetzt, beschrieben
als Aufgabe, „das aus der Vergangenheit überlieferte Bildmaterial zu sichten,
zu untersuchen, aufzubereiten und es so der Auswertung durch die geschichtswissenschaftliche Forschung zugänglich zu machen"[33]. Um den „optischen

---

[29] E. KAEMMERLING, Die Grundlagenprobleme bei der ikonologischen Bedeutungsanalyse bildender Kunst, in: DERS. (Hg.), Ikonographie und Ikonologie. Theorien –
Entwicklung – Probleme. Bildende Kunst als Zeichensystem 1, 1979, S. 487.

[30] So A. LHOTSKY, Quellenkunde (wie Fußnote 10), S. 40.

[31] E. KEYSER, Bild (wie Fußnote 16), S. 5 f.

[32] E. KEYSER, Bild (wie Fußnote 16), S. 6 f.: „Die Bildkunde hat also die Aufgabe, die
Art und die Erforschung der bildlichen Geschichtsquellen darzulegen. Sie beschäftigt
sich mit der Stoffsammlung und der Stoffverwertung; sie fragt nach den Bedingungen
und Voraussetzungen, unter denen Bilder als Abbildungen der geschichtlichen Wirklichkeit entstehen können und entstanden sind. Sie untersucht die geistigen Werte, die
Ideen und Vorstellungen, die im Geschichtsbilde zum Ausdruck gelangen. Die Bildkunde soll einen Einblick in die Befähigung der einzelnen Zeitalter gewähren, die
Mitlebenden und das Miterlebte bildlich zu erfassen und wiederzugeben ... Die
Bildkunde darf sich deshalb nicht im Stofflichen verlieren, sondern sie muß bestrebt
sein, vom Bildstoff aus zur Geschichte des menschlichen Bewußtseins vorzudringen.
Die vorliegende Schrift hat nicht die Aufgabe, die aufgeworfenen Fragen eingehend zu
beantworten. Sie ist der erste Versuch, das Bild vom Standpunkt der Geschichtswissenschaft zu würdigen."

[33] W. ZÖLLNER, Bildkunde (wie Fußnote 15), S. 432.

Bereich" als Quelle für die Geschichtswissenschaft zu erschließen, analysiere die historische Bildkunde „die *Bedingungen* und *Voraussetzungen,* die dem Entstehen von geschichtswissenschaftlich relevanten Bildern zugrunde liegen, die *Gedankenwelt,* die im Bilde ausgedrückt wird oder werden soll, und *die Art und Weise,* wie unter den verschiedenen gesellschaftlichen Verhältnissen diese Gedankenwelt dargestellt wird"[34]. Im Rahmen derartiger Analysen bedürfe das Bild „in hohem Maße der *Ergänzung* und *Berichtigung* durch andere (gegenständliche und schriftliche) Formen der historischen Überlieferung", und notwendig sei auch, die „spezifischen Wirkungsgesetze" von Bildern zu kennen[35]. Die Aufgaben der historischen Bildkunde, bezeichnet als genetischer, inhaltlicher und analytisch-formaler Untersuchungsbereich, werden inhaltlich verdeutlicht, aber unbefriedigend bleiben hier die ebenfalls nur sporadischen Hinweise, wie sie methodisch angegangen werden können. Außerdem stellen sich wohlbegründete Bedenken dagegen ein, daß das Material eingegrenzt wird auf ‚geschichtswissenschaftlich relevante Bilder', weil grundsätzlich jedes Bild zur Erkenntnis einer vergangenen Wirklichkeit beitragen kann. Ob und wie es heute als Quelle erschlossen wird, hängt allerdings ab von der geschichtswissenschaftlichen Fragestellung und von dem methodischen Instrumentarium, über das zu seiner Entschlüsselung verfügt wird.

Generell sind neuere historisch einschlägige methodische Überlegungen der Kunstgeschichte von der Geschichtswissenschaft kaum zur Kenntnis genommen worden. Es gibt ältere Beiträge zum Verhältnis von Geschichte und Kunstgeschichte[36] und historische Studien, welche die Reflexion und Aufnahme kunstgeschichtlicher Forschungsweisen für die Geschichte bezeugen – so die Zusammenhänge zwischen den grundlegenden Arbeiten von Aby M. Warburg[37] und den Untersuchungen von Percy Ernst Schramm und seiner Schule[38]. Im Bereich der Bildquellen aus der Frühen Neuzeit wurden dagegen

---

[34] W. ZÖLLNER, Bildkunde (wie Fußnote 15), S. 432.

[35] W. ZÖLLNER, Bildkunde (wie Fußnote 15), S. 432.

[36] G. DEHIO, Deutsche Kunstgeschichte und deutsche Geschichte, in: Historische Zeitschrift 100 (1908), S. 473–485. H. SEDLMAYR, Geschichte und Kunstgeschichte, in: Mitteilungen des österreichischen Instituts für Geschichtsforschung 50 (1936), S. 185–199. G. BANDMANN, Das Kunstwerk als Geschichtsquelle, in: Deutsche Vierteljahrsschrift für Literaturwissenschaft und Geistesgeschichte 24 (1950), S. 454–469.

[37] D. WUTTKE (Hg.), Aby M. Warburg: Ausgewählte Schriften und Würdigungen (Saecula spiritalia 1), 1980².

[38] P. E. SCHRAMM, Die deutschen Kaiser und Könige in Bildern ihrer Zeit 1, 1928. DERS., Herrschaftszeichen und Staatssymbolik. Beiträge zu ihrer Geschichte vom dritten bis zum sechzehnten Jahrhundert (Schriften der Monumenta Germaniae Historica 13/I. II. III), 1954–1956. DERS., Kaiser Friedrichs II. Herrschaftszeichen (Abhandlungen der Akademie der Wissenschaften in Göttingen, Philologisch-Historische Klasse, Dritte Folge 36), 1955. DERS., Sphaira – Globus – Reichsapfel. Wanderung und Wandlung eines Herrschaftszeichens von Caesar bis zu Elisabeth II., 1958. B. SCHWINEKÖPER, Der Handschuh im Recht, Ämterwesen, Brauch und Volksglauben. Mit einer

Anregungen, wie sie der Kunsthistoriker Panofsky anbietet, bisher kaum aufgegriffen[39].

Panofsky hat in der Nachfolge des bahnbrechenden Ansatzes von Warburg[40] die Erörterungen um Ikonographie und Ikonologie systematisierend weitergeführt[41]. Seine methodischen Überlegungen und besonders ihre unmittelbare Anwendung durch Panofsky selbst sind nicht unwidersprochen geblieben[42]. Dennoch stellen wir Panofskys kunsthistorischen Ansatz der Bildanalyse als Methode für die Erschließung des Bildes durch den Historiker zur Diskussion und versuchen damit, eine grundsätzliche Methodenreflexion der historischen Bildkunde anzuregen. Deshalb übergehen wir hier ebenfalls eigene Bedenken, die sich uns bei der Frage aufzwingen, ob die Bedeutungsanalyse von Panofsky überhaupt dem ureigenen Wesen des Künstlers gerecht wird: Die Intention eines Künstlers kann eine andere sein als das, was seine Zeit und/oder seine Nachwelt in seinem Werk erkennen. Außerdem geht von jedem Kunstwerk eine unmittelbare Wirkung aus, die zunächst die Zeitgenossen betrifft, darüber hinaus aber weitere Gültigkeit erlangen kann. Wird sie im Sinne einer

Einführung von P. E. Schramm, die Erforschung der mittelalterlichen Symbole. Wege und Methoden, 1980[2].

[39] DAHLMANN-WAITZ, Quellenkunde (wie Fußnote 7), verzeichnet unsere Frage betreffende Arbeiten von Panofsky nur in Bd. 2, 1971[10], unter Abschnitt 51/542a. Auch in der jüngsten einschlägigen Untersuchung bildlicher Quellen zum 16. Jahrhundert findet sich kein Hinweis auf Panofskys Ansatz: R. AULINGER, Das Bild des Reichstages im 16. Jahrhundert. Beiträge zu einer typologischen Analyse schriftlicher und bildlicher Quellen (Schriftenreihe der Historischen Kommission bei der Bayerischen Akademie der Wissenschaften 18), 1980, S. 448, erwähnt nur seine Dürer-Biographie.

[40] D. WUTTKE, Aby M. Warburgs Methode als Anregung und Aufgabe. Öffentlicher Abendvortrag aus Anlaß des XIV. Deutschen Kunsthistorikertages, gehalten am 7. Oktober 1974 im Auditorium Maximum der Universität Hamburg (Gratia. Schriften der Arbeitsstelle für Renaissanceforschung am Seminar für Deutsche Philologie der Universität Göttingen 2), 1979[3], mit ausführlicher Bibliographie. Vgl. auch Fußnote 37.

[41] E. PANOFSKY, Zum Problem der Beschreibung und Inhaltsdeutung von Werken der bildenden Kunst, in: Logos 21 (1932), S. 85–97. Wiederabdruck in: H. OBERER – E. VERHEYEN (Hg.), Erwin Panofsky. Aufsätze zu Grundfragen der Kunstwissenschaft, 1964, S. 85–97, und zuletzt in: E. KAEMMERLING (Hg.), Ikonographie und Ikonologie (wie Fußnote 29), S. 185–206. E. PANOFSKY, Ikonographie und Ikonologie, in: E. KAEMMERLING (Hg.), Ikonographie und Ikonologie (wie Fußnote 29), S. 207–225, mit Hinweis in Fußnote auf Seite 207 zu vorangegangenen Veröffentlichungen. Erster deutschsprachiger Abdruck in: E. PANOFSKY, Sinn und Deutung in der bildenden Kunst (Meaning in the Visual Arts), 1975, S. 37–50. Dieser Sammelband enthält außerdem ein Verzeichnis der Veröffentlichungen Panofskys, S. 477–491.

[42] R. HEIDT, Erwin Panofsky: Kunsttheorie und Einzelwerk (Dissertationen zur Kunstgeschichte 2), 1977. W. HARMS, Homo viator in bivio. Studien zur Bildlichkeit des Weges (Medium aevum – Philologische Studien 21), 1970, bes. S. 187, Fußnote 6. A. v. CRIEGERN, Bilder interpretieren, 1981, S. 98.

historischen Aussage verstanden, können wir nur darauf hinweisen, daß bei der geschichtswissenschaftlichen Beschäftigung mit dem Bild als Quelle dessen ästhetischer Wert zwar zweitrangige Bedeutung zu besitzen scheint, unbeschadet dessen aber sich der Historiker stets bewußt bleiben muß, daß ein Kunstwerk als solches unmittelbar gesehen und erschlossen werden will. Die methodischen Überlegungen von Panofsky und die Diskussion über diese ikonologische Methode ausführlich darzustellen, ist hier weder möglich, noch erscheint es notwendig, weil die entscheidenden Veröffentlichungen nunmehr in einem Sammelband zusammengefaßt vorliegen, eingeleitet und zugleich problematisiert durch Ekkehard Kaemmerling[43]. Das theoretische Modell seiner ikonologischen Methode mit ihrem dreistufigen Verfahren hat Panofsky selbst in nachfolgender synoptischer Tabelle zusammengefaßt[44].

Gegenstand der Interpretation	Akt der Interpretation	Ausrüstung für die Interpretation	Korrektivprinzip der Interpretation (Traditionsgeschichte)
I *Primäres* oder *natürliches* Sujet – (A) tatsachenhaft, (B) ausdruckshaft –, das die Welt *künstlerischer Motive* bildet	*Vor-ikonographische Beschreibung* (und pseudo-formale Analyse)	*Praktische Erfahrung* (Vertrautheit mit *Gegenständen* und *Ereignissen*)	*Stil*-Geschichte (Einsicht in die Art und Weise, wie unter wechselnden historischen Bedingungen *Gegenstände* und *Ereignisse* durch *Formen* ausgedrückt wurden)
II *Sekundäres* oder *konventionales* Sujet, das die Welt von *Bildern, Anekdoten* und *Allegorien* bildet	*Ikonographische Analyse*	*Kenntnis literarischer Quellen* (Vertrautheit mit bestimmten *Themen* und *Vorstellungen*)	*Typen*-Geschichte (Einsicht in die Art und Weise, wie unter wechselnden historischen Bedingungen bestimmte *Themen* oder *Vorstellungen* durch *Gegenstände* und *Ereignisse* ausgedrückt wurden)
III *Eigentliche Bedeutung* oder *Gehalt*, der die Welt *„symbolischer"* *Werte* bildet	*Ikonologische Interpretation*	*Synthetische Intuition* (Vertrautheit mit den *wesentlichen Tendenzen des menschlichen Geistes*), geprägt durch persönliche Psychologie und *„Weltanschauung"*	Geschichte *kultureller Symptome* oder *„Symbole"* allgemein (Einsicht in die Art und Weise, wie unter wechselnden historischen Bedingungen *wesentliche Tendenzen des menschlichen Geistes* durch bestimmte *Themen* und *Vorstellungen* ausgedrückt wurden)

An die vorikonographische Beschreibung und die ikonographische Analyse des Bildes, zu deren technischer Bewältigung auch das „Schema zur Bildanalyse" des Kunstpädagogischen Zentrums in Nürnberg oder Axel von Criegern nützliche Dienste leisten können[45], schließt sich als dritter Schritt die ikonologische Interpretation an. Sie ist bestrebt, jene „Grundprinzipien" zu erfassen, „die sowohl der Wahl und der Darstellung von Motiven wie auch der Herstellung und Interpretation von Bildern, Anekdoten und Allegorien zugrunde liegen und die sogar den angewandten formalen Anordnungen und technischen Verfahren Bedeutung verleihen"[46].

Die ikonologische Interpretation versucht also, die „symbolische" Bedeutungsebene des Bildes zu erschließen. Mit seiner Bedeutungsanalyse hat Panofsky dem Bestreben Warburgs und seiner Schule, ein Kunstwerk ikonologisch, und d. h. in umfassendem kulturgeschichtlichem Sinne als Ausdruck der jeweils spezifischen politischen und sozialen, geistigen, religiösen und kulturellen, damit aber gesamtgesellschaftlichen Bedingungen und Ideen seiner Entstehungszeit zu interpretieren, ein methodisches Verfahren vermittelt. Es beruht auf der These, daß historische Veränderungen im Bereich des Symbolischen historischen Wandlungen im Bewußtsein entsprechen. Indem mit seiner Hilfe beispielsweise erklärt werden kann, welche Vorstellungen eines geschichtlichen Zeitraums oder einer sozialen Gruppe sich im Kunstwerk verdichtet niedergeschlagen haben, offenbart sich nicht nur jene Gesellschaft, aus der das Bild hervorgegangen ist, sondern wird auch *das* Bild zur historischen Quelle, dessen gegenständliche Darstellungen nur geringen oder keinen Wirklichkeitsgehalt vermitteln[47].

Panofskys Methode der Bedeutungsanalyse wurde von Literarhistorikern jüngst zumindest indirekt mitangewandt, um illustrierte Flugblätter aus dem 16. und 17. Jahrhundert zu kommentieren[48]. Bei der Edition des Bandes

[43]   E. KAEMMERLING (Hg.), Ikonographie und Ikonologie (wie Fußnote 29) entsprechend Titelangaben in Fußnote 41 sowie mit den eigenen Beiträgen im Anhang, S. 487–501, bes. S. 496–501: Panofskys Methode der Bedeutungsanalyse gegenständlicher Kunst im Aufbau und ihren Entwicklungsstadien.

[44]   E. PANOFSKY, Ikonographie und Ikonologie (wie Fußnote 41), S. 223.

[45]   G. HOPPE – K. G. KASTER (Hg.), Das Porträt. Vom Kaiserbild zum Wahlplakat. Eine Ausstellung des Kunstpädagogischen Zentrums im Germanischen Nationalmuseum Nürnberg (Schriften des Kunstpädagogischen Zentrums im Germanischen Nationalmuseum Nürnberg 1), 1977, ohne Seitenangabe. A. v. CRIEGERN (wie Fußnote 42).

[46]   E. PANOFSKY, Ikonographie und Ikonologie (wie Fußnote 41), S. 220.

[47]   Vgl. hierzu M. BAXANDALL, Die Wirklichkeit der Bilder. Malerei und Erfahrung im Italien des 15. Jahrhunderts, 1977, und G. JARITZ, Zur Funktion des religiösen Bildes in der spätmittelalterlichen Gesellschaft, in: Bild – Künstler – Gesellschaft (wie Fußnote 25), S. 8–13.

[48]   W. HARMS (Hg.), Die Sammlung der Herzog-August-Bibliothek in Wolfenbüttel. Kommentierte Ausgabe. Band 2: Historica (Deutsche illustrierte Flugblätter des 16. und 17. Jahrhunderts II), 1980. Vgl. dazu Besprechung R. WOHLFEIL, in: Historische Zeitschrift (1982).

‚Historica' blieb jedoch auf „Rat von Historikern" ein Drittel der illustrierten Flugblätter unkommentiert, „da sich der Forschungsstand hierzu als besonders gering entwickelt erwies"[49]. Diese Begründung bezieht sich auf „Bild und Text kombinierende Darstellungen von Schlachten und anderen kriegerischen Ereignissen", wird aber unausgesprochen auch auf solche Flugblätter ausgedehnt, die ähnliche wirklichkeitserfassende historische Vorgänge in Bild und Wort widerspiegeln, für die Bearbeiter ob ihres offenkundig starken Realitätsbezugs aber zu kommentieren wohl wenig reizvoll erschien. Die hier tonangebenden Literarhistoriker sind vor allem von der germanistischen mittelalterlichen Bedeutungs- und Toposforschung geprägt[50]. Die Flugblattforschung wird neben der Volkskunde vornehmlich von dieser Disziplin betrieben. Daß auf solchem Felde Historiker kaum als Forscher zu finden sind, erklärt sich zumindest teilweise aus einer Wechselwirkung zwischen mangelndem Interesse an und methodischer Unsicherheit in der Behandlung bildlicher Quellen. Diese Unsicherheit scheint noch in den bedenkenswerten und weithin überzeugenden, die Überlegungen von Schramm[51] und Steinberg[52] fortsetzenden Ausführungen zum Aussagewert mittelalterlicher Bildquellen von Boockmann[53] durch. Infolge Panofskys Anregungen müssen ihre Reflexionen neu überdacht werden – eine Aufgabe, die hier zwar gestellt, aber nicht gelöst werden kann. Sie soll in knappem Abriß am Beispiel eines Forschungsbereiches von Franz nur verdeutlicht werden. Ausgewählt wurden nicht die Agrargeschichte und die Geschichte des Bauernstandes, obgleich Franz gerade hier bildliche Quellen in seine Veröffentlichungen einbezogen hat[54]. Zu diesem Arbeitsfeld sind in jüngerer Zeit einschlägige, allerdings methodisch sehr unterschiedlich angegangene Beiträge vorgelegt worden[55]. Diskutiert wird vielmehr die Darstellungsart militär- und kriegsgeschichtlicher Themenbilder,

---

[49]   W. HARMS, Sammlung Wolfenbüttel (wie Fußnote 48), S. 1.
[50]   F. OHLY, Schriften zur mittelalterlichen Bedeutungsforschung, 1977. M. L. BAEUMER (Hg.), Toposforschung (Wege der Forschung 395), 1973.
[51]   P. E. SCHRAMM, Über Illustrationen zur mittelalterlichen Kulturgeschichte, in: Historische Zeitschrift 137 (1928), S. 425–441.
[52]   S. H. STEINBERG, Zwei Bilder von der Belehnung des Kurfürsten August von Sachsen (1566), in: Bulletin du Comité international des sciences historiques 24 (1934), S. 259–268.
[53]   H. BOOCKMANN, Aussagewert Bildquellen (wie Fußnote 18).
[54]   Neben der Diaserie ‚Entwicklung des Pfluges' (s. Fußnote 4) G. FRANZ, Geschichte des deutschen Bauernstandes vom frühen Mittelalter bis zum 19. Jahrhundert (Deutsche Agrargeschichte 4), 1976², und DERS., Der deutsche Bauernkrieg, 1975¹⁰ u. 1977¹¹ mit Bildanhang. DERS. (Hg.) unter Mitarbeit von W. FLEISCHHAUER, Jacob Murers Weißenauer Chronik des Bauernkrieges von 1525, 2 Bde., 1977.
[55]   R. M. RADBRUCH u. G. RADBRUCH, Der deutsche Bauernstand zwischen Mittelalter und Neuzeit, Göttingen 1961². V. HUSA, Der Mensch und seine Arbeit. Die Arbeitswelt in der bildenden Kunst des 11. bis 17. Jahrhunderts, 1971. S. EPPERLEIN, Der Bauer im Bild des Mittelalters, 1975. P. BLICKLE, Die Revolution von 1525, 1981².

wie sie in der angeführten Edition illustrierter Flugblätter nicht kommentiert worden sind[56].

Franz befaßte sich in seinem Beitrag – entsprechend dem Titel – vornehmlich mit dem ‚Ursprung' und dem ‚Brauchtum' der Landsknechte. Seine Thesen wurden zwischenzeitig durch neuere Arbeiten, wie vor allem die von Walter Schaufelberger[57], Fridolin Solleder[58], Fritz Redlich[59], Rainer Wohlfeil[60], Reinhard Baumann[61], Gerhard Papke[62] und besonders von Hans-Michael Möller[63] bestätigt, modifiziert oder vereinzelt auch korrigiert. Darauf ist hier nicht einzugehen, zumal Franz selbst beim Wiederabdruck seines Beitrages auf eine Auseinandersetzung verzichtet hat[64]; sie hätte vor allem mit Möller geführt werden müssen.

Möllers gegenwärtig grundlegende militärgeschichtliche Untersuchung des Landsknechtswesens ist in hohem Maße aus Quellen erarbeitet; als Quellen

[56]   W. HARMS, Sammlung Wolfenbüttel (wie Fußnote 48), besonders Nr. II,4; II,22; II,46; II,47; II,54; II,57; II,58; II,66; II,67; II,68; II,88; II,89; II,90; II,94; II,95; II,98; II,99; II,112a; II,132; II,133; II,142; II,143; II,163; II,164; II,174; II,176; II,197; II,198; II,201a; II,202; II,204; II,205; II,206; II,208; II,209; II,210; II,211; II,228–II,233; II,247; II,248; II,250; II,251; II,252; II,274; II,286; II,287; II,304; II,307; II,312; II,313; II,316; II,317; II,318; II,319, II,343; II,344; II,353; II,355; II,356; II,357; II,358; II,359; II,360; II,363; II,364; II,365; II,366; II,367; II,368; II,370; II,372; II,378; II,379; II,380.

[57]   W. SCHAUFELBERGER, Der Alte Schweizer und sein Krieg. Studien zur Kriegführung vornehmlich im 15. Jahrhundert (Zürcher Studien zur allgemeinen Geschichte 7), 1952, 1966[2], und DERS., Zu einer Charakterologie des altschweizerischen Kriegertums, in: Schweizerisches Archiv für Volkskunde 56 (1960), S. 48–87.

[58]   F. SOLLEDER, Reichsverbote fremden Kriegsdienstes, fremder Werbung und Rüstung unter Maximilian I., in: Zeitschrift für bayerische Landesgeschichte 18 (1955), S. 315–351.

[59]   F. REDLICH, De Praeda Militari. Looting and Booty 1500–1815 (Vierteljahrschrift für Sozial- und Wirtschaftsgeschichte Beiheft 39), 1956, und DERS., The German Military Enterpriser and his Work Force (Vierteljahrschrift für Sozial- und Wirtschaftsgeschichte Beiheft 47), 2 Bde., 1964/65.

[60]   R. WOHLFEIL, Adel und neues Heerwesen, in: Deutscher Adel 1430–1555 (Schriften zur Problematik der deutschen Führungsschichten in der Neuzeit 1), 1965, S. 203–233.

[61]   R. BAUMANN, Das Söldnerwesen im 16. Jahrhundert im bayerischen und süddeutschen Beispiel. Eine gesellschaftliche Untersuchung (Miscellanea Bavarica Monacensia 79), 1978.

[62]   G. PAPKE, Von der Miliz zum Stehenden Heer. Wehrwesen im Absolutismus (Handbuch zur deutschen Militärgeschichte 1648–1939, 1), 1979, besonders S. 114–122.

[63]   H.-M. MÖLLER, Das Regiment der Landsknechte. Untersuchungen zu Verfassung, Recht und Selbstverständnis in deutschen Söldnerheeren des 16. Jahrhunderts (Frankfurter Historische Abhandlungen 12), 1976.

[64]   G. FRANZ, Ursprung und Brauchtum (wie Fußnote 6), Wiederabdruck, S. 31, Fußnote.

herangezogen wurde auch Bildmaterial, vornehmlich Holzschnitte von Jost Amman zum Werk von Leonhart Fronsperger[65]. Bei ihrer Auswertung ging Möller davon aus, daß „das Befragen von Bildern als Mittel, historische Ereignisse und Denkformen zu destillieren, . . . kein originelles Verfahren", wenn auch „in unserem Zusammenhang indessen merkwürdigerweise neu" sei[66]. Diese Aussage stimmt hinsichtlich der jüngeren Literatur; auch von Franz sind bildliche Quellen nicht als Interpretationsmaterial nachgewiesen worden. Jedoch sollte nicht übersehen werden, daß bereits 1899 Georg Liebe[67] mit Bildern gearbeitet hat. Er streute sie nicht zur Illustration seines Bandes ein, sondern ergänzte seinen Text mit ausgesuchten Bildern.

Der Historiker verfügt über eine Fülle zeitgenössischer bildlicher Darstellungen, besonders im Bereich der vervielfältigten Massenkunst[68]. Ob mit diesem

---

[65] L. FRONSPERGER, Von Kayserlichem Kriegßrechten/Malefiez und Schuldhaendlen/ Ordnung und Regiment/sampt derselbigen und andern hoch oder niderigen Befelch/ Bestallung/Staht und aempter/zu Rossz uñ Fuß/an Geschuetz und Munition/in Zug und Schlachtordnung/zu Feld/Berg/Thal/Wasser und Land/vor oder in Besatzungen/ gegen oder von Feinden fürzunemmen/welcher art/sitten/herkomen und gebrauch/ under und bey regierung deß . . . RÖMISCHEN Keysers Caroli deß funfften . . ., 1566. Vgl. dazu H.-M. MÖLLER, Regiment der Landsknechte (wie Fußnote 63), S. 22 f., Fußnote 46 und 47.

[66] H.-M. MÖLLER, Regiment der Landsknechte (wie Fußnote 63), S. 4. Zum Bildmaterial S. 3 f.: „Das Soldkriegswesen der frühen Neuzeit hat recht starken Eindruck auf die zeitgenössische darstellende Kunst, hier vor allem auf die Graphik, gemacht. Das erweist das breite Angebot an Holzschnitten, Kupferstichen und Zeichnungen, die als Momentaufnahmen unmittelbaren Einblick in das Leben des Kriegsvolks gewähren. Natürlich spielt thematisch der Kampf der Gewalthaufen die wichtigste Rolle; die in ihrer Einfachheit sehr bildwirksame und immer wieder variierte Struktur der ragenden oder zum Igel gesenkten Spieße bot sich geradezu an. Daneben gibt es aber auch Illustrationen und separate Blätter, die zu unserem Gebiet spezielle Auskunft geben können."

[67] G. LIEBE, Soldat und Waffenhandwerk (Monographien zur deutschen Kulturgeschichte), 1899, ND 1972. Die Reihe ist wegen ihrer Abstimmung von Text und Bild noch heute beachtenswert.

[68] M. GEISBERG (Hg.), Der Deutsche Einblatt-Holzschnitt, 1923–1930. Neuauflage: M. GEISBERG – W. L. STRAUSS (Hg.), The German Single-leaf Woodcut: 1500–1550, 4 Bde., 1974. W. L. STRAUSS (Hg.), The German Single-leaf Woodcut: 1550–1600, 3 Bde., 1975. D. ALEXANDER – W. L. STRAUSS (Hg.), The German Single-leaf Woodcut: 1600–1700, 2 Bde., 1977. W. L. STRAUSS (Hg.), The Illustrated Bartsch, hier bisher Bde. 8, 10, 11, 14, 15 und 16, 1978 ff. W. BRÜCKNER, Populäre Druckgraphik Europas. Deutschland vom 15. bis zum 20. Jahrhundert, 1975. W. A. COUPE, The German Illustrated Broadsheet in the Seventeenth Century (Bibliotheca Bibliographica Aureliana 17 und 20), 1966/67. H. MEUCHE (Hg.), Flugblätter der Reformation und des Bauernkrieges. 50 Blätter aus der Sammlung des Schloßmuseums Gotha, 2 Teile, 1975/76. Aus der Gruppe von Editionen zu einzelnen Künstlern sei besonders verwiesen auf: F. WINZINGER, Albrecht Altdorfer. Graphik, 1963. W. L. STRAUSS (Hg.), The

Ausdrucksmittel von den Künstlern der ‚Ursprung' der Landsknechte erfaßt werden konnte, bleibt eine offene Frage. Mit dem ‚Brauchtum', besonders mit Tracht und Waffen, Lebensformen und Gerichtswesen, haben sie sich vielfältig auseinandergesetzt. Schon vor den bedeutenden Siegen deutscher Landsknechte bei Bicocca und Pavia finden sich Studien, Handzeichnungen und graphische Blätter zum Thema, danach aber vervielfachte sich die Zahl der gedruckten Bilder. Ursprünglich als Mensch in seiner neuen, ‚aufregenden' Andersartigkeit mit überwiegend positiven Zügen dargestellt[69], nahm die bildliche Erfassung des Landsknechtswesens mindestens seit dem dritten Jahrzehnt – vornehmlich wohl unter dem Eindruck seiner ‚Demaskierung' im Sacco di Roma – mehr und mehr sozialkritische Züge an[70], wird sie oft zur Bildsatire[71].

Die Bilder belegen, daß der Landsknecht vom Feldhauptmann über den einfachen Knecht bis hin zum Gefolge im Troß gesellschaftlich zur Diskussion stand, als Persönlichkeit und Individualität im Sinne des Renaissancemenschen anerkannt wurde, jedoch bald auch gefürchtet und später sogar mißachtet war. Seine soziale Rolle mit ihren Abweichungen von gängigen Normen in Haltung, Auftreten und Verhalten im Vergleich zu allen Ständen und Schichten der Gesellschaft, vor allem aber mit ihren Besonderheiten, ließen ihn darstellungswürdig werden.

Die zeitgenössischen Künstler lieferten das Neueste ‚von der Front' – manchmal in unmittelbarem Sinne, indem sie selbst auf dem Kriegsschauplatz anwesend waren, wie angeblich ein „berühmter Maler" 1529 in Wien mit Beobachtungsstand auf dem Stephansdom bei der Belagerung durch die Türken[72]. Ihre Darstellungen stillten nicht nur die Neugierde der Zeitgenossen, sondern eigneten sich auch zur Werbung – entsprachen also einem

---

Intaglio Prints of Albrecht Dürer. Engravings, Etchings and Dry-Points, 1976. Albrecht Dürer, Saemtliche Holzschnitte (Edition Tomus), 1976. F. WINZINGER, Wolf Huber. Das Gesamtwerk, 2 Bde., 1979. Zum schweizerischen Söldnerwesen in Darstellungen von Urs Graf, Niklaus Manuel Deutsch u. a. vgl. den Berner Ausstellungskatalog Niklaus Manuel Deutsch. Maler – Dichter – Staatsmann, 1979.

[69] Vgl. vor allem Arbeiten von Albrecht Altdorfer, Barthel Beham, Sebald Beham, Peter Flötner, Hans Glaser, Hans Baldung Grien, Wolf Huber, Georg Lemberger, Meister der Landsknechte, Meister der Wunder von Maria Zell, Hans Schäufelein, Erhard Schoen, Niklas Stoer, Hans Senger und H. Vogtherr d. Ä.

[70] Beispiele liefern Hans Glaser, Daniel Hopfer, Georg Pencz, Petrarca-Meister, Hans Schäufelein, Niklas Stoer, Tobias Stimmer, Wolfgang Strauch, Hans Wandereisen, Hans Weigel d. Ä.

[71] Verwiesen sei beispielhaft auf Jacob Bink, Hans Glaser, Hans Wandereisen, Hans Weiditz und Martin Weigel.

[72] Vgl. M. GEISBERG – W. L. STRAUSS, German Single-leaf Woodcut (wie Fußnote 68), Bd. 1., S. 261, mit H. ZSCHELLETZSCHKY, Die ‚drei gottlosen Maler' von Nürnberg. Sebald Beham, Barthel Beham und Georg Pencz. Historische Grundlagen und ikonologische Probleme ihrer Graphik zu Reformations- und Bauernkriegszeit, 1975, S. 87 f.

Bedürfnis von Kriegsherren und werbenden Landsknechtsführern. Landsknechte prägten außerdem die Mode, indem ihre Tracht zur Nachahmung reizte, und vermittelten in Bildern, die sich als Selbstdarstellung präsentierten, nicht nur den Eindruck von Abenteuer und Ungebundenheit, sondern auch einen Hauch von sozialer Mobilität und Freiheit in einer ständisch eingebundenen Gesellschaft. So kann die bildliche Wiedergabe des Landsknechtslebens manchen Mann – und in seinem Gefolge ebenfalls viele Frauen – veranlaßt haben, Beruf und Heimat aufzugeben, um dem ‚Ruf‘ der Werber zu folgen, in der Hoffnung, als Landsknecht ‚sein Glück zu machen‘.

Darstellungswert wurde das Landsknechtswesen für viele Künstler aber zugleich aus marktorientierten Gründen: Die Nachfrage eines wiß- und neuigkeitsgierigen Publikums bestimmte die Produktion – eine graphische Produktion, die sowohl werbende als auch warnende, mit Befreiung von gesellschaftlichen Zwängen lockende, aber auch auf die Gefahren eines ‚verlorenen Sohnes‘ hinweisende Züge annahm. Erklärung, Verlockung, Zeitkritik und Warnung vor dem Kriegswesen schlugen sich ebenfalls in den Begleittexten nieder – Texte, die zugleich eine interpretierende Aufgabe übernehmen konnten. Nicht frei von Übertreibungen geben die Darstellungen jedoch sehr genau das Erscheinungsbild des Landsknechtswesens als einer besonderen Form des Söldnertums in seinen bildhaft erfaßbaren Ausdrucksarten wieder. Diese exakte Wiedergabe steht mehrheitlich im Zentrum des Bildes. Die Entwicklung eines wirklichkeitserfassenden und zugleich gewissermaßen technologisch orientierten Sachbildes wurde auf diese Weise gefördert[73].

Marktorientierte Massenkunst[74] darf jedoch nicht nur von der Aussage eines einzelnen Bildes her analysiert und interpretiert werden. Über die noch so interessante Einzelaussage hinaus erschließt sich ihr geschichtswissenschaftlicher Quellenwert erst vollständig, wenn alle Bilder systematisch miteinander verglichen und zugleich im Kontext mit anderen Zeugnissen jener vergangenen Wirklichkeit, vor allem mit den schriftlichen Quellen, behandelt werden. Sie bedürfen demnach der Deutung im Sinne der zweiten und dritten Stufe des methodischen Ansatzes von Panofsky. Ihre Analyse setzt dagegen auf dessen zweiter Arbeitsstufe nur vereinzelt Kenntnisse in mittelalterlich-christlicher oder mythologischer Ikonographie voraus. Landsknechtsbilder enthalten ebenfalls Zeichen symbolhaften Denkens und Ausdrucksvermögens der Künstler, aber diese treten im Vergleich zum ‚bedeutungsgeladenen‘ christli-

---

[73]   Vgl. vor allem Arbeiten von Hans Adam, Sebald Beham, Jörg Breu d. Ä., Jörg Breu d. J., Lucas Cranach d. J., Albrecht Dürer, Hans Glaser, Stefan Hamer, Wolf Huber, Meister CS, Meister HM, Meister MS, Hans Mielich, Hans Schäufelein, Erhard Schoen, Niklas Stoer und Virgil Solis. Zur Problematik auch E. KEYSER, Bild (wie Fußnote 16), S. 20 f., und W. ZÖLLNER, Bildkunde (wie Fußnote 15), S. 432.

[74]   E. CHOJECKA, Zur Stellung des gedruckten Bildes im 15. und 16. Jahrhundert: Zwischen Kunstwerk und ‚Massenmedium‘, in: Reform – Reformation – Revolution, hg. von S. Hoyer, 1980, S. 123–127.

chen Bild zurück und erfordern zu ihrer Entschlüsselung vornehmlich sowohl zeit- als auch an die Individualität des Künstlers gebundene Kenntnisse. In diesen Symbolen verdichtete sich offenbar künstlerische Zeitkritik am Landsknechtswesen als einem Stoff, dem Künstler aus marktgebundener Auftragslage ihre Arbeit widmen mußten. Als der Landsknecht zum zügellosen Söldner absank, ließ mit dem Interesse der Käufer auch die Bereitschaft von Künstlern nach, ihn im Bereich der Massenkunst abbildhaft zu erfassen. Das ‚technologische' Interesse an Erscheinungsformen des Kriegswesens verlagerte sich – beispielhaft nachweisbar in der angeführten Edition von illustrierten Flugblättern – auf die Darstellung von Festungen und Belagerungen, von Kampfformen und Taktik. Zu ihrer bildlichen Wiedergabe wurden noch Einblattdrucke verwendet, vornehmlich aber finden sie sich in ‚Lehr'-Werken[75]. Sie erfaßten auch ‚Brauchtum', das mittlerweile nicht mehr in seiner Blüte stand oder bereits als ‚mißartet' von den Kriegsherren in seiner Rechtmäßigkeit bestritten wurde – wie beispielsweise Formen des Gerichtswesens.

Zusammenfassend ist einordnend und zugleich abschließend generell festzustellen, daß die Zeitgenossen die bildliche Thematisierung militärischer Phänomene und kriegerischer Vorgänge stark beachteten, und zwar nicht nur in illustrierten Flugblättern, sondern in fast allen künstlerischen Medien des sog. späten Mittelalters und vor allem der Frühen Neuzeit. Eindrücklich belegt diese These das Verzeichnis der Bilder über die Belagerungen Wiens durch die Türken[76] oder jede flüchtige Durchsicht der in modernen Druckwerken leicht zugänglichen Graphik des 15. bis 17. Jahrhunderts[77]. Die Spannweite zeitgenössischer Anteilnahme erstreckte sich bei fließenden Übergängen von Aufmerksamkeit infolge konkreter Nutzbarkeit bildnerischer Wiedergaben des Kriegswesens – der militärisch-technischen Unterrichtung einerseits[78], der Spionage andererseits[79] – über die Befriedigung von Neugier, die Verherrlichung eines Sieges oder des Kampfes bis hin zur Kritik am Kriegswesen. Welche Unterschiede sich bei der bildlichen Darstellung eines kriegsgeschichtlichen Ereignisses ergeben konnten, haben Untersuchungen über die Erfassung

[75] Beispielhaft Jost Amman, in: L. Fronsperger, Kayserliches Kriegßrecht (wie Fußnote 65).

[76] W. STURMINGER, Bibliographie und Ikonographie der Türkenbelagerungen Wiens 1529 und 1683 (Veröffentlichungen der Kommission für neuere Geschichte Österreichs 41), 1955; für 1529 Nr. 3301–3416, S. 337–349, für 1683 Nr. 3501–4240, S. 350–406.

[77] Vgl. Hinweise in Fußnote 68.

[78] Beispielhaft A. DÜRER, Etliche underricht zu befestigung der Stett, Schloß und flecken, 1527, ND. 1969, einbezogen zuletzt bei K. KRÜGER, Albrecht Dürer, Daniel Speckle und die Anfänge frühmoderner Stadtplanung in Deutschland, in: Mitteilungen des Vereins für Geschichte der Stadt Nürnberg 67 (1980), S. 79–97. Vgl. auch H. SCHNITTER, Soldatenbild und Kriegstechnik im Schaffen Albrecht Dürers, in: Zeitschrift für Militärgeschichte 10 (1971), S. 445–453.

[79] A. LHOTSKY, Quellenkunde (wie Fußnote 10), S. 47.

der Schlacht von Pavia (24. Februar 1525) in Gemälden, Graphik und Wand-
teppichen aufgezeigt[80]; diese Studien beschränken sich allerdings weitgehend
auf ikonographische Analysen, obgleich schon im ‚Schottenloher‘ Materialien
benannt werden[81], die für eine ikonologische Bedeutungsanalyse fruchtbar
herangezogen werden könnten.

Eine besondere Rolle bei der Gestaltung und Aufnahme militär- und kriegsbe-
zogener Bilder spielte einerseits die Wißbegierde nach Kenntnissen über den
technologischen Fortschritt, andererseits die Neugierde am Landsknecht.

Die Wissensvermittlung von neuen Waffen, Kampfformen, Befestigungswei-
sen und Belagerungsarten trat vielfach so stark in den Vordergrund einer
graphischen Darstellung, daß in ihr die Verhaftung in überlieferten oder neu
entwickelten ‚hintergründigen‘ Bedeutungsgehalten, wie sie anderen Bildthe-
men innewohnte, nicht nur zurücktrat, sondern auch ganz schwand. Die
Wißbegierde und die Vermittlung von Wissen im Bereich der militärischen
Technologie haben offenkundig sehr stark die Entwicklung des ikonogra-
phisch weithin ‚bedeutungsfreien‘ Sachbildes gefördert. ‚Bedeutungsfrei‘ im
ikonographischen Sinne bedeutet jedoch keinesfalls, daß das technologische
Sachbild auch ‚interessenfrei‘ gewesen wäre. Die in ihm verborgene Interessen-
lage, beispielsweise die politische freizulegen, ist eine wesentliche Aufgabe der
Analyse. Die Entwicklung zum Sachbild lief vornehmlich über die Graphik
(Holzschnitt, Kupferstich, später auch Radierung), während beispielsweise
Tafelbild und Wandteppich weitgehend ‚bedeutungsbezogen‘ verblieben,
besonders, wenn kriegerische Stoffe aus der Antike im zeitgenössischen
Gewande thematisiert wurden[82]. Zu entsprechend unterschiedlichen Ergebnis-

---

[80] E. GAGLIARDI, Die Schlacht von Pavia auf den Teppichen des Museums zu Neapel,
in: CX. Neujahrsblatt der Feuerwerker-Gesellschaft (Artillerie-Kollegium) in Zürich
auf das Jahr 1915, S. 3–40 [= Teile I und II], und in CXI. Neujahrsblatt der
Feuerwerker-Gesellschaft (Artillerie-Kollegium) in Zürich auf das Jahr 1916, S. 3–21
[= Teil III].
A. SJÖBLOM, Ein Gemälde von Ruprecht Heller im Stockholmer Nationalmuseum, in:
Oberdeutsche Kunst der Spätgotik und Reformationszeit (Beiträge zur Geschichte der
deutschen Kunst 1), hg. von E. Buchner, 1924, S. 225–229. H. STÖCKLEIN, Die
Schlacht bei Pavia. Zum Gemälde des Ruprecht Heller, in: Oberdeutsche Kunst der
Spätgotik und Reformationszeit (Beiträge zur Geschichte der deutschen Kunst 1), hg.
von E. Buchner, 1924, S. 230–239. S. H. STEINBERG, Die zeitgenössischen Bilder der
Schlacht von Pavia, in: Zeitschrift für Schweizerische Geschichte 15 (1935),
S. 167–172. Reproduktionen der Wandteppiche auch bei J. GIONO, Le Désastre de
Pavie. 24 février 1525 (Trente journées qui on fait la France 11), 1963. Graphische
Darstellungen liegen vor u. a. von Jörg Breu d. Ä., Wolf Huber, Hans Schäufelein und
H. Vogtherr d. Ä.
[81] K. SCHOTTENLOHER, Bibliographie zur deutschen Geschichte im Zeitalter der
Glaubensspaltung 1517–1585, Bd. 4, 1957², S. 482 f., Nr. 40 703–40 725.
[82] E. BUCHNER, Bemerkungen zum ‚Historien- und Schlachtenbild‘ der deutschen
Renaissance, in: Oberdeutsche Kunst der Spätgotik und Reformationszeit (Beiträge zur
Geschichte der deutschen Kunst 1), hg. von E. Buchner, 1924, S. 240–259.

sen führt die jeweilige Bedeutungsanalyse auf der Grundlage der ikonologischen Methode.

Im Dienste der bildlichen Vermittlung militärischer Technologie verzichteten die Hersteller von Graphik weitgehend darauf, überlieferte ikonographische Argumentationsmuster zu nutzen, so daß ihre geschichtswissenschaftliche Analyse nur selten jener ikonographischen Kenntnisse bedarf, die zur Aufschlüsselung und Deutung anderer Bildinhalte unumgänglich sind – beispielsweise des Kampfbildes der Reformationszeit. Das technologische Sachbild bedurfte jedoch häufig einer Legende, in der die abgebildeten Gegenstände terminologisch bezeichnet oder sogar erklärt wurden – Erklärungen, derer auch heute die bildliche Vermittlung moderner Technologie bedarf. Die geschichtswissenschaftliche Analyse des technologischen Sachbildes setzt im Bereich ‚vorikonographischer Beschreibung‘ vor allem die Beherrschung der allgemeinen waffentechnischen und kriegsgeschichtlichen Begrifflichkeit sowie spezifisch militärgeschichtliche Kenntnisse zu dem Zeitalter voraus, in dem das Bild entstand. Entsprechende zeitgenössische Literatur ist zur eingehenden ‚ikonographischen Analyse‘ heranzuziehen. Im Rahmen der ‚ikonologischen Interpretation‘ läßt sich das vervielfältigte, theoretisch jedermann zugängliche, wirklichkeitserfassende militärisch-technologische Sachbild als Ausdruck eines neuen Bewußtseins deuten. In seiner Entwicklung, eingeleitet mit der Renaissance, drückte sich aus, daß empirisch gewonnene Kenntnisse exakt zu rationaler Aus- und Weiterverwertung vermittelt werden sollten[83]. Derartige Zusammenhänge erweisen, zu welchen Erkenntnissen die geschichtswissenschaftliche Auswertung bildlicher Quellen gelangen kann. Je intensiver sich der Historiker mit Bildern beschäftigt und je tiefer er die Verstehensmuster des jeweiligen Bildes ikonologisch zu begreifen versucht und auch scheinbar authentische Illustrationen ikonologisch als Quellen erfaßt, versteht und verwertet, um so mehr wird er sich auch auf diesem Wege der untersuchten vergangenen Wirklichkeit annähern und sie begreifen können. Das Bild fordert ihn über das ‚Sehen‘[84] zu umfassender Beschäftigung mit dem Menschen als seinem eigentlichen Erkenntnisziel heraus – mit dem Künstler ebenso wie mit den durch ihn widergespiegelten Zeitgenossen, beispielsweise dem Landsknecht.

---

[83]   Zur Problematisierung des Verhältnisses zwischen realem Geschehen und abbildhafter Wiedergabe am Beispiel „der fast mathematisch ausgerichteten Gewalthaufen der Kriegsillustrationen" vgl. H.-M. MÖLLER, Regiment der Landsknechte (wie Fußnote 63), S. 52 f. Generell zuletzt H. SCHNITTER, Militärwesen und Wissenschaften. Zum Einfluß der Wissenschaften auf das militärische Denken vom 16. bis zum 18. Jahrhundert, in: Militärgeschichte 12 (1973), S. 557–566.
[84]   Zur Problematik s. K. HOFFMANN, ‚Geschichte des Sehens‘ heute, in: Attempto. Nachrichten für die Freunde der Universität Tübingen 59/60 (1977), S. 76–80.

WINFRIED SCHULZE

Oberdeutsche Untertanenrevolten zwischen 1580 und 1620
Reichssteuern und bäuerlicher Widerstand

Der Reichstag, der von Dezember 1597 bis zum Frühjahr 1598 in Regensburg tagte, hatte wieder einmal die vorrangige Aufgabe, dem Kaiser eine erhebliche Türkensteuer zu bewilligen. Zwar hatte die kaiserliche Proposition auch andere Gegenstände wie Justiz-, Münz- und Matrikelfragen zur Behandlung vorgesehen, doch jeder der Reichsstände wußte, daß es nur um einen möglichst hohen Steuerbetrag ging. Alle reichsständischen Gesandten und alle kaiserlichen Beamten, die sich hier versammelt hatten, waren sich zudem der Tatsache bewußt, daß die so bewilligten Steuern praktisch alleine von den Untertanen der einzelnen Territorien aufgebracht wurden, „auf dem Hals des gemeinen Mannes" lagen. So war es kein Wunder, daß auch in den Verhandlungen dieses Reichstages über die Reaktion der Untertanen auf die etwaigen Steuerbeschlüsse spekuliert wurde. Der bambergische Rat Dr. Achaz Hülsen meinte, „der gemein arm man" sei „schwierig und ungeduldig" und allenthalben finde man „ungedult, unwillen und unvermögen". Ein Gedicht des Hofpfalzgrafen und poeta laureatus Nikolaus Reusner von diesem Reichstag malte die Lage wohl bewußt schwärzer, wenn er schrieb: „Nullum auxilium, rusticum tardum".

Obwohl natürlich auf den Reichstagen Bauern und Bürger keinen Sitz hatten und dies auch bereits in der Publizistik des 16. Jahrhunderts kritisch festgestellt wurde, ist es immer wieder von besonderem Interesse, in den Beratungen Hinweise auf die möglichen Reaktionen der bäuerlichen Bevölkerung aufzuspüren. Gerade der erwähnte Reichstag von 1597/98 bietet dafür eine Fülle von Hinweisen, auch wenn schon ähnliche Bemerkungen auf früheren Reichstagen zu finden sind. Sie ergeben sich natürlich im Kontext der Beratungen über die Art und die Höhe der Reichssteuern und neben den schon traditionellen Hinweisen auf schlechte Ernten, Unwetter, die allgemein schlechte Wirtschaftslage, ist in den Beratungen dieses Reichstages noch mehr zu spüren. Einem kurpfälzischen Bericht zufolge wurde die Frage, ob eine neue große Türkenhilfe den Untertanen überhaupt zumutbar sei, „in utramque partem sehr disputiert: Die ersten sagen, die armen leute, die haben es nicht, man könne ihnen ja die haut nicht gahr über die ohren ziehen. Sie werden von haus und hoff entlaufen oder werde einen solchen uffstandt geben, daß man einmahl herrn und knecht werde zu todt schmeissen". Und die Pfälzer hatten während der Beratungen im Reichsfürstenrat in die gleiche Richtung argumentiert, denn der österreichische Gesandte hatte in sein Protokoll als pfälzische Meinung geschrieben: „Verendos tumultus rusticorum".

Man könnte glauben, daß es sich bei diesen und ähnlichen Äußerungen um Zweckpropaganda gegenüber dem Kaiser handelt, dem gegenüber man die Ablehnung seiner Forderungen begründen wollte. Doch wir können zeigen, daß Äußerungen dieser Art als reale und begründete Sorgen der Stände zu betrachten sind. Schließlich kann gezeigt werden, daß die hier geäußerte Befürchtung vom „tumultus rusticorum" in jenen Jahren durchaus Realität geworden war. Nicht nur die habsburgischen Erblande wurden davon heimgesucht – auch diese fanden in den Fürstenratsdiskussionen ihren Niederschlag, wenn sich protestantische Stände mit Passau über die Gründe für diesen Aufstand stritten – sondern auch der oberdeutsche Raum. Auch aus anderen Teilen des Reiches, von der Mosel, vom Niederrhein, aus dem Pfälzischen, aus dem Hessischen und schließlich auch aus Böhmen kamen in jenen Jahren die Meldungen über Untertanenrevolten oder über Steuerverweigerungen. Schließlich sei auch daran erinnert, daß gerade die späten 90er Jahre des 16. Jahrhunderts in ganz Europa eine eigentümliche Häufung von Revolten sahen. Hinzuweisen ist etwa auf die Croquants-Aufstände im Südwesten Frankreichs (1593-95), auf die Unruhen in Oxfordshire 1596. Im gleichen Jahr brachen in Finnland Aufstände aus, die man „Keulen-Krieg" nannte, gleichzeitig aber auch in der Ukraine und in Litauen. Die Eidgenossenschaft war seit 1591 durch Unruhen auf der Baseler Landschaft belastet, in Ungarn lassen sich Revolten für 1597, im folgenden Jahr auch in Bulgarien nachweisen. Wenn auch den deutschen Beobachtern dieser Jahre sicher nicht alle diese Bewegungen bekannt geworden sind, so waren doch die Unruhen im engeren Gebiet des Reiches bedrohlich genug, um bei den betroffenen Herrschaften immer wieder die Erinnerung an den großen Aufruhr von 1525 wachzurufen. Vor allen Dingen die Herren der kleinen Reichsterritorien waren am ehesten geneigt, die Parallele zwischen den bei ihnen ausgebrochenen Revolten und dem Jahre 1525 zu ziehen und im jeweiligen lokalen Anführer einen neuen Thomas Müntzer zu sehen, wie es etwa Christoph Truchseß von Waldburg 1597 in einem Schreiben an den Kaiser formulierte. Unter dem Eindruck mehrerer Revolten gab Karl Graf von Hohenzollern in einem Schreiben ebenfalls an den Kaiser der allgemeinen Befürchtung des schwäbischen Grafenkollegiums Ausdruck, daß „anders nichts dann ein gemeiner aufstand der underthanen" zu erwarten sei. Gerade im oberdeutschen Raum läßt sich vielfach nachweisen, wie selbst kleinste Auseinandersetzungen zwischen Herrschaften und Untertanen immer wieder vor dem Hintergrund der traumatischen Erinnerung an 1525 diskutiert wurden.

In einer Festschrift für Günther Franz, dessen Beobachtungen über die bislang bekannten Bauernrevolten der frühen Neuzeit hierzulande lange Zeit die einzige leicht greifbare Information darstellten, mag es ein angemessener Beitrag sein, die bislang in Umfang und Zusammenhang kaum bzw. nur teilweise bekannten Untertanenrevolten im Zeitraum zwischen 1580 und

1620 zusammenfassend zu beschreiben und zu interpretieren. Die Aufgabe wird erleichtert dadurch, daß in den letzten Jahren eine Reihe von Untersuchungen begonnen wurden, die sich einzelne Bewegungen dieses Zeitraums vorgenommen haben. Ohne diesen höchst erwünschten Studien in Einzelheiten vorgreifen zu wollen, soll hier eine vorläufige Übersicht versucht werden. Sie soll weniger Detailfragen in den einzelnen Territorien nachgehen als vielmehr das Gesamtbild dieser Revolten schildern und bestimmte gemeinsame Elemente herausarbeiten. Dieses Herausgreifen der Bewegungen zwischen 1580 und 1620 geschieht nicht in der Absicht, diesen Zeitraum als einen besonderen Höhepunkt von Untertanenbewegungen zu sehen. Er geht vielmehr von dem ersten Eindruck aus, daß die hier zusammengefaßten Untertanenbewegungen hinsichtlich ihrer Gründe und Verlaufsformen als eine zusammengehörende Gruppe von Konflikten zu interpretieren sind, so wie sie auch von den zeitgenössischen Beobachtern als eine zusammengehörende und sich gegenseitig beeinflussende Reihe von Bewegungen gesehen wurden. Das „perniciosissimum exemplum" der jeweiligen Revolte für die benachbarten Territorien galt als ein schwerwiegendes Argument. Räumlich konzentrieren sich diese Bewegungen in einem „Revoltengürtel", der vom Hochrhein um den Bodensee einen Bogen bis zum Allgäu schlägt. Sie liegen damit im wesentlichen im Gebiet des schwäbischen Reichskreises, einem Teil des Reiches also, der durch eine verwirrende Fülle kleinerer geistlicher und weltlicher Herrschaften geprägt war, der zudem vielfach von Partikeln des vorderösterreichischen Herrschaftsbereiches durchsetzt war und insofern immer „ein aufsehen nach Innsbruck" hatte. Der schwäbische Reichskreis war zugleich der Kreis, der zusammen mit dem fränkischen Kreis am härtesten von der Steuerbelastung getroffen wurde, die mit den Türkenkriegen verbunden war. Es waren dies zunächst die normalen Reichstürkenhilfen, die auf den Reichstagen 1576, 1582, 1594, 1598 und 1603 in einer Höhe von insgesamt 326 Römermonaten bewilligt worden waren. Doch es war keineswegs bei diesen auf den Reichstagen bewilligten Türkenhilfen geblieben. Seit 1594 hatte es der Kaiser verstanden, direkt an die Reichskreise heranzutreten und dort spezielle Türkenhilfen der Kreise durchzusetzen. Diese Kreistürkenhilfen flossen im allgemeinen nicht direkt an die kaiserliche Hofkammer, sondern dienten zur Finanzierung der in den Türkenkriegen verwendeten Kreistruppen. Konkret bedeutete dies, daß seit 1594 praktisch jährlich zusätzlich etwa 15 Römermonate von den Kreisständen verlangt wurden, die neben den normalen Reichshilfen zu entrichten waren. Am stärksten lastete diese Steuerart natürlich auf den „nächstgesessenen" Kreisen und hier vor allem auf dem schwäbischen Kreis, dessen kaisertreue Stände als habsburgische Klientel dem Drängen der kaiserlichen Kommissare kaum Widerstand entgegensetzen konnten. Durch diese Kumulierung beider Steuerarten kamen zu den erwähnten 326 Römermonaten noch weitere 186 Römermonate hinzu, insgesamt also hatten die Untertanen des schwäbischen Kreises in ca. 30 Jahren die in der Reichsgeschichte des 16. Jahrhunderts unerhörte Summe von 512 Römermonaten zu bezahlen. Es waren auch diese hohen Reichssteuern, die die Revolten in einzelnen Territorien des schwäbischen Kreises einer größeren Öffentlichkeit des Reiches gewissermaßen offiziell bekanntmachten. Als der Reichspfennigmeister Zacharias Geizkofler 1602 für den Reichstag des kommenden Jahres einen Matrikelkommentar erstellte, machte er hier unmißverständlich deutlich, daß – neben anderen Gründen – auch Untertanenrevolten eine volle Einnahme der Türkensteuern verhinderten. So findet sich z. B. bei den Grafen von Sulz als den Herren des Klettgaus der Vermerk: „Und wollen die Untertanen nichts erlegen." Die hohenzollernschen Grafen entschuldigten sich „mit ihren ungehorsamen haigerlochischen Untertanen" von der Steuerzahlung, der Truchseß von Waldburg „ist mit der Erlegung säumig und prätendieret, daß er die ReichsKontributionen von seinen Ungehorsamen nicht zuwegen bringen könnte". Zusammen mit vielen ähnlichen Hinweisen im Aktenmaterial von Hofkammer und Kammergerichtsfiskal lag so die Vermutung nahe, daß die Revolten gegen die Reichssteuern eine deutlich abgrenzbare Gruppe von Bewegungen darstellen. Doch die nähere Untersuchung des Quellenmaterials im Archiv des Reichshofrates ergab ein breiteres Spektrum von Revolten, von dem freilich die Mehrzahl dem Typ der Reichssteuerrevolte zuzurechnen war.

Nach allem bislang Bekannten scheint der Beginn der 80er Jahre auch der Anfang einer neuen Kette von Revolten in unserem Raum zu sein. Nachdem schon seit 1576 Auseinandersetzungen zwischen den Untertanen von Thainhausen und Philipp von Bicken liefen, die sogar zu einem Achtmandat des Reichshofrates führten und bis 1585 dauerten, hatten 1579 Konflikte zwischen Sebastian Schertlin zu Burtenbach und den Untertanen von Burtenbach begonnen. Doch scheinen diese Streitfälle noch nicht die Bedeutung späterer Revolten gewonnen zu haben und auch nicht dem gleichen Verlaufsmodell gefolgt zu sein, das den bald beginnenden Revolten zugrunde gelegt werden kann. Immerhin zeigte sich auch hier, daß die benachbarten Stände intensiv darum bemüht waren, diese Konflikte durch ihr vermittelndes Eingreifen beizulegen und so weiterreichende Konsequenzen zu verhindern. Wenn es darum ginge, den Beginn unseres „Revoltenbündels" zeitlich möglichst präzise festzulegen, müssen wir uns in den kleinen Flecken (89 Häuser, 1 Schenke) Böhmenkirch begeben, der dem Freiherrn Haug von Rechberg gehörte. Als dessen Untertanen am 16. September 1580 bei der Fronarbeit den Beschluß faßten, sich gegen eine Reihe von neuen Belastungen von seiten ihres Herrn bei Erzherzog Ferdinand von Tirol in Innsbruck zu beschweren und mit etwa 150 Mann das Dorf verließen, wurde damit zugleich der Modellfall für ähnliche Revolten geliefert. Böhmenkirch war den Herren von Rechberg übertragener kaiserlicher Pfandbesitz, die Gemeinde nahm für sich in Anspruch, ein „gefreiter Reichsmarkt" zu sein, von Rechberg sei folglich nicht Eigentumsherr, sondern nur Schutz- und Schirmherr mit Zehntrechten. Einen alten Freiheitsbrief hatten die Untertanen der Herrschaft zur Aufbewahrung übergeben und auf Bitten nicht wieder zurückerhalten. Für die Untertanen war diese Vorge schichte der Herrschaft von ebensolcher Bedeutung wie der öffentlich getätigte Verkauf der Herrschaft an den Vater des jetzigen Herrn Haug von Rechberg unter der Auflage, die Rechte und Freiheiten der Herrschaft zu wahren, „oder der Verkauf soll nichts sein". Vor diesem Hintergrund mußten die Angriffe von Rechbergs auf die Rechte der Gemeinde in Form der ungerechtfertigten Ungeldeinziehung, von Gebühren für Hausbau und Besitzwechsel, Einziehung von Bauernland und Forderungen neuer Frondienste zur Bebauung dieses Landes besonders aufreizend wirken. Der Beschwerdeweg über Innsbruck nach Prag lag jetzt nahe, und tatsächlich zogen mit den 150 austretenden Untertanen auch die Gesandten nach Innsbruck aus dem Dorf. Der größte Teil der Untertanen hielt am 9. November in geschlossener Formation wieder Einzug im Dorf und übernahm dort sogleich die Herrschaft, indem den Anweisungen der Amtleute keine Folge mehr geleistet, eine ständige Bewachung des Dorfes organisiert und die Leistung von Diensten und Abgaben an die Herrschaft unterbunden wurde. Als Beauftragter der Gemeinde fungierte ein Ausschuß von 24 Dorfbewohnern mit den sog. „Vierern" an der Spitze. Obwohl die Gemeinde kaum mehr als 12 Bauern hatte, waren allein 11 Bauern im Ausschuß vertreten, ergänzt durch 8 Söldner, 3 Handwerker, den Wirt, einen Tagelöhner und einen Hausgenossen. Demgegenüber lassen sich neben den erwähnten Bauern von insgesamt 76 nachweisbaren Männern 20 als Söldner, 17 als Handwerker, 16 als Tagelöhner, 10 als Schafknechte, Holzknechte, ledige Gesellen und Hausgenossen nachweisen, so daß wir insgesamt eine Gemeinde erkennen, die durch einen außergewöhnlich hohen unterbäuerlichen Anteil (Handwerker wie Weber, Schuhmacher) und Tagelöhner gekennzeichnet war.

Auch im Fall Böhmenkirch griff man zum Mittel der kaiserlichen Kommission, um den Konflikt beizulegen. Im April/Mai 1581 wurde in Schwäbisch Gmünd von den Beauftragten des Probstes zu Ellwangen und des Rats dieser Stadt der Versuch unternommen, eine Verhandlung durchzuführen. Die Böhmenkircher sahen freilich keinen Grund, sich dem Spruch der Kommission zu unterwerfen, von dem sie in einer späteren Schrift sagten, dieser Abschied hätte sie „under das knechtische und gleich heidnische joch und ewige servitut" gebracht. „Aus erheblichen ursachen" wurde jetzt die Kommission um den Herzog von Württemberg erweitert und ein neuerlicher Kommissionstag zum 11. Dezember nach Heidenheim ausgeschrieben, der jedoch von den Böhmenkirchern auf Betreiben ihres inzwischen engagierten Advokaten Samuel Letscher nicht besucht wurde. Statt dessen kündigten sie in einer Supplikation an den Herzog von Württemberg an, von Rechberg nicht mehr als Herrn dulden zu wollen. Jetzt erst wurden Zwangsmaßnahmen ergriffen: Am 20. Dezember 1581 wurde der „aufrührerische" Flecken von Soldaten des Herzogs von Württemberg besetzt, was freilich zum Leidwesen von Rechbergs, der ein definitives Vorgehen gegen „die gantze grundtsuppen aller ungehorsame" anmahnte, keineswegs sofortige Ruhe schaffte.

Nach der Gefangennahme fast aller Männer des Dorfes wurden umfangreiche

Verhöre durchgeführt, doch blieben die Strafen (Landesverweisung für den Advokaten, kurze Gefängnisstrafen, 3 Jahre Bannung in Böhmenkirch, Verbot Gewehre zu tragen und Zechen zu besuchen) milde, zumal auch ein Tübinger Fakultätsconsilium den Untertanen bescheinigte, „culposi", aber nicht „dolosi" gewesen zu sein. Ein im Juni 1582 zwischen den freigelassenen Untertanen und den Kommissaren ausgehandelter Vertrag stellte die Beziehungen zwischen der Gemeinde und von Rechberg auf eine neue Grundlage, am 13. Juni 1582 leisteten die Böhmenkircher unter der Dorflinde erneut den Huldigungseid und die Subdelegierten waren froh, „die sach Gott lob ... verglichen und sie widerum verainiget zu haben".

In zumindest räumlichem Zusammenhang mit der Böhmenkircher Revolte steht die Auseinandersetzung zwischen Konrad von Rechberg und seinen Untertanen in Oberwaldstetten, für die sich zwischen 1590 und 1592 Belege finden lassen. Nachdem schon 1578 von der Herrschaft eine kaiserliche Kommission erbeten worden war, konzentrierte sich 1590 die Auseinandersetzung auf die Frage, ob im Huldigungseid das Wort „dienstbar" enthalten sein dürfe, so wie dies noch im Huldigungseid von 1566 akzeptiert worden war. Angesichts neuer Auseinandersetzungen über die Form der Rente (Geld oder Naturalien) schien es den Oberwaldstettern jetzt notwendig, auf der Streichung des Begriffes zu bestehen. Dieses Ansinnen wurde von der rechbergischen Vormundschaft jedoch mit Hinweis auf die alten Salbücher „als beschwerliches exemplum und nachvolg bey andern" zurückgewiesen. Im Juli 1590 kam es zur Einsetzung einer kaiserlichen Kommission an Alexander von Pappenheim und Hans von Rechberg, und auf einem Kommissionstag im Januar 1592 gelang schließlich die Verabschiedung eines neuen Vertrages, der zwischen den Dorfinteressen, keine Dienste mehr zu leisten, sondern mit Geld abzulösen und der herrschaftlichen Forderung, zwischen Geld und Diensten wählen zu können, vermitteln mußte. Die Kommissionsentscheidung sprach sich für 5 Diensttage jedes Untertanen aus, wobei freilich Grenzen für die Verwendung und Dauer der Dienste gezogen wurden, auch die herrschaftliche Verpflegung für die Untertanen garantiert wurde. Die nicht in Anspruch genommenen Diensttage sollten weiterhin mit einem genau fixierten Satz abgegolten werden.

Wenig später, nämlich 1584 begann in Hohenzollern-Hechingen im Dorf Owingen die lange Reihe jener Konflikte, die die hohenzollernschen Territorien zunächst bis zur „Generalrebellion" von 1619 und noch darüber hinaus bis ans Ende des 18. Jahrhunderts erschütterten. Wie eine neuere Analyse ergeben hat, ist diese Revolte in Owingen, die bis zur Beilegung 1596 dauerte, vor allem auf eine Vermehrung der Frondienste und eine Verstärkung der administrativen Kontrolle über dieses kleine Herrschaftsgebiet zurückzuführen, das 1576 unter drei Brüdern geteilt worden war, schon 1597 aber durch den Tod Herzog Christophs wieder auf zwei Linien reduziert wurde, die Hechinger und die Sigmaringer Linie. Die besondere Problematik dieser und ähnlicher Territorien im deutschen Südwesten ist daran zu sehen, daß die

Herrschaftsrechte über die verschiedenen Landesteile höchst unterschiedlicher Qualität waren. Die Sigmaringer Linie besaß mit der Grafschaft Veringen auch einen Landesteil, der vom Hause Österreich zu Lehen rührte. Die Untertanen dieser Grafschaft nutzten diese Schwäche der Zollern für ständige Beschwerden bei der vorderösterreichischen Regierung in Innsbruck aus, so daß von einer wirklich geschwächten Position des Hauses Zollern in diesem Teil gesprochen werden muß. Die Erbitterung des Grafen Karl von Hohenzollern ging soweit, daß er 1601 der Tiroler Linie den Vorschlag machte, Veringen ihm zu Eigen zu geben, dafür aber Österreich beim Aussterben seines Mannesstammes die Anwartschaft auf Veringen und Sigmaringen zu erteilen. Dieser Vorschlag zeigt deutlich, zu welchen Maßnahmen man in Haigerloch bereit war, um nur den Unruheherd in Veringen durch volle, ungeschmälerte Herrschaftsrechte in den Griff bekommen zu können. Es ist freilich kennzeichnend für die Anschauungen in Innsbruck, wenn dieser durchsichtige Vorschlag von den Räten eindeutig abgelehnt wurde. Dies sei ein Vorwand, um sich dem „Halfter" des Hauses Österreich zu entziehen und „mit den armen unterthanen nach begirde und gefallen umzugeen".

Dieses alles spielte sich vor dem Hintergrund einer zumindest seit 1593 dauernden Auseinandersetzung vor allem der Untertanen von Harthausen und Veringen ab, die bis mindestens 1608 andauerte. 1597 hatte auch eine Revolte der Untertanen von Haigerloch begonnen, zu der sich die Untertanen von Haigerloch und weiteren Dörfern zusammengefunden hatten. Hier ging es vor allem um den Anteil eines Landesteiles an der Türkensteuer der Haigerlocher Grafschaft, die 1497 im Tausch gegen die Herrschaft Razüns (Graubünden) vom Haus Österreich in hohenzollernschen Eigenbesitz gekommen war. Die Untertanen beharrten auf einem Viertelanteil an der hohenzollernschen Gesamtreichssteuer, so wie dies von Erzherzog Ferdinand 1542 festgesetzt und wie dies etwa bei der Reichssteuerzahlung 1566 auch beachtet worden war. 1594, also nach dem Tod Herzog Christophs, hatte man von der Vormundschaft, die für dessen Erbe bestellt worden war, den halben Teil verlangt und damit den Widerstand der Haigerlocher herausgefordert. Als im Frühjahr 1597 die ersten Pfändungen durchgeführt wurden, löste das die Rebellion der Untertanen aus, die sich – in Erinnerung an die ehemals österreichische Herrschaft – in Innsbruck beschwert hatten. Nach Untersuchungen vorderösterreichischer Räte in einem ersten Bericht an den Kaiserhof vom Februar 1594, einer Kommissionstätigkeit des Bischofs von Konstanz und kaiserlichen Mandaten an die Untertanen kam es schließlich 1602 zu einer kaiserlichen Entscheidung, den klagenden Untertanen die Bezahlung des halben Reichsanschlages aufzuerlegen, nachdem das ganze Haus Zollern wieder in zwei Linien vereinigt war.

Eine weitere sich lang hinziehende Revolte der Untertanen des Amts Hohentengen gegen den Truchsessen von Waldburg stand in engem Zusammenhang mit der eben behandelten Veringer Auseinandersetzung. Auch hier liegt der Beginn am Anfang des letzten Jahrzehnts des 16. Jahrhunderts, genauer am 30. August 1591, als sich 12 Flecken des Amtes zusammenschlossen und sich weigerten, die Reichssteuern in der verlangten Höhe zu zahlen. Doch die Klage über die Reichssteuern war nur der Auslöser für eine ganze Fülle von Beschwerden gegen den Truchsessen, der unter anderem neue Frondienste für den Bau eines Jägerhauses gefordert hatte. Die Auseinandersetzungen zwischen den Hohentengenern und dem Truchsessen sind bemerkenswert deshalb, weil die Untertanen offensichtlich Unterstützung erhielten von den Äbten bzw. Äbtissinnen zu Salem, Weingarten, Roth, Heiligkreuztal, vom Rat der Städte Konstanz und Pfullendorf. 1599 beschuldigten diese Stände den Truchsessen der fälschlichen Benutzung eines Kammergerichtsmandates und stärkten damit den Untertanen den Rücken. Eine Kommission, der u. a. der ehemalige Reichspfennigmeister Zacharias Geizkofler angehörte, versuchte nach 1610, die Verpflichtung der Untertanen zur Reichssteuer auf eine solide und tragfähige Basis zu stellen und damit die ständigen Versuche des Truchsessen zu vereiteln, aus der Reichssteuer für sich Vorteile zu ziehen.

Die Akten dieser Auseinandersetzungen selbst können uns den Weg zu weiteren Untertanenrevolten dieser Jahre weisen. Im Januar 1600 wies der Truchseß in einem Bittschreiben an den Kaiser darauf hin, daß der Kaiserhof auch bei der Beilegung der Auseinandersetzungen im Klettgau, in Hohenzollern-Haigerloch und in der Herrschaft Rotenfels geholfen habe. Der letztere Hinweis gilt einem Streitfall, der zwischen dem Grafen Georg von Königseck-Aulendorf als Besitzer der Herrschaften Rotenfels und Stauffen im Allgäu und seinen Untertanen ausgebrochen war und dessen Anlaß ebenfalls die Reichssteuern waren. Diese Herrschaft, bis 1567 im Besitz der Grafen von Montfort, umfaßte neben der Stadt Immenstadt weitere 12 Dörfer zwischen Niedersonthofen und Tiefenbach. Ein Urbar der Herrschaft aus dem Jahre 1573 gibt uns genaue Auskunft über die 6850 Untertanen und die Höhe der Einkünfte (4372 fl.), da Georg von Königseck die Herrschaft dem Haus Habsburg zum Kauf anbot. Seit dem Regierungsantritt des „streitsüchtigen" Grafen Georg verschärften sich die Spannungen zwischen der Herrschaft und den Gemeinden. Die Beschwerde über die ungerechte Aufteilung der Reichsteuern zwischen Herrschaft und Untertanen fungierte auch hier als Auslöser für eine Reihe von Beschwerden, die insgesamt darauf zurückzuführen waren, daß der jetzt wieder in Immenstadt residierende Landesherr die Administration schärfer führte als dies bislang der Fall gewesen war. Die Steueranschläge waren erhöht worden, Frondienste gesteigert worden, bislang von den Gemeinden genutzte Wälder wurden gebannt, der Fischfang untersagt. Schließlich erregte auch sein Vorgehen gegen reformatorische und wiedertäuferische Untertanen – eine Visitation ergab 1595 beträchtlichen radikal-reformatorischen Buchbesitz – den Unwillen der Gemeinden. Seit 1595 verweigerten die Gemeinden die Reichssteuern und zeigten sich „wider den grafen aufrurerisch und rebellisch". Nach einem ersten Vergleichsversuch – eine Verhandlung zwischen der „Landschaft" und der Herrschaft im März 1596, die in Verträgen festgehalten wurde – stellten die Untertanen jedoch fest, daß Georg von Königseck sich nicht an die hier getroffenen Abmachungen hielt, und sie beauftragten 10

Männer aus verschiedenen Gemeinden, ihre Interessen beim Kaiser oder beim Kammergericht zu vertreten oder um „allerdgnedigste kaiserliche kommission ... oder gebührliche hochobrigkeitliche hilfe ... anzulangen". In den darauf stattfindenden Verhandlungen kam es zu einer Trennung der Gemeinden in eine größere Gruppe um die Stadt Immenstadt mit 7 Dörfern und der Herrschaft Stauffen, die einem Vergleich mit der Herrschaft zustimmten (Dezember 1596) und eine kleinere Gruppe (Fischen, Blaichach, Maiselstein, Tiefenbach, Ofterschwang, Seifriedsberg), die weiter Widerstand leisteten. Nach einem bewaffneten Marsch von mehreren hundert Bauern nach Immenstadt am 13. Februar 1597 und entsprechenden Hilfeersuchen des Grafen Georg wurden dann im Oktober 1597 der Abt von Kempten und Haug Dietrich von Hohenlandsberg und Hans Gaudenz von Raitenau zu kaiserlichen Kommissaren ernannt. Ihr Auftrag bestand darin, den Streit zwischen der Herrschaft und den restlichen 6 Gemeinden gütlich oder rechtlich beizulegen. Dies gelang auch in einem Vertrag, der am 27. April 1598 unterzeichnet wurde, der freilich schon bald von den Rotenfelsern ein „leidiges und triebseliges urteil" genannt und nicht akzeptiert wurde. 1599 wurden die bereits erwähnten Kommissare wieder beauftragt, 1601 wurde der Auftrag erneuert, doch erst im August 1606 erging in Isny das Endurteil dieser Kommission. Dieses Endurteil, das schließlich eine Beruhigung der beiden Herrschaften herbeiführte, war ein komplexer Versuch zur Regelung aller bislang aufgetretenen Streitpunkte wie Türkensteuern, Frondienste, Ungeld von Wein, begrenztes Jagd- und Fischverbot, Siegel- und Schreibgeld für Güterverkehr. Die hier geschilderte Entwicklung des Konfliktes beruht im wesentlichen auf einem schmalen Urkundenbestand und ist insofern nicht in allen Einzelheiten und Zusammenhängen zweifelsfrei zu rekonstruieren. Von Interesse ist es deshalb, daß parallel zu den hier zunächst beschriebenen gütlichen Einigungsversuchen auf Kommissionsbasis ein Verfahren am Kammergericht in der gleichen Sache lief. Der Graf von Königseck bemühte danach schon im September 1596 das Speyerer Gericht, um seine ungehorsamen Untertanen in Stauffen zur Zahlung der Reichssteuern zu zwingen, so wie dies die Reichsabschiede vorsahen. Doch erreichten die Untertanen hier nach der Vorlage der ersten Einigungen von 1596/97 die Einstellung des Prozesses. Der Prozeß wurde dann fortgeführt von den oben genannten Gemeinden, die sich auf die Reichsabschiedsklausel stützten, daß die Untertanen nicht über den jeweiligen Steueranschlag hinaus besteuert werden durften. Aus den Prozeßschriften ging auch hervor, daß der Ausgangspunkt des Streites der gescheiterte Versuch des Freiherrn war, von der „Landschaft" der Herrschaften Rotenfels und Stauffen ein Kapital von 10 000 fl. gegen das Angebot eines neuen Vertrages zwischen Herrschaft und Gemeinden zu erhalten. Auch die Versuche des Freiherrn in den nächsten Jahren, Mandate gegen einzelne Gemeinden zu erwirken, dienten offensichtlich immer nur dem Zweck, zusätzlichen Druck auf die Untertanen auszuüben. Sobald sich im Kommissionsverfahren Erfolge abzeichneten, verzichtete von Königseck auf weitere Schritte in Speyer.

Es kann nach dem kammergerichtlichen Quellenmaterial kaum ein Zweifel daran bestehen, daß Georg von Königseck zu Aulendorf die Gelegenheit der Reichssteuerverpflichtung wahrgenommen hatte, um seinen Untertanen in Rotenfels und Stauffen erhöhte Steuersummen abzufordern. So wiesen die Stauffener detailliert nach, daß für die 80 in Regensburg 1594 bewilligten Römermonate und die 56 durch den schwäbischen Kreis bewilligten Römermonate eine Summe von $1732^2/_3$ fl. (136mal den Stauffener Reichssteueranteil von 12 fl. 30 kr.) rechtens zu fordern war, während man ihnen die doppelte Summe von 3757 fl. abverlangt hatte.

Es bedarf nur eines Blickes auf die andere Seite der Iller, um eine weitere Untertanenrevolte in diesem Raum zu finden. Es handelt sich hierbei um das Tigen Rettenberg im Besitz des Bischofs von Augsburg. Im März 1605, also bevor noch das benachbarte Rotenfels durch das Endurteil von Isny beruhigt worden war, regte sich in Hindelang und Stefansrettenberg der Widerstand. Am 2. April trafen sich Einwohner des Tigens auf einer Wiese bei Agathazell unterhalb von Schloß Burgberg, und gut zwei Wochen später ließen sie dem Bischof durch einen Kemptener Boten ihre Beschwerden überreichen. Nach anfänglichen vergeblichen Versuchen des Bischofs, durch seine Rettenberger Amtleute die Unruhe beilegen zu lassen, erkannte der Bischof bald den grundsätzlichen Konflikt, als sich eine weitere Versammlung der Untertanen vom 18. Mai darauf einigte, keine Landsteuer und kein Ungeld mehr zu bezahlen, das dem Bischof erst durch ein kaiserliches Privileg im Jahre 1603 zugestanden worden war. Angesichts der benachbarten Königsecker Untertanen, die in „unerledigtem commissionsprozess" standen, befürchtete der Bischof ein Übergreifen und eine „allgemeine rebellion" und bat deshalb den Kaiser am 7. Juni, einen Kommissionsauftrag an die vorderösterreichische Regierung und an den Abt von Kempten „zu gut und recht et interea mandatum decernendum uff abschaffung aller ungepur" zu erteilen. Der Kaiser kam dieser Bitte schon bald mit dem Hinweis auf die Bedeutung des gemeinen Friedens in diesem Lande nach und bewilligte die Kommission, obwohl eigentlich die benachbarten Stände helfen sollten. Doch wies er ausdrücklich auf die unruhigen Rotenfelser hin, die mit den Rettenbergern „unter der deck ligen". Die benachbarten österreichischen und Kemptener Untertanen könnten leicht infiziert werden, denn der Hauptmann im Gericht Tannheim meldete bereits entsprechende Verbindungen. Für Erzherzog Maximilian von Tirol waren Berichte dieser Art bereits Anlaß genug, den Bischof von Augsburg an die Abstellung „aller neuerung" zu erinnern, denn es sei auch zu besorgen, daß die „truchsessischen (also die bereits erwähnten Untertanen Christophs von Waldburg) hochbedrängten underthanen, da ihnen nit zeitlich geholfen wird, auch zu solchem und gefehrlichen aufstand bewegt möchten werden". Im Tigen wurde währenddessen der Widerstand organisiert. In mehreren Versammlungen von einigen tausend Teilnehmern wurde die Verbindung durch gemeinsames Niederknien im Ring bekräftigt. Die Rotenfelser wurden zum Beistand aufgefordert. Das kaiserliche Pönalmandat vom 26. Juni wurde offensichtlich nicht beachtet, statt dessen wurde in einer Versammlung die Frage aufgeworfen, ob der Kaiser überhaupt Macht habe, sie durch ein Ungeldprivileg zu belasten. Dieser Zustand der faktischen Außerkraftsetzung der bischöflichen Herrschaft dauerte praktisch zwei Jahre an. Noch Ende Juli 1607 wurde ein erneuter Versuch der Subkommissare zur gütlichen Einigung und zur Annahme der zwei Sonthofener Verträge vom Oktober 1605 und September 1606 von den Tigenleuten abgelehnt.

Nach diesen mehrfachen Versuchen sahen auch die Kommissare keine Chance mehr für eine gütliche Lösung des Streites und beantragten nun ihrerseits ein kaiserliches Achtmandat, welches auch am 31. Oktober 1607 publiziert wurde. Im Spätsommer 1607 eskalierten die Auseinandersetzungen nun so weit, daß auch die Versuche des Bischofs, Truppen in das Tigen zu führen, von den Bauern verhindert wurden. Bischöfliche Soldaten wurden gefangenge-nommen, die Grenzen des Tigens militärisch bewacht und in einen regelrech-ten Verteidigungszustand gesetzt, um einen bischöflichen Angriff aus Rich-tung Füssen und die militärische Verstärkung von Burgberg und Fluchenstein zu unterbinden. Damit war auch ein Punkt gegeben, an dem der bayerische Landesfürst glaubte, einschreiten zu müssen. Ohne genau sagen zu können, warum die Tigenleute im November/Dezember 1607 plötzlich ihren Wider-stand aufgaben und statt dessen den Bischof um Gnade baten, ist festzustellen, daß unter dem offensichtlichen Eindruck der bayerischen Kriegsrüstungen für die Einnahme von Donauwörth und der Warnungen der von den Bauern bislang beschäftigten Advokaten ein Gesinnungswandel eintrat. Schon am 4. Januar 1608 erschienen 40 Vertreter des Tigens vor einem Notar und unter-zeichneten ihre Unterwerfung in Form einer „Obligatio", die zugleich die Bedingungen der Herrschaft des Bischofs im Tigen neu regelte. Ihre Grundten-denz war, die Sonderrechte des Tigens bei der Steuereinnahme und der Eigenverwaltung aufzuheben und stärkerer Kontrolle des Bischofs zu unter-werfen. Eine erste Rate von 20 000 fl. Strafgeld in Höhe von 6 421 fl. verzeichnet das Rechenbuch des Landammans schon im Jahre 1608.

Verlassen wir nun das Allgäu und wenden uns dem Gebiet von Hochrhein und Schwarzwald zu. Hier interessieren uns vor allem eine Auseinandersetzung in der Landschaft Basel 1591/94, die 1595 begonnene, aber bis 1608 dauernde Revolte der Landgrafschaft Klettgau, die Revolte im vorderösterreichischen Amt Waldkirch im Jahre 1600 sowie schließlich der „Rappenkrieg" in den Hochrheintälern von 1612-1614.

Die Baseler Auseinandersetzung soll hier nur erwähnt werden, um dem Eindruck entgegenzuwirken, als sei die in der bäuerlichen Anschauung ideali-sierte Eidgenossenschaft frei von Untertanenrevolten gewesen. Zudem bietet uns das Tagebuch des Baseler Kriegsmeisters eine vorzügliche Quelle für die Strategie, die seitens der „Orte" angewendet wurde, um die Untertanenver-bände in Gehorsam zu erhalten. Andreas Ryff bereiste die verschiedenen Viertel der Landschaft, um in direkten Verhandlungen die Annahme von Sondersteuern zu erreichen, die aus der Auseinandersetzung mit dem Bischof von Basel heraus notwendig geworden waren. Die Charakterisierung dieser inoffiziellen Verhandlungen als „barlement" weist zudem darauf hin, daß ein enger Zusammenhang besteht zwischen der Steuerrevolte und der Konstituierung von Landschaften, wie dies jüngst Peter Blickle für andere Territorien noch einmal betont hat.

Ein Historiker des 19. Jahrhunderts bezeichnete die Revolte in der Landgrafschaft Klettgau als „eine der schönsten Parthien in der klettgauischen Geschichte. Der Volkswille war kräftig gewesen und die Reichsgerichte endlich gerecht". Was war der Grund für eine solche Wertschätzung des 19. Jahrhunderts? Im März 1595 versammelte Graf Rudolf von Sulz in Griessen die Ausschüsse seiner Landschaft und erreichte dabei die Übernahme seiner Schulden durch die Landschaft in Höhe von 20 200 fl. Als der Graf nun trotz dieser Schuldenübernahme die weiteren Ziele der in Regensburg 1594 bewilligten Reichssteuern zusätzlich von den Gemeinden forderte, weigerten sich diese und versammelten sich ohne Genehmigung der Herrschaft zu Beratungen über das weitere Vorgehen. Eine frühe Stellungnahme des Regiments in Ensisheim zeigt uns, wie der Konflikt von Beobachtern außerhalb der Grafschaft gesehen wurde. Hielt man hier doch die Untertanen des Klettgaus für „hart onerirt" und für berechtigt, sich gegen ihren Herrn zu beklagen. Man sah auch, daß ein eigentlich nur für 6 Jahre bewilligter Rauchgulden perpetuiert worden war. Die Schuldenübernahme von 20 200 fl. sei vom Grafen erzwungen worden, von einer militärischen Aktion zugunsten des Grafen sei deshalb abzuraten. Durch das Verhalten ihrer Landesherrschaft aufmerksam geworden, versuchten die Klettgauer Gemeinden, nach dem Reichstag von 1597/98 sich genauer über die auf sie zukommenden Verpflichtungen zu informieren.

Sie schickten eine Abordnung nach Regensburg und ließen sich dort, kurz nachdem der Reichstag zu Ende gegangen war, den Klettgauer Steueranschlag aufschreiben. Auch befolgten sie den von dem Advokaten Dr. Stemper gegebenen Rat, sich an das Reichskammergericht zu wenden und dort die Beschwerden gegen ihren Landesherrn vorzutragen. Die Verhältnisse der Landgrafschaft waren nun extrem unstabil und trugen sicher wesentlich zur Verlängerung des Konfliktes bei. Im Dezember 1599 und im Mai 1600 tagten nämlich Versammlungen der von Sulz'schen Kreditoren, eine Art Krisensitzung der Gläubiger, die ihre Interessen dadurch zu wahren versuchten, daß sie den Landesherrn absetzten und die Landgrafschaft der Verwaltung der Grafen von Helfenstein und von Fürstenberg unterstellten.

Auch hier hatte man sich des inzwischen tradierten Mittels der Kommissionsbildung bedient. Neben dem Bischof von Konstanz waren Hans Dietrich von Hohenlandsberg, der Landkomthur der Ballei Elsaß, Johann von Schellenberg, und Dr. Gall Hager beauftragt worden und hatten im Juni in Tiengen ihre Unterhandlungen aufgenommen und schon im Juli einen ersten Bericht fertiggestellt, der jedoch lediglich die Hartnäckigkeit der Untertanen dokumentierte, sich in gütliche Handlungen nicht einzulassen. Auch ein Versuch der Gläubiger selbst – hier vertreten durch die Universität Freiburg und die Stadt Zürich –, die Untertanen im Juli 1600 zur gütlichen Einigung zu bewegen, mißlang. Bei diesem Stand der Dinge, der weiter kompliziert wurde durch Uneinigkeit der Klettgauer Gemeinden und die Nichtannahme eines von den Ausschüssen ausgehandelten Vertrages durch alle Gemeinden, schien es sogar den Administratoren und Gläubigern zu gefährlich, ein Achtmandat aussprechen zu lassen. Einer von Zürich, so hieß es, habe vertraulich gesagt, man solle aufpassen, „daß sie nicht stark correspondenz mit etlichen underthanen ihresgleichen im reich haben, darzu es sich dann vielerorten stark ansehen lassen will". Ende 1600 verschärfte sich die Lage erneut. Auch die bislang gehorsamen Gemeinden weigerten sich nun, mehr als 30 fl. als Klettgauer Römermonat zu bezahlen, obwohl die ganze Summe 60 fl. betrug. Die bereits erwähnten Sondersteuern des Reichskreises wollten sie überhaupt nicht übernehmen, obwohl ihnen mehrfach die Zweckbindung dieser Steuern erläutert wurde. Das ganze Herrschaftssystem war zusammengebrochen. Es fanden keine Gerichtssitzungen statt, Ungeld- und Mühlenzwang wurden nicht beachtet, an Zinszahlungen war nicht zu denken. Am 12. Dezember überfielen 40 Untertanen sogar die Administrationsverwaltung, und die Administratoren sahen „kein exempel im ganzen kaiserthum und an der türkischen Grenze, mit dem diese miseria zu vergleichen" sei.

Im Frühjahr 1601 wurde nach dem Tod mehrerer der alten Mitglieder eine neue Kommission beauftragt. Doch auch diesmal brachte der Kommissionstag in Radolfzell am 4. November 1601 keinen Erfolg, auch der Plan einer Verhaftung der Rädelsführer schlug angesichts der Stärke der Untertanen fehl. Inzwischen waren neue Überlegungen über das weitere Schicksal der Landesherrschaft entwickelt worden, die auf eine Übernahme des Landes durch Karl Ludwig von Sulz, den Bruder Rudolfs, hinausliefen, wie ein Reichshofratsgutachten vom Juni 1602 belegt. Doch die vom Reichshofrat empfohlene schnelle kaiserliche Ratifikation verzögerte sich. Diese Übertragung der Herrschaft war auch mit den Untertanen im April 1602 abgesprochen worden. Doch angesichts der lange fehlenden kaiserlichen Bestätigung und anderer Schwierigkeiten hinsichtlich der Bedingungen beklagte sich Karl Ludwig von Sulz im Jahr 1603, daß ihm Anfang Dezember 1602 die Huldigung verweigert worden war. Auch die folgenden Jahre blieben geprägt durch die Hartnäckigkeit der Klettgauer Gemeinden. Zwar wurde die Kommission noch einmal erneuert, doch ohne Erfolg. Die letzte Verhandlung mit den Untertanen fand im September 1608 in Oberlauchringen statt und machte noch einmal den Widerstand der Untertanen gegen die Kreissteuern deutlich, die sie auf keinen Fall zahlen wollten. Erst nach dieser Erfahrung war man am Kaiserhof bereit, das schon oft erbetene Achtmandat auszufertigen und auch für seine Durchführung Sorge zu tragen. Doch mahnten die Kommissare auch hier besondere Vorsichtsmaßnahmen an und verwiesen auf das erfolgreiche Beispiel der Achterklärung im Tigen Rettenberg, wo man nicht pauschal gegen ganze Gemeinden, sondern gegen einzelne Rädelsführer vorgegangen sei. Im übrigen wird deutlich, wie intensiv am Kaiserhof die Achterklärung auf ihre politischen Konsequenzen geprüft wurde. Vor allem wollte man den betreffenden Landesherrn selbst aus der Exekution heraushalten, der seinerseits im Frühjahr 1608 zu bedenken gegeben hatte, daß bereits drei Kommissionen ohne Erfolg versucht hatten, mit den Untertanen eine Einigung herbeizuführen. Ihm gegenüber kamen die Kommissare nach dem erneuten Fehlschlag im September 1608 zu dem Ergebnis, daß nicht Fürstenberg und Pappenheim – wie im kaiserlichen Befehl vorgesehen – die Exekution durchführen sollten, sondern von Sulz selbst, um besser zwischen Gehorsamen und Ungehorsamen unterscheiden und die entscheidenden Rädelsführer herausgreifen zu können.

Der Fall der Klettgauer Revolte ist ein besonders aufschlußreiches Exempel für die Möglichkeit eines selbst ein Jahrzehnt überdauernden Widerstands. Eine instabile und finanziell schwache Landesherrschaft, eine für Revolten gefährliche Umgebung, eine mißtrauische Gläubigerschar, ein vorsichtig taktierendes Haus Habsburg, das von Ensisheim, Innsbruck und Prag ein wachsames Auge auf das Land hatte und schließlich ein in seiner Bedeutung gestärkter Untertanenverband, der zur „Landschaft" geworden war, 6 Kommissionsverhandlungen erzwang und sich im Herbst 1608 immer noch weigerte, die Kreistürkensteuern der Landgrafschaft zu übernehmen. All dies zusammen bildete die Voraussetzung für die lange Dauer des Konfliktes, in dessen Verlauf immerhin der regierende Landesherr gewechselt und die Formulierung einer neuen Landesordnung unter Hinzuziehung der Landschaft durchgesetzt wurde.

Es läßt sich ganz allgemein feststellen, daß das späte 16. und der Beginn des 17. Jahrhunderts am Hochrhein und im Schwarzwald eine Zeit der Unruhe innerhalb der Untertanenverbände war. Die starke Erhöhung der Besteuerung, die Intensivierung der herrschaftlichen Dienste traf bei den Untertanen auf die Tendenz zur Bewahrung alter Rechte und sogar zur Verbesserung der jeweiligen Rechtsstellung. So bestritten die Talvogteien Todtnau und Schönau, dem Kloster St. Blasien gehörig, seit 1576 ihre Leibeigenschaft. Dabei ist zu beachten, daß sich in diesen Tälern eine besondere Form der Leibeigenschaft herausgebildet hatte, die zwar ihren Namen behalten hatte, jedoch außer dem Sterbfall ihre klassischen Attribute verloren hatte. Als seit 1576 St. Blasien versuchte, seine aus der Leibeigenschaft resultierenden Forderungen durchzusetzen, wehrten sich die Täler und konnten es auch erreichen, daß die Bezeichnung als „Eigenleute" aus dem Huldigungseid herausgenommen wurde, nachdem sich beide Parteien in Ensisheim zu einer Tagsatzung eingefunden und einem Regierungsentscheid (1609) unterworfen hatten. 1612 endlich gelang es St. Blasien, in den beiden Vogteien die Huldigung zu erreichen, und es mußte damit anerkennen, daß die Untertanen zwar nicht freie Leute waren, aber doch als solche zu behandeln waren. Einen ähnlichen Fall des Widerstandes gegen die Attribute der Leibeigenschaft finden wir bei den zu St. Peter gehörenden Untertanen von Neukirch. Auch aus anderen Quellen können wir folgern, daß sich am Ende des 16. Jahrhunderts eine neue Situation insofern ergeben hatte, als die Untertanen eifrigen Gebrauch von den neuen Möglichkeiten der Beschwerde bei den Regierungen machten und damit ihre adligen Grundherren verunsicherten. Für die kleineren reichsunmittelbaren Herrschaften unseres Raumes ergab sich ein vergleichbarer Effekt, wenn hier die Untertanen immer häufiger den Weg der Beschwerde nach Innsbruck oder Prag beschritten. Schon 1594 hatten sich die vorderösterreichischen Landstände über die häufigen Prozesse der Untertanen bei der Regierung gegen die Grundherrschaften beklagt und warnend auf den möglichen Ungehorsam der Untertanen verwiesen. Auch von vielen reichsunmittelbaren Ständen liegen Beschwerden gegen die Praxis des Reichshofrates vor, teilweise sogar ohne Rückfrage bei den betroffenen Herrschaften klagender Untertanen, Mandate auszusprechen. Die schließliche Durchsetzung des „schreiben um bericht" – also eine vorgeschriebene Form der Erkundigung bei den jeweiligen Herrschaften – macht deutlich, wie unangenehm die kaiserlichen Mandate für die territorialen Obrigkeiten sein konnten.

Wir haben bislang schon mehrfach das Haus Habsburg in einer Kontroll- oder Vermittlungsposition gegenüber den kleineren Herrschaften im oberschwäbischen Raum kennengelernt. Tatsächlich war die „Bauernfreundlichkeit" eines Erzherzog Maximilian durchaus bekannt, wenn auch relativierend die besondere Position der vorderösterreichischen Regierung in Betracht gezogen werden muß, deren vielfältige Eingriffsmöglichkeiten es den bäuerlichen Untertanen nahelegten, sich gerade nach Innsbruck zu wenden. Wir wissen auch zur Genüge, welche Konflikte Maximilian mit dem Kaiserhof selbst auszutragen hatte, wenn er sich etwa heftig über den Truchseß Christoph von Waldburg beschwerte.

Freilich bedeutet dies nicht, daß nicht auch vorderösterreichische Herrschaftsgebiete direkt von Revolten belastet gewesen wären. Es sind dies zwei Ereigniskomplexe, von denen vor allem der sog. „Rappenkrieg" von 1612 bis 1614 in den Hochrheintälern bekannt geworden ist. Daneben ist auch auf die Revolte von 15 Gemeinden in den Herrschaften Kastelberg und Schwarzenberg hinzuweisen, Herrschaften also im schwer kontrollierbaren und verstreut besiedelten Schwarzwald. Freilich war hier die vorderösterreichische Regierung nicht der direkte Konfrontationspartner, vielmehr richteten sich die Beschwerden der Gemeinden gegen die Amtleute des Amtes Waldkirch, so daß auch hier die Regierung wiederum eine vermittelnde Position einnehmen konnte. Auch in diesem Falle waren die Beauftragten der Gemeinden im Frühsommer 1598 nach Prag zum Kaiserhof gelaufen und hatten damit eine kaiserliche Resolution erreicht, in der u. a. gesagt wurde, daß die „armen unterthanen soviel müglich relevirt" werden sollten. Im übrigen wurde auch hier die normale Kommission eingesetzt, die die Vogteien einzeln vor sich fordern und Untersuchungen anstellen sollte. Zur Vorbereitung dieser Verhandlungen ritt ein Notar in alle Gemeinden und überreichte ihnen die einzelnen Resolutionen von Kaiser und vorderösterreichischer Regierung. Alle Gemeinden weigerten sich jedoch, als erste vor den Kommissaren zu erscheinen und bestritten auch, Rebellen zu sein. Ihre Taktik lief darauf hinaus, gemeinsam vor den Kommissaren aufzutreten. Die Beschwerden der Gemeinden waren – im Vergleich mit anderen Bewegungen – marginaler Natur und verrieten in ihrer Zusammenfassung eher eine gewisse Unzufriedenheit mit der Tätigkeit der Amtleute und deren Versuchen, bislang autonome, von den Gemeinden wahrgenommene Kompetenzen einer obrigkeitlichen Kontrolle zu unterwerfen. So bildeten etwa die freie Nutzung der Wälder, eine neue Vorschrift über die Länge der „Rebstecken" und eine Erhöhung der Strafen für das Laufenlassen der Hunde ohne „Bengel" die wichtigsten Beschwerden der Gemeinden, andere Forderungen etwa nach der unkontrollierten Abhaltung von Gemeindeversammlungen oder dem freien Sonntagsmarkt vor der Kirche und das Abführen von Gefangenen in ungebundenem Zustand traten hinzu.

Nach dem Fehlschlag der ersten Kommission, die von den Gemeinden boykottiert wurde, entwickelte sich eine gefährliche Situation insofern, als die Gemeinden die Leistung der üblichen Dienste und Abgaben einstellten und damit das normale Herrschaftssystem blockierten. Hinzu kamen Nachrichten über geheime Verbindungen mit markgräflich-badischen sowie Triberger und fürstenbergischen Untertanen. Jedenfalls reagierten die betroffenen Herrschaften sofort auf solche Gerüchte und tauschten Informationen über die Lage aus. Auch blieb nicht unerwähnt, daß im Land Schwaben die Untertanen der Grafen von Sulz (Klettgau) und die königseckischen Untertanen im Allgäu ebenfalls rebellierten und insofern durchaus ein „gemaine lands aufruer" zu befürchten sei.

Eine Beilegung dieses Konfiktes wurde erst 1602 erreicht, als nach der Ratifizierung eines Interims, das von einer neuen Kommission (Abt von St. Georgen, Dr. Martini) ausgehandelt worden war, Erzherzog Maximilian am 9. September 1602 die Verhaftung der Rädelsführer befal. Wenn auch noch in den folgenden Jahren einzelne Beschwerden nach Innsbruck gingen, so scheint doch damit die akute Bewegung beigelegt worden zu sein.

Diese Revolte der 15 Gemeinden in den vorderösterreichischen Herrschaften Kastelberg und Schwarzenberg darf keineswegs nur auf die genannten Jahre begrenzt werden. Aus dem Brief eines Freiburger Juristen, der sich im Verlauf der Auseinandersetzung gegen Anschuldigungen zu wehren hatte, er habe die revoltierenden Untertanen beraten, geht hervor, daß diese Gemeinden seit dem Beginn der 80er Jahre Auseinandersetzungen mit den verschiedenen Oberamtleuten der Herrschaft führen und sich seit diesem Zeitpunkt auch juristisch hatten beraten lassen. Aus der Sicht dieses Dr. Textor hatten sich die Beschwerden gegen die früheren Amtleute durch von ihm vermittelte Vergleiche regeln lassen, und erst als die jetzigen Amtleute „alle alte auch theils beigelegte sachen wiederumben herfür zogen, haben sich die beschwerden und dahero der unwillen also gemehrt". Danach kann also diese Revolte als eine höhere Stufe der Beschwerdeführung angesehen werden, nachdem die üblichen Verfahren der Beschwerde etwa auf dem vorderösterreichischen Landtag nicht zum Erfolg geführt hatten. Jetzt erst sahen die betroffenen Untertanen keine andere Möglichkeit mehr, als nach Prag zu ziehen. Dies aber konnte nur realisiert werden, wenn vorher Gemeindeversammlungen, Absprachen zwischen den Vogteien und Geldsammlungen abgehalten worden waren und damit natürlich formal der Tatbestand der Rebellion erfüllt worden war. Erst 1581 hatte ein Mandat der vorderösterreichischen Regierung alle Gemeindeversammlungen unter den Vorbehalt der Genehmigung durch die Obrigkeit gestellt.

In der Aufstellung der Sanktionen gegen die Untertanen in Kastelberg und Schwarzenberg findet sich auch das ihnen aufgedrungene Versprechen, „den bewilligten rappenmaßpfennig die bestimpte zwölf jahr auch alle andere fürlaufende contributiones und schatzungen ... und was die gemein land ständ schliessen, ordnen und bewilligen, abrichten und erstatten, auch sich davon nit absundern". Damit wird ein Thema angesprochen, das ab 1612 der Gegenstand einer bedeutenden Revolte der Untertanen der Hochrheintäler wurde, des schon erwähnten „Rappenkrieges" von 1612 bis 1614. Direkt betroffen waren die Herrschaften Rheinfelden, Laufenburg, Wehr, Hauenstein, Schönau und Todtnau, also das gesamte Gebiet des Hochrheins und seiner Seitentäler bis in den südlichen Schwarzwald hinein. Grund des Widerstands war eine nochmalige Erhöhung des Weinungelds, der hier der Rappenpfennig hieß. Diese auf 12 Jahre geplante Erhöhung war Ende 1611 von den vorderösterreichischen Landständen bewilligt worden, also von Adel und Prälaten aus den beiden oberen Ständen und den sog. Landschaften, die freilich nicht als bäuerliche Vertreter zu bezeichnen sind. In absoluten Zahlen machte die Ungelderhöhung keinen sonderlich bemerkenswerten Betrag aus, insofern kann der Widerstand, der sich an dieser neuen Steuer entzündete, nur als Auslöser für eine seit ca. 40 Jahren angewachsene Unzufriedenheit über steigende Steuerbelastung und herrschaftliche Eingriffe in die dörfliche Autonomie verstanden werden. Dabei fällt es auf, daß die Vorwürfe der Untertanen des oberen Rheinviertels relativ marginale Probleme betrafen wie etwa die Ernennung eines zusätzlichen Obervogts in Möhlin, dem Zentrum der Bewegung, den Protest gegen die Ablieferung der Zinsfrüchte mehrere Stockwerke hoch oder die Feststellung, daß zuwenig Hexen hingerichtet würden. Karl Schib hat in diesem Aufstand eine „Verteidigung der lokalen Selbstverwaltung gegenüber den Ansprüchen des modernen Beamtenstandes" gesehen, doch scheint mir mit dieser allgemein sicher zutreffenden Bemerkung noch nicht die spezifische Bedeutung des Rappenkrieges getroffen.

Argumentativer Ausgangspunkt der Untertanenbeschwerden war die in der Erbhuldigung ausgesprochene landesfürstliche Versicherung, die Untertanen bei den „alten gebreuchen und freyheyten zu lassen". Demgegenüber ließ sich eine Reihe ungewöhnlicher Belastungen anführen wie Mittel zum Aufbau der Feste Ensisheim, Ankauf von Harnischen und Wehren, die bisher schon geltenden $1^{1}/_{2}$ Rappenmaßpfennige, die hohen Türkensteuern, Kaufbriefe, die 10 % des Bodenwertes kosteten. Schließlich warfen die Untertanen in ihrer ersten Beschwerde vom März 1612 den Herrschaften vor, man habe ein

schlechtes Erntejahr, in dem man keinen Zins habe geben können, im nächsten Jahr ganz nachzahlen lassen. 1611 seien Unwetter im Fricktal und in Möhlinbach aufgetreten, zwei Dörfer seien abgebrannt und von 100 Untertanen könnten kaum 20 „von einer erndt zu der andern essen". Hinzu kamen kleinere Übergriffe der Vögte in einzelnen Dörfern, Nutzungsbeschränkungen oder -verbote in den Gemeindewäldern und Vermehrung von Holzfronen. Untersucht man neben diesen Beschwerden vom März 1612 noch die Beschwerden, die einer der Anführer der Revolte noch am 30. August 1614 den Eidgenossen übermittelte (es handelt sich hierbei um Friedrich Müller aus Möhlin), dann tritt neben die genannten Beschwerden noch ein weiterer wesentlicher Faktor, eine scharfe antiständische Haltung. Sie wird deutlich, wenn Müller etwa die Frage stellt, wohin denn das Geld für die Türkenschatzung gekommen sei. Nicht etwa zum Kaiser sei es gekommen, glaubt er zu wissen, sondern es sei verwendet worden, um die Stände selbst zu erhalten und deren Schulden zu verzinsen. Eine weitere Beschwerde bezog sich auf Adlige, die seit ca. 20 Jahren offensichtlich Bauerngüter als ihr Eigentum eingezogen hatten und dann gegen die Urteile der Dorfgerichte nach Ensisheim appelliert hätten, „wo dann solche edelleut selbst rechtsprecher seind". Trotz dieser Minderung der steuerfähigen Güter seien aber die Steuerbelastungen der Gemeinden unverändert geblieben. Doch Müller beschwerte sich nicht nur über den Adel. Auch die Geistlichkeit kaufe gute Grundstücke zu Überpreisen auf und mindere damit die Steuerkraft der Gemeinden, denn die Geistlichen seien ebenfalls von der Steuer befreit. Zusammengefaßt findet sich diese, den privilegierten Status der oberen Stände angreifende Kritik in einer Passage der Beschwerden von 1612, wo es heißt:
„Endlich was man geben müsse, seye der reich gemeinlich frei und gebe nichts wegen tragenden ambts, hab der arme nichts, der mitelmessig mueß alles zahlen.
Wan derselb auch komt um das sein
dem reichen geht dann nichts mehr ein
letslich werden sye alle gleich sein."
Es wundert angesichts solcher Beschwerden und Einsichten nicht, wenn in dieser Bewegung auch eine breite, gegen Adel und Obrigkeit gerichtete Stimmung zu verspüren ist. Falls sie angegriffen würden, so äußerte im April 1612 ein Untertan, werde man „die oberkait und edelleut zu tod schlagen". Angesichts solcher Äußerungen versuchte die vorderösterreichische Regierung zu erfahren, „was auch die clöster und geistliche im land auch der adel und die stätt zu gewarten". Die ständischen Syndici erfuhren dabei von den Untertanen, wie sie sich den Ausfall ihrer eigenen Rappenmaßpfennige vorstellten: „Weren vil prelaten, stiften, gotteshäuser vom adel, die könden die schulden zahlen. Die wolten sy überfallen, wann sy bezwungen, geld und knecht finden, auch etwan ein statt einnehmen."
Der Verlauf dieser Bewegung ist schnell berichtet. Nach den ersten Versammlungen der Untertanen im Frühjahr 1612, auf denen die Verweigerung des

Rappenmaßpfennigs beschlossen wurde, wurden vielfache Versuche unternommen, die Untertanen zum Einlenken zu bewegen. Ständische Kommissare und ständische Syndici waren ebenso erfolglos wie die landesfürstlichen Mandate Erzherzogs Maximilian oder Ermahnungsschreiben der Eidgenossenschaft. Die Registratur des Briefverkehrs der Regierung macht deutlich, vor welche enormen Probleme die Regierung mit dieser Erhebung gestellt war. Die tatsächliche Unfähigkeit zur direkten Mobilisierung einer Exekutionstruppe korrespondierte mit den Bedenken, die von ständischer Seite und von den Nachbarn gegen Gewaltanwendung geäußert wurden. Die Regierung war darauf bedacht, Unterstützung der Landstände zu erhalten – die sich freilich als nicht zuständig betrachteten und sich vor eventueller Soldateneinquartierung schützen wollten. Auf der anderen Seite war man bemüht, die Bestimmung der Erbeinung mit der Eidgenossenschaft zu nutzen und einen 1581 erneut abgeschlossenen Vertrag über die gegenseitige Hilfe bei Aufstand der Untertanen zu realisieren. Diese Vorsichtsmaßnahmen schienen vor allem deshalb wichtig, weil die Bauern mehrfach den Versuch unternahmen, Kontakt mit eidgenössischen Untertanen aufzunehmen, bzw. Pulver und Blei bei ihnen einzukaufen. Es liegt auf der Hand, daß die Eidgenossenschaft die Entscheidung in der Hand hielt, und es ist nur folgerichtig, wenn Regierung und aufständische Untertanen den Versuch machten, die Eidgenossen auf ihre Seite zu ziehen, wie wir das im Brief Friedrich Müllers schon gesehen haben. Nachdem das Jahr 1612 keine Annäherung der Standpunkte gebracht hatte, versuchten die aufständischen Landgemeinden, vier strategisch wichtige Rheinstädte für sich zu gewinnen, was jedoch mißlang. Als die Bauern dann die Stadt Laufenburg belagerten und ihr das Wasser abzugraben versuchten, als sie Waldshut belagerten und dort zwei Kanonen in ihre Hand brachten, war ein Punkt erreicht, der ein weiteres Abwarten der Regierung praktisch verbot. Die städtischen Wochenmärkte waren boykottiert worden, die Untertanen organisierten sich zunehmend auch militärisch und drohten damit eine Gegenmacht zu werden. Nach Beratungen mit dem Kaiserhof und mit den Nachbarständen wurde jetzt eine militärische Besetzung der Rheinstädte in die Wege geleitet. Noch kurz vor Ostern hatte eine Landgemeinde in Mumpf den Zusammenhalt der Bewegung bekräftigt und alle, die zur Obrigkeit übergehen wollten, Schelme, Diebe, Ketzer und Landesverräter genannt und ihnen den Tod angedroht, während man der Obrigkeit die Belagerung und „Verderbung" der vier Städte versprach. Im Spätsommer 1614 war es dann soweit. Mit der Rückendeckung einiger hundert geworbener Soldaten in den Städten und mit Hilfe eidgenössischer Vermittler wurden in Rheinfelden die Bedingungen für die „Versöhnung" mit den Untertanen ausgehandelt, und dann nahmen landesfürstliche Kommissare im September in den verschiedenen Herrschaften die Niederlegung der Waffen und den Fußfall der Untertanen entgegen. Es muß dem drängenden Einfluß der eidgenössischen Boten zugeschrieben werden, wenn man den Untertanen im Prinzip Pardon erteilte, die Strafen selbst für die Rädelsführer auf 14 Tage Turm bei Wasser und Brot beschränkte und ein relativ geringes Strafgeld festsetzte. Schon vorher hatten sich die Untertanen von Schönau und Todtnau bereit erklärt, den Rappenmaßpfennig zu bezahlen und waren damit aus der Front der Verweigerer ausgebrochen. Ihnen war sogar für zwei Jahre das Ungeld erlassen worden. Die härteste Strafe bestand neben dem vierjährigen Strafgeld sicherlich in der Auslieferung der Waffen für sechs Jahre an die Regierung, wobei man angesichts besonderen Bedarfs der Waldbewohner an Handwaffen eine Abkürzung dieser Frist in Aussicht stellte. Damit war das „langwierige ohnwesen der herrschaft untertanen des oberen rheinviertels" beigelegt, die beschworene Gefahr eines Ausgreifens auf andere Herrschaften gebannt.

Fast zeitgleich zu den eben besprochenen Ereignissen am Hochrhein spielte sich in der schwäbischen Reichsherrschaft Justingen, die Hans Pleikart von Freyberg gehörte, eine Auseinandersetzung ab, die ihren Ausgangspunkt wiederum am Gesamtkomplex grundherrlicher Dienste und Abgaben nahm. Der Streit brach im Frühsommer 1611 aus, als von Freyberg von seinen Untertanen angesichts der guten Ernte die Rückerstattung jenes Geldes forderte, das er wenige Jahre vorher angesichts schlechter Ernten den Untertanen erlassen hatte. Diese Forderung wurde von den Untertanen jedoch nicht akzeptiert und ein erster Versuch des Herzogs von Württemberg im September 1611, eine Verhandlung zwischen den beiden Parteien anzusetzen, schlug fehl, weil die Untertanen nicht erschienen. Folgt man den 30 Gravamina der drei Dörfer, ging es u. a. um die Überweidung der Allmende durch herrschaftliches Vieh, das Verbot, die Baumfrüchte aus den Wäldern zu holen, erhöhte Frondienste, höhere Strafen und andere Beschwerden der drei Orte Justingen, Ingstetten und Gundershofen. In diesem Falle – Justingen lag in unmittelbarer Nachbarschaft zu Württemberg – war die Beilegung des Streits von den kreisausschreibenden Fürsten des schwäbischen Kreises, also vom Bischof von Konstanz und dem Herzog von Württemberg übernommen worden. Deren Räte schlossen auch schon im August 1612 in Blaubeuren einen ersten Interimsvertrag ab, der zwar keine Einigung in der Sache brachte, zumindest aber beide Parteien zum Frieden verpflichtete. Dies war wichtig, weil im Juni 1612, als Johann Pleikart einen Untertanen beim verbotenen Holzschlag ertappt und diesen geohrfeigt hatte, die Bewohner der drei Dörfer alarmiert worden waren, ihren Herrn regelrecht belagerten und ihn später auf seinem Heimweg ins Schloß beschossen. Bald nach dem ersten Abschied starb Johann Pleikart, der vor allem als Anhänger Kaspar Schwenckfelds bekannt geworden ist und in seiner Herrschaft weitgehende religiöse Toleranz walten ließ, und die Auseinandersetzung wurde von den Vormündern seines Sohnes übernommen. Die im Januar 1614 wiederum in Blaubeuren erreichte Einigung spezifizierte vor allem die Fronverpflichtungen (z. T. auch gegen Bezahlung), regelte eine lange Liste strittiger Punkte der Herrschaftsausübung, die von der angenommenen Höhe der Reichssteuern, der Eheschließung der Untertanen bis zur Regelung des Waffentragens und der Umverteilung der Kommissionskosten reichte.

Am Ende unseres Zeitraums müssen wir noch einmal nach Hohenzollern-Hechingen zurückkehren. Als 1596 die Owinger Revolte beigelegt worden war, dauerte es nur knapp 10 Jahre bis zu neuen Unruhen, die diesmal 8 Dörfer um Bissingen und Grosselfingen erfaßten. Nach einem bewaffneten Zug zur Kanzlei nach Hechingen, wo man Graf Johann Georg zur Rede stellen wollte, geschah hier jedoch offenbar nichts Erhebliches. Erst 1619 löste die Forderung des gleichen Grafen nach Baufronen für die Festung Hohenzollern eine neue „Generalrebellion" fast aller Hohenzollern-Hechinger Gemeinden aus, die sich in eine „formale Rebellion" begaben, wie uns eine obrigkeitliche Darstellung aus dem 18. Jahrhundert berichtet. Die Beschwerden über die Baufronen waren jedoch nur Auslöser für umfangreiche Beschwerden der einzelnen Orte gegen die Herrschaft. Selbstbewußt verlangten die Untertanen im Schloßhof von Hechingen eine herrschaftliche Resolution innerhalb von 8 Tagen. Es kam auch in dieser Rebellion zu einem „neuen und biß dahin unerhörten stand (so sie die landschafft genannt)" und zur völligen Mißachtung der herrschaftlichen Ordnung. Die Untertanen hätten „ihre mehr als gnedige herrschaft gleichsam für einen tyrannen verschreit und fürgeben, daß sie von derselben mehr übertrangs und beschwerdt hetten, als man auf aller kramer zu hechingen papier konnte beschreiben". Nach Angriffen auf einzelne herrschaftliche Beamte gelang es dem Grafen jedoch, durch Dekrete die Unruhe beizulegen und eine erneute, mit einem öffentlichen Fußfall der Untertanen verbundene Huldigung zu erreichen, wobei der Graf jedoch auf alle Strafmaßnahmen verzichtete.

Überschauen wir nun diesen Zeitraum von fast 40 Jahren und die knapp skizzierten Untertanenrevolten im Raum zwischen Hochrhein und Allgäu, so stellen wir nicht nur eine beachtliche Zahl von Bewegungen fest, die z. T. sogar gleichzeitig verliefen. Über die einzelnen Revolten und die unterschiedlichen jeweiligen Konfliktparteien hinaus lassen sich bestimmte Gemeinsamkeiten ausmachen, die es, abgesehen von der zeitlichen und örtlichen Parallelität, möglich machen, diese Gruppe von Revolten als ein zusammengehörendes Phänomen zu betrachten. Zunächst einmal wird sich die Massierung dieser Bewegungen am Ende des 16. bzw. zum Anfang des 17. Jahrhunderts damit erklären lassen, daß zwei wesentliche Prozesse sich überlagerten. Der eine Vorgang war der Anstieg der Reichssteuern vor allem seit 1594 (jedoch auch schon bemerkbar seit den Reichsabschieden von 1576 und 1582), zusätzlich verstärkt durch die hohe Belastung des schwäbischen Kreises durch die Kreistürkensteuern seit 1594. Dabei ist nicht einfach davon auszugehen, daß die Steuern von den Untertanenverbänden als zu hoch empfunden worden wären. In einigen Fällen ging es schlicht um die Durchsetzung der Steuerforderung bzw. der ganzen oder teilweisen Steuerbelastung in den betroffenen Territorien. Es existierten noch ältere Abmachungen über die Verteilung der Steuern zwischen einzelnen Landesteilen oder zwischen Herrschaft und Untertanen, die angesichts der neuen Reichssteuern und ihrer privilegienfeindlichen Bewilligungspraxis durch die Reichsstände hinfällig geworden waren. Insofern bedeutet die notwendige Durchsetzung der Reichssteuern in den behandelten Kleinterritorien eine Nagelprobe auf deren Existenzfähigkeit im Rahmen des bestimmte Belastungen mit sich bringenden Reichsverbandes. Dort, wo diese Steuern durchgesetzt werden konnten, verlockten sie gerade wegen ihrer ständigen Wiederholung, ihrer Sanktionierung durch Kaiser und Reich und schließlich angesichts ihrer Zweckbindung für die öffentlich heftig propagierte Türkenabwehr dazu, die Steuern überhöht einzuziehen und davon zu profitieren.

Der andere Vorgang ist in einer allgemeinen Ökonomisierung der Agrarverfassung und der Herrschaftsordnung im weitesten Sinne zu sehen. Er äußert sich in vielfachen Einzelbeschwerden gegen die Verschärfung einzelner Dienste, dem vereinzelt zu beobachtenden Versuch zum Ausbau herrschaftlicher Eigengüter, dem verschärften herrschaftlichen Zugriff auf den Wald, der nun durch Waldordnungen geschützt und durch Forstknechte kontrolliert wurde, durch die Einsetzung neuer Aufsichtsbeamter in den Dörfern, durch Verteuerung herrschaftlicher Leistungen und – was keinesfalls unterschätzt werden darf – durch den überall zu beobachtenden Versuch, durch Verbrauchssteuern auf Getränke neue Einnahmequellen zu gewinnen. Es gibt eine Reihe von Hinweisen darauf, daß im Laufe des 16. Jahrhunderts viele Territorialherren kaiserliche Privilegien zur Erhebung des Ungelds erwirken konnten. Damit bot sich ein weiteres, kaiserlich sanktioniertes Mittel zur Mehrbelastung der Untertanenverbände an und mußte natürlich deren Widerstand herausfordern. All diese Maßnahmen hingen nicht oder nur unbedeutend von der Eigenmächtigkeit und der Willkür einzelner der betroffenen Landesherren ab. Dahinter steckte vielmehr ein zunehmender Druck auf die soziale und politische Position des oberdeutschen Adels. In immer stärkerem Maße tat sich zwischen der traditionellen ökonomischen Leistungsfähigkeit der Territorien und den dynastischen und reichspolitischen Anforderungen eine Schere auf, die nur durch kluge, selten realisierbare Bescheidung oder aggressive Abgaben-, Dienst- und Steuererhöhungen auszugleichen waren. Letzteres führte aber notwendigerweise zum Widerstand der Untertanen, zunächst greifbar in Verweigerungen von Abgaben und Diensten, ggf. auch der Huldigung.

Diese erste Stufe des Widerstands bildete den Beginn einer ganzen Skala von Maßnahmen, unter denen wir das demonstrative „Austreten" ganzer Gemeinden aus dem jeweiligen Herrschaftsgebiet besonders hervorheben müssen. Es war ein demonstrativer Akt besonderer Eindeutigkeit und Effektivität, denn automatisch wurde damit der bislang bewahrte herrschaftliche Bezugsrahmen überschritten, wenn dies nicht ohnehin schon durch Beschwerden am Kaiserhof, beim Lehnsherrn oder dem Kreisfürsten geschehen war. Es scheint, daß das „Austreten" ganzer Gemeinden, bzw. der männlichen Bevölkerung nicht als Flucht interpretiert werden darf, wie wir dies aus dem ostmitteleuropäischen Raum kennen, wo die Flucht der Bauern oft die einzige Chance war, eine zumindest graduelle Verbesserung der Existenz zu erreichen. Das „Austreten" ist vielmehr eine Form des demonstrativen Protests, die nur in der politischen Kultur der oberdeutschen Kleinterritorien Sinn machen konnte. Es bedurfte dazu einer nahen Landesgrenze, eines Nachbarstandes, der aufgrund persönlicher, dynastischer oder konfessioneller Überlegungen im Streit mit der eigenen Herrschaft stand und somit die Gewähr bot, die revoltierende Gemeinde aufzunehmen und den Ausgetretenen Arbeit zu ermöglichen bzw. dies zumindest hinzunehmen.

Schließlich bedurfte diese Form des Protestes einer spezifischen Rolle des Kaiserhofes, wie sie sich seit der Mitte des 16. Jahrhunderts deutlich beobachtbar entwickelt hatte. Wir wissen aus den Reformschriften des späten 15. Jahrhunderts von der besonderen Rolle des Kaisers als Erlöser, als Helfer gegen alle irdischen Übel. Diese Wertung des kaiserlichen Amtes gewissermaßen außerhalb der feudal strukturierten Gesellschaft hatte durch die Ereignisse des Bauernkrieges eine tiefgreifende Veränderung erfahren. Soweit sich eine solche Bewertung überhaupt belegen läßt, scheint das kaiserliche Amt nach dem Bauernkrieg genau jener Entwicklung unterworfen gewesen zu sein, die wir auch in der Veränderung der Legitimationsbasis des Widerstands selbst ausmachen können. Das göttliche Recht trat nach 1526 als Legitimationspotential nicht mehr in Erscheinung, altrechtliche Argumente in Verbindung mit einem rudimentären naturrechtlichen Denken traten an seine Stelle. Für den Kaiser bedeutete diese Entwicklung, daß in sein Amt keine umfassenden gesellschaftlichen Reformerwartungen mehr investiert wurden. Was vielmehr blieb, war eine sehr viel nüchternere Bewertung dieses Amtes, ein Rückgriff auf seine Qualität als Oberlehnsherr, als „Quelle der Justiz" und als „Schutz aller Bedrängten", wie es in manchen Beschwerdeschriften heißt. Diese Position des Kaisertums fand mehr und mehr ihre Absicherung in der Reichsgesetzgebung, die Vorkehrungen für Prozesse der Untertanen gegen ihre eigenen Herrschaften traf, für Fälle verweigerter Justiz, für den kaiserlichen Eingriff in Konflikte zwischen Landesherren und ihren Untertanen. Alle diese Maßnahmen verschafften dem kaiserlichen Amt ein reales Gewicht, gerade in jenen herrschaftlich labil verfaßten Räumen des Reiches, die über keine eindeutigen Machtzentren verfügten. Wenn wir so die Rolle des Kaiserhofs beschreiben – und damit die Institution mehr als die Person betonen – dann ergeben sich zugleich Beurteilungskriterien für die unausrottbare Tendenz revoltierender Gemeinden, Gesandte zum Kaiserhof zu schicken. Praktisch keine der revoltierenden Gemeinden hat im Laufe unserer Revolten darauf verzichtet, den Kaiserhof selbst anzulaufen. Wenn es in einem 1571 in Straßburg gedruckten Flugblatt über eine Audienz Kaiser Maximilians II. auf dem Speyerer Reichstag heißt: „Arm und Reich die wurdend gehört/Ir keinem ward die thür verspert/sein sach mocht es wohl zeygen an/er thet freundtlich antwort entpfan", so war dies sicherlich eine jener kaiserfreundlichen Darstellungen, wie sie in der Reichspublizistik des späten 16. Jahrhunderts üblich waren. Doch muß auch gesehen werden, daß eine solche Formulierung durchaus auch einen realen Kern hatte, der gerade im Verlauf des späten 16. Jahrhunderts immer größere Bedeutung annahm. Diese spezifische Erwartung in das kaiserliche Amt als „naiven Monarchismus" zu charakterisieren und damit zu diskreditieren, scheint mir nicht das Wesen dieser bäuerlichen Aktionsform zu treffen. Im gegebenen Spielraum des Justizsystems des Heiligen Römischen Reiches, angesichts bestimmter Rechte des Kaisers, durch den Reichshofrat in die territorialen Verhältnisse einzugreifen, angesichts der Praxis, kaiserliche Kommissionen zur Untersuchung und Beilegung einzelner Konflikte einzusetzen und angesichts der kaiserlichen Übung, durch ein Mandat den Stand des Konfliktes einzufrieren, entsprach das Verhalten der Untertanen einer durchaus rationalen Vorstellung der gegebenen politischen Wirkungsmöglichkeiten. Der Gang nach Prag oder nach Speyer ans Reichskammergericht, ersatzweise auch an den Sitz der vorderösterreichischen Regierung in Innsbruck oder etwa zum Reichs- oder Kreistag entsprach sowohl der historischen Erfahrung als auch den verfassungsrechtlichen Gegebenheiten des Reiches und ist somit erheblich mehr als eine naive Überschätzung des Kaisers. Der „recursus ad imperatorem" war unter den gegebenen Umständen ein sinnvolles Unterfangen, in das man hohe Kosten zu investieren bereit war, die natürlich nur von den Untertanen gemeinsam aufgebracht werden konnten.

Es wurde bereits angedeutet, daß in diesem hier behandelten Revoltenbündel eine auf das göttliche Recht zurückgehende Legitimation nicht auszumachen war. Die Beschwerden richteten sich gegen neue „unerhörte" Beschwerden, die „alten, hergebrachten gebreuchen und gewohnheiten" widersprachen. Insofern wird man festhalten können, daß diese Revolten sich gegen Angriffe der Grund- und/oder Landesherrschaften auf dem Gebiet der Agrarverfassung bzw. der Steuerverfassung richteten und diese abwehren wollten. Damit jedoch eine Analyse der Motivation des Widerstandes abschließen zu wollen, würde beachtliche Neuerungen in diesen Revolten außer acht lassen. Es ist deutlich aus den Quellen herauszulesen, daß die revoltierenden Untertanen über ein beachtliches Potential zur Legitimierung ihres Widerstandes verfügten. Die detaillierte Analyse der einschlägigen Quellen ergibt eine Begründung dieses Widerstandes, die auf die Basis der bäuerlichen Existenz zurückverweist. „Der bauern aigen sach und nahrung" gilt als schutzwürdiger Bereich gegenüber dem Zugriff der Herrschaft. Tangiert Herrschaft diese tradierte Existenzgrundlage, verliert sie ihre innere Begründung, entartet sie zur Tyrannei und legitimiert damit ipso facto den Widerstand der betroffenen Untertanen. Ich habe diese herrschaftskritische Auffassung revoltierender Gemeinden an anderer Stelle untersucht und kann deshalb hier kurz auf diese Ergebnisse verweisen. Der in den oberdeutschen Revolten des späten 16. und frühen 17. Jahrhunderts aufscheinende Begründungsstrang scheint vor allem deshalb von Bedeutung zu sein, weil damit der zunächst als perspektivlos geltende Rückgriff auf die alten Rechte und Gewohnheiten weiter differenziert werden kann. „Saevitia dominorum" und die „onera odiosa" sowie die „remedia" der Untertanen dagegen in Form der „itio ad superiorem" oder der „rebellio licita" – um hier die zeitgenössischen Begriffe der Kammergerichtsjudikatur und des Lehnsrechtes anzuführen – machen uns deutlich, daß sich diese

Widerstandshandlungen einordnen lassen in einen langfristigen, europäisch bedeutsamen Prozeß zur Bindung aller Herrschaftsausübung an bestimmte Normen und individuelle Rechte. Diese Perspektive ist ungewohnt und widerspricht den tradierten Interpretationsmustern der Normen der Herrschaftsausübung. Sie hat freilich den Vorteil, den Quellenbestand dieser Revolten nicht nur für eine Geschichte der regionalen Sonderformen des bäuerlichen Widerstands zu nutzen, sondern diese Bewegungen mit dem europäisch bedeutsamen Prozeß der theoretischen und praktischen Kritik an der Ausübung von Herrschaft in einen Zusammenhang zu bringen.

Eine letzte Beobachtung soll dem Grad der Radikalität dieser Bewegungen gelten. Es ist schon aus dem vorhergehenden deutlich geworden, daß die konkreten Ziele derer, die Widerstand leisteten, überwiegend auf die Sicherung einer als tradiert empfundenen Lebens- und Wirtschaftsform abzielten und damit im Augenblick das System feudaler Herrschaft nicht in Frage stellten. Obwohl die betreffenden Obrigkeiten immer wieder den Verdacht aussprachen, daß den Untertanen nichts lieber wäre als einen „durchgehenden allgemeinen aufstand zu machen", waren sich die Untertanen sehr wohl bewußt, daß ihnen ein solches Vorgehen „nimmer passirt oder gutgeheißen würde mögen". Der Widerstand galt also immer dem begrenzten Ziel einer Reduktion neuer Dienste und neuer Abgaben oder neuer Steuern. Doch hinter dieser überwiegenden Praxis des Widerstandes, die sich auf Beschwerde, Klage, Austreten, Botschaft nach Prag und Speyer, Kommissionstage und Herrschaftsverträge konzentrierte, schien zuweilen eine unvermutete Radikalität auf, die adlige Herrschaft generell in Frage stellte. Gerade die Analyse erregter Auseinandersetzungen wie im Dorf Gruol bei Haigerloch, als hohenzollern-haigerlochische Amtleute Steuern pfänden wollten, kann hier Aufschlüsse geben: Man wünscht sich den Türken herbei, wenn die eigenen Herren den Untertanen doch „das irig nemen". Sicher trifft eine solche Äußerung nicht die wahren Absichten der Dorfbewohner, sie belegt aber ein erhebliches Maß an Herrschaftskritik, wiederum ausgelöst durch den herrschaftlichen Zugriff auf das bäuerliche Eigentum. Innerhalb der hier untersuchten Revolten sind die programmatischen Äußerungen aus dem „Rappenkrieg" der Hochrheintäler sicher die radikalsten und verdienen es deshalb, gegenüber den systemkonformen Äußerungen anderer Revolten hervorgehoben zu werden. Friedrich Müller aus Möhlin erwies sich in seinen Beschwerden, die er 1614 an die Eidgenossen übermittelte, als ein grundsätzlicher Kritiker der ständischen Gesellschaftsordnung seiner Zeit. Er meinte, die Türkenschatzung als Mittel zur Finanzierung der ständischen Schuldenwirtschaft entlarven zu können. Er warf dem Adel und der Kirche das Aufkaufen von Bauerngütern und parteiische Rechtsprechung vor. Daß dies keine Einzeläußerungen waren, zeigen auch Aussagen anderer Untertanen aus der Anfangszeit der Bewegung. Befragt, was man mit Adel, Geistlichkeit und Städten vorhabe, äußerte man hier ganz eindeutig, daß die Kirche vor allem dazu dienen solle, die Schulden des Landes zu bezahlen, Obrigkeit und Adel wolle man „zu todt schlagen".

Ein wesentlicher und in dieser Schärfe in anderen Bewegungen nicht zu beobachtender Grundzug dieser Revolte ist also eine scharfe Wendung gegen die privilegierten Stände, deren Steuerfreiheit, deren Vorteile bei Gericht, beim Güterkauf usw. Gegen diese ungerechtfertigten Privilegien wendet sich der Widerstand einer breiten Mittelschicht der bäuerlichen Bevölkerung, die sich ihrer Bedeutung innerhalb der ständischen Gesellschaft ganz deutlich bewußt war. So warnen etwa die Untertanen schon zu Beginn ihres Widerstandes die Obrigkeit, gegen sie mit Waffengewalt vorzugehen, denn „das inen getrawet werde, sy zu überziehen und zu beschedigen, gefalle inen gar nit, pitten sölches nit fürzunemen, dan es der herrschaft auch so grossen schaden brechte als inen den bäuerlin".

Dieses letzte Zitat scheint zugleich eine über den Einzelfall hinausgehende Bedeutung zu besitzen. Die in unseren Revolten betroffenen kleineren Herrschaften waren außerordentlich schwach entwickelte politische Gebilde. Angesichts einer weitgehenden Abhängigkeit dieser reichsunmittelbaren Herren von der Finanzkraft ihrer Untertanenverbände konnte sich hier moderne Staatsmacht nur schwer entwickeln. Die Einziehung der Steuern überhaupt durchzusetzen, geriet in diesen Territorien schon zur beachtlichen Leistung. Wo dies nicht durchgesetzt werden konnte, lieferte man sich der Gnade der Untertanen oder des Kaiserhofes oder eines mächtigen Nachbarn aus. So ist die Geschichte der oberdeutschen Bauernrevolte zwischen 1580 und 1620 nicht nur Beleg für die Entwicklung von Herrschaftskritik und Widerstandsformen, sie ist zugleich auch ein Hinweis auf eine Phase und Zone schwach entwickelter Staatlichkeit und einer kleinräumigen politischen Kultur, die wir gegenüber dem historisch wirksameren Modell der Groß- und Mittelstaaten nicht aus den Augen verlieren dürfen.

Hinweise zu Quellen und Literatur:

Ausgangspunkt ist bei diesem Thema natürlich das Kapitel über „Bauernaufstände im 17. und 18. Jahrhundert" bei G. FRANZ, Geschichte des deutschen Bauernstandes vom frühen Mittelalter bis zum 19. Jahrhundert (Deutsche Agrargeschichte 4), ²1976, S. 183 ff. In den letzten Jahren sind in der Bundesrepublik Deutschland eine Reihe neuerer Arbeiten zu dieser Frage erschienen. Einmal abgesehen von der Literatur über einzelne Revolten sind hier vor allem zu nennen: P. Blickle (Hg.), Aufruhr und Empörung? Studien zum bäuerlichen Widerstand im Alten Reich, 1980 (mit einem Forschungsbericht von P. BIERBRAUER, S. 1 ff.), W. SCHULZE, Bäuerlicher Widerstand und feudale Herrschaft in der frühen Neuzeit (Neuzeit im Aufbau 6), 1980, P. BLICKLE, Deutsche Untertanen. Ein Widerspruch, 1981, bes. S. 92 ff. Für 1982 ist geplant W. Schulze (Hg.), Aufstände, Revolten und Prozesse. Beiträge zum bäuerlichen Widerstand im Europa der Frühen Neuzeit. K. GERTEIS, Regionale Bauernrevolten zwischen Bauernkrieg und Französischer Revolution. Eine Bestandsaufnahme, in: Zeitschrift für Historische Forschung 6 (1979), S. 37–62 und H. SCHULTZ, Bäuerliche Klassenkämpfe zwischen frühbürgerlicher Revolution und Dreißigjährigem Krieg, in: Zeitschrift für Geschichtswissenschaft 20 (1972), S. 157–173 als hier einschlägige marxistische Arbeit. – Die Übersicht über die einzelnen Revolten beruht auf archivalischem Material im Haus-, Hof- und Staatsarchiv Wien, Reichshofrat, Alte Prager Akten (für Böhmenkirch, Oberwaldstetten, Thainhausen, Rettenberg, Burtenbach, Klettgau, Hohentengen, Haigerloch, Veringen), im Generallandesarchiv Karlsruhe (für Klettgau, Justingen, Kastel- und Schwarzenberg, Rappenkrieg), im Staatsarchiv Sigmaringen (für Hohenzollern-Hechingen, Veringen, Haigerloch-Wehrstein, Haigerloch), im Staatsarchiv Ludwigsburg (Böhmenkirch, Hohentengen), im Hauptstaatsarchiv Stuttgart (Thainhausen, Justingen), im Stadtarchiv Augsburg (Burtenbach), im Staatsarchiv Neuburg a. d. Donau (Rettenberg, Rotenfels), im Geheimen Staatsarchiv München (Rettenberg), im Hauptstaatsarchiv München (für Rotenfels), im Stadtarchiv Kempten (für Rettenberg), im Stadtarchiv Immenstadt (für Rotenfels), in den Archives départementales de Colmar (für Rappenkrieg), im Landesregierungsarchiv für Tirol, Innsbruck (für Rettenberg, Veringen).

Für den Hintergrund von Reichstag und Reichsfinanzen verweise ich auf W. SCHULZE, Reich und Türkengefahr im späten 16. Jahrhundert. Studien zu den politischen und gesellschaftlichen Auswirkungen einer äußeren Bedrohung, 1978.

Sekundärliteratur zu den einzelnen Revolten – soweit sie überhaupt existiert – soll im folgenden aufgeführt werden:

Rettenberg: P. BLICKLE, Personalgenossenschaften und Territorialgenossenschaften im Allgäu, in: Standen en Landen 53 (1970), S. 183–241; F. STIEVE, Ein Bauernaufstand der Herrschaft Rettenberg, in: Zeitschrift des Historischen Vereins für Schwaben und Neuburg 11 (1884), S. 32–52; R. HIPPER – AEG. KOLB OSB, Sonthofen im Wandel der Geschichte, 1978, S. 133–147; J. STADELMANN, Vorderburg und die Herrschaft Rettenberg, 1948, S. 332–338.

Rotenfels: H. ZIRKEL, Das Urbar der Herrschaft Rotenfels vom Jahre 1573, in: Zeitschrift für bayerische Landesgeschichte 37 (1974), S. 178–186; O. ERHARD, Der Aufstand der Rotenfelser Bauern 1595–1598, in: Allgäuer Geschichtsfreund NF 17 (1921), S. 13–33; F. L. BAUMANN, Geschichte des Allgäus, Bd. 3 [Die neuere Zeit 1547–1802], 1895, S. 159 ff. (Rotenfels und Rettenberg); A. H. WAIBEL, Die Reichsgrafschaft Königsegg-Rotenfels und die Herrschaft Staufen, 1851, S. 61 ff.

Hohentengen: J. VOCHEZER, Geschichte des fürstlichen Hauses Waldburg in Schwaben, Bd. 3, 1907, S. 109 ff.

Landschaft Basel: FR. MEYER, Andreas Ryff (1550–1603), Der Rappenkrieg, in: Basler Zeitschrift für Geschichte und Altertumskunde 66 (1966), S. 5–131.

Hohenzollern-Hechingen: J. CRAMER, Die Grafschaft Hohenzollern, ein Bild süddeutscher Volkszustände 1400–1850, 1873; E. ELBS, Owingen 1584 – Der erste Aufstand in der Grafschaft Zollern, in: Zeitschrift für Hohenzollerische Geschichte 17 (1981), S. 9–127; V. PRESS, Von den Untertanenrevolten des 16. Jahrhunderts zur konstitutionellen Verfassung des 19. Jahrhunderts, in: H. Weber (Hg.), Politische Ordnungen und soziale Kräfte im Alten Reich, 1980, S. 85–112.

Justingen: A. SCHILLING, Die Reichsherrschaft Justingen. Ein Beitrag zur Geschichte von Alt- und Oberschwaben, 1881, S. 86–92.

Klettgau: J. BADER, Kurzer Abriß der Geschichte des Klettgaues, in: Badenia 1 (1839), S. 256 f. und knappe Bemerkungen ders., in: Briefe über das badische Oberland, 1833, S. 35 f.

Rappenkrieg: K. WALCHNER, Der Rappenkrieg. Eine Schilderung aus dem vorvorigen Jahrhundert, in: Badenia 3 (1844), S. 114–124; J. BADER, Martin Heinzmann, ein Bild aus dem neuen Bauernkrieg, in: ebd. 2 (1840), S. 1–15; K. SCHIB, Geschichte des Dorfes Möhlin, 1959, S. 155–165. Nach Abschluß des Manuskripts habe ich noch den Aufsatz von P. STEUER, Der Rappenkrieg, in: Zeitschrift für die Geschichte des Oberrheins 128 (1980), S. 119–165, einsehen können, der vor allem auf die Vorgänge um das Jülicher Kriegsvolk unter Erzherzog Leopold und die dadurch verursachte Ungelderhöhung hinweist und eine wünschenswerte ereignisgeschichtliche Darstellung liefert.

Für die im letzten Teil angesprochenen eigenen Arbeiten zur Legitimation und Deutung des Widerstands vgl. W. SCHULZE, Der bäuerliche Widerstand und die „Rechte der Menschheit", in: G. Birtsch (Hg.), Grund- und Freiheitsrechte im Wandel von Gesellschaft und Geschichte. Beiträge zur Geschichte der Grund- und Freiheitsrechte vom Ausgang des Mittelalters bis zur Revolution von 1848, 1981, S. 41–56 und DERS., Herrschaft und Widerstand in der Sicht des „gemeinen Mannes" im 16./17. Jahrhundert, in: H. Mommsen – W. Schulze (Hgg.), Vom Elend der Handarbeit. Probleme historischer Unterschichtenforschung (Geschichte und Gesellschaft 24), 1981, S. 182–198.

Es sei abschließend darauf hingewiesen, daß die hier behandelten Revolten natürlich nicht alle Untertanenkonflikte dieses Zeitraumes behandeln können. Es muß vor allem auf die interessanten Auseinandersetzungen zwischen Hanau und den vier Dörfern im Hattgau verwiesen werden (dazu zuletzt SAARBRÜCKER ARBEITSGRUPPE, Huldigungseid und Herrschaftsstruktur im Hattgau (Elsaß), in: Jahrbuch für westdeutsche Landesgeschichte 6 [1980], S. 117–155) sowie auf den Konflikt zwischen Odenheim und Rohrbach und dem Stift Bruchsal (1595–1617). Zu beiden Revolten bzw. Prozessen umfangreiches Quellenmaterial im Haus-, Hof- und Staatsarchiv Wien und im Generallandesarchiv Karlsruhe. Zu beachten sind auch die Hinweise bei C. ULBRICH, Leibherrschaft am Oberrhein im Spätmittelalter (Veröffentlichungen des MPI für Geschichte 58), 1979, S. 130–33 (Untertanen der Komturei Beuggen ca. Dt. Orden 1578–81) und DIES., Bäuerlicher Widerstand in Triberg, in: P. Blickle (Hg.), Aufruhr und Empörung? (wie oben), S. 146–214, hier S. 168. – Über die Jagdunruhen in Tirol nach dem Tode Erzherzog Ferdinands 1595 vgl. J. HIRN, Erzherzog Maximilian, der Deutschmeister, Regent von Tirol Bd. 1, 1915, S. 5 f.

III. Reformation

MAX STEINMETZ

Thomas Müntzer und die Mystik
Quellenkritische Bemerkungen

I

Das Thema „Müntzer und die Mystik" ist keineswegs neu. Seit M. M. Smirin ist es vielfältig aufgegriffen und behandelt worden[1], H.-J. Goertz hat das erste Buch über diesen Gegenstand vorgelegt[2]. Hier wird kein Literaturbericht erstrebt, obwohl die Forschung an Breite und Tiefe gewonnen hat[3]. Dieser Beitrag will lediglich die Quellen aufzeigen, die Müntzer nachweislich benutzt hat. Eine inhaltliche Auswertung muß der weiteren Forschung vorbehalten werden. Zugleich soll die Aufmerksamkeit auf Müntzers Bibliothek gelenkt werden, auf die zahlreichen Bücher, die er besaß, gelesen und zitiert hat. Der Jenaer Historiker B. G. Struve (1671–1738) veröffentlichte 1703 in einem Sammelband einen Bericht[4], überschrieben „Manuscriptum Thomae Monetarii, alias Müntzeri"[5]. In der Kirchenbibliothek in Gera fand er u. a. zwei zusammengebundene Bücher aus dem Besitz Thomas Müntzers. Fraglos ging

---

[1] M. M. SMIRIN, Die Volksreformation des Thomas Müntzer und der große Bauernkrieg. Deutsche Übers., 1956², S. 207–271.
[2] H.-J. GOERTZ, Innere und äußere Ordnung in der Theologie Thomas Müntzers (Studies in the history of christian thought, Vol. II), Lerden, 1967.
[3] M. SCHMIDT, Das Selbstbewußtsein Thomas Müntzers und sein Verhältnis zu Luther. Ein Beitrag zur Frage: War Thomas Müntzer Mystiker? In: Theologia Viatorum 6 (1959), S. 25–41; Wiederabdrucke in: Wiedergeburt und neuer Mensch, 1971, S. 9–23, und A. Friesen, H.-J. Goertz (Hgg.), Thomas Müntzer (Wege der Forschung CDXCI), 1978, S. 31–53, hier auch ein „Nachtrag 1976", S. 43–45. – W. ROCHLER, Ordnungsbegriff und Gottesgedanke bei Thomas Müntzer. Ein Beitrag zur Frage: „Müntzer und die Mystik", in: Zeitschrift für Kirchengeschichte, 85 (1974), S. 369–382. – H.-J. GOERTZ, Der Mystiker mit dem Hammer. Die theologische Begründung der Revolution bei Thomas Müntzer, in: Kerygma und Dogma 20 (1974), S. 23–53; Wiederabdruck in: Thomas Müntzer (s. oben), S. 403–444.
[4] L. HILLER, Die Geschichtswissenschaft an der Universität Jena (1674–1763) (Beiträge zur Geschichte der Universität Jena 6), 1937, S. 94. – Geschichte der Universität Jena, Bd. 1, 1958, S. 188–190.
[5] B. G. STRUVE, Acta litteraria ex manuscriptis eruta . . ., I, Nr. 4, Jena, 1703, S. 196–198.

es Struve vor allem um Müntzer; das zeigen die Überschrift und die mehrfache Erwähnung Müntzers im Text, immer in Verbindung mit dem Bauernkrieg. Die Werke V. L. von Seckendorfs und Gottfried Arnolds lagen damals schon vor und hatten das Interesse an Müntzer neu belebt. So wollte auch Struve aus seinen Archiv- und Bibliotheksstudien Neues berichten, ohne selbst Stellung zu nehmen. Er druckte nur handschriftliche Mitteilungen, besonders von Müntzer, ab. Dabei arbeitete er recht flüchtig, gab die Buchtitel sehr ungenau wieder (Liber trium virorum et trium visibilium virginum statt spiritualium virginum), mit dem Widmungsbrief des Jacobus Faber wußte er nichts anzufangen, notierte aber den Druckort und das Jahr (Paris 1513). Bei dem Taulerband („liber nimirum Concionum Germanicarum celeberrimi quondam theologi, Tauleri") fehlt jede nähere Angabe[6]. Der Herausgeber von 1513 war auch Strobel und Jordan noch unbekannt[7]. Erst H. Boehmer gab Jacques Lefèvres d' Estaples als Herausgeber an, wobei es ungewiß bleibt, ob ihm schon das fundamentale Werk Aug. Renaudets vorgelegen hat[8].

Struves sparsame Notizen sind für uns die einzige Überlieferung der beiden Bände, die 1780 bei dem großen Stadtbrand von Gera mit der Kirchenbibliothek untergegangen sind. Es handelt sich um die Sermones Taulers, bei denen wir die Ausgabe nicht sicher wissen. Aber das Taulerstudium Müntzers ist seit W. E. Tentzel – E. S. Cyprian (1718) bekannt[9]. Völlig unbekannt ist in der Müntzerforschung das Studium der deutschen Frauenmystikerinnen. Da auch in der Müntzerausgabe von G. Franz der Titel mit vielen Fehlern abgedruckt ist[10], soll er hier wiedergegeben werden: „Liber trium virorum et trium spiritualium virginum. Hermae liber unus. Uguetini liber unus. F. Roberti libri duo. Hildegardis scivias libri tres. Elizabeth virginis libri sex. Mechtildis virginis libri quinque . . . Emissum Parisiis ex officina H. Stephani . . . Anno

---

[6] H. BOEHMER, Studien zu Thomas Müntzer, 1922, entschied sich für Thaulerus Sermones, Augsburg, 1508, S. 17. – TH. MÜNTZER, Schriften und Briefe. Kritische Gesamtausgabe, hrsg. von G. Franz (Quellen und Forschungen zur Reformationsgeschichte 33), 1968. Franz spricht sich (S. 538) für die gleiche Ausgabe aus: „Johannes Tauler, Sermones, die da weißend auf den nechsten waren weg, Augsburg, Otmar 1508". Insgesamt gab es zu Müntzers Lebzeiten 5 Ausgaben: 1498, 1508, 1521, 1522, 1523; 1508 hat die größte Wahrscheinlichkeit für sich, auch wenn es keinen genauen Beleg gibt.

[7] TH. STROBEL, Leben, Schriften und Lehren Thomä Müntzers, Nürnberg-Altdorf, 1795, wo S. 6–9 die Stelle bei Struve abgedruckt ist; danach bei R. JORDAN, Zur Geschichte der Stadt Mühlhausen i.Th. Nr. 1, 1901, S. 46–47.

[8] A. RENAUDET, Préréforme et humanisme à Paris, pendant les premières guerres d' Italie (1494–1517) (Bibliothèque des, l' Institut Français de Florence I, VI), Paris, 1916, der Neudruck 1953 lag mir nicht vor.

[9] W. E. TENTZEL, E. S. CYPRIAN, Historischer Bericht von Anfang und Fortgang der Reformation Lutheri, 2. T., Leipzig, 1718, S. 334 f.

[10] TH. MÜNTZER, Schriften (wie Fußnote 6), S. 538.

Mil. CCCCC XIII.‟[11]. Christoph von Wallenroth hatte den Doppelband nach eigenhändiger Eintragung 1607 von der Witwe des Heinrich Tilesius, Syndikus zu Eger, erworben. Wer den Einband veranlaßt hat, ist nicht klar ersichtlich. Der Mühlhäuser Superintendent Hieronymus Tilesius, der 1557–1566 in der Reichsstadt wirkte, hat Urkunden und Nachrichten der städtischen Reformationsgeschichte gesammelt, aber nicht für die Stadt, sondern für sich und seine Erben. So kam der Liber trium virorum et trium spiritualium virginum mit den Sermonen von J. Tauler nach Gera[12]. Die Bemerkungen Müntzers auf der ersten Seite des Bandes hat G. Franz nach Struve übertragen; lediglich die Bibelstellen wurden S. 538 hinzugefügt. Auf jegliche Kommentierung wird verzichtet, auch der Versuch von J. Zimmermann wird nicht erwähnt[13]. Mit den übrigen Randbemerkungen machte es sich Struve leicht: er überging sie. „Quae hinc inde sparsim in foliis fuere adscripta, sensum non continent integrum, cum potissimum in exclamationibus consistant, ideoque hic addi non potuerunt‟ (S. 198). So sind die verstreuten Bemerkungen für immer verloren. Wenn H. Boehmer daraus schlußfolgerte, daß es sich um wertlose Notizen „ohne rechten Sinn und Verstand‟ gehandelt habe (S. 17), so offenbarte er nur die Unzulänglichkeit seiner Methode. Die Arbeiten von W. Ullmann und R. Dismer haben gezeigt, was aus Müntzers Randbemerkungen zu Tertullian herauszuholen ist.

II

Das Geburtsjahr des Jacques Lefèvres d' Estaples, der als Gelehrter sich Jacobus Faber Stapulensis nannte, ist uns nicht bekannt. Errechnet wird es für die Jahre zwischen 1450 und 1455. Sein Geburtsort ist Etaples (Pas-de-Calais), gestorben ist Faber 1536 in Nérac (Lot-et-Garonne).

Als eine der großen Gestalten der europäischen Reformation ist er in die Geschichte eingegangen. Er begann als Scholastiker mit starker Neigung zur Mystik und endete als Schrifttheologe und Bibelübersetzer. Schon früh gab er hermetische Schriften in der Übersetzung von M. Ficino (1494 und 1503), die Werke des Pseudo-Dionysius Areopagita in verschiedenen Übersetzungen

---

[11] A. RENAUDET, Préréforme (wie Fußnote 8), S. XLI und nach dem Original der UB Rostock.
[12] Vgl. F. STEPHAN, Zum 14. September, Anzeiger, Mühlhausen, 1842, S. 1/2. – Zu H. Tilesius vgl. H. NEBELSIEK, Die Organisation des evangelischen Kirchenwesens durch H. Tilesius, in: Reformationsgeschichte der Stadt Mühlhausen, in: Thür. Zeitschr. des Vereins für Kirchengeschichte der Provinz Sachsen 2 (1905), S. 198–223.
[13] J. ZIMMERMANN, Thomas Münzer. Ein deutsches Schicksal. 1925, S. 28.

Abb. 1. Titelblatt der Pariser Ausgabe von FABER STAPULENSIS. Liber trium virorum et trium spiritualium virginum.

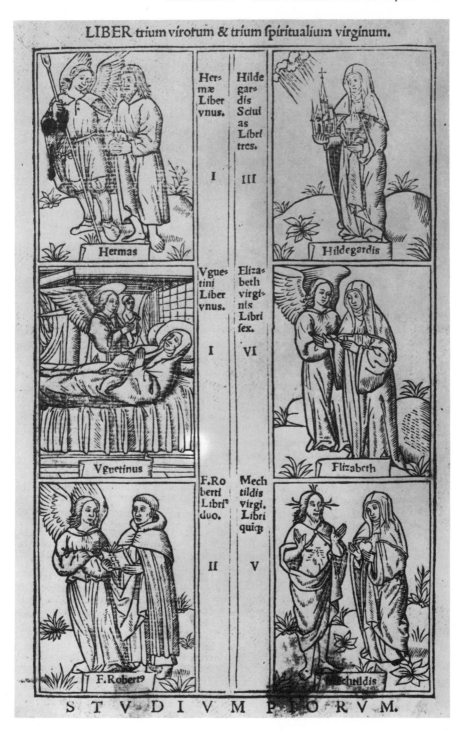

LIBER trium virorum & trium spiritualium virginum.

Hermæ Liber vnus.	Hildegardis Sciuias Libri tres.
I	III
Hermas	Hildegardis
Vguetini Liber vnus.	Elizabeth virginis Libri sex.
I	VI
Vguetinus	Elizabeth
F.Roberti Libri° duo.	Mechtildis virgi. Libri quiœ
II	V
F.Robert°	Mechtildis

S T V D I V M   P I O R V M.

(1498 und 1515) sowie Schriften Jan van Ruysbroecks (1512) heraus[14]. Sein Einfluß auf Luthers frühe Vorlesungen ist bekannt (vor allem durch sein Quincuplex Psalterium von 1509 und S. Pauli epistolae XIV ex Vulgata von 1512). Gleichzeitig wurden auch Einleitungen in das Studium des Aristoteles in Leipzig ediert[15]. Kein Wunder, daß er an der Spitze der „veri theologi" im Briefwechsel des Mutianus Rufus Mitte 1513 genannt wird („Stapulensis, Budeus, Erasmus, Reuchlin . . .")[16]. Sein großes Interesse für mystische Literatur zeigt die Herausgabe des Liber trium virorum[17].

Das erste Stück dieses Bandes ist der berühmte Pastor Hermae. Der „Hirt des Hermas" ist eine der ältesten Schriften des Christentums. Das griechische Original, um 130/150 in Rom entstanden, gehörte zur frühen christlichen Bibel; es findet sich bereits im Codex Sinaiticus, war aber schon früh umstritten, so im Muratorianum. Da der „Hirt" relativ flach und trocken wirkt, ist es kein Wunder, daß er der „Begrenzung des neutestamentlichen Kanons" zum Opfer fiel[18]. Im Grunde handelt es sich um eine apokalyptisch angelegte

---

[14] K. H. GRAF, Jacobus Faber Stapulensis. Ein Beitrag zur Geschichte der Reformation in Frankreich, in: Zeitschrift für historische Theologie 1852, S. 3–86 und 165–237 (S. 222–237, Bibliographie der von Faber hrsg. Schriften). – P. IMBART DE LA TOUR, Les origines de la réforme, besonders Bd. III, L'évangelisme, Paris 1914. – A. Renaudet, Préréforme (wie Fußnote 8), S. 600–603, 635–639; Bibliographie, S. XXXVIII–XLII. – Catalogue général de la Bibliothèque Nationale, Bd. 92, Paris 1928, Sp. 906–922. – R. WEIER, Das Thema vom verborgenen Gott von Nikolaus von Kues bis Martin Luther, 1967 (S. 12–60 Lefèvres Entwicklung bis 1515; S. 212–214 Bibliographie).

[15] Utilissima introductio J. Stapulensis in libro de anima Aristotelis, Leipzig 1506, Thanner (mit Vorwort von H. Stromer aus Auerbach), UB Leipzig. – Artificiosa Jacobi Fabri Stapulensis introductio per modum epitomatis in decem libros ethicorum Aristotelis, Leipzig 1511, W. Stöckel (hrsg. von C. Schlick, artium professor, gest. Leipzig 1517).

[16] K. GILLERT (Hg.), Der Briefwechsel des Conradus Mutian (Geschichtsquellen der Provinz Sachsen 18), 1890, S. 374 und 384.

[17] Zur Entstehungsgeschichte vgl. den Bericht Fabers an Beatus Rhenanus vom 24. 6. 1511 (Briefwechsel des Beatus Rhenanus, 1886, Nr. 20, S. 38). Inhaltsübersicht des Sammelbandes: Hermas fol. 1–17a, Libellus de visione Uguetini monachi fol. 17a–19a, Liber sermonum F. Roberti, fol. 19a–24b, Liber visionum F. Roberti, fol. 24b–27a, Sanctae Hildegardis virginis operis quod appelavit scivias libri tres, fol. 28a–118b, Elizabeth virginis coenobitae Sconavgiensis fol. 119a–150b, Mechtildis virginis Spiritualis gratiae libri quattuor, Liber revelatinum, fol. 150b–190b. Benutzt wurden die Exemplare der Staatsbibliothek Berlin (Na 5580), der UB Rostock (F. m. 28) und das Fragment der UB Greifswald (aus Kloster Eldena, fol. 1–12).

[18] H. FREIHERR VON CAMPENHAUSEN, Die Entstehung der christlichen Bibel, Berlin 1977[2], S. 252; hier auch S. 382, Fußnote 13, die scharfe Ablehnung Tertullians; zitiert wird nach der deutschen Übersetzung von H. WEINEL, in: Neutestamentliche Apokryphen, hrsg. von E. Hennecke, 1924[2], S. 327–384.

Ermahnung zur Buße. In 5 Visiones, 12 Mandata und 10 Similitudines (Gleichnisse) ist das Werk aufgebaut. Eine alte Frau, die die Kirche repräsentiert, verkündet die Geschichte; sie verjüngt sich ständig und offenbart sich schließlich als Jungfrau, nachdem sich die Kirche von der Sünde gereinigt hat. Im 2. und 3. Teil erscheint dem Verfasser der Engel der Buße in Gestalt eines Hirten, der dem gesamten Werk den Namen gegeben hat (Pastor Hermae). Dieser Engel verkündet und erläutert die 12 Mandate und die 10 Gleichnisse. Die Gebote in ihrer lehrhaften Art sind besonders interessant; im 4. Gebot mahnt der Bußengel eindringlich zur Keuschheit, wie überhaupt die Geschlechtsmoral im Hirten eine große Rolle spielt (Frage der Ehescheidung und der zweiten Eheschließung). „Zwei Engel", führt das 6. Gebot aus, „sind bei dem Menschen, einer der Gerechtigkeit und einer der Bosheit", deren Wirkungen dann genau erläutert werden. Ebenso antithetisch behandelt das 8. Gebot die Zwiefältigkeit der Enthaltsamkeit. Enthalten müsse man sich von folgenden Bosheiten: von Ehebruch und Hurerei, maßlosem Trinken, schlimmer Schwelgerei, vielen Speisen und üppigem Reichtum, von Selbstruhm, Hochmut und Überhebung, von Lüge, Verleumdung und Heuchelei, von Rachsucht und Lästerung. Und eine weitere lange Liste böser Werke wird angefügt, denen dann ebensoviele Werke des Guten gegenübergestellt werden, ganz wie bei den herkömmlichen Laster- und Tugendkatalogen. Diese moralisch – didaktischen Stellen (Aufmunterungen zur Tugend und Abmahnungen von der Sünde) haben sicher sehr zur Verbreitung des „Hirten" beigetragen. Das griechische Original ist erst spät aufgefunden worden. Dagegen haben die beiden lateinischen Übersetzungen eine weite Verbreitung gefunden. Woher Faber seine Druckvorlage hatte, gibt er nicht an. Jedenfalls ist sein Druck von 1513 die Editio princeps, die erst 1522 N. Gerbel in Straßburg wieder aufgelegt hat.

Dennoch ist die Bedeutung des „Hirten" nicht gering. Auch wenn es sich um ein uneinheitliches Buch handelt, das wenig eigene Gedanken vorträgt, so vermittelt es wichtige Überlieferungen, so des urchristlichen Elements gegen die beginnende Katholisierung und Erhebung des Bischofsamtes an die erste Stelle. „Das weltgeschichtliche . . . Problem, ob die Kirche reine Gemeinschaft der Heiligen, oder ob sie alle Christen umfassende Weltkirche sein soll, wird im Buche des Hirten zum erstenmal deutlich greifbar" (M. Dibelius 1928). Der Begriff des „Gottesknechts" durchzieht die ganze Schrift; die Erwähnungen sind häufiger als im Neuen Testament. Wenn man bedenkt, welche Rolle der Begriff „Gottesknecht" im Selbstbewußtsein Müntzers gespielt hat, könnte ein Einfluß des „Hirten" durchaus möglich sein.

Es folgen die Visionen des Mönches Huguetin nach einem Manuskript aus dem Benediktinerkloster Le Mans: „Libellus de visione Uguetini monachi". Über den Benediktiner ist nur bekannt, daß er in Metz starb. In seiner Vision hat er das göttliche Mitleid angerufen.

Bedeutsamer sind die Visionen des Dominikaners Robert d'Uzès, der aus adliger Familie stammte und 1292 in das Kloster von Avignon eintrat. Er durchwanderte Frankreich, Italien und Deutschland, predigte den Mönchen, Priestern, Prälaten und Päpsten. In seinen Visionen forderte er Umkehr und Besinnung. Den Päpsten Cölestin V. und Bonifaz VIII. drohte er die göttliche Rache an. In seinen Visionen will er die Klagen Christi über den Zustand seiner Kirche, über Papst und Mönche sowie von künftigen Verfolgungen der Kirche gehört haben. Ungeachtet aller radikalen Kritik an der Kirche seiner Zeit beteuerte er seine Treue zum Papsttum: „Abnego et reprobo omnes scismaticos et divisos ab unitate s. matris eclesiae Romane catholice". Robert starb 1296[19].

Am berühmtesten wurde Fabers Sammelband durch die Erstdrucke von Texten deutscher Frauenmystikerinnen aus dem Benediktinerorden. Im Widmungsbrief an die Äbtissin von Rupertsberg, Adelheid von Ottenstein, erzählt Faber, wie er in ihrem Kloster die Handschriften Hildegards las: „Nam cum in claustro vestro archetypos sanctae virginis Hildegardis legissem, multa cum benignitate vestra et vestrorum venerabilium patrum monasterii sancti Joannis in Rhingauia exemplaribus donatus sum unde hoc opus bona pro parte desumptum est" (Rückseite des Titelblattes). Faber verteidigte lebhaft die mystischen Schriften gegen alle Kritiker: „Einige wollen den Visionen der Frauen keinen Glauben schenken, als handle es sich um unmögliche oder neuartige Dinge. Die daran nicht glauben, haben niemals solche Emotionen gekannt, können sie nicht verstehen oder sind ihrer unwürdig"[20]. Faber steht hier völlig in der spätmittelalterlichen Tradition, den Nonnen empfiehlt er die Lektüre der biblischen Schriften: „studium sacrorum librorum, quos canon ecclesiasticus celebrat, noctem continentium atque diem: nox vetus testementum est, dies autem novum". Dann weiter die Heiligenleben, die Visionen der heiligen Mönche und Nonnen. Das ist der Sinn einer Edition, auf deren kirchenpolitische Zusammenhänge hier nicht eingegangen werden soll[21].

Hildegard (1098–1179) wurde auf Burg Böckelheim an der Nahe als Tochter eines Ministerialen geboren. Mit 8 Jahren wurde sie in der Frauenklause des Benediktinerklosters Disibodenberg a. d. Nahe unterrichtet. Dort wurde sie 1136 „Meisterin" der vorwiegend adligen weiblichen Klostergemeinde. Hildegard löste die Frauenklause von der Abtei Disibodenberg und verlegte das Kloster auf den Rupertsberg bei Bingen (wohl 1147/48), wo sie verstarb. Seit 1141 schrieb sie ihre Visionen mit Hilfe der Nonne Richardis und des Mönches Volmar nieder. Sie stand im Briefwechsel mit Bernhard von Clairvaux und Kaiser Barbarossa und unternahm drei größere Reisen nach Lüttich, Trier, Metz, Hirsau und Zwiefalten.

---

[19] RENAUDET, Préréforme (wie Fußnote 8), S. 635 u. 602/603. – J. BIGNAMI-ODIER, Les Visions de Robert d'Uzès O.P., in: Archivium Fratrum Praedicatorum 25 (1955), S. 258–310. – M. REEVES, The influence of prophecy in the later middle ages, 1969, S. 167f.
[20] Renaudet, Préréforme (wie Fußnote 9), S. 636.
[21] a.a.O., S. 636.

Ihr Hauptwerk „Scivias" (i.e. Sci vias Domini) (entstanden zwischen 1141 und 1147) ist eines der frühesten Werke der deutschen Mystik. Faber besorgte 1513 die Editio princeps. Der Text sei nach Humanistengeschmack „gebessert", der ursprüngliche ist bis heute nicht ediert worden[22]. A. Osiander hat 1527 „Sant Hildegarten weissagung über die Papisten und genannten geistlichen, wilcher erfüllung zu unsern zeyten hat angefangen und vollzogen soll werden" herausgebracht, ein Beweis, daß gerade die Reformation ihre Prophetien als durchaus aktuell empfand. Gegenstand ihrer Visionen sind zumeist Gesichte, die sie in phantastischen Bildern in der Endzeit, die bevorsteht, über Kaisertum, Papsttum, Kirche und Klerus hereinbrechen sieht[23].

Sie sah in ihren Visionen das himmlische Geschehen, vernahm den Zorn Gottes, der die Völker strafte und die falschen Mönche und unwürdigen Hirten züchtigte. Machtvoll griff sie die Mißbräuche in der Kirche an und kämpfte für deren Reinigung. Nichts ist abwegiger, als den prophetisch-apokalyptischen Charakter ihrer Mystik bestreiten zu wollen, wie es z. B. J. Koch tat, der Mystik und Prophetie als gegensätzlich trennen will und Visionen als für den Mystiker unwesentlich erklärt[24].

Stark unter dem Einfluß Hildegards – 34 Handschriften mit Werken und Briefen von ihr sind heute noch erhalten – stand Elisabeth von Schönau. Auch sie entstammt einer adligen Familie des Rheinlandes, ist um 1129 geboren und trat mit 12 Jahren in das Benediktinerinnenkloster Schönau bei St. Goarshausen ein. 1147 wurde sie als Benediktinerin eingekleidet. Elisabeths Visionen datieren vom Jahr 1152. Ihr Bruder Egbert, der sein Kanonikat widerlegte und auf ihren Wunsch Mönch wurde, schrieb die Visionen lateinisch nieder. Er redigierte nach Elisabeths Tod (1164) die ersten Bücher ihrer Visionen, gegen 1160 – 63 den „Liber Viarum Dei", wo sich die Einflüsse Hildegards mit denen der Johannes-Apokalypse verbinden. Briefe und Visionen umfassen das 4. und 5. Buch. Das 6. stammt von Egbert direkt und bietet den Bericht des Todes der Elisabeth[25].

Der letzte Text, den Faber vorlegte, stammt von Mechthild von Hackeborn (1241 oder 1242–1299). Auch sie entstammt einem begüterten Adelsgeschlecht. Früh trat sie (1249) in das Zisterzienserinnenkloster Rodersdorf bei Halberstadt ein, wo ihre Schwester Nonne war und 1251 Äbtissin wurde. Diese verlegte den Konvent nach Helfta. Mechthild war Vorsängerin (cantrix).

---

[22]   J. KOCH, Der heutige Stand der Hildegard-Forschung, in: Historische Zeitschrift 186 (1958), S. 558 ff. – Texte bei Migne, Patrologia Latina, Bd. 197, Paris 1855, Spalte 383–738. – Scivias, übertragen von M. Böckeler, Salzburg 1963[5].

[23]   H. PREGER, Geschichte der deutschen Mystik im Mittelalter, Bd. 1, 1874, S. 29–37. – Biographien nach F.-W. WENTZLAFF-EGGEBERT, Deutsche Mystik zwischen Mittelalter und Neuzeit, 1969[3], S. 288 ff; hier auch umfangreiche Bibliographien, Ergänzungen S. 363 ff.

[24]   J. KOCH, Der heutige Stand (wie Fußnote 22), S. 568.

[25]   Text bei Migne, Patrologia latina, Bd. 195, Paris 1855, Sp. 119–194.

Erst 50jährig enthüllte sie ihre Visionen, die durch ihre Schülerin Gertrud die Große aufgeschrieben wurden. Der Text des „Liber specialis gratiae" ist nur in dieser lateinischen Fassung erhalten.

Kurz vor Fabers Druck war 1510 in Leipzig bei J. Thanner eine andere Ausgabe erschienen, die der Franzose offenbar nicht kannte: „Speculum spiritualis gratiae ac mirabilium revelationum divinitus factarum sacris virginibus Mechtildi et Gertrudi monialium cenobii Helffede pro saluberrima in Christo proficientium instructione comfortatum"[26].

Helffede ist der alte Name von Helfta, das in der nächsten Nähe von Eisleben liegt und heute Ortsteil der alten Bergstadt ist. Im Dorf befinden sich dürftige Reste des alten Klosters Neu-Helfta, 1268 nach hier verlegt als Zisterzienser- bzw. Benediktiner-Nonnenkloster[27]. Es verfügte ursprünglich über reichen und ausgedehnten Grundbesitz[28]. 1525 von den Bauern zerstört − Bericht darüber im „Chronicon Islebiense" −, wurde das Kloster 1545 aufgehoben[29]. Neu-Helfta hat in der Geschichte der mittelalterlichen Mystik eine große Rolle gespielt. Nach E. Michael hat es „weitaus die erste Stelle behauptet in der Geschichte der deutschen Mystik des 13. Jahrhunderts"[30]. Und F. Wulf spricht sogar von der „einzigartigen Bedeutung dieses Klosters", das innerhalb weniger Jahrzehnte die drei größten Mystikerinnen des deutschen Mittelalters in seinen Mauern barg:
Mechthild von Magdeburg (1207–82), seit 1270 (?) Zisterzienserin in Helfta, Mechthild von Hackeborn (1241–1299), Schwester der gleichzeitig amtierenden Gertrud von Helfta, und Gertrud, von unbekannter Familie und Herkunft, die Große genannt (1256–1302)"[31].

---

[26] Deutsch von J. MÜLLER, Leben und Offenbarungen der hl. Mechthild, 1881. − MECHTHILD VON HACKEBORN, Das Buch vom strömenden Lob. Auswahl, Übers. und Einführung von H. Urs von Balthasar, Einsiedeln 1955.

[27] Vgl. M. HARTIG, Lexikon für Theologie und Kirche, 4. Band, 1932, Sp. 945/946. − W. BUNKE, ebenda, 2. Aufl. 5. Bd. 1960, Sp. 209–210. − F. SCHRADER, Die Zisterzienserklöster in den mittelalterlichen Diözesen Magdeburg und Halberstadt, in: ders., Reformation und katholische Klöster. Beiträge zur Reformation und zur Geschichte der klösterlichen Restbestände in den ehemal. Bistümern Magdeburg und Halberstadt. Gesammelte Aufsätze (Studien zur katholischen Bistums- und Klostergeschichte 13), 1973, S. 237.

[28] K. SCHMIDT, Die Grundlagen der Entwicklung des Territoriums der Grafschaft Mansfeld, in: Mansfelder Blätter 36/37 (1930), S. 66–70.

[29] W. P. Fuchs (Hg.), Akten zur Geschichte des Bauernkrieges in Mitteldeutschland, Bd. 2, 1942, S. 193, Fußnote 2.

[30] E. MICHAEL, Geschichte des deutschen Volkes vom 13. Jahrhundert bis zum Ausgang des Mittelalters, Bd. 3. Die Wissenschaft und die deutsche Mystik während des 13. Jahrhunderts, 1903, S. 174–199 (Zitat S. 174).

[31] F. WULF, Artikel „Mystik", in: H. Rößler, G. Franz, Sachwörterbuch zur deutschen Geschichte, 1958, S. 762/763.

Ob oder was man davon noch im 16. Jahrhundert wußte, wird sich nicht leicht sagen lassen. Luther wie Müntzer dürften das Kloster gekannt haben, aber ob sie die Frauenmystikerinnen vor dem Erscheinen des Sammelbandes von Faber Stapulensis kannten oder ob zwischen dem Bucherwerb Müntzers und der Kenntnis des Klosters eine Beziehung bestand, ist kaum mehr zu ermitteln.

III

Mit dem stattlichen Band des „Liber trium virorum et trium spiritualium virginium", den der Pariser Drucker Henri Estienne (Stephanus) († 1520), Stammvater einer der berühmtesten Druckerfamilien des 16. Jahrhunderts, 1513 druckte, wurde nicht nur der Pastor Hermae in einer der beiden überlieferten lateinischen Fassungen präsentiert, sondern auch die deutsche Frauenmystik des 13. Jahrhunderts in großer Besetzung vorgestellt. Lediglich Schriften Gertruds der Großen („Legatus divinae pietatis", seit 1289 entstanden) fehlen. Faber legte in diesem text- und wissenschaftsgeschichtlichen Bande bedeutende Zeugnisse der Kritik an der bestehenden Kirche vor und vertrat in seiner Einleitung die Berechtigungen der Visionen und der Prophetie. Für Müntzer war wohl die stark eschatologische Färbung der Kirchenkritik seitens der Mystikerinnen von Bedeutung. Leider wissen wir nicht, wann Müntzer den Band erworben haben kann. Möglich ist, daß er ihn bald nach seinem Erscheinen, vielleicht sogar in Frankfurt an der Oder, gekauft hat, wo es einen bedeutenden Buchhandel gegeben haben dürfte. Noch weniger lassen sich Müntzers Eintragungen datieren. Es sind Bemerkungen über Weissagungen, Visionen, Träume, Geistverkündungen durch Engel, vorwiegend aus Apg., aber auch aus Mt. 1 und 1. Kor. 12. Vielleicht sollten es Notizen für eine Predigt sein. 1. Kor. 12, 7 ist vielleicht der Nenner; unicuique autem datur manifestatio spiritus ad utilitatem". Beziehungen zu den Texten bei Faber Stapulensis dürften nicht bestehen. Sicher besteht ein Zusammenhang zwischen den von Faber veröffentlichten Werken und den flüchtigen Bemerkungen Müntzers auf dem Titelblatt von 1513: Die Überzeugung von der lebendigen Offenbarung des „redenden Gottes", so wie die Schlußworte des „Prager Manifestes" in der erweiterten deutschen Fassung lauten: „Thomas Müntzer wil keynen stümmen, sondern eynen redenden Gott anbethen"[32].

Das führt uns zu zwei Schlußfolgerungen: Müntzer fußte nicht nur auf Tauler und der Dominikanermystik, sondern kannte wesentliche Werke der deutschen Frauenmystik des 13. Jahrhunderts, wie es zuletzt bei W. Ullmann festgestellt wurde. Hier heißt es: „Es ist demnach sicher, daß Müntzer das Thema der geistlichen Wiedergeburt der Christen aus Zeiten des Verfalls nicht nur in der Fassung Eckehards, Seuses und Taulers, sondern genauso in den mehr die Gesamtkirche betreffenden Visionen Hildegards aus dem 12. und

---

[32] TH. MÜNTZER, Schriften (wie Fußnote 6), S. 505 u. 511.

Mechthildens aus dem 13. Jahrhundert vertraut war"[33]. Die Mystik ist für
Müntzer in ihrer Verbindung von lebendigem Geistbesitz, der Bejahung des
Leidens als Weg der Läuterung, der Erziehung und schließlich der Erkenntnis
Gottes der einzige Zugang zur Nachfolge Christi, zur Christförmigkeit und
schließlich zur Selbstvergottung. Bibel und fortwirkender Geistempfang sind
für ihn niemals Gegensätze gewesen, sondern beide das Werk des „deus vivus
et loquens"[34]. Eine elitäre mönchische Mystik der Selbstversenkung in Gott
hat Müntzer wohl nie als Ziel gesehen, eine „neue Möncherei", wie seine
Gegner es nannten, war ihm darum fremd.

Der Beitrag will keine Lösungsversuche, sondern nur neue Fragen bringen.
Daß die Forschung allgemein auf diesem Wege ist, zeigt der Beitrag von
W. Rochler aus dem Jahre 1974, wo es am Schluß heißt: Müntzer „überwand
die geschichtliche Indifferenz der Mystik mit einer unmystischen Gottesanschauung und konnte sich auf diese Weise chiliastisch-apokalyptischen Vorstellungen öffnen. Von daher kann ich bei Müntzer keine lückenlose Verbindung von Apokalyptik und Mystik, insofern man dabei die konkrete historische Erscheinungsform der deutschen Mystik im Auge hat, feststellen. Trotz
vieler Anklänge an die Mystik hat sich Müntzer mit seiner Theologie des
Gerichtswortes und den in ihrer Konsequenz liegenden apokalyptischen Vorstellungen unübersehbar von ihr entfernt"[35]. Es dürfte sich empfehlen, diese
Ideen weiter durchzudenken.

IV

Mit einer quellenkritischen Bemerkung soll der Beitrag schließen. Es wurde
schon bemerkt, daß wir nur durch die Notiz Struves vom Jahre 1703 Kenntnis
davon haben, daß zu Müntzers Bibliothek einmal Faber Stapulensis' Mystiker-
band von 1513 und die Taulerausgabe von 1508 (?) gehörten. Der Band ist
1780 beim Stadtbrand von Gera untergegangen. Erhalten sind nur die Opera
Tertulliani, Basel 1521, wie auch die Opera Cypriani, Basel 1519[36].
Was die zahlreichen Randbemerkungen von Müntzers Hand für die Forschung bedeuten, hat vor allem W. Ullmann gezeigt[37]. Diese beiden Beispiele
beweisen eindringlich, daß bei der Müntzerforschung vor übereilten Verallge-
meinerungen gewarnt werden muß. Die Verluste seiner Bibliothek sind
erschreckend: Unverständnis, Dummheit und blinder Haß haben ihren fast

---

[33]   W. ULLMANN, Das Geschichtsverständnis Thomas Müntzer in: Thomas Müntzer.
Anfragen an Theologie und Kirche, 1977, S. 50; Fußnote 40 mit dem Hinweis auf
Mechthild von Magdeburg ist quellenmäßig nicht zu belegen.

[34]   TH. MÜNTZER, Schriften (wie Fußnote 6), S. 511.

[35]   W. ROCHLER, Ordnungsbegriff und Gottesgedanke bei Th. Müntzer (wie Fußnote
3), S. 370.

[36]   TH. MÜNTZER, Schriften (wie Fußnote 6), S. 539.

[37]   W. ULLMANN, Ordo Rerum. Müntzers Randbemerkungen zu Tertullian als Quelle
für das Verständnis seiner Theologie, in: Theologische Versuche VII, 1976, S. 125 ff.

völligen Untergang bewirkt. Der schriftliche Nachlaß ist von den siegreichen Fürsten ihren Archiven übergeben worden und hat so die Jahrhunderte überdauert. Aber vollständig sind Briefe und Notizen keineswegs: Besonders die Frühzeit ist äußerst lückenhaft dokumentiert, wohl bedingt durch den zahlreichen Ortswechsel Müntzers. Das erste eigenhändige Schriftstück, das datierbar ist, ist das „Officium S. Cyriaci" aus der Froser Zeit. Da seit langer Zeit keine Müntzerfunde mehr gemacht wurden, besteht kaum noch große Hoffnung auf die Entdeckung weiterer Schriftstücke. So ist eine wichtige Aufgabe, Müntzers Bücher und Literaturbenutzung aus den Briefen und Schriften zu erforschen. Dabei sind die Schwierigkeiten nicht zu übersehen: er besaß nachweisbar Bücher, die er nie zitierte (Faber, Tauler, Tertullian und Cyprian), er zitierte aber auch Bücher, von deren Besitz wir nichts wissen (Eusebs Historia ecclesiastica, die kirchenmusikalischen Handbücher etc.). Eine besondere Rolle spielt seit der Edition von Boehmer-Kirn von 1931 die „Bücherliste" von 1520/1521, deren Neuausgabe ein dringendes Desiderat der Forschung ist[38]. Aus dieser Liste geht hervor, daß Müntzer damals „Deutsch theologia" bestellt oder gekauft hat, deren vollständiger Text in der Ausgabe von M. Luther von 1518 bis 1520 in neun Auflagen erschien. Damit wären wir wieder bei der Mystik als unserem Ausgangspunkt angekommen.

---

[38] TH. MÜNTZER, Schriften (wie Fußnote 6), S. 556–560. Vgl. H. VOLZ in: Blätter für deutsche Landesgeschichte 105 (1969), S. 599–603.

MARC LIENHARD

Glaube und Skepsis im 16. Jahrhundert

Wir richten gewöhnlich unsere Aufmerksamkeit auf den Glauben im 16. Jahrhundert, auf den Aufbruch Luthers, auf die Entstehung der reformatorischen Kirchen oder der Täufergruppen. Mit diesem Beitrag soll Ausschau gehalten werden nach denen, die abseits standen, die sich nicht eingliedern ließen in die großen Kirchen oder in die täuferischen Gruppen. Die Versuchung liegt natürlich nahe, nur die großen oder bekannten Randsiedler ins Auge zu fassen wie etwa Sebastian Franck oder Castellio. Wir wenden uns aber im folgenden weniger bekannten Gestalten zu, um ihre Fragen und Probleme zur Sprache zu bringen.

Diese Menschen lebten in der Reichsstadt Straßburg zwischen 1525 und 1550. Man könnte denken, das wäre ein zu begrenzter Raum. Wir hoffen aber, gerade anhand einer konkreten Situation einige Fragestellungen zu veranschaulichen, welche der Weg des Glaubens im 16. Jahrhundert mit sich brachte oder denen er ausgesetzt war, sobald sich die Frage der kirchlichen Verwirklichung stellte.

Straßburg gehörte zu den Städten, in denen relativ früh die evangelische Bewegung sich durchgesetzt hatte[1]. In den Jahren 1522–23 hatte der Münster-Pfarrer Mathis Zell im reformatorischen Sinne gewirkt. 1523 gesellten sich Capito und Bucer zu ihm. Zahlreiche evangelische Schriften wurden in Straßburg gedruckt, u. a. Flugschriften wie etwa der berühmte Karsthans, aber auch die großen Schriften Luthers[2]. Zwischen 1524 und 1529 hatte sich die Reformation durchsetzen können, weithin durch den Druck von unten. Der Sieg der evangelischen Bewegung nahm dieselben Formen an, die man

---

[1]   Siehe dazu: J. ADAM, Evangelische Kirchengeschichte der Stadt Straßburg, 1922; M. USHER-CHRISMAN, Strasbourg and the Reform: a Study in the Process of Change, 1967; M. LIENHARD, La Réforme à Strasbourg, in: Histoire de Strasbourg, Bd. II, 1981, S. 363–540.

[2]   J. BENZING, Lutherbibliographie. Verzeichnis der gedruckten Schriften Martin Luthers bis zu dessen Tod, 1966. – M. LIENHARD, Strasbourg et la guerre des pamphlets, in: Grandes figures de l'humanisme, Courants, milieux, destins, 1978, S. 127–134. – G. KOCH – J. ROTT, De quelques pamphlétaires nobles, ebd., S. 135–152. – M. LIENHARD, Mentalité populaire, gens d'Eglise et mouvement évangelique à Strasbourg en 1522–1523. Le pamphlet: „Ein Brüderlich Verwarnung an meister Mathis . . ." de Steffan von Büllheym, in: Horizons européens de la Réforme en Alsace, 1980, S. 37–62.

auch von anderen Stellen her kennt: Evangelische Prediger ersetzten in den Pfarreien die altgläubigen Pfarrer, die Prediger heirateten und wurden Bürger der Stadt, die Gottesdienstformen wurden verändert, die Klöster leerten sich oder wurden aufgehoben. 1529 wurde schließlich durch die Schöffenversammlung die Messe in den 4 letzten großen Kirchen Straßburgs abgeschafft. Zur selben Zeit waren die Straßburger mit 13 anderen Städten und 5 Territorien an der Protestation zu Speyer beteiligt.

Das sind bekannte Fakten, die hier nicht ausführlich zur Sprache kommen sollen. Das Problem auf das wir hinweisen möchten, entsteht um 1530, in der Zeit, als der entscheidende Sieg errungen war. Zu diesem Zeitpunkt war nämlich die Zeit gekommen, aufzubauen, neu aufzubauen. Bis dahin hatte man vieles verändert, aber auch manches zerstört. Unvermeidlich stellte sich nun die Frage der Neugestaltung des kirchlichen Wesens. Diese Phase hatte ja im übrigen Reich schon früher begonnen, durch die Visitationen, wie sie etwa in Kursachsen seit 1526 ins Werk gesetzt wurden.

Auch in Straßburg mußten die kirchlichen Verhältnisse neu geordnet werden. Die Lehre mußte präzisiert werden gegenüber den Täufern, Zwingli und Luther. Zugleich mußten die kirchlichen Institutionen neu bestimmt werden. Es ging um Fragen wie die Ernennung der Pfarrer, die Rechte der weltlichen Obrigkeit in der Kirche, die Ausübung der Zucht, das Verhalten gegenüber den Andersdenkenden, unter anderen den Täufern. Zur Klärung dieser Fragen, und weil die Prediger darauf drängten, wurde vom Rat 1533 eine Synode einberufen[3].

Bucer selbst, der führende Straßburger Reformator, hatte sehr bestimmte Vorstellungen von dem, was zu geschehen hatte. Im Unterschied zu Luther war für ihn nicht die Rechtfertigung das entscheidende Stichwort, sondern die Heiligung. Ihm ging es nicht so sehr um das Heil des einzelnen und um die Frage des angefochtenen Gewissens als um die Errichtung eines christlichen Gemeinwesens unter Gottes Wort und zu Gottes Ehre. Man sollte zwar den Gegensatz zu Luther nicht überbetonen, aber die Akzente sind verschieden. In einem Memorandum vom 30. 11. 1532[4] hatte Bucer zusammen mit seinen Kollegen den Rat aufgefordert, sich stärker einzusetzen für die religiöse Unterweisung der Kinder. Diese sollten von ihren Lehrern regelmäßig in den Gottesdienst geführt werden. Auch an den Wochengottesdiensten sollten sie teilnehmen. Der Rat sollte außerdem für die Heiligung des Sonntags Sorge tragen. Die ehemaligen katholischen Geistlichen und Mönche sollten einer strafferen Zucht unterzogen werden. Die Vertreter der Sekten sollten gehört werden und zu Wort kommen in öffentlichen Disputationen, bevor man gegen sie vorging. Ebenso wurde auch auf Visitation der Gemeinden gedrungen. Zunächst sollte eine Synode für die Landgemeinden abgehalten werden.

---

[3]   F. WENDEL, L'Eglise de Strasbourg. Sa constitution et son organisation 1532–1535, 1942.

[4]   F. WENDEL, Strasbourg (wie Fußnote 3), S. 53 ff.

Außerdem forderten die Prediger die Promulgation eines neuen Sittenmandates, das sowohl die Kleidung wie auch das moralische Leben regeln sollte[5]. Aus all dem geht hervor, welche hohen Erwartungen Bucer an die Tätigkeit der weltlichen Obrigkeit stellte. Sie sollte über die beiden Tafeln des Gesetzes wachen. Der Geistlichkeit blieb immer noch genug Arbeit übrig, um durch Gottesdienst, Unterweisung und möglicherweise durch eine eigene Kirchenzucht in ihrem Bereich zu wirken.

Nun mußten aber Bucer und seine Freunde eine große Enttäuschung erleben. Ihr Programm, das aus Straßburg eine fromme, heilige Stadt machen wollte, stieß auf herben Widerstand, nicht bei den Altgläubigen, deren Stimme in Straßburg am Verstummen war, und nicht bei den Täufern, die ja ein ähnliches Anliegen hatten (mehr Zucht, aber ohne die Mitwirkung der weltlichen Obrigkeit), sondern in den eigenen Reihen. Die Gegner Bucers standen in seiner unmittelbaren Umgebung auf. Es waren Menschen, die sich zehn Jahre zuvor voller Begeisterung der evangelischen Bewegung angeschlossen hatten. Im Rahmen der Synode von 1533 kam es zum Zusammenstoß[6]. Diese Gegner sind, wie oft die Dissidenten der Kirchengeschichte, nicht leicht zu fassen. Sie werden mit einem alten Schlagwort als „Epikuräer" bezeichnet[6a]. Fest steht, daß ihnen bei Bucers Ansichten und Plänen unheimlich zu Mute war. Sie lehnten jeden Glaubenszwang ab, ob er von seiten der Geistlichkeit kam oder von seiten der weltlichen Obrigkeit. Der Glaube sollte frei sein. Frei sein sollte auch die Religion, das heißt, ob und wie man sie ausüben wollte und welcher Lehre man anzuhangen hatte.

Es gab eine zweite große Gelegenheit, wo es zum Zusammenstoß kommen sollte: 15 Jahre später, anläßlich der Einführung des Interims in Straßburg[7]. Bekanntlich hatte der Sieg des Kaisers im Schmalkaldischen Krieg zum sogenannten „geharnischten" Reichstag von Augsburg geführt, der 1548 die Einführung des Interims bestimmte, das heißt, eine vorläufige Regelung der konfessionellen Frage im Reich beschloß. Den Protestanten wurden einige

---

[5]   Siehe: Quellen zur Geschichte der Täufer (im folgenden QGT), Bd. VII, Elsaß I, 1959, No. 194, S. 247. – W. KÖHLER, Zürcher Ehegericht und Genfer Konsistorium, Bd. II, 1942, S. 349–504. – J. ROTT, Le Magistrat face à l'épicurisme terre à terre des Strasbourgeois. Note sur les règlements disciplinaires municipaux de 1440 à 1599, in: Croyants et sceptiques au XVIe siècle, 1981, S. 57–72.

[6]   Siehe QGT Elsaß II (wie Fußnote 5).

[6a]   Da die Schreibweise „Epikuräer" sowohl der Quellenschreibweise entspricht, als auch in der Wissenschaftssprache als Spezialterminus für eben die beschriebene reformatorische Richtung Eingang gefunden hat (vgl. dazu die Täuferakten), wurde sie in dieser Form beibehalten. Hingegen wird „Epikureismus" dort verwendet, wo die bekannte philosophische Richtung damit bezeichnet sein soll.

[7]   TH. A. BRADY, Ruling Class, Regime and Reformation at Strasbourg, 1520–1555, Leiden 1978, S. 259–290; E. WEIRAUCH, Konfessionelle Krise und soziale Stabilität. Das Interim in Straßburg (1548–1562), 1978. – W. BELLARDI, Bucer und das Interim, in: Horizons (wie Fußnote 2), S. 267–311.

Konzessionen bewilligt wie etwa der Laienkelch und die Priesterehe. Zugleich wurde aber die Rückkehr zur alten Kirche eingeleitet. Die Jurisdiktionsgewalt der Bischöfe wurde in den evangelischen Territorien wieder hergestellt und die Messe in ihrer traditionellen Gestalt wieder eingeführt.

In Straßburg kam es nach dem Erlaß des Interims zu monatelangen Spannungen. Als der Rat die Prediger fragte, ob das Interim anzunehmen sei, bekam er ein glattes „Nein" zu hören. „Nein" schrie ihm auch die aufgewiegelte Bevölkerung entgegen, besonders die unteren Schichten. Der Rat selbst war anderer Meinung. Der dort vertretenen Oberschicht lag nicht daran, durch die kaiserliche Ungunst Hab und Gut zu verlieren oder als Stadt dasselbe Schicksal zu erleiden wie Konstanz. Der Stettmeister Jakob Sturm war zur Erkenntnis gekommen, daß nicht eine ganze Stadt das Martyrium aus Glaubensgründen auf sich nehmen konnte[7a]. Das konnte nur eine Minderheit, die Gott dazu erwählt hatte.

In dieser spannungsgeladenen Situation tauchen unsere Epikuräer wieder auf. Diesmal bleiben sie allerdings noch mehr im Hintergrund als 1533. Die meisten von ihnen hatten übrigens Straßburg verlassen müssen. Doch der epikuräische Geist, wie Bucer sagte, regte sich. Und zwar so, daß er die Frage der Konfessionen und der Zeremonien einfach relativierte. Es sei doch gar nicht so ausschlaggebend, ob man Gott anbete in katholischen oder in lutherischen Formen! Die Hauptsache sei doch, daß man ihn innerlich verehre. Sie würden, so eiferte Bucer, auch bereit sein, Gott in türkischen oder in jüdischen Formen anzubeten. Aber im Grunde genommen hätten sie nur Mammon und ihren Bauch als Gott! Damit sind wir wieder bei der eigentlichen Frage: Wer sind denn diese Menschen? Was wollen sie denn? Was glauben sie und was glauben sie nicht?

Wir stellen zunächst den Weg und die Hauptgedanken einiger bekannter Straßburger Epikuräer dar, um dann, in einem zweiten Schritt, zu einer Gesamtinterpretation des Phänomens vorzustoßen.

An erster Stelle ist der Weihbischof von Speyer zu nennen: Anton Engelbrecht[8]. Zwischen 1517 und 1520 hatte er sich in Basel aufgehalten. Er war Doktor der Theologie und hatte Beziehungen zu den Humanisten, wahrscheinlich auch zu Erasmus. Seine Predigten in Bruchsal (1523) ließen erkennen, daß er der evangelischen Bewegung zuneigte. Ein Verfahren wurde gegen ihn eingeleitet. Doch er hatte schon Speyer verlassen und war in Straßburg aufgetaucht. Dort wurde er Gemeindepfarrer. Nach einigen Jahren kam es

---

[7a]   H. VIRCK (Hg.), Politische Correspondenz der Stadt Straßburg im Zeitalter der Reformation IV, 2, 1882, No. 792, S. 1019; Siehe auch: M. LIENHARD, Jakob Sturm, in: Gestalten der Kirchengeschichte, Bd. 5, Reformationszeit I, 1981, S. 289–305.

[8]   W. BELLARDI, Anton Engelbrecht (1485–1558), Helfer, Mitarbeiter und Gegner Bucers, in: Archiv für Reformationsgeschichte 64 (1978), S. 183–206; C. H. W. VAN DEN BERG, Anton Engelbrecht, un épicurien notoire, in: Croyants (wie Fußnote 5), S. 111–120.

aber zu Spannungen mit den übrigen Prädikanten. Diese rügten den Lebensstil ihres Kollegen: er vernachlässige seine Gemeinde, er sei „ein Sklave seines Bauchs", er gehe zu frei mit den Mädchen um, er sei ein Mensch mit wenig oder sogar ohne Religion, er sondere sich von den anderen Prädikanten ab und stehe in Verbindung mit denjenigen, welche der Lehre widersprächen.

Zur offenen Auseinandersetzung kam es im Rahmen der Synode. Bucer hatte 16 Artikel ausgearbeitet, welche die Lehrgrundlage der Straßburger Kirche bilden sollten. Laut den drei letzten Artikeln sollte die Obrigkeit dafür sorgen, daß in der Stadt gemäß dem Willen Gottes gelebt werde, daß die göttliche Lehre rein verkündet werde. Auch sollte sie all denen wehren, die der Lehre widersprachen oder ein ärgerliches Leben führten. In einem längeren Gutachten widersprach Engelbrecht aufs heftigste dieser Auffassung. Er sah darin die Errichtung eines neuen Papsttums mit unerträglichem Gewissenszwang. Wenn die Obrigkeit versuchte, denen zu wehren, welche der Lehre nicht folgten, so würden entweder Lügner und Heuchler oder Märtyrer geschaffen. Die Tyrannei treffe auch fromme Leute, die vielleicht nur in einem einzigen Punkt von der offiziellen Lehre abwichen und nicht so gut wie die Prediger ihren Standpunkt verteidigen konnten[9].

Engelbrecht vertrat entschieden die Meinung, daß die Obrigkeit nicht zum Glauben zwingen könne, da dieser eine geistige Sache sei. Er entstehe nur durch das Hören des göttlichen Wortes, wenn der Heilige Geist das Herz anrühre. Das Reich Christi war für ihn eine innerliche Sache. Es werde ohne Gesetze, ohne Schwert und Zwang, mit Gottes Wort durch den Geist gebaut. Mühelos konnte sich Engelbrecht dabei auf Äußerungen des jungen Luther berufen.

Weder Bucer noch Engelbrecht sind bei der Synode von 1533 ganz mit ihren Ansichten durchgedrungen. Der Rat zog sich nicht zurück aus dem Bereich von Religion und Kirche. Er handhabte aber auch nicht die Zucht, wie Bucer es gerne haben wollte. Der „Epikuräer" Engelbrecht wurde jedoch seines Amtes enthoben, wahrscheinlich um der Kontroverse mit den Prädikanten ein Ende zu bereiten. Spätestens 1541 hatte er wieder Beziehungen geknüpft zu der alten Kirche. Anfang 1544 verließ er Straßburg. Wir wissen wenig von seinem Schicksal in den nachfolgenden Jahren. Er tauchte an verschiedenen Stellen innerhalb der römischen Kirche auf, um schließlich 1557 in Straßburg zu sterben.

Eine sehr ähnliche Gestalt war der ehemalige Augustinermönch Wolfgang Schultheiß, der auch als „Epikuräer" verschrieen wurde[10]. Auch er machte sich bei seinen Kollegen, den anderen Prädikanten, unbeliebt, weil er sich wenig an ihren Treffen beteiligte. Außerdem pflegte er Beziehungen zu Täufer-

---

[9]   C. H. W. VAN DEN BERG, Engelbrecht (wie Fußnote 8), S. 115.

[10]   W. BELLARDI, Wolfgang Schultheiß, Wege und Wandlungen eines Straßburger Spiritualisten und Zeitgenossen Martin Bucers, 1976.

kreisen und wagte es sogar, während einer Vorlesung Bucers Protest zu erheben, als dieser die antitrinitarischen Meinungen von Servet kritisierte. Schultheiß hat seine Gedanken in einer gedruckten Schrift von 1531 der Öffentlichkeit übergeben: *Ermanung zum geystlichen Urteil.* Wir finden darin sehr ähnliche Gedankengänge wie bei Engelbrecht. Aber der Spiritualismus war noch ausgeprägter. Relevant war schließlich nur noch das innere Wort. Gott könne und müsse die Seele direkt unterweisen. Weil die Prophetie und die Gabe des Geistes entscheidend seien, solle man sich nicht über Worte streiten, wie es z. B. viele täten in bezug auf das Abendmahl. Der Geist wirke unabhängig vom Stande und auch von der Konfession, in der man sich befinde. Es war also sekundär, ob man Kleriker oder Laie, Jude, Türke oder Christ war. An den Straßburger Prädikanten kritisierte Schultheiß, daß sie sich über ihre Gemeindeglieder erhoben, daß sie deren Glauben und Verhalten richteten und so das göttliche Gericht vorwegnahmen.

Bei Schultheiß dauerte es länger, bis er seines Amtes enthoben wurde. Die genauen Umstände liegen weiterhin im Dunkeln. Von seinem weiteren Weg ragen nur einige Fakten und Erwähnungen hervor. Er wurde Schaffner eines wahrscheinlich katholisch eingestellten Junkers. 1542 hieß es von ihm, er habe die These verfochten, der Glaube an Christus wäre nicht notwendig zum Heil. Nach der Einführung des Interims wurde er für drei bis vier Jahre römisch-katholischer Pfarrer in Straßburg. Schließlich ist er 1565 in Zabern als katholischer Priester gestorben.

Von einem anderen ehemaligen Kleriker muß hier die Rede sein, der heute mehr denn je die Aufmerksamkeit auf sich lenkt: Otto Brunfels[11]. Ursprünglich war er Karthäusermönch. Nach verschiedenen Etappen war er Lehrer geworden an einer der lateinischen Schulen von Straßburg. Seine evangelische Überzeugung war schriftlich klar zum Ausdruck gekommen, unter anderem in der Schrift *Vom evangelischen Anstoß.* Nach 1528 veröffentlichte er nur noch botanische und medizinische Schriften. Seine theologische Entwicklung scheint auch ihn von Bucer und den anderen Prädikanten entfernt zu haben. 1524 scheint er Karlstadt nahezustehen, der ihn bei seinem viertägigen Aufenthalt in Straßburg aufsuchte. „Ich habe es gelernt, niemanden zu verachten, in dem der Geist Gottes lebt", schreibt er 1525. Auch er verwahrte sich gegen jeden Zwang in Glaubensdingen, auch den Häretikern gegenüber.

Carlo Ginzburg hat in Brunfels den geistigen Vater, ja den ersten Theoretiker des sogenannten Nikodemismus sehen wollen, das heißt jener von Calvin gebrandmarkten Haltung[12], in der man wie Nikodemus seinen wirklichen

[11] E. W. E. ROTH, Otto Brunfels, 1900; E. SANWALD, Otto Brunfels 1488–1534, 1932; J. C. MARGOLIN, Otto Brunfels dans le milieu évangélique rhénan, in: Strasbourg au cœur religieux (wie Fußnote 2), S. 111–141.

[12] Excuse à Messieurs les Nicodémites sur la complaincte qu'ilz font de sa trop grande rigueur, 1544, Calvini Opera VI, 1867, S. 588–614(= Corpus Reformatorum 34). C. GINZBURG, Il nicodemismo. Simulazione e dissimulazione religiose nell «Europa del» 500, 1970.

Glauben verbirgt. Ihm wurde, wie einem anderen Lehrer, Sapidus, auch ein gewisser Libertinismus vorgeworfen. Man meinte, ihre Frauen würden sich zu schön kleiden. Bemängelt wurde auch, daß sie die Schulkinder nicht regelmäßig zur Kirche führten. 1534 hat Brunfels Straßburg verlassen. Neben dem Humanisten Johannes Sapidus, von dem hier nicht länger die Rede sein soll, muß ein anderer Humanist erwähnt werden, der von 1531 bis 1533 in Straßburg weilte und zu den bekannten Humanisten seiner Zeit zählte: Jakob Ziegler[13]. Als die evangelische Bewegung aufbrach, weilte er in Italien. Mit großer Spannung verfolgte er die Entwicklung und sah darin die Möglichkeit einer grundlegenden Erneuerung des von ihm heiß geliebten deutschen Reiches. Er ließ sich 1531 in Straßburg nieder, wo er ehrenvoll empfangen wurde. Doch die Synode und die Errichtung einer evangelischen Kirche, in der auch Religionszwang vorgesehen war, waren für ihn eine bittere Enttäuschung. Das war für ihn wiederum nichts anderes als klerikale Machtpolitik (wie im römischen Papsttum), Verwechslung zwischen Geist und Buchstaben, Glaube und Welt. Er äußerte sich kritisch in einer polemischen Schrift, dem *Synodus*. Auch er verließ Straßburg und kehrte bald danach in die alte Kirche zurück.

Von einem letzten Mann soll nun kurz die Rede sein, der nur bedingterweise zu den Epikuräern zu rechnen ist, der aber durch seine Auffassungen zweifellos einem gewissen Epikuräismus Vorschub geleistet hat: Clemens Ziegler[14]. Er war eine originelle Erscheinung: ein einfacher Gärtner und Laienprediger, der am Vorabend des Bauernkrieges die soziale Komponente des Evangeliums (mehr Gleichheit etc.) verkündete, sich aber vor jeder Gewalttätigkeit zurückhielt.

Interessanterweise hat Ziegler 1532 die Lehre von der Wiederbringung aller (die u. a. von Origines vorgetragen wurde) verfochten. Die Seele war, seiner Ansicht nach, auf dieser Erde in den Leib „eingekörpert". Von daher käme ihre Schwachheit und Anfälligkeit. Rein könne sie wieder werden nach ihrer Befreiung vom Fleisch. Das letzte Gericht bestehe in der Zerstörung der Leiblichkeit. Ziegler bestritt auch die Existenz eines personhaften Satans. Satan war für ihn nur ein Symbol für die Unreinheit, die mit dem Fleisch gegeben war. Doch diese Auffassung führte ihn nicht zum religiösen oder moralischen Indifferentismus. Die Seele bedürfe hier auf Erden des Heiligen Geistes, um gegen die Anfechtungen durch das Fleisch zu kämpfen. Den Heiligen Geist aber empfange der Mensch durch Gottesdienstbesuch, Gebet, Lesen der Bibel. Doch Bucer und seine Kollegen, wie auch der Magistrat, waren der Meinung, daß solche Gedanken, die schon vorher von Denck und Kautz vertreten worden waren, zur Schwächung der Moral führen mußten, denn wenn „nach diesem leben kein Gericht noch straf gottes, kein ewige

---

[13] K. SCHOTTENLOHER, Jakob Ziegler aus Landau an der Isar, 1910.

[14] R. PETER, Le Maraîcher Clément Ziegler, l'homme et son œuvre, in: Revue d'histoire et de philosophie religieuses 34 (1954), S. 255–282.

verdamnis, kein teufel sein . . . (könnte) man got so wol mit mörden und anderen sund als den leüten guts thun diene(n)"[15].
Die Epikuräer waren nicht auf den Kreis der erwähnten Personen beschränkt. In Patrizierkreisen, aber auch unter Lehrern und Ärzten war der epikuräische Geist durchaus vorhanden. Die Frage kann überhaupt gestellt werden, ob es nicht so etwas wie einen populären Epikuräismus gab? Um 1530 war in Straßburg eine gewisse Distanzierung der oberen Schichten gegenüber der Kirche und Religion spürbar. Von den Predigern bedrängt, erließ der Rat verschiedene Mandate, um die Sonntagsheiligung zu fördern und die Straßburger zu einer besseren Lebensführung zu zwingen. Aber selbst innerhalb des Rates machten sich epikuräische Tendenzen bemerkbar. So schlug z. B. ein Ratsmitglied vor, man solle weniger vom Teufel reden[16]. Der Epikuräer Schultheiß konnte im Rat auf Protektion zählen. Die Ratsherren wehrten sich gegen die Eingaben des Prädikanten, aus Angst, daß diese ein neues Papsttum errichten würden.
Wir müssen jetzt aber zu einer *Gesamtinterpretation des Phänomens* vorstoßen. Trotz allem Anschein ist dieses Phänomen der Epikuräer nämlich gar nicht so einfach zu deuten. Dies spiegelt sich auch in der allerdings nicht sehr weit fortgeschrittenen Forschung. Wie weit das Spektrum der Deutungen geht, soll nur an einigen Beispielen gezeigt werden.
Auf der einen Seite steht etwa W. Bellardi, der zu folgendem Ergebnis kommt: Schultheiß sei „wohl ein Mensch mit seinem Widerspruch gewesen, aber dennoch ein frommer und nachdenklicher Christ"[17]. „Er suchte nicht den Stand, sondern die Bewegung, nicht die geprägte Form, sondern den vom Geist erfüllten Inhalt des Glaubens. Er war und blieb ein Armer im Geiste, einer von denen, denen die Verheißung Jesu gilt, daß ihrer das Himmelreich ist"[18]. Für denselben Verfasser war Engelbrecht „ein kluger und frommer Mann"[19]. Engelbrecht und andere Epikuräer bezeichnet Bellardi als „liberale, tolerante Humanisten von weltoffener Religiosität"[20]. An anderer Stelle schreibt er: „Es ging Sapidus und Schultheiß nicht nur um eine allgemeine Toleranz, sondern um die Substanz der Lehre und das Ziel der Predigt, das Heil des Menschen und das neue Leben"[21].
Ganz anders urteilte F. Wendel. Für ihn waren die Epikuräer „eine Handvoll unzufriedener Menschen"[22]. Engelbrecht bezeichnete er als den Typ des „verbitterten, ausgetretenen Mönchs, unzufrieden, unfähig, sein moralisches

---

15 QGT Elsaß II (wie Fußnote 5), No. 370, S. 22, 31.
16 Ebd. No. 523, S. 294, 14.
17 W. BELLARDI, Schultheiß (wie Fußnote 10), S. 43.
18 Ebd., S. 51.
19 Archiv für Reformationsgeschichte 64 (1978), S. 198.
20 Ebd., S. 191.
21 W. BELLARDI, Schultheiß (wie Fußnote 10), S. 38.
22 F. WENDEL, Strasbourg (wie Fußnote 3), S. 38.

und religiöses Gleichgewicht wiederzufinden"[23]. In einer Studie, die 1977 erschienen ist, geht Jean Wirth noch weiter[24]. Im Anschluß an Ginzburg spricht er vom „Nikodemismus" der Epikuräer. Nach seiner Ansicht haben die Epikuräer 1533 nur für Toleranz gekämpft, und nicht für die Durchsetzung ihrer eigenen Ideen. Diese hielten sie im dunklen Zwielicht verborgen, aber wer genau hinschaue, z. B. in die theologischen Schriften von Brunfels, könne nicht anders, als sie der Häresie zu bezichtigen, u. a. in der Preisgabe der Trinitätslehre, in der Kritik an der Schrift. Schließlich habe Brunfels überhaupt die religiöse Problematik und vor allem die Diskussion über dogmatische Fragen ganz zur Seite geschoben, um die Wahrheit allein in naturwissenschaftlichen Forschungen zu finden.

Die Bandbreite geht also vom frommen Einzelgänger bis zum religiös desinteressierten Wissenschaftler, ja zum Skeptiker oder zum moralisch heruntergekommenen Kleriker.

Daß so widersprüchliche Deutungen möglich sind, hängt natürlich zunächst an den sehr dürftigen Quellen. Wir wissen zu wenig über das Leben und Denken der Straßburger Epikuräer. Sie haben nicht viel veröffentlicht. Was Engelbrecht und J. Ziegler z. B. im Zusammenhang mit der Synode geschrieben haben, betrifft eigentlich nur die Frage des Glaubenszwanges, aber keine weiteren theologischen Fragen. Ein anderes Hindernis liegt auch in der sehr pauschalen Art und Weise, mit der Bucer von den Epikuräern spricht. Sie sind gottlos, aber betrifft das die Lehre oder das Leben? Und wen betrifft es? Auch wenn bestimmte Fakten vorliegen, können sie immer noch verschieden gedeutet werden. Man kann sich daran halten, daß Brunfels fromme Schriften (u. a. Erbauungsbücher) veröffentlicht hat, man kann aber auch zur Meinung kommen, er hätte seine wahren Gefühle verborgen. Man kann in einem Falle (z. B. Engelbrecht) das Gefälle auf eine gewisse Zügellosigkeit sehen, in anderen Fällen (Cl. Ziegler) den frommen Einzelgänger.

Gehen wir zunächst von dem aus, was feststeht, von den soziologischen und ideengeschichtlichen Fakten, die uns quellenmäßig eindeutig überliefert sind. Sie sind dreifacher Art:

1. Die Feststellungen und Urteile Bucers und seiner Kollegen
2. Die Stellung in der Gesellschaft und das soziale Verhalten der sogenannten Epikuräer
3. Ihre geistige Prägung und Ausrichtung

1   Die Feststellungen und Urteile Bucers und seiner Kollegen

Hier ist ein großes Erschrecken vorhanden, das nicht einfach rhetorischer Art ist. Im Mai 1532 spricht Bucer von der „unzählbaren Menge der Epiku-

---

[23]   Ebd.
[24]   J. WIRTH, «Libertins» et «Epicuriens»: Aspects de l'irréligion au XVIe siècle, in: Bibliothèque d'Humanisme et de Renaissance, 49 (1977), S. 601–627.

räer"[25]. In einem Brief vom 4. Januar 1533 beklagte Bucer das Überhandneh-
men der Sekten und bemerkte dann „das da neben die alt epicurisch sect als
sicher als je herfürbrochen ist"[26]. In einem anderen Brief (11. Oktober 1533)
klagte er wieder über „den Epikurischen abfall und streyt, als uns jetz der
elend mensch hie thut, D. Anthoni, der weybischoff"[27]. Aus einer Ratspredigt
von Hedio (14. Januar 1534) geht hervor, daß es in Straßburg eine Kategorie
von Menschen gab, „die glaubt gar nichts, daraus dann ein ellend, mutwillig,
epicurisch, vyhisch leben folget"[28]. In der Vorrede einer Schrift von 1535
(Dialogi) sprach Bucer „von den Epicurer und Saducaern, die nicht glauben,
die allen Gottesdienst verspotten"[29]. Sehr scharf drückte er sich wiederum
1548 aus im Bezug auf die „Epicurisch rott, (die) sihet allein auff das irdisch
und was dem fleisch anmutig ist"[30]. „Gott ist (für sie) Mammon und ihr
Bauch"[31].

Wichtig ist in den verschiedenen Texten der Prädikanten auch die Tatsache,
daß es sich bei den Epikuräern (oder den Gottlosen) um eine Gruppe handelt,
die von anderen Sekten unterschieden wurde. In einem Bedacht von 1533
wurden sie unterschieden (ohne als Epikuräer bezeichnet zu werden) von den
Hoffmannianern (welche die wahre Menschheit Christi in Frage stellten und
falsche Prophetien unter die Leute brachten), von den Täufern, die sich von
der offiziellen Kirche und ihren Sakramenten lossagten, von Schwenckfeld, der
auch die Predigt und die Sakramente der reformatorischen Kirche nicht als
recht und christlich anerkannte[32].

Neben diesen Sekten gab es diejenigen, die bestritten, daß es ein ewiges Leben,
ein Gericht, einen Teufel gab[33].

2 Die Stellung in der Gesellschaft und das soziale Verhalten der Epikuräer

Es fällt zunächst auf, daß es sich bei den Epikuräern um Menschen handelt,
die von Amts wegen einen gewissen Einfluß ausübten. Sie waren Lehrer[34]
(Brunfels, Sapidus, J. Ziegler) oder Kleriker (Engelbrecht, Schultheiß). Sie

---

25 J. POLLET, Martin Bucer, Etudes sur la Correspondance, Bd. I, 1958, S. 110 (Brief
Bucers an Bonifacius Wolfhart).
26 QGT Elsaß II (wie Fußnote 5), No. 353, S. 1, 5.
27 Ebd., No. 431, S. 135, 4.
28 Ebd. No. 492, S. 263, 27.
29 A (4) 20
30 Summarischer Vergriff, hg. v. F. Wendel, mit französischer Übersetzung, 1951,
S. 88.
31 Ebd., S. 84.
32 QGT Elsaß II (wie Fußnote 5), No. 370, S. 21 ff.
33 Ebd. S. 22, S. 267, S. 424.
34 M. BUCER, Vorrede der Dialogi A (4): „die allen Gottesdienst verspotten leeren".

waren alle mehr oder weniger abhängig vom Rat. „Das thun, die in eurem dienst seyn", erklären die Prädikanten dem Rat[35]. Weiterhin steht fest, daß sich die Verbindung zu den anderen Prädikanten gelockert hatte. Dies betrifft vor allem Engelbrecht und Schultheiß. Hervorzuheben sind auch die mehr oder minder engen, z. T. auch nur gelegentlichen Kontakte, welche die Epikuräer untereinander pflegten. Im Unterschied zu den Täufern bildeten sie zwar keine feste Gruppe. Die Ausdrücke Bucers „Sekt", „Rott" haben in dieser Hinsicht keine Bedeutung. Auch waren sie weit entfernt, sich von der Gesellschaft zu trennen, wie es die Täufer taten. Sie bildeten so etwas wie eine Interessengemeinschaft. Einige spärliche Quellen bezeugen es[36]. Im Rahmen der Synode unterstützten sie sich gegenseitig. So wollte Engelbrecht sich nur in Anwesenheit Brunfels' mit Bucer unterhalten[37]. Aus einem Brief wissen wir, daß Engelbrecht 1536 noch mit Sapidus verkehrte[38].

Besonders interessant ist natürlich die offensichtliche Leichtigkeit, mit der verschiedene Epikuräer wieder zur traditionellen Kirche zurückkehrten. Das hing nicht nur mit der erlebten Enttäuschung zusammen, sondern zeigte auch eine gewisse Gleichgültigkeit der konkreten konfessionellen Ausformung des Christentums gegenüber, wie sie sich um die Mitte des 16. Jahrhunderts entwickelte. Dieser Relativismus hatte sich schon vor der Rückkehr zur alten Kirche gezeigt. Die Epikuräer pflegten Kontakte zu den Täufern. Sie wollten ja Brüder aller sein, der Türken, der Täufer, der Christen und der Heiden[39]. Engelbrecht wurde in der Synode vorgeworfen, Gemeinschaft zu haben mit den Gegnern des Evangeliums[40]. Engelbrecht und J. Ziegler, so schrieb Bedrot an Vadian, gehören einer Gruppe an, die sich sehr gut mit den Papisten und Täufern versteht, nur uns, die Prädikanten, mögen sie nicht[41]. Im Hinblick auf das soziale Verhalten der Epikuräer ist noch ein anderer interessanter Zug festzustellen: eine gewisse Zurückhaltung oder auch Verstellung. Zwar bemerkten die Prädikanten, daß die kritisierten Leute sich zum Teil „öffentlich hören lassen"[42]. Zum Teil waren sie aber nur „der Irrlehren berüchtigt". Man bemerkte auch den bedeutsamen Vorsatz: „so sy es gesteen sagen (sie) es sei khein gericht oder verdamnuss noch disem leben, auch weder teufel noch hell"[43]. Auffallend war ihre Zurückhaltung in dogmatischen Fragen im Rah-

[35] QGT Elsaß II (wie Fußnote 5), No. 499, S. 267,7.

[36] Ebd. No. 373, S. 54,9 ff.

[37] Ebd. No. 393, S. 97.

[38] C. H. W. VAN DEN BERG, Anton Engelbrecht (wie Fußnote 8), S. 116.

[39] QGT Elsaß II (wie Fußnote 5), No. 384, S. 78, 15; No. 471, S. 223, 38. W. BELLARDI, Schultheiss (wie Fußnote 10), S. 63 u. 113.

[40] QGT Elsaß II (wie Fußnote 5), No. 373, S. 52,2. 35.

[41] Vadianische Briefsammlung, hsg. von E. Arbenz und H. Wartmann, Bd. V, 1913, S. 153 (Brief vom 16. 3. 34).

[42] QGT Elsaß II (wie Fußnote 5), No. 370, S. 22, auch No. 499, S. 267.

[43] Ebd. No. 637, S. 424,25.

men der Synode. Manche schwiegen überhaupt wie J. Ziegler, der sich erst polemisch äußerte, nachdem er die Stadt verlassen hatte. Auch Brunfels hatte sich seit mehreren Jahren nicht mehr schriftlich zu theologischen Fragen geäußert, und verließ die Stadt, nachdem auch er in der Synode wenig gesagt hatte.

3 Zur geistigen Prägung und Ausrichtung

Die meisten unter den Epikuräern waren humanistischer Prägung. Sie gehörten zu der jüngeren Generation, die wie Melanchthon den Anschluß an die evangelische Bewegung zumindest für eine Zeitlang gefunden hatte. Aber das humanistische Erbe hatte wohl auch eine gewisse Gleichgültigkeit gegenüber äußeren Formen mit sich gebracht und den Wunsch nach einer gereinigten Kirche, die anders sei als die bisherige Kirche. Sehr wahrscheinlich kannten sie auch einen Teil der epikuräischen Schriften, die im 16. Jahrhundert durch den Druck verbreitet wurden[44].

Wenn im einzelnen ihre genauen Anschauungen nicht immer mehr erkennbar sind, so kann doch ein Doppeltes eindeutig festgehalten werden: Auf der einen Seite haben sie sich zusammengefunden, um gegen jeden Glaubenszwang zu kämpfen. „Die Häretiker zu verbrennen ist gegen den Willen des Geistes", schrieb Brunfels 1527[45]. Und Schultheiß (1532): „Keiner dem andern sein gewissen fangen, in sachen, die Gotts wort belangen"[46].

Von daher widerstanden sie, so gut sie konnten, dem Vorhaben der Prädikanten, eine einheitliche Lehre als normativ zu erklären, Andersdenkende und -lehrende zur Rechenschaft zu ziehen, die Praxis des Banns wieder einzuführen und den Dienst der weltliche Obrigkeit zur Durchsetzung von Lehreinheit und Ordnung der Sitten zu beanspruchen.

Auf der anderen Seite war bei den meisten Epikuräern zweifellos ein gewisser Spiritualismus vorhanden, der besonders bei Schultheiß klar zum Ausdruck kam. Das führte zur starken Relativierung der äußeren Ordnungen, zum Teil auch des äußeren Wortes. Das konnte sich durch eine gewisse Gleichgültigkeit dem Gottesdienst gegenüber äußern[47]. Brunfels und Sapidus führten die Schulkinder nicht regelmäßig zur Kirche. Der Spiritualismus kam stärker noch bei Schultheiß zum Vorschein, wo eigentlich nur noch das innere Wort übrig blieb, das nicht an die äußere Verkündigung gebunden war. Wir haben bis

---

[44] Siehe dazu M. LIENHARD, Les Epicuriens à Strasbourg, in: Croyants (wie Fußnote 5), S. 35–38, und die dort angegebene Literatur.

[45] QGT Elsaß I (wie Fußnote 5), No. 77, S. 76,28.

[46] W. BELLARDI, Schultheiß (wie Fußnote 10), S. 35–36, 59.

[47] Martin Bucers Deutsche Schriften, hg. v. R. Stupperich, Bd. 7, 1964, S. 265: „solche die auch die predig und alles christlichs thun meiden, des geschehe denn auß irthumb in der Religion oder auß fleischlichem Epicurischem leben".

jetzt das dargestellt, was aufgrund der Quellen eindeutig feststeht. Zwei Fragen sind jetzt anzugehen, die in der Forschung verschieden beantwortet werden:

1. Waren die Epikuräer Libertiner im moralischen Sinne des Wortes?
2. Waren sie Heterodoxe, Häretiker oder Ungläubige?

1 Die erste Frage beinhaltet schon viele Probleme. Denn wie soll man beurteilen können, ob jemand ein moralisch anfechtbares Leben führt? Es könnte sein, daß wir Menschen des 20. Jahrhunderts für diejenigen des 16. Jahrhunderts Libertiner wären. Es gab auch im 16. Jahrhundert verschiedene Maßstäbe. Bucer war sicher so etwas, was wir einen Puritaner nennen würden. Feste feiern, schöne Musik in der Kirche hören, guten elsässischen Wein trinken, das galt wenig bei ihm, obwohl er Küferssohn war. In seinen Augen war Straßburg ein kleines Venedig. Von daher ist Vorsicht geboten, wenn er die Lebensführung seiner Kollegen kritisierte. Hinzu kommt die alte Gewohnheit, die bis heute existiert, Andersdenkende moralisch zu diffamieren. Seit der Alten Kirche wird auch in theologischen Kreisen immer wieder die Meinung vertreten, der theologische Irrtum (und solches warf Bucer den Epikuräern vor) müsse sich auch in der Lebensführung zeigen. „An ihren Früchten sollt ihr sie erkennen", war eine biblische Stelle, die Bucer bevorzugte.

Die Epikuräer selbst haben sich zu der Anklage nicht geäußert. Auf die Lebensführung der Epikuräer, u. a. von Engelbrecht, Brunfels und Sapidus, wiesen die anderen Prädikanten hin, auf allgemeine Art, indem sie vom „viehischen, epikuräischen Leben" redeten. Konkreter wurden die Vorwürfe im Rahmen der Synode von 1533. Da fand nämlich eine gegenseitige Zensur statt. Jeder Prediger wurde einzeln vor die Prädikanten in die Sakristei geladen, um dort über jeden andern ein Urteil abzugeben. Der eine predige zu lange, der andere mache Schulden, so lauteten manche Vorwürfe. Vor allem Engelbrecht geriet dabei ins Feuer der Kritik. „Dass d. Anthoni übel haushalt, zecht, zert, spacieren geht, die predig jm nit lass anligen, jn die convocatz nit komm"[48], sagte Capito, und dieses Urteil wurde in verschiedenen Variationen wieder von anderen aufgenommen. Erwähnt wurde auch ein Konkubinatsverhältnis von Engelbrecht: „D. Anthoni ein magt und ein junge bei der hab, so ufgemutzt uf der gassen gangen"[49]. 1541 inkarnierte Engelbrecht das lasterhafte Leben. Seine Lebensführung wurde durch ein altes epikuräisches Schibboleth gekennzeichnet: „Ede, bibe, lude"[50].

Brunfels und Sapidus erfuhren eine ähnliche, wenn auch weniger scharfe Kritik. Sie würden die Schulkinder nicht regelmäßig in den Gottesdienst führen. Ihre Frauen würden sich zu prächtig kleiden . . . sich zum Adel halten.

---

[48]   QGT Elsaß II (wie Fußnote 5), No. 373, S. 49, 14–15.
[49]   Ebd. S. 51, 27–28.
[50]   C. H. W. VAN DEN BERG, Engelbrecht (wie Fußnote 8), S. 116.

Sapidus würde sich ungebührlich vor den Kindern benehmen, die bei ihm in Pension waren.

Nun fällt jedoch auf, daß es nicht die moralische Kritik an den Epikuräern war, die zu ihrer Entfernung oder Absetzung geführt hat[51]. Wir haben keinerlei Anhaltspunkte dafür, daß der Rat darauf eingegangen wäre und aus diesem Grunde Engelbrecht abgesetzt hätte. So lasterhaft muß die Lebensführung von Engelbrecht also nicht gewesen sein! Oder zögerte der Rat, in der jungen evangelischen Kirche gleich einen Pfarrer abzusetzen? Oder soll man vermuten, daß die Ratsmitglieder, im Unterschied zu Bucer, etwas mehr Verständnis für menschliche Schwächen aufbrachten, auch im Pfarrstand? Waren die Epikuräer also Libertiner? War ihr Leben so lasterhaft, wie es Bucer öfters schilderte? Man kann nur mit einem bedingten Ja antworten.

Sicher ist, daß Engelbrecht und Schultheiß sich von der Gruppe der Prädikanten distanziert hatten, und nicht mehr solidarisch mit ihnen handelten (z. B. in der Verwaltung der Sakramente). Aber das mußte noch nicht schlechten Lebenswandel bedeuten!

Es steht auch fest, daß die Epikuräer sich nicht den Verhaltensnormen anpassen wollten, die Bucer dem evangelischen Straßburg auferlegen wollte: einfaches Leben im Essen und in der Kleidung, Bescheidenheit der Prädikanten im Umgang mit höheren Schichten. Brunfels und Sapidus hatten offensichtlich wenig Gefallen an diesem puritanischen Stil.

Mit großer Wahrscheinlichkeit kann man auch annehmen, daß der Arbeitseifer eines Engelbrecht zu wünschen übrig ließ und auch daß ordentlich geregelte Eheverhältnisse nicht seine primäre Sorge waren. Möglicherweise hat er den Weg vom Konkubinat (in der römischen Kirche) zur Ehe als sekundär angesehen.

Hat er diese freie Lebensführung zum Prinzip gemacht, als bewußte Emanzipation, oder war es einfach menschliche Schwäche? Widersprach diese Lebensführung einer echten religiösen Überzeugung? War schließlich die Ablehnung der weltlichen Gewalt als Wächterin über Religion und Moral nur ein Mittel, um sich selbst einen gewissen Raum von Freiheit zu bewahren? Man wird solche Fragen, zumindest im Bezug auf Engelbrecht, stellen müssen. Ihre letzte Beantwortung entzieht sich jedoch dem Historiker.

Bei einer anderen damit zusammenhängenden Frage müssen wir noch kurz verweilen, nämlich: inwiefern kann der Spiritualismus zum Libertinismus führen?

Soziologisch gesehen, gehören die Epikuräer zum dritten Typus in der von Hegler und Troeltsch aufgestellten Typologie: Kirche, Sekte, Individualisten mystischer und spiritualistischer Prägung, die ohne kirchliche Institution auskommen. In Straßburg wären sie also in die Nähe eines Schwenckfeld zu rücken. Bekanntlich hat dieser Sichtbares und Unsichtbares, Geist und Buchstaben, scharf getrennt und die äußeren Zeremonien relativiert. Man findet ein

---

[51] Dies wird richtig von C. H. W. VAN DEN BERG hervorgehoben, ebd. S. 113.

ähnliches Denken etwa bei dem Epikuräer Schultheiß. Der geistige Ausgangspunkt war bei Schwenckfeldianern und Epikuräern derselbe. Aber dann schlugen sie eben doch verschiedene Wege ein. Bei den Schwenckfeldianern kam es zur intensiven Pflege der persönlichen Frömmigkeit oder zu religiösen Veranstaltungen in kleinen Gruppen. Es kam auch zu einem ethisch anspruchsvollen Lebenswandel.

Der Weg der Epikuräer ging in andere Richtung: nicht mehr, sondern weniger Religion. Freiheit nicht zur persönlichen oder elitären Vertiefung des Glaubens, sondern zur inneren Distanzierung gegenüber der Religion. Man weiß von anderen Epochen der Kirchengeschichte (z. B. den Brüdern vom Heiligen Geist im 14. Jahrhundert, oder den Lollarden im 15. Jahrhundert, oder auch von manchen Entgleisungen im Pietismus), daß ein gewisser Spiritualismus, der die Freiheit des Individuums gegenüber den äußeren Zeremonien oder der geläufigen Moral betont, auch umschlagen kann in Libertinismus. Nur ein schmaler Graben trennt den frommen Spiritualismus vom Subjektivismus ohne Gott. Man kann fragen, ob solche Erwägungen im Falle von Engelbrecht und Schultheiß z. B. zutreffen. Als eine Möglichkeit sollte man sie nicht von der Hand weisen.

Interessant ist in diesem Zusammenhang eine Stelle aus einer Schrift Bucers gegen Melchior Hoffmann (1533)[52]. Er stellte darin fest, daß Satan „sich zum engel des liechts durch falschen eyffer u. ernst verstelle biss er durch soliche eussere strengheyt an deren sich die welt ye und ye vergaffet hat ... die einigkeit der kirchen zerreisse, die verachtung des worts einfüre u. also sampt dem glauben alles guts verstöre. Als dann lasst er mit dem ernnst und eyffer nach ...“[53].

Bucer spricht dann von seinen Zeitgenossen, die „anfänglich ein sehr ernstes Leben führten ... mit fasten, beeten, strenge des lebens in allen dingen“, aber jetzt sind sie der „abgötterei“ und dem „schändlichen Leben“ zum Opfer gefallen. „Ein theyl das sy sagen, inen sey das nit mehr sund, der alt Adam seye an inen gestorben, der ander teyl das sie yetz allem glauben und Gottsforcht gantz und gar entfallen, lauter Epicureer seind, die weder von Gott noch seinem wort etwas mehr halten“[54].

2 Diese Frage ist noch schwieriger zu beantworten als die des moralischen Libertinismus, aber sie ist von großer Wichtigkeit. Zunächst fällt auf, daß die eigentlichen dogmatischen Fragen im Rahmen der Synode von 1533 im Hintergrund geblieben sind. Der Widerstand der Epikuräer richtete sich fast nur auf die letzten drei Artikel, das heißt gegen die Autorität des Rates in

---

[52] Handlung gegen Hoffman, Martin Bucers Deutsche Schriften, Bd. 5, 1978, S. 45–108.
[53] Ebd. S. 50.
[54] Ebd. S. 50–51.

Glaubensdingen und gegen die Zensur. Zwar lassen die Verhandlungen auch an anderer Stelle ein gewisses Zögern bei Schultheiß, Sapidus, Brunfels und Engelbrecht erkennen. In bezug auf die Sakramentsartikel z. B. wollten sie, im Lauf der ersten Gesprächsrunde, sich noch bedenken, später aber kamen sie nicht mehr darauf zurück. Sie nahmen auch die Artikel über die Trinität, das Böse, die Rechtfertigung aus dem Glauben an. Die Opposition konzentrierte sich auf die Frage nach dem Bann und seiner Handhabung und die Rolle der weltlichen Obrigkeit. Insofern sie Einwände hatten gegen die vorgetragene Gotteslehre (Christologie, Trinitätslehre) oder gegen die Lehre von den Sakramenten, haben sie sie nicht zur Sprache gebracht.

Die Hypothese kann natürlich aufgestellt werden (Ginzburg, Wirth), daß sie aus Vorsicht geschwiegen hätten. Sie fühlten sich nicht berufen zum Märtyrertum. Sie wußten wohl, wohin die Leugnung der Trinitätslehre im 16. Jahrhundert – auch in Straßburg – führen konnte. 1527 war der Trinitätsleugner Salzmann hingerichtet worden. Aber was berechtigt uns dazu, ihre Rechtgläubigkeit zu bezweifeln? Man muß hier auf andere Quellen zurückgreifen als die Akten der Synode, nämlich auf die Anklagen Bucers und der anderen Prädikanten und auf die Schriften der Epikuräer selbst. Doch tauchen auch hier Schwierigkeiten auf für die Interpretation.

Die Aussagen der Prädikanten sind oft sehr allgemein gehalten. Den Epikuräern wurde vorgeworfen, sie wären gottlos, sie würden gar nichts glauben. Diese Kritik begleitet die Existenz des Glaubens und der Gläubigen durch alle Zeiten hindurch. Sie besagt aber noch nichts über die Art des Un- oder Irrglaubens. Mißtrauisch muß auch die Feststellung machen, daß Bucer geneigt war, vom Leben der Epikuräer (das nicht seinen Vorstellungen vom Christentum entspricht) Rückschlüsse zu ziehen auf die Lehre. Eine solche Existenz könne nur Unglauben zur Voraussetzung haben. Dieser Logik kann aber der Historiker des 20. Jahrhunderts nicht folgen.

Das andere Problem liegt darin, daß sich die Epikuräer so wenig geäußert haben. Von Sapidus und Engelbrecht z. B. hat man nur ganz wenige Schriften. Und die zahlreichen Schriften von Brunfels sind an einigen Stellen so verklausuliert, daß sie auf gegensätzliche Weise interpretiert werden können.

Wir müssen doch versuchen, aufgrund der beiden Arten von Zeugnissen nach der „Lehre" der Epikuräer zu fragen. Vier Gebiete kommen hier in Frage:

1. Die Sakramente
2. Die Bibel
3. Der Gottesbegriff
4. Die Eschatologie

1   Die Sakramente

Wir erfahren gelegentlich, daß die Epikuräer Umgang pflegen mit den Täufern. Haben sie deren Ablehnung der Kindertaufe geteilt? Das scheint der Fall zu sein bei Brunfels[55]. Nach einer späteren Äußerung Bucers (1546) scheint es auch für Engelbrecht zuzutreffen. Er wäre seines Amtes durch die Obrigkeit enthoben worden „darumb, das er der gesunden lehre vom tauff der kinder und h. Abenmal nit wolte beistehn"[56]. Im Laufe der Synode meldete Schultheiß Bedenken an über die Taufe, die absehe vom Glauben des Empfängers.[56a] Doch sträubten sich die Epikuräer dann nicht weiter den Tauf- und Abendmahlartikeln gegenüber.

Dagegen hören wir wieder von ihrer Opposition 1536, als es zum Abschluß der Wittenberger Konkordie kam. Schultheiß, Engelbrecht und P. Volz erheben Einspruch dagegen[57], ohne daß wir allerdings näheres erfahren. Man kann nur vermuten, daß sie eher einem spiritualistischen Abendmahlsverständnis zuneigten als dem lutherischen. Das geht schon aus einer Frühschrift Engelbrechts zum Altarsakrament hervor (1518)[58]. Für Brunfels war der Streit über die Frage der Realpräsenz ein sinnloser Streit um Worte[59].

Wir folgern aufgrund dieses Befundes, daß es den Epikuräern vorwiegend auf die subjektive Seite des gottesdienstlichen Geschehens, das heißt auf den Glauben, ankam. Die Vermutung liegt nahe, daß dieser Glaube so weit gefaßt war, daß er letzten Endes auch auf äußere Mittel wie die Sakramente verzichten konnte. Dem Weg Bucers auf Luther zu konnten sie sich deshalb nicht anschließen.

2　Die Stellung zur Bibel

Indem Bucer von denjenigen sprach, welche die ewige Verdammnis und den Teufel leugneten, formulierte er noch eine andere Kritik: sie würden behaupten, „das mann auch by gotlicher schrifft die warheit gottes nit ungezweifflet finde"[60]. 15 Jahre später, anläßlich der Auseinandersetzungen um das Interim, nahm er in derselben Frage wiederum die Epikuräer aufs Korn und ihre Schrift, welche den Prädikanten vorgeworfen hatte, „das wir unsern beruff, lehre und handlung anders nit dann mit goettlicher schrift beweisen koennen wie auch die zu Munster getan haben".[61]

Wenn wir uns den verschiedenen Schriften der Epikuräer zuwenden, so kann der Schluß naheliegen, hier würde im Unterschied zu den Reformatoren das Schriftwort relativiert. Das beginnt bei Brunfels schon damit, daß er in seinen

---

[55]　Pandectarum veteris et novi Testamenti libri XII, 1527, S. 57 ff.

[56]　W. BELLARDI, Engelbrecht (wie Fußnote 8), S. 203.

[56a]　QGT Elsaß II (wie Fußnote 5), No. 373, S. 44, 19–26.

[57]　J. ADAM, Kirchengeschichte (wie Fußnote 1), S. 235 ff.

[58]　Ein andechtige leer, Siehe C. H. W. VAN DEN BERG, Engelbrecht (wie Fußnote 8), S. 112.

[59]　QGT Elsaß I (wie Fußnote 5), No. 77, S. 76,1.

[60]　QGT, Ebd. Elsaß II (wie Fußnote 5), No. 370, S. 22, 34.

[61]　Vergriff (wie Fußnote 30), S. 90–91.

„Problemata" von 1523 Widersprüche zwischen den Evangelien feststellt. Zum Glück hätten wir die Episteln. Der Text der Evangelien sei verfälscht worden. Brunfels beruft sich auf Tertullians Contra Marcionem. Christus habe sich übrigens durch Gleichnisse ausgedrückt, und seine Reden seien ungenau übermittelt, so daß es unmöglich sei, von der Klarheit der Evangelien zu sprechen. Sie enthielten keine Offenbarung oder so viele Offenbarungen, wie man will.

Wichtiger als der Text selbst sei die Predigt, die den Geist vermittelt. Damit ist nicht nur die geordnete kirchliche Verkündigung gemeint, sondern jede „inspirierte" Botschaft. Falls keine Männer da wären für die Prophetie, sollten auch Frauen reden. Sie sollten auch reden, wenn Gott sie dazu erwählt hätte. An anderer Stelle kann Brunfels noch sagen: „Das Verständnis der Schriften kommt nicht aus den toten Buchstaben, sondern durch das Lehramt des Geistes Gottes, der uns innerlich prägt und lehrt"[62]. Oder noch: „Daß Gott sein Wort auch durch Träume hindurch spricht"[63]. Ähnliche Aussagen tauchen auch bei Schultheiß 1531 auf: das biblische Wort ist nur Menschenwort, Bild, irdisches Gesetz. Nur das innere Wort ist Gottes Wort, Geist, Wahrheit. Nach 1529 scheint Brunfels sich überhaupt nicht mehr mit dem biblischen Text befaßt zu haben, zumindest nicht literarisch. Er ging ganz auf in seinen medizinischen und botanischen Studien. Das war wohl mehr als ein Zufall! Auch in der Stellung zur Bibel zeigte sich der latente Spiritualismus der Epikuräer. Es wäre wohl zuviel gesagt, daß sie damit die biblische Überlieferung, ja die Offenbarung überhaupt verworfen hätten. Auch wurde die Kritik an der Bibel nur verhalten formuliert. Doch haben wir es mit einer geistigen Haltung zu tun, die im Unterschied zu den Täufern und zu den Schwenckfeldianern zur religiösen Erbauung nicht mehr unbedingt des biblischen Buches bedurfte. Die Reformatoren haben das wohl bemerkt und kritisiert. Diese Kritik geht im 16. Jahrhundert weiter. Man wird sie noch bei Calvin finden, wenn er schreibt: „il se moque de l'Ecriture sainte comme un méchant Epicurien"[64].

3 Der Gottesbegriff

Hier handelt es sich einerseits um die Trinitätslehre, andererseits um eine Gottesanschauung, die nicht mit Gottes Wirken in der Welt rechnet.

Als 1531 die Schrift des Antitrinitariers Servetus *De Trinitatis Erroribus* erschienen war, machte sich Bucer daran, sie in öffentlichen Vorlesungen zu widerlegen. Dabei mußte er erleben, daß sein Kollege, der Prädikant Schult-

---

[62] Pandectarum, QGT Elsaß I (wie Fußnote 5), No. 77, S. 77,3.

[63] Ebd.

[64] Epistre contre un certain cordelier, 1547; Calvini Opera VII, 1868, S. 360 (= Corpus Reformatorum 35).

heiß, ihm öffentlich widersprach. Dieser war der Meinung, daß Gottes Kinder sowohl bei den Juden und Heiden zu finden seien, als bei den Christen. Doch hat man sich nicht weiter auf diesem Gebiet in Straßburg mit den Epikuräern herumgeschlagen.

Eine andere Seite der Gottesanschauung der Epikuräer wird in den Äußerungen Bucers und seiner Kollegen einige Male erwähnt, nämlich die Auffassung: „Gott nehme sich unsers thuns auff erden gar nichts an, möge jeder handeln (nach) seym mutwillen"[65]. Ein solcher Indifferentismus mußte besonders gefährlich sein – in Bucers Augen – in einer Krisensituation wie derjenigen des Interims. Wenn Gott nicht in die Geschichte eingriff und seinen Gerechten beistand, dann hatte es auch keinen Sinn, Widerstand zu leisten. So beklagte Bucer 1548, daß die Epikuräer „nicht glauben das Gott, sondern dass die Mächtigen ihre Sachen und ihr Leben bestimmen"[66].

In den Schriften der Epikuräer findet sich dazu kaum eine Äußerung. Möglicherweise wurden solche Ansichten nur mündlich geäußert, vielleicht auch nur von Bucer aufgrund einer Lebensführung behauptet, die anscheinend ohne Beziehung auf Gott geführt wurde. Auf jeden Fall findet sich hier eine der wenigen Berührungsstellen mit dem Epikureismus als philosophische Prägung. Bekanntlich wollte Epikur „aus dem Weltlauf alles Eingreifen übernatürlicher Ursachen ausschließen, weil dieses dem Menschen seine Gemütsruhe rauben, ihn in beständiger Furcht vor unberechenbaren Mächten halten müßte[67]. Er hatte deshalb auf Demokrits Atomistik zurückgegriffen.

Die Furcht vor dem Tod, auch die vor den Göttern, wollte Epikur beseitigen. Die Götter sollten nicht mit der Sorge für die Welt und die Menschen belastet werden, und die Menschen sollten nicht meinen, daß höhere Mächte in den Weltlauf eingriffen.

Die Reformatoren, wie schon die Kirchenväter, haben diese Anschauung heftig bekämpft[68]. Es ist anzunehmen, daß epikureisches Gedankengut den humanistisch geprägten Straßburger Epikuräern präsent war, ohne daß wir allerdings Genaueres darüber wissen. Im 16. Jahrhundert war u. a. bei humanistisch Gebildeten epikureisches Gedankengut auf dreifache Weise gegenwärtig. Erstens durch Editionen alter Autoren: So wurden die 10 Bücher des Diogenes Laertius (2. Viertel des 3. Jahrhunderts) in lateinischer Übersetzung schon 1475 gedruckt, im griechischen Urtext 1533 in Basel. Bekanntlich enthalten sie die drei Briefe, in denen Epikur das Wesentliche seines Denkens zusammenfaßte. Im 15. Jahrhundert waren auch in Italien Ciceros Werke erschienen (u. a. der Brief an Oktavius). Von großer Bedeutung war vor allem das poetische Werk des Lukretius (1. Druck zwischen 1471 und 1473). Durch diese Werke, die oft mit kritischen Kommentaren versehen waren, erschien der

---

[65] QGT Elsaß II (wie Fußnote 5), No. 499, S. 267,5; No. 577, S. 355,25.
[66] De proprio fidelis, Thomasarchiv Straßburg 39 No. 146, S. 319.
[67] E. ZELLER, Grundriß der Geschichte der griechischen Philosophie, 1901, S. 231.
[68] Siehe z. B. Calvins Institutio I, XVI, 4.

Epikureismus vor allem als die Ablehnung aller Vorsehung. Aufgrund seiner Theorie der Atome war die Welt nicht geschaffen, sondern durch die kontingente Begegnung von Atomen entstanden. Der Epikureismus vertrat einen gewissen Hedonismus (die Lust als das oberste Gut) und leugnete die Unsterblichkeit der Seele.

Die zweite Weise, in der epikureisches Gedankengut vergegenwärtigt war, bestand im Versuch, den Laurentius Valla (De Voluptate, 1472) und Erasmus (Dialog „Epikureus" am Schluß der „Colloquia familiaria", Edition von 1533) machten, Christentum und Epikuräismus miteinander zu versöhnen. Die Lust und Freude wurden als oberstes Gut bezeichnet. Erasmus stellte auch das Mönchtum unter dieses Zeichen. Drittens wäre zu reden vom epikureischen Erbe im 16. Jahrhundert aufgrund der gegen Epikur geführten Polemik bei den Kirchenvätern. Hier sind vor allem die „Divinae Institutiones" des Lactantius zu nennen. In weitem Maße haben die Reformatoren ihre „Kenntnis" vom Epikureismus bei den Kirchenvätern geschöpft wie auch ihre Argumente gegen diese Bewegung.

4 Die Eschatologie

Den Epikuräern wurde vorgeworfen, daß sie überhaupt jedes Leben nach dem Tode leugneten[69] oder aber daß sie behaupteten, „es seye kein gericht nach dieser zeyt weder teuffel noch hell"[70], oder „das Got aller ding nicht so streng richten werde, wie ers in der schrifft treuwet"[71].
In den Schriften der Epikuräer selbst kommt dieses Thema nur wenig zur Sprache. Die Lehre von der Allversöhnung oder der Wiederbringung aller Dinge findet sich in einer Schrift des Gärtners Clemens Ziegler: „Von der sellickeit aller seelen" (1532). Er hatte sie wahrscheinlich von Hans Denck (1526 in Straßburg) und vielleicht von Jakob Kautz übernommen. Bucer scheint sie auf die Epikuräer insgesamt zu übertragen. Wie schon 1527, in einem gegen Denck gerichteten Traktat, argumentiert er so, daß diese Lehre bei ihren Anhängern zur Sorglosigkeit und zum moralischen Indifferentismus führe.

Wo standen also letzten Endes, theologisch gesehen, die Epikuräer? Was trifft in ihrem Falle zu: Heterodoxie, Häresie, Unglaube? Insofern sie sich überhaupt theologische Gedanken machten und insofern sie sie ausgedrückt haben, wird man wohl sagen können, daß sie Anschauungen hatten, die eine gewisse Distanz zur christlichen Offenbarung und ihrem Absolutheitsanspruch, zum überlieferten Dogma und vor allem zur Institution bedeuteten

---

69 QGT Elsaß II (wie Fußnote 5), No. 577, S. 355,26.
70 Ebd., No. 370, S. 22, 31–33; No. 499, S. 267,8–9; No. 637, S. 424, 24–27.
71 BDS VII, S. 34.

und ermöglichten. Man wird auch sagen können, daß sie Gedanken bevorzugten, die Grundlage für ein Christentum sein konnten, das nicht durch moralisch enge und kirchlich kontrollierbare Verhaltensnormen bestimmt war. Kann man, muß man aber so weit gehen, sie geradezu als Ungläubige, ja als Gottlose zu bezeichnen?

Bucer macht es ihnen immer wieder zum Vorwurf: „sie glauben gar nichts"[72]. Es sind ganz „gottlose"[73]. Auch das Wort „athei" taucht hin und wieder mal auf, u. a. am Rande! Gewisse Historiker der Gegenwart (J. Wirth) neigen dazu, diesem Urteil beizupflichten, mit Hilfe folgender These: Daß der Unglaube der Epikuräer nicht deutlicher zu Tage trete, läge am Druck der Zeit und an der Kunst der Epikuräer, ihre wirklichen Meinungen zu verstellen. Sicher haben die Epikuräer sich eine gewisse Zurückhaltung auferlegt (z. B. in der Frage der Dreieinigkeit), sicher haben einige unter ihnen die Kunst beherrscht, sich zweideutig auszudrücken (Brunfels). Die entscheidende Frage bleibt aber: Was verbergen sie? Unglauben oder einen anderen Glauben? Daß bei ihnen eine Reduktion des Christentums stattgefunden hatte, ist nicht zu bestreiten, bei dem einen oder andern mag wenig genug übriggeblieben sein und zum Teil der Spiritualismus in Libertinismus umgeschlagen haben. Aber die Quellen erlauben es trotzdem nicht, im Falle dieser Menschen von einem bewußten Gegensatz, von einer Verleugnung des Christentums oder von Apostasie zu sprechen.

Wir kommen zum Schluß. Die Auseinandersetzung zwischen den Straßburger Prädikanten und den Epikuräern in den 30er Jahren des 16. Jahrhunderts hat eine grundsätzliche Bedeutung für die Frage des Überganges von evangelischer Bewegung zur Bildung eines protestantischen Kirchentums. Für eine gewisse Anzahl von Menschen, insbesondere die Oberschicht, sowohl Humanisten als auch oberes Bürgertum, bedeutete Reformation vorwiegend Emanzipation, die Möglichkeit eines dogmatisch und institutionell relativ freien und vielfältigen Christentums. Für die Reformatoren dagegen – und hier waren sich alle einig – sollte die Reformation zur moralischen Erneuerung führen und innerhalb eines gereinigten und bekenntnismäßig einigen Kirchentums verwirklicht werden. Hinzu kam mit einer gewissen historischen Zwangsläufigkeit, daß die theologische und kirchliche Entwicklung sich im Rahmen der Territorialstruktur des Reiches abspielen mußte. Ein weiter Spielraum für Pluralismus war damit von vornherein ausgeschlossen. Die Epikuräer haben gesehen, daß damit gewisse ursprüngliche Impulse der Reformation (in Richtung persönlicher Glaubensfreiheit) erstickt werden mußten. Sie haben vergeblich versucht, sich dieser Entwicklung zu widersetzen. Der Historiker wird in vielen Fällen die Frage offenlassen müssen, ob es sich bei ihnen um einen banalen Hedonismus handelte, „fleischliche Freiheit", oder um einen religiös ernsten Spiritua-

---

[72] QGT Elsaß II (wie Fußnote 5), No. 492, S. 263,27.
[73] Ebd., No. 637, S. 424,24.

lismus. Er wird aber ihren Ruf nach Toleranz hören müssen und mit den Worten von Vinet sprechen: „Nur wo das Recht zum Irrtum gegeben ist, gibt es auch Toleranz."

Eine andere Schlußfolgerung ist aufgrund des Phänomens des Epikuräismus zu ziehen. A. Tenenti hat es so formuliert: „Nach 1530 entstand in Europa nicht nur ein religiöser Bruch, der die Katholiken von denen trennen sollte, die man bald die Protestanten nannte; sondern eine gewisse Anzahl von Menschen reihte sich weder in das eine noch in das andere Lager ein. Eine noch größere Menge von Personen betrachteten von nun an die Gottesdienste als Gewohnheiten, als Konventionen, die plötzlich äußerlicher Art geworden waren. Indem es sich nicht mehr als eine uniforme Einheit von Glaubensanschauungen darstellte, stand das Christentum unter einem anderen Vorzeichen: zahlreiche Gläubige begannen, sich von einer starren geistigen Prägung zu lösen, vom Widerstreben, eine Pluralität von Religionen und Riten zu akzeptieren. Andere, wahrscheinlich die meisten, fanden sich wieder in einen neuen Rahmen gestellt (encadrés), entweder in stark erneuerten katholischen Strukturen, oder in protestantischen Strukturen"[74].

So erscheinen die Epikuräer als Gegenpol und auch als Anfrage angesichts des sich anbahnenden Konfessionalismus. Sie haben ihn nicht verhindern können, aber sie weisen über ihn hinaus auf die Neuzeit.

---

[74] A. TENENTI, Libertinisme et hérésie du milieu du XVIe siècle au début du XVIIe siècle, in: Hérésies et Sociétés dans l'Europe préindustrielle XIe–XVIIIe siècles, 1968, S. 307–308.

HANS-JÜRGEN GOERTZ

Aufstand gegen den Priester
Antiklerikalismus und reformatorische Bewegungen

Die Reformation hat in den deutschen Reichsstädten und Territorien nicht mit einem festumrissenen Konzept und einer präzise gefaßten Ekklesiologie eingesetzt. Nicht die theologischen Spitzensätze gelehrter Kommentare und Disputationen und die komplizierten Gedankengänge der Reformatoren, sondern recht allgemeine und in ihrer Bedeutung schillernde Schlagwörter, oft das polemische Beiwerk der reformatorisch gesinnten Predigt, haben in der Bevölkerung gezündet und der Reformation den Boden bereitet[1]. Antiklerikale Agitation in Predigt, Flugschrift und Aktion überzeugte meistens mehr als die theologisch subtil erarbeitete Rechtfertigungsbotschaft Martin Luthers, deren Auslegung selbst in den lutherischen Kirchen ja heute noch umstritten ist. Franz Lau hatte die kirchenpolitische Turbulenz um 1520 einst den „Wildwuchs der Reformation" genannt; und dieser Begriff trifft die theologisch diffuse Auseinandersetzung um eine Reform der Christenheit zwischen 1517 und 1525 sehr genau[2]. Mißlich ist nur die bildliche Vorstellung, die Lau offensichtlich mit diesem Begriff verbindet, denn mit dem Stamm, der wilde Triebe ansetzt, scheint die lutherische Reformation gemeint zu sein, als ob ihr Wuchs von Anfang an Substanz, Richtung und Ziel gehabt hätte, die wilden Triebe indessen nur beschnitten zu werden brauchten. Versteht man diesen Begriff aber so, daß er eine ganz offene Situation miteinander und gegeneinander eifernder Reformbewegungen beschreibt, daß die Bemühungen um eine Reformation wild durcheinanderwachsen und daß die einzelnen Bewegungen je für sich selbst noch ohne festes Konzept sind, dann wird es sinnvoll sein, diesen Begriff zu verwenden[3] und in Zukunft ganz bewußt von mehreren Bewegungen statt nur von der reformatorischen Bewegung zu sprechen[4]. Diese

---

[1] Vgl. St. E. Ozment, The Reformation in the Cities. The Appeal of Protestantism to Sixteenth-Century Germany and Switzerland, 1975; K. H. Scheible, Die Gravamina, Luther und der Wormser Reichstag 1521 (Ebernburg-Hefte 5), 1971, S. 58–74.
[2] F. Lau, Reformationsgeschichte bis 1532, in: Ders. und E. Bizer, Die Kirche in ihrer Geschichte, III K, 1964, S. 17 ff.
[3] M. Haas, Der Weg der Täufer in die Absonderung. Zur Interdependenz von Theologie und sozialem Verhalten, in: H.-J. Goertz (Hg.), Umstrittenes Täufertum 1525–1975. Neue Forschungen, 1977², S. 54 ff. (vgl. hier auch die Verknüpfung von „Wildwuchs der Reformation" mit Antiklerikalismus).
[4] R. Wohlfeil, Reformation in sozialgeschichtlicher Betrachtungsweise, in: S. Hoyer (Hg.), Reform, Reformation, Revolution, 1980, S. 100; Ders., Einführung in die

Bewegungen gingen von Wittenberg, Orlamünde und Allstedt aus, von Humanisten, Reichsrittern und Priestern, von Buchführern und Handwerkern, sie führten zum Bauernkrieg, zu Vereinigungen und Bündnissen und zu Theokratien. Sie wurden lutherisch, zwinglisch und täuferisch genannt. Diese Bewegungen beginnen schon sehr früh, eigenes Profil anzunehmen, zunächst aber hängen sie – manchmal noch verschwommen und kaum genau voneinander zu unterscheiden – alle miteinander zusammen im „Wildwuchs der Reformation", und das nicht nur im überregionalen Rahmen, die eine Bewegung hier, die andere dort, sondern teilweise innerhalb der Mauern einer Stadt. In Zwickau waren 1520/21 beispielsweise humanistische, lutherische und müntzersche Kräfte wirksam, vielleicht sogar noch unabhängig von Thomas Müntzer der spiritualistisch-taboritische Kreis um den Tuchknappen Nikolaus Storch; die Reformpolitik des Rates deckte sich in Straßburg nicht genau mit den Vorstellungen der Reformatoren in der Stadt; in Münster, das seinen „Wildwuchs" erst in den frühen dreißiger Jahren erlebte, waren für kurze Zeit lutherische, reformierte und täuferische Elemente am Werk, bevor die Reformation ins Täufertum einmündete. In den Niederlanden wirkten sakramentarische und täuferische Bewegungen ineinander, und erst später setzte sich der Calvinismus in den von Spanien abgefallenen Provinzen durch[5]. Diese offene, noch nicht für eine ganz bestimmte Reformation entschiedene Situation verkennt im Grunde auch Steven E. Ozment, wenn er von der „Protestant movement" spricht und fortfährt: "The first generation of Protestant reformers were nothing if not shrewd tacticians, careful to pace their reforms, and quick to distinguish between those areas which required a discreet retreat or an all-or-nothing fight"[6]. Hier rächt sich bereits der unbedachte Gebrauch des Begriffs „Bewegung". Zur Bewegung gehört es, gerade nicht so unter Kontrolle zu stehen und zielstrebig abzulaufen, wie Ozment es sich vorstellt. Sie ist von den Mächten, die sie provoziert, in ihrem konkreten Verlauf abhängig und erreicht nicht immer das gewünschte Ziel. Und wenn es zutrifft, daß in der Bewegung ein konkreter Protest mit gesellschaftsverändernder Absicht zum Ausdruck kommt[7], dann wird es – auch schon abgesehen von unterschiedlicher theologischer Einfärbung in lutherisch, reformiert oder täuferisch – kaum eine uniforme Bewegung geben. Die Wirkung jeder Bewegung beruht ja gerade

---

Geschichte der Reformation, 1982; vgl. auch R. H. BAINTON, The Left Wing of the Reformation, in: The Journal of Religion 21, 1941, S. 124, f., dazu M. HAAS, Der Weg der Täufer (wie Fußnote 3), S. 56 f.

[5] A. F. MELLINK, The "Radical Underground" in the Dutch Radical Reformation, in: Bulletin zu Documenta Anabaptistica Neerlandica, 12 und 13 (1980–81), S. 43–57.

[6] ST. E. OZMENT, The Reformation (wie Fußnote 1), S. 125.

[7] Der Begriff „Bewegung" wird in reformationsgeschichtlichen Untersuchungen gewöhnlich umgangssprachlich gebraucht. Wichtige Anregungen zu einer theoretisch geschärften Verwendung dieses Begriffs können aus der deutschsprachigen Literatur neuerdings entnommen werden bei: OTTHEIN RAMMSTEDT, Soziale Bewegung, 1978, bes. S. 127 ff.

auf präzisen Reaktionen auf die kirchlichen und gesellschaftlichen Zustände in jeder Stadt oder Region. Sie wird in den Zürcher Landgemeinden eine andere Gestalt annehmen als in der Stadt selbst, in Augsburg ein anderes Ergebnis erreichen als in Waldshut, in geistlichen Grundherrschaften auf dem Lande andere Züge tragen als in Gebieten des aufblühenden Bergbaus. Robert Scribner, der die umgangssprachliche Verwendung des Bewegungsbegriffs zu überwinden versucht, hat vorgeschlagen, den gebräuchlichen Begriff „reformatorische Bewegung" durch „evangelische Bewegung" zu ersetzen, um die Vielfalt reformerischer Bewegungen einzufangen[8]. Auf dieses Problem wird noch am Ende dieser Untersuchung kurz einzugehen sein.

Ozment hat das Grundmuster, nach dem die Reformation in den deutschen Städten eingeführt wurde, so beschrieben: "Preachers and laymen learned in Scripture provided the initial stimulus; ideologically and socially mobile burghers, primarily from the (larger) lower and middle strata, created a driving wedge of popular support; and government consolidated and moderated the new institutional changes"[9]. Als allgemeine Charakteristik des Reformationsprozesses mag die Beobachtung dieses Dreischritts genügen. Besonders wichtig scheint mir aber die Frage zu sein, wie die Interaktion zwischen den evangelischen Predigern und ihrem Anhang zustande kam und funktionierte, denn nur auf diese interagierende Gruppierung – nicht auf die Prediger allein und nicht auf den Anhang allein – reagierte der Rat der Stadt, ja, vielfach war die Interaktion geradezu darauf angelegt, den Rat zum Handeln zu bewegen[10]. Zweifellos hat die Bevölkerung besonders die Kritik an dem Zustand der Kirche aus den evangelischen Predigten und den sich schnell vermehrenden und verbreitenden Flugschriften herausgehört und sich in ihren eigenen Erfahrungen mit dem Klerus, der diese Kirche repräsentierte, bestätigt gefühlt.

Diese Predigten und Flugschriften haben allerdings nur selten das theologische Niveau und die evangelische Eindeutigkeit Luthers oder Zwinglis erreicht; sie waren in ihrer vordergründigen Kritik und Polemik dafür aber um so eingängiger und den Bedürfnissen der Zuhörer und Leser näher. Und wo kirchliche oder obrigkeitliche Behörden gegen diese Prediger einzuschreiten begannen, haben sich Teile der Bevölkerung mit den Predigern solidarisiert und den reformatorischen Forderungen in antiklerikalen Aktionen Nachdruck verlie-

---

[8]   R. W. SCRIBNER, The Reformation as a Social Movement, in: W. Mommsen, P. Alter und R. W. Scribner (Hgg.), Stadtbürgertum und Adel in der Reformation. Studien zur Sozialgeschichte der Reformation in England und Deutschland, 1979, S. 54; DERS., Sozialkontrolle und die Möglichkeit einer städtischen Reformation, in: B. Moeller (Hg.), Stadt und Kirche im 16. Jahrhundert, 1978, S. 57 ff.

[9]   ST. E. OZMENT, The Reformation (wie Fußnote 1), S. 131.

[10]   Zur Bedeutung des Volkes für die Einführung der Reformation vgl. P. J. KLASSEN, Das Volk als Entscheidungskraft in der Reformation, in: S. Hoyer (Hg.), Reform, Reformation, Revolution (wie Fußnote 4), S. 114 ff. (Vf. gibt auch einige Beispiele für eine Verhinderung der Reformation durch die Bevölkerung an: Rottweil, Rottenburg).

hen. Ein besonders spektakuläres Beispiel ist der Pfaffensturm in Erfurt. Luther war gerade auf seinem Weg zum Reichstag in Worms aus Erfurt, wo er gepredigt hatte, aufgebrochen, da wurden einige seiner Anhänger exkommuniziert. Das löste Empörung und Entsetzen in der Stadt aus und führte zu einem Sturm auf die Häuser der Geistlichen, ohne daß der Rat der Stadt dagegen eingeschritten wäre[11]. Es sind sicherlich ganz unterschiedliche politische und soziale Motive gewesen, die hinter der Solidarisierung mit der Reformation standen; entscheidend ist hier zunächst, daß für die Anhänger der Reform der Antiklerikalismus zu einem gemeinsamen Medium und Werkzeug ihres emotionalen Zusammenhalts, ihres Engagements und ihrer öffentlichen Meinungsäußerung wurde.

Der Antiklerikalismus ist keine Erfindung der Reformationszeit. Er hat seine Wurzeln in den Jahrhunderten vor der Reformation. Im Zusammenhang der bäuerlichen Unruhen im 14. und 15. Jahrhundert hat Günther Franz mit einigen markanten Beispielen auf die Bedeutung antiklerikaler Animositäten und Aktionen hingewiesen[12]. Darauf kann jetzt nicht eingegangen werden. Zu Beginn des 16. Jahrhunderts setzte eine neue Welle antiklerikaler Äußerungen ein. Sebastian Brant hatte schon früh in seinem „Narrenschiff" (1491) herbe Kritik am Klerus geübt, ebenso Erasmus von Rotterdam in seinem „Lob der Torheit" (1509) und Thomas Morus in der „Utopia" (1516), nicht zu vergessen die „Dunkelmännerbriefe" (1515/17) und die „Klag und Vermahnung gegen den übermäßigen unchristlichen Gewalt des Papstes zu Rom und der ungeistlichen Geistlichen", die Ulrich von Hutten 1520 veröffentlichte. Hussitisches Schrifttum, das gegen die privilegierte Stellung des Klerus polemisierte und den Laienkelch forderte, wurde neu aufgelegt und verbreitet. Vor allem aber die vernichtende Kritik Luthers am Papst als dem Antichrist, die schnell um sich griff, und der antiklerikale Rigorismus in reformierten Kreisen haben dazu beigetragen, daß antiklerikale Ressentiments, die sich in einem schwer bestimmbaren Maß im einfachen Volk eingenistet hatten, wiederbelebt, daß der Pfaffenhaß neu geschürt wurde und handgreifliche Formen annahm. Die Nester der Pfaffen müßten zerstört und die Mönche ausgerottet werden, forderte der Neu-Karsthans[13]. Oder ein Reflex auf den Zusammen-

---

[11] R. SCRIBNER, Civic Unity and the Reformation in Erfurt, in: Past and Present 56 (1975), S. 39 ff.

[12] G. FRANZ, Der deutsche Bauernkrieg, 1977[11], S. 45 ff. Vgl. neuerdings P. BAUMGART, Formen der Volksfrömmigkeit – Krise der Alten Kirche und reformatorische Bewegung. Zur Ursachenproblematik des „Bauernkrieges", in: P. Blickle (Hg.), Revolte und Revolution in Europa, 1975, S. 186–204.

[13] R. STUPPERICH (Hg.), Martin Bucers Deutsche Schriften, Frühschriften, 1520–1524, 1960, S. 438 f. Zum Thema „Antichrist" vgl. H. PREUSS, Die Vorstellung vom Antichrist im späten Mittelalter, bei Luther und in der konfessionellen Polemik, 1906. Zum rigorosen Antiklerikalismus in oberdeutschen Städten vgl. z. B. die frühen Schriften von Capito, Hedio und Brunfels in Straßburg und die Bilderstürme an vielen Orten. Vgl. auch A. STÖRMANN, Die städtischen Gravamina gegen den Klerus, 1916.

hang von Antiklerikalismus und Reformation aus späterer Zeit: 1535 erteilte der päpstliche Legat Peter Vergerius dem Abt zu Wilhering die Erlaubnis, ein anständiges weltliches Kleid zu tragen und an Fastentagen Fleisch zu essen, denn „es habe die Bosheit der Ketzerei dermassen überhand genommen, daß Ordensgeistliche, welche in Mönchskleidung einherschreiten, nicht nur dem Gelächter und der Verachtung eines Jeden, sondern auch Unbilden und Beleidigungen ausgesetzt seien, welche es ihnen unmöglich machen, ohne Leibesgefahr durch Städte und Länder zu reisen"[14]. Im „Wildwuchs der Reformation" kann jede Form von Sakramentskritik, Kritik an der Lebens- und Amtsführung des Klerus und Bildersturm als Antiklerikalismus zusammengefaßt werden: die Meidung der Messe, die Schändung der Hostie, Verweigerung der Taufe und Verweigerung des Zehnten. Der Antiklerikalismus hatte alle reformerischen Bewegungen ergriffen und die Phantasie aller beflügelt, immer neue Verbalinjurien und Aktionen gegen den Klerus zu ersinnen, so daß der „Wildwuchs der Reformation" seinen Sinn als „Aufstand gegen den Priester" erhält.

Es blieb jedoch nicht bei einer allgemeinen antiklerikalen Stimmung und Auflehnung. Sehr bald drang der Antiklerikalismus in das Denken und Handeln des Volkes tiefer ein und entwickelte sich in den verschiedenen Bewegungen und Regionen unterschiedlich weiter, einzelnen Bewegungen gab er sogar eine ganz besondere Form. Darauf kann im folgenden nur in exemplarischer Auswahl eingegangen werden, eher in der Absicht, eine umfassende und gründliche Analyse des Antiklerikalismus in der Reformationszeit anzuregen, als dieses Thema schon erschöpfend zu behandeln.

„Geistlicher Aufruhr"

Die frühen Schriften Martin Luthers sind ein wahrer Steinbruch für antiklerikales Vokabular, selbst Aufrufe zu blutrünstigem Vorgehen gegen Priester und Mönche fehlen nicht[15]. Der Kampf gegen den Ablaß, mit dem die „römischen Heuchler" sich bereicherten, die Auseinandersetzungen mit dem Antichrist zu Rom und die Aufnahme der reichsständischen Gravamina in seine Schrift „An den christlichen Adel deutscher Nation von des christlichen Standes Besserung" haben ihm reichlich Anlaß zu antiklerikalen Invektiven gegeben, und diese haben ihre Wirkung im Volke nicht verfehlt. Sie gehörten zum festen

---

[14]   TH. WIEDEMANN, Geschichte der Reformation und Gegenreformation im Lande unter der Enns, Bd. 1, 1879, S. 81 f. (Den Hinweis auf diese Stelle verdanke ich Herrn cand. phil. W. Lassmann, Wien).
[15]   M. LUTHER, Werke, Weimarer Ausgabe (WA), 6, S. 347. Vgl. G. ZSCHÄBITZ, Martin Luther. Größe und Grenze. Teil 1 (1483–1526), 1967, S. 73 (Kapitelüberschrift: Der Kämpfer gegen Rom (1517–1526).

Bestandteil der Bewegungen, die in zahlreichen Städten entstanden, um Reformen voranzutreiben und herbeizuführen.

Schon in der Psalmenvorlesung (1513/15) hatte Luther den Klerus gelegentlich kritisiert: „Der erzürnte Gott läßt zu, daß diese Stände heute vergeblich und ohne Wirkung sind, weil sie dem bösen Denken so anheimgegeben sind, daß sie alles, was ihres Amtes ist, nicht tun, das aber tun, was ihnen nicht geziemt"[16]. Mit aller Vorsicht betritt er hier für sich selber zeit- und sozialkritisches Neuland, so daß er meint, sich gegen mögliche Mißverständnisse noch schützen zu müssen: „Nicht daß man gegen sie wüten und zürnen soll, sie lästern und herabsetzen, denn das hat keinen Erfolg (Hes. 9,11. ff.), sondern man soll Schmerz und Mitleid empfinden, sich der Kirche in ihnen erbarmen und für sie beten"[17]. Schärfer und ausfallender wird die Kritik schon in der Römerbriefvorlesung (1515/16). „Dummköpfe", „Untaugliche", „Unwürdige", „weitschweifige kleine Schwätzer" werden von Bischöfen und Ordensleuten auf die Kanzeln geschickt, „Satansknechte und Diener der alten Schlange"[18]. Er beobachtet auch die Animosität gegen den Klerus im Volke, verbindet aber mit seinen kritischen Äußerungen die ernste Bitte, „daß niemand es mir nachtun möge in dem, was ich aus Schmerz und Pflichtgefühl sage, wie die Anwendung der Lehre, die man lehrt, auf das jetzige Leben für das Verständnis sehr förderlich ist, und zugleich auch deshalb, weil ich mein Lehramt mit apostolischer Autorität ausübe. Es ist meine Pflicht, das anzuprangern, was, wie ich sehe, nicht in rechter Weise geschieht, auch wenn es sich auf höherer Ebene abspielt"[19].

Die Hemmungen, gegen den Klerus zu agieren, fallen erst, als Luther selbst dem Ketzerverdacht und einem Ketzerprozeß ausgesetzt wird. In seinen Vorlesungen waren Ketzer und Schismatiker die Feinde der Christenheit, jetzt werden es Päpste, Prälaten und Priester. In der Adelsschrift kritisiert Luther nicht nur den geistlichen Stand, er entzieht ihm auch mit starken theologischen Argumenten die Legitimation und das Daseinsrecht. Er erklärt den geistlichen „Stand" als aufgelöst. Damit wurden im Volk wohl endgültig die Schleusen geöffnet, aus denen sich Hohn und Spott, Klage und Angriff, aufgestaute Aggressionen gegen Bischöfe, Priester und Mönche in breitem Strom ergossen. Nicht nur Aversionen und Affekte gegen den Klerus wurden so verstärkt, sondern auch das Gefühl wurde genährt, daß der eigentliche Sachwalter der Kirche das einfache gläubige Volk sei: „Ja, es kommt häufiger vor, daß ein häusliches und schlichtes Werk einer Magd oder eines Knechtes Gott wohlgefälliger ist als alle Fasten und Werke eines Ordensmannes und Priesters – wegen des fehlenden Glaubens. Weil demnach die Gelübde heutzutage wahr-

---

16 K. ALAND (Hg.), Luther Deutsch. Die Werke Martin Luthers in neuer Auswahl für die Gegenwart. 1969, Bd. 1, S. 41 (WA 3, S. 170).
17 Ebd., S 68 (WA 3, S. 418).
18 Ebd., S. 240 und 248 (WA 56, S. 454 und S. 479).
19 Ebd., S. 248 (WA 56, S. 480).

scheinlich nur zur Prahlerei und zur Anmaßung wegen der Werke dienen, steht zu befürchten, daß es nirgends weniger Glauben, weniger von der Kirche gibt als eben bei Priestern, Mönchen, Bischöfen, und daß sie rechte Heiden und Heuchler sind, die sich für die Kirche oder für das Herz der Kirche, ebenso für Geistliche und Leiter der Kirche halten, obwohl sie doch nichts weniger als das sind"[20]. Das wurde im Volk begierig aufgenommen. Erasmus erklärte dem sächsischen Kurfürsten, Luther habe zwei unverzeihliche Sünden begangen, nämlich dem Papst an die Krone und den Mönchen an die Bäuche gegriffen; und Pirkheimer gestand, er sei zunächst „gut lutherisch" gewesen, denn er habe gehofft, die „römische Büberei, desgleichen der Mönche und Pfaffen Schalkheit sollte gebessert werden"[21]. Wenn die Humanisten in den antiklerikalen Angriffen die eigentliche Stoßkraft Luthers erblickten, um wieviel mehr wird das im einfachen Volk, das er geistlich aufgewertet hatte, der Fall gewesen sein! Gerhard Zschäbitz hat zu Recht festgestellt: „Der theologischakademische Rahmen der Wittenberger ‚Schule' war geborsten. Die Volksmassen waren für Luther in Aktion getreten"[22]. Gesprengt hat diesen Rahmen das antirömische und in einem weiteren Sinne antiklerikale Argument, das ein tiefsitzendes Ressentiment des Volkes gegenüber dem Klerus, besonders gegenüber den Mönchen, zu selbstbewußter Agitation wandelte. Doch als der Gang der Reformation mit den Wittenberger Unruhen in eine turbulentere Phase geriet, von allerlei antiklerikaler Gestik und Aktion begleitet[23], das antiklerikale Argument zu leiblichem Aufruhr zu führen drohte, der dem Evangelium seiner Meinung nach schaden mußte, und sich allmählich auch gegen ihn als den Behutsamen und Zauderer zu kehren begann, schließlich auch die Bauern antiklerikale Kampfinstrumente einsetzten, um ihren Forderungen Nachdruck zu verleihen, hat Luther den Eindruck, den seine Klerikerbeschimpfung hervorgerufen hatte, zu korrigieren versucht. Er weist darauf hin, daß seine Ausfälle gegen den Klerus mißverstanden worden seien, wenn das einfache Volk in ihnen eine Aufforderung gesehen habe, sich an den Gütern und Rechten von Bischöfen und Prälaten, Priestern und Mönchen zu vergreifen. Gegen den Klerus könne nur die weltliche Obrigkeit einschreiten[24]. Das emotional gegen die Priester aufgebrachte Volk mußte darin einen Rückzieher sehen, eine kräftige Abschwächung des antiklerikalen Arguments. Unüberhörbar deutlich setzt die Korrektur an einem zu leichtfertigen und

---

[20] Ebd., Bd. 2, S. 215 (WA 6, S. 541).

[21] G. ZSCHÄBITZ, Martin Luther (wie Fußnote 15), S. 125 und S. 192.

[22] Ebd., S. 130. Zur Unterstützung durch das Volk vgl. M. Luther, WABr 2, S. 347 ff.

[23] J. S. PREUSS, Karlstadt's "Ordinaciones" and Luther's "Liberty": A Study of the Wittenberg Movement 1521–1522, 1974.

[24] M. LUTHER, WA 8, S. 679 f. Vgl. aber auch WABr 2, S. 331 f. WABr 2, S. 337 f., wo Luther die Ausfälle gegen die Priester in Erfurt und Gotha als Zeichen dafür deutet, daß die Bürger nicht mehr bereit sind, die gesellschaftliche Privilegisierung des Klerus zu dulden. Vgl. ST. E. OZMENT, The Reformation (wie Fußnote 1), S. 140.

militanten Antiklerikalismus mit der „Treuen Vermahnung zu allen Christen, sich zu hüten vor Aufruhr und Empörung" 1522 ein. Dem leiblichen wird der „geistliche Aufruhr", die Predigt des Evangeliums gegen den Klerus, gegenübergestellt[25]. Luther hat sich allerdings die Chance nicht entgehen lassen, seine „schwärmerischen" Mitläufer und Gegner ihrerseits einer „neuen Möncherei" zu bezichtigen und den theologischen Fehler, Gesetz und Evangelium nicht voneinander unterscheiden zu können, den er dem altgläubigen Klerus vorwarf, nun auch Müntzer und den Bauern vorzuwerfen. Sein berüchtigter Aufruf, die Bauern zu morden, und seine Empfehlung, die Täufer mit dem Tode zu bestrafen, werden bald folgen. Es ist, als ob er seinen antiklerikalen Affekt auf seine neuen Gegner verlagert hätte. In diesem Stadium der Auseinandersetzung wird für viele zunehmend deutlich, daß seine Reformation, so kräftig der Schlag gegen Rom und den Klerus auch geführt wurde und so heftig die Papstkritik gerade noch beim späten Luther sein wird, nicht darauf angewiesen war, theologisch aus der Kampfstellung gegen den Klerus bedacht zu werden, vielleicht auch deshalb nicht, weil der Einfluß des altgläubigen Klerus in den Städten schnell zu schwinden begann und die Klöster bald verlassen wurden. Je stärker die Theologie nun für das allgemeine Volk expliziert wird, um so mehr können die antiklerikalen Argumente in den Hintergrund und die Grundstrukturen des neuen Rechtfertigungsverständnisses bzw. der Zwei-Reiche-Lehre in den Vordergrund treten. Der Antiklerikalismus wird als ein Argument unter vielen, aber nicht mehr als das Argument, wie es wohl zunächst geschah, wahrgenommen, obwohl er als Kampfinstrument im Durchsetzungsprozeß der Reformation Luthers immer noch Verwendung findet. So wird es nützlich sein, grundsätzlich zwischen den Absichten Luthers und seinen Wirkungen im Volk zu unterscheiden. „Gewiß er träumte nicht davon, den äußeren und formalen Mißständen der Kirche abhelfen zu können; oder besser gesagt, er träumte davon nur nebensächlich; das war in seinen Augen eine sekundäre Aufgabe, die sich, sobald das Ziel erreicht wäre, von selbst erledigen würde"[26]. Auf diese Weise hat Lucien Febvre die Absichten Luthers sicherlich richtig dargestellt; im Volke aber wurde die Nebensache oft mit der „Sache Luthers" selbst identifiziert.
Stärker als im Einflußbereich Luthers schlug der Antiklerikalismus in schweizerischen und oberdeutschen Städten durch. Darauf kann in diesem Rahmen nicht eingegangen werden; doch um Verzerrungen in der Beschreibung der Antiklerikalismusszene zur Zeit der Reformation zu vermeiden, soll wenigstens angedeutet werden, daß die Kritik an den Sakramenten und das Bedürfnis, Gottesdienste und Gotteshäuser zu säubern, hier teilweise sehr rigoros

---

[25] M. LUTHER, WA 8, S. 683. Ein Beispiel dafür, daß nicht nur Luther, sondern auch lutherische Reformer begannen, vor antiklerikalen Aktionen zu warnen, als Aufruhr mit dem Evangelium begründet wurde, gibt für Erfurt R. SCRIBNER, Civic Unity (wie Anm. 11), S. 41.
[26] L. FEBVRE, Martin Luther, Religion als Schicksal. 1976, S. 49.

waren, zumal sie von dem kommunalen Selbstverständnis dieser Städte begünstigt wurden, die sich seit längerem schon der geistlichen Kontrolle durch Bischöfe, Domkapitel und Klöster zu entziehen versuchten. Dieser Antiklerikalismus erschöpfte sich nicht in der Funktion, Reformprozesse anzuregen und einzuleiten, er gab auch den Reformzielen vielfach ihre Gestalt: aus Kirchen und Friedhöfen wurden Bilder, Tafeln und Kruzifixe entfernt, die Abendmahlsgemeinschaft wurde entmystifiziert und das Verhältnis zwischen der reformierten Geistlichkeit und der städtischen Obrigkeit im Sinne bürgerlicher Rechtsbeziehungen geregelt.

„Zum rechten Priestertum hilft die ganze Welt ungern"

Von antiklerikalen Stimmungen wurden auch Thomas Müntzer und Andreas Karlstadt getragen, jeder freilich auf seine Weise. Müntzer steht schon früh in harten Auseinandersetzungen mit den Franziskanern in Jüterbog und Zwickau; sein Prager Manifest ist dann mit antiklerikalen Ausfällen geradezu gespickt. Und von dieser antiklerikalen Frontstellung her wird verständlich, daß sich ihm die Scheidung der Menschen in Auserwählte und Gottlose nahelegt. Der Priester wird der Typus des Gottlosen und der Auserwählte das Gegenbild zum Priester. So weitet sich der Aufstand gegen den Priester ins Universale. Bald geraten der humanistisch gebildete Sylvius Egranus in Zwickau und die Wittenberger Reformatoren in die Schußlinie seiner Polemik. Sie werden auf antiklerikale Manier angenommen und als „Schriftgelehrte" und „Schriftstehler", die die Auslegung der Heiligen Schrift monopolisieren, gegeißelt[27]. Müntzer setzt auf die Freiheit des göttlichen Geistes gegenüber dem Buchstaben der Schrift, eines Geistes, der vor allem dem einfachen Volk gegeben werde. Hier gleitet der Antiklerikalismus in einen Antiintellektualismus über. Die Fronten, einmal so pauschal abgesteckt, bestimmen dann auch Müntzers Verhältnis zur weltlichen Obrigkeit. Zunächst versuchte er, den Weimarer Hof noch für sein Programm einer „zukünftigen Reformation" zu gewinnen, allerdings nicht ohne Drohgebärde, nämlich „das man die gotlosen regenten, sonderlich pfaffen und mönche tödten sol, die uns das heylige evangelion ketzerey schelten und wollen gleichwol die besten christen sein"[28]. In der „Ausgedrückten Entblössung" greift er dann Priester und Fürsten gemeinsam an: „Gott verachtet die grossen hansen, alls den Herodem und Caipham, Hannam, und nam auff zuo seynem dienst die kleynen, als Mariam, Zachariam und Elysabeth. Denn das ist Gottes werck; er thuot auff den

---

[27] H.-J. GOERTZ, „Lebendiges Wort" und „totes Ding". Zum Schriftverständnis Thomas Müntzers im Prager Manifest, in: Archiv für Reformationsgeschichte 67, 1976, S. 162 ff.
[28] G. FRANZ (Hg.), Thomas Müntzer. Schriften und Briefe. Kritische Gesamtausgabe. 1968, S. 255 und 262.

heuetigen tag nit anderst . . . Ach, du arme christenheyt, wie bistu mit deynen toelpeln also gantz und gar zum hackelbloch worden, bistu doch also recht uebel mit in versorget"[29]! Und wie gegen den Klerus, so kommt auch gegen die Obrigkeit die Logik der Umkehrung zum Zuge: Priester sind nicht Auserwählte, sie sind Gottlose; Fürsten, die ihre Untertanen aussaugen, sind nicht legitime Obrigkeiten, sie sind selber „Ursache des Aufruhrs"[30]. Selbst die Bauern wurden vorübergehend in diese Front eingereiht: „denn zum rechten priesterthuom hilfft die gantze wellt ungern, ja sie pflegt den rechten pfaffen die koepff für die füß zuo streychen"[31]. Auf diese Weise gibt der Antiklerikalismus seinen polemischen und theologischen Aussagen Form, wie er auch seine Erfahrung reguliert und seinem Verhalten die Richtung weist. Er ist sozusagen der „Sitz im Leben" für seine theologische Gedankenbildung und, was besonders deutlich am Prager Manifest schon abzulesen ist, für seine Aufnahme und Verarbeitung wichtiger Gedanken aus der Tradition spätmittelalterlicher Mystik und Apokalyptik, aus einer Tradition, die bereits früher kirchen- und gesellschaftskritisch eingesetzt worden war. Um es kurz zu sagen: Der Klerus wird bekämpft, weil er sich weigert, den Glauben wirklich zu „erfahren", weil er Gott nicht in den „Abgrund seiner Seele" hineinsprechen läßt, sondern einen „stummen" Gott anbetet, so aber eigene Herrschaft über die Menschen aufrichtet und die Herrschaft Gottes am Ende der Tage in den Auserwählten verhindert[32]. Müntzer hat sich bemüht, dem theologisch diffusen Antiklerikalismus der frühen Reformationszeit theologische Begründung und Eindeutigkeit aus dem Geist der Mystik und Apokalyptik zu geben. Anders als bei Luther übt die antiklerikale Frontstellung nachhaltig gestalterische Gewalt über sein Denken und Handeln aus, so sehr, daß der Auserwählte schließlich selber wieder zu einem Priester und die gesellschaftlichen Beziehungen auf neue Weise klerikalisiert werden[33]. Wenn Müntzer dazu aufruft, die Gottlosen auszurotten, so ist er nicht der erste gewesen, der das tat. Im Blick auf die „Theologisten" schrieb Ulrich von Hutten in seinem berühmten Brief an Willibald Pirckheimer 1518: „Ausgerottet, sage ich, und verjagt werden müssen diejenigen werden, welche sich als hindernde Wolke der aufgehenden Sonne der Bildung entgegenstellen, die das strahlende Licht der Wahrheit in seinem Anbruche schon verfinstern, ja auszulöschen und zu ersticken wagen"[34]. War Müntzer ein „Mordprophet", wie noch Heinrich Böhmer

---

[29]   Ebd., S. 299 f.
[30]   Ebd., S. 328.
[31]   Ebd., S. 295.
[32]   Ebd., S. 491 ff.
[33]   H.-J. GOERTZ, Der Mystiker mit dem Hammer. Die theologische Begründung der Revolution bei Thomas Müntzer, in: A. Friesen und H.-J. Goertz (Hgg.), Thomas Müntzer (Wege der Forschung 491), 1978, S. 432 f.
[34]   E. Böcking (Hg.), Ulrichs von Hutten Schriften, Bd. 1, 1859, S. 197; Übersetzung nach: G. Jäckel (Hg.), Kaiser, Gott und Bauer. Die Zeit des Deutschen Bauernkrieges im Spiegel der Literatur, 1975, S. 121.

meinte[35], müßte der „hehre" Humanist Ulrich von Hutten ein „Mordphilosoph" gewesen sein. Müntzer war ein „Theologe der Revolution"[36], so nannte Ernst Bloch ihn, doch er war es, weil er vor allem und zuerst ein Theologe des „Aufstands gegen den Priester" war.

Auch in den Schriften Karlstadts werden antiklerikale Töne angeschlagen; er stand zu Beginn der Reformation zu sehr im Kampf gegen die Altgläubigen – in Leipzig hatte er noch vor Luther mit Johannes Eck disputiert –, als daß ihn die antiklerikale Atmosphäre unberührt gelassen hätte. Ein ansprechendes Zeugnis seiner antiklerikalen Gestaltungskraft ist der „Himmelwagen und Höllenwagen", den er gemeinsam mit Lucas Cranach d. Ä. 1519 als Einblattdruck herausbrachte. Eindrücklich ist auch seine Schrift gegen Rom „Von Bepstlicher heylickeit: Diesses buchlin beschleust durch heylige schrifft, das Bepstliche heylickeit altzu viel yrren, sundigen, unnd vnrecht thun kan. Wer das nit glaubt, der ist ein boßer vnchrist" (1520). Hier soll nur noch darauf hingewiesen werden, daß er zu den ersten zählte, die nach dem enttäuschenden Ausgang der Wittenberger Reformen und nach den Invokavitpredigten Luthers das antiklerikale Argument gegen die Reformatoren selbst kehrten. Diese wurden „Papisten" und „Verwüster der Schrift" genannt[37]. Besonders wichtig ist aber, daß er schon vorher mit einer demonstrativ antiklerikalen Geste das berühmte erste Abendmahl sub utraque in Wittenberg 1521 nicht mehr im Ornat des Priesters feierte und bald auch in einem Anflug von Antiintellektualismus, nicht zuletzt gegen sein eigenes Vorleben gekehrt, den Gelehrtentalar abwarf und das einfache Gewand des Bauern anlegte, um als „Bruder Enders" aufs Land nach Wörlitz und schließlich nach Orlamünde zu ziehen und dort eine Gemeinde auf der Grundlage eines allgemeinen Priestertums aller Gläubigen zu bauen[38]. Das war die Konsequenz, die er aus den zögernden Reformschritten Luthers zog. Nicht zufällig hat dann sein Traktat vom „Schonen der Schwachen" die Radikalen in Zürich in ihrem antiklerikalen Vorgehen gegen jede Verzögerung der Reformation bestärkt[39]. Es blieb also nicht bei einem antiklerikalen Affront; dieser Affront wurde vielmehr auf gegenbildliche Weise in die Demonstration eines einfachen geistlichen und gemeindlichen Lebens umgesetzt. Der Ton liegt auf Demonstration, in dem theologisch-diskursiven Aufbau dieses Lebens steht Karlstadt der ganze Reichtum der

---

[35]   H. BÖHMER, Thomas Müntzer und das jüngste Deutschland, in: Gesammelte Aufsätze, 1927, S. 209 u. ö.

[36]   E. BLOCH, Thomas Münzer als Theologe der Revolution, Neuauflage 1962.

[37]   H. FAST (Hg.), Der linke Flügel der Reformation, Glaubenszeugnisse der Täufer, Spiritualisten, Schwärmer und Antitrinitarier. 1962, S. 265 f.

[38]   R. J. SIDER, Andreas Bodenstein von Karlstadt. The Development of His Thought 1517–1525. 1974.

[39]   „Ob man gemach faren/und des ergernüssen der schwachen verschonen soll . . .", Basel (1524): E. Hertzsch (Hg.), Karlstadts Schriften aus den Jahren 1523–25, Bd. I, 1956, 74–95. Vgl. J. M. STAYER, Die Schweizer Brüder. Versuch einer historischen Definition, in: Mennonitische Geschichtsblätter 1977, S. 9 f.

theologischen Tradition zur Verfügung, so daß die antiklerikale Formgebung seines Denkens nicht so prägnant ist wie bei Müntzer, wenngleich sich manche Züge seines Legalismus mühelos der antiklerikalen Situation einfügen. Die „nova lex", an der ihm viel liegt, ist dem moralischen Verfall des Klerus und seines Anhangs entgegengesetzt.

Das antiklerikal-ekklesiologische Selbstverständnis der Bauern

Gewöhnlich wird der Zusammenhang zwischen Reformation und Bauernkrieg in der Berufung der Bauern auf das Göttliche Recht gesehen, ob dieser Zusammenhang nun positiv bestimmt wird, wie in der „Theorie der frühbürgerlichen Revolution", oder negativ, wie in herkömmlichen Deutungen des Bauernkriegs. Die einen sehen in ihm den Höhepunkt eines revolutionären Prozesses, der mit dem Thesenanschlag Martin Luthers 1517 begonnen hat, die anderen weisen mit dem Reformator auf den Mißbrauch der evangelischen Einsicht in die Freiheit eines Christenmenschen und den rechten Gebrauch der Heiligen Schrift hin und beurteilen das vor allem politisch motivierte Aufbegehren der Bauern als „tiefe Zäsur"[40] oder als ernste Gefährdung der Reformation. In einer dritten Deutung wird gar vorgeschlagen, den Bauernkrieg als eine „Glaubensrevolte" zu begreifen[41]. Auf diese Deutungen wird zum Schluß dieses Abschnitts noch zurückzukommen sein. Zunächst soll aber das Terrain zwischen Reformation und Bauernkrieg in Augenschein genommen werden. Peter Blickle faßte das Kapitel über „Biblizismus contra Feudalismus" in seiner ausgezeichneten Untersuchung zum Bauernkrieg so zusammen: „Ohne Göttliches Recht – und nur dies sollten die wenigen Hinweise dokumentieren – wäre die Revolution in dieser Form nicht möglich gewesen"[42]. Das ist sicherlich richtig und zeigt, wie hoch der Anteil der Reformation am Bauernkrieg tatsächlich war. Mit der Berufung auf das Göttliche Recht hat der Bauernkrieg einen Charakter angenommen, der ihn nach Blickle grundsätzlich von den Aufständen des späten Mittelalters, selbst noch vom Stühlinger Aufstand im Juni 1524, der gewöhnlich als Beginn des Bauernkriegs gilt, unterscheidet[43]. Erst mit dem Göttlichen Recht haben die Bauern ein Instrument gefunden, das die rechtliche und politische Argumentation innerhalb des grundherrlichen Verhältnisses auf revolutionäre Weise durchbricht. Folgerichtig werden die Zwölf Artikel nicht mehr als gemäßigter Ausdruck bäuerlichen

---

40   W. P. FUCHS, Der Bauernkrieg, in: R. Wohlfeil (Hg.), Der Bauernkrieg 1524–26. Bauernkrieg und Reformation. 1975, S. 60.

41   H. A. OBERMAN, Tumultus rusticorum: Vom „Klosterkrieg" zum Fürstensieg. Beobachtungen zum Bauernkrieg unter besonderer Berücksichtigung zeitgenössischer Beurteilungen, in: Zeitschrift für Kirchengeschichte 85, 1974, S. 172.

42   P. BLICKLE, Die Revolution von 1525[2], 1981, S. 149.

43   Ebd., S. 144, Fußnote 5.

Aufbegehrens verstanden, sondern als ein revolutionäres Dokument, das sich die Neugestaltung der Gesellschaft offenhält. Diese Auslegung der Zwölf Artikel muß, nachdem Forschungen in Ost und West zu schönem Einvernehmen gefunden hatten, zunächst überraschen, zumal Blickle sich der Aufgabe entzieht, den Durchbruch des Göttlichen Rechts genetisch zu erklären, als ob dieser Durchbruch wie aus heiterem Himmel und ganz plötzlich erfolgt sei[44]. Auch weicht er der Frage aus, wie es überhaupt zur Anwendung dieses neuen Rechts kommen konnte. Der Zusammenhang von Reformation und Bauernkrieg muß doch intensiver ausgeleuchtet werden, um die revolutionäre Brisanz und Stoßkraft des Göttlichen Rechts noch eindrucksvoller erweisen und überzeugender erklären zu können. Wenn die Bauern sich auf das Göttliche Recht berufen, um ihre Beschwerden und Forderungen zu begründen, dann ist das nur in einem streng formalen Sinn ein Vorgang, der ganz plötzlich einsetzte. Es gibt in der Tat nur wenige Artikel, die vor den Zwölf Artikeln den Hinweis auf das Göttliche Recht oder die Göttliche Gerechtigkeit zur Begründung verwenden, erst danach taucht dieser Hinweis häufiger auf. Und auch erst mit der Annahme der Zwölf Artikel durch die Bauern erhält der Aufstand seine besondere Stoßkraft. Ob das Göttliche Recht als Rechtsnorm allein aber ausreicht, um die Durchschlagskraft der bäuerlichen Erhebung in der Reformationszeit zu erklären, scheint mir fraglich zu sein. Die bloße Erwähnung des Göttlichen Rechts (wie es Blickle wohl auch nicht meinte) kann kein ausreichendes Kriterium dafür sein, Aufstände herkömmlicher Art von solchen mit überregionaler und revolutionärer Stoßkraft zu unterscheiden, die Stühlinger Erhebung etwa von oberschwäbischen Aufständen einige Monate später, denn in den Zwölf Artikeln selbst wird das Göttliche Recht überhaupt nicht erwähnt. Auch gibt es Artikel in anderen Gebieten, die auf eine Kenntnis der Zwölf Artikel schließen lassen, aber das Göttliche Recht ebenfalls mit keinem Wort erwähnen, sich gelegentlich sogar ausdrücklich auf das Alte Herkommen berufen, ohne daß sie deshalb schon aus dem Gesamtzusammenhang des Bauernkriegs von 1525 herauszulösen wären[45]. Wichtiger als auf den Rechtsbegriff oder die Rechtsnorm zu achten, scheint es zu sein, zunächst die Rechtspraxis zu beleuchten. Der Begriff Göttliches Recht steht nämlich als Chiffre für die buchstäbliche Anwendung der Heiligen Schrift nicht nur auf die Lehre der Kirche, sondern auf alles irdische Leben schlechthin. So wird in den Zwölf Artikeln zwar nicht von Göttlichem Recht gesprochen, wohl aber der Schriftbeweis für alle Forderungen der Bauern geführt. Die Bibel wird zu

---

[44]   Ebd., S. 146; vgl. auch G. Franz, Der deutsche Bauernkrieg (wie Fußnote 12), S. 108, obwohl Vf. von der vorbereitenden Verwendung des Göttlichen Rechts schon im Bundschuh spricht.

[45]   H. Wunder, „Altes Recht" und „göttliches Recht" im Deutschen Bauernkrieg; in: Zeitschrift für Agrargeschichte und Agrarsoziologie 24 (1976), S. 56. Zur Problematik des Göttlichen Rechts vgl. I. Schmidt, Das göttliche Recht und seine Bedeutung im deutschen Bauernkrieg, 1939.

einem Gesetzbuch („götliche Juristrey"[46]), mit dem Recht und Unrecht herrschaftlicher Forderung und bäuerlicher Beschwerde erwiesen werden können. Mußten die streitenden Parteien sich vorher auf die Suche nach dem Alten Recht begeben, so gilt es nun, die Bibel nach dem Willen Gottes zu durchforschen und das irdische Leben mit dem Göttlichen Recht zu konfrontieren. Doch versteht man den Sachverhalt nur so, daß die Bauern jetzt eine alte Rechtspraxis durch eine neue ersetzten, dann kommt noch nicht das vitale Interesse zum Vorschein, das die Bauern am Göttlichen Recht hatten. Es ging ihnen um mehr als nur um das Recht. Sie wollten das Recht in Einklang mit dem Leben wissen, das ihnen das Evangelium zu führen auferlegte. Wer sich entscheidet, „das Evangelion zu hören und demgemäß zu leben", wie es die Zwölf Artikel in der Präambel zum Ausdruck bringen, kann nur gelten lassen, was diesem Evangelium nicht zuwiderläuft[47], oder kann nur fordern, was „nach Laut und Inhalt des gotlichen Worts" geboten ist[48]. Die Bauern entdecken also nicht so sehr ein neues Recht, jedenfalls ist das nicht das Primäre, sie setzen sich vielmehr dafür ein, daß das Leben, von dem das Evangelium zeugt, in dieser Welt verwirklicht wird[49]. Was diesem Leben im Wege steht, muß beseitigt werden. So versteht die Bauernschaft sich im Grunde als eine wahrhaft „christliche Vereinigung" oder „Bruderschaft"[50], deren Leben sich auf musterhafte Weise von dem Leben der Christenheit bisher unterscheidet und absetzt. Das kommt in der Präambel der Zwölf Artikel zum Ausdruck, deutlicher allerdings noch in der Beschwerde der Bauern des Spitals von Biberach: „Item wie mir hie in Christo Bruder versamlet send, begeren erstlich jetz und furterhin fur uns zu nemen das lebendig, ewig unertruckt Wort, das hailig Evangelium, so doch jetz in diser Zeit unser Vatter sich uber uns arm Sonder erbormet hat, und uns mit seinem Sun Christo Christo Jesu, der dan uns, wie Paulus spricht, worden ist die Weishait, Gerechtigkait und Erlösung durch sein unschuldigen Todt, den er uns zu Gutten ton hat, und sein ewigs Wort uns jetz zuletze gelassen hat, mit wölchem und durch wölches mir leben sollen und regieren, auch im nachvalgen."[51] Wäre die Quelle dieser Aussage unbekannt, könnte man sie eher in anderen reformatorischen Bewegungen vermuten als in den Beschwerden der Bauern[52]. Deutlicher noch kommt das ekklesiologische Selbstverständnis, aus

---

[46]   An die Versammlung Gemayner Pawerschaft, in: H. BUSZELLO, Der deutsche Bauernkrieg von 1525 als politische Bewegung, 1969, S. 157 u. ö.
[47]   G. Franz (Hg.), Quellen zur Geschichte des Bauernkrieges, 1963, S. 175.
[48]   Ebd., S. 169.
[49]   Vgl. z. B. die Forderung eines regelmäßigen gottesdienstlichen Lebens ebd., S. 348, oder das Vorgehen gegen den moralischen Verfall in den Meraner Artikeln ebd. S. 278.
[50]   Christliche Vereinigung: ebd., S. 193, 197 f., 235 u. ö.; Bruderschaft: S. 232, 235, 348 u. ö.
[51]   Ebd., S. 153 f.
[52]   Vgl. beispielsweise H. Fast, Der linke Flügel (wie Fußnote 37), S. 19.

dem die bäuerlichen Forderungen erwachsen, in den Salzburger Artikeln vom Mai/Juni 1525 heraus. Diese Forderungen werden von einer „christeliche ersame Gemein" erhoben und darüber hinaus in bewußt antiklerikaler Manier vorgetragen, so daß sich darin ein geradezu alternatives ekklesiologisches Selbstverständnis ausspricht: „Von erst zaigen wir an, und ist war, auch alltenthalben unverborgen, wie durch die Andichristischen, so sich Geistlich genent, uber sich auf das höchst gestigen, und das arm Volkh mit ierer Simonei, Betriegerei und Wieterei undergedruckht und laider die ewangelisch Warhait nit allein verhalten und verdeckht, sonder alle Geverlighait hinder sich zuruckh getriben, und mit Contilis, auch irem Geltnetz dem Decret verstickht, und der warhaftigen Geschrift damit ain Tuech für die Augen gehenkht, auch den Weeg der ewangelischen Erkhantnus versperrt und verschlossen, auch verbotten, das khain Lai von dem Evangelio sollen reden noch handeln, auch in Geschrift daz nit haben"[53]. Nicht die klerikale Hierarchie, sondern die bäuerliche Lebensgemeinschaft, die sich um die Heilige Schrift bildet, repräsentiert die wahre Kirche. So erklären die Dorfmeister in Wendelstein dem 1524 vom Markgrafen berufenen Pfarrer: „Erstlich, so werden wir dich für kain herren, sunder allain für ein knecht und diener der gemaind erkennen, das du nit uns, sunder wir dir zu gebieten haben, und bevelhen dir demnach, das du uns das evangelion und wort Gotes lauter und klar nach der warheit mit menschenlere unverhengt und unbefleckt, treulich vorsagest." Mit diesen Worten, bemerkt Gerhard Pfeiffer, haben die Bauern das bisherige kirchliche Gemeindeverständnis als klerikale „Herrschaftsorganisation" abgelehnt[54].

Aus diesem ekklesiologischen Selbstverständnis ergibt sich ganz folgerichtig das Begehren, „das man uns verkundt das Wort Gottes und was das Evangelium auswist"[55]. Und von dem Ruf nach evangelischen Predigern (auch der Solidarisierung mit verfolgten und gefangengesetzten Prädikanten[56]) bis zur Forderung der freien Pfarrerwahl in den Gemeinden ist es nur ein kleiner Schritt. Dieser Pfarrerwahlartikel, wie er landauf und landab an erster Stelle in den bäuerlichen Beschwerden erscheint, ist nicht ein Artikel, der die eigentlichen wirtschaftlichen Sorgen der Bauern unter dem Eindruck der Reformation verdrängt hätte, sondern ein Artikel, der um das Lebensrecht der bäuerlichen Gemeinschaft überhaupt kämpfte. Die Bauern haben also nicht ein reformatorisches Anliegen in ihre Forderungen zusätzlich aufgenommen, sondern ihr Existenzrecht in einer reformierten kirchlichen Lebensgemeinschaft entdeckt. Dazu gehört auch die Weigerung, den Zehnten an Kirchen, Klöster, Stiftungen

---

[53] G. Franz (Hg.), Quellen (wie Fußnote 47), S. 297.
[54] G. PFEIFFER, Das Verhältnis von politischer und kirchlicher Gemeinde in den deutschen Reichsstädten, in: W. P. Fuchs (Hg.), Staat und Kirche im Wandel der Jahrhunderte, 1966, S. 79 f.
[55] G. Franz (Hg.). Quellen (wie Fußnote 47), S. 154.
[56] Ebd., S. 297.

und Herrschaften abzuführen, denn diese Abgabe würde der wahren Kirche ja doch nicht zugute kommen; dazu gehört die Auflehnung gegen die Leibeigenschaft, denn in einer christlichen Gemeinschaft darf es keine sozialen Abhängigkeiten und Unfreiheiten geben; und dazu gehört der Widerstand gegen alles, was das Leben der Bauern belastet und bedroht. Hier fließen mühelos die Beschwerden und Forderungen, die schon früher artikuliert worden waren, ein. In diesem neuen ekklesiologischen Zusammenhalt der Bauern erhält das Göttliche Recht seine besondere Bedeutung. Es ist nicht nur und nicht in erster Linie das Kampfinstrument gegen die Rechtsauslegung der Grundherren, sondern das Lebensgesetz einer Gemeinschaft, die dem Evangelium und dem Willen Gottes nachgestaltet wird, wie einst das Alte Recht das Gesetz der grundherrschaftlichen Lebensgemeinschaft war[57]. So stößt im Bauernkrieg nicht allein Recht auf Recht; es entsteht vielmehr eine neue Gemeinschaft, die sich der grundherrschaftlichen, die Bauern nur belastenden Gemeinschaft widersetzt. „Hie ist weder knecht noch herr/wir sind allzumal ayner in Christo/ja also ayner Ephe iiij. daß ye ayner des anderen glid sein soll/auß vns allen eyn leyb zumachen vnder dem haupt Jesu Christo"[58]. Die neue Gemeinschaft ist das eigentlich revolutionäre Element, das die Leibherrschaft mildern wollte. Auf Dauer hätte sie das Gefüge der Gesellschaft, das auf einer abgestuften Wertung der Stände beruhte, wohl auch gesprengt[59]. Und als Ausdruck dieser alternativen Gemeinschaft sprach sich in den Zwölf Artikeln tatsächlich, wie Blickle meinte, mehr ein revolutionäres als ein reformerisches Programm aus. Wenn die Bauern die Grundherren aufforderten, sich ihren

---

[57] G. FRANZ, Der deutsche Bauernkrieg (wie Fußnote 12), S. 89, schreibt: „Aber auch Luthers Lehre mußte fast notwendig die Folgen haben, daß an Stelle des Göttlichen Rechts, das ja auch schon Joß Fritz nirgends anders als in der Bibel gesucht hatte, das Evangelium trat, nicht als Verkündigung eines neuen Lebens in Gott, sondern als die eines neuen Rechtes, an dem alles Irdische zu messen wäre." Luther hatte das „neue Leben" spiritueller verstanden als die Bauern, doch auch den Bauern ging es um mehr als nur um ein neues Recht, nämlich um eine neue Lebensgemeinschaft mit Gott.
[58] An die Versammlung Gemayner Pawerschafft (wie Fußnote 46), S. 157.
[59] P. BLICKLE, Die Revolution (wie Fußnote 42), S. 235, spricht neuerdings davon, „daß die feudale Herrschaftsordnung ersetzt wurde durch ein – um es mit einer Abbreviatur zu sagen – republikanisches Modell". Wichtig ist die Beobachtung einer neuen Gemeinschaftsvorstellung unter den Bauern, nur scheint mir das antiklerikal-ekklesiologische Selbstverständnis der Bauern zu schnell politisch gedeutet worden zu sein. Mehr als die komplizierten und nicht immer konsistenten Auffassungen Zwinglis hat wohl ein allgemein reformatorisches Gemeindeverständnis auf die Bauern eingewirkt, das „in Predigt des Evangeliums, der Entscheidung der Gemeinde für die neue Lehre und Pfarrerwahl durch die Gemeinde" (S. 240) seinen Ausdruck findet. Das bedeutet jedoch nicht, daß die Affinitäten zwischen Zwingli und den Bauern letztlich nicht größer gewesen wären als diejenigen zwischen Luther und den Bauern. Doch Affinitäten müssen nicht aus einer direkten Übernahme einer schwer verständlichen Konzeption erklärt werden. Die Einflüsse, die sicherlich vorliegen, waren sehr allgemeiner Art.

Vereinigungen anzuschließen, dann wollten sie damit zu verstehen geben, daß in ihrer Mitte eine neue Gesellschaftsordnung bereits entstanden war, zu der es coram deo keine Alternative gäbe.

Diese Entwicklung im bäuerlichen Bereich wurde zweifellos von den reformatorischen Einsichten und Parolen in Gang gesetzt, die natürlich an ein großes Protest- und Widerstandspotential unter der ländlichen Bevölkerung, möglicherweise auch an ein kommunales Selbstverständnis, das sich allmählich unter dem Eindruck der Entwicklungen in der Stadt auch auf dem Lande auszubilden begonnen hatte, anknüpfen konnten[60]. Günther Franz hat auf die mobilisierende Wirkung der reformgesinnten Prediger in den Aufstandsgebieten hingewiesen[61]. Aus der evangelischen Verkündigung werden die Bauern vor allem den scharfen, ja vernichtenden Angriff auf den Klerus und die Befreiung der Gläubigen aus der Bevormundung durch den Klerus herausgehört haben. Besonders in den geistlichen Grundherrschaften hat die reformatorische Kritik an den weltlichen Geschäften des geistlichen Standes den Prälaten jede Legitimation zu weltlicher Herrschaft entzogen und die Bauern zu scharfen, antiklerikal aufgeladenen Reaktionen geführt[62]. Sehr viele Klöster wurden gestürmt, geplündert und besetzt, Mönche und Nonnen vertrieben. Andererseits ist das hohe moralische Selbstwertgefühl, das mit dem Antiklerikalismus verbunden war, möglicherweise der Grund dafür, daß die Bauern sich zügelloser Gewalt gegen Personen enthielten. In der Frontstellung gegen den Klerus erhielt die evangelische Auffassung vom Priestertum aller Gläubigen für die Bauern eine besondere Plausibilität. War der Klerus nicht allein ein geistlicher, sondern zugleich ein gesellschaftlicher Stand, so begriffen die Bauern sich in Reaktion darauf ebenfalls als geistliche und gesellschaftliche Kraft. Dieses antiklerikale Reformverständnis bezog sich auf den gesamten Lebensbereich und rief in den Bauern das Bewußtsein einer gesamtgesellschaftlichen Alternative hervor.

Das war offensichtlich – ansatzweise vielleicht nur – auch der Hintergrund der Stühlinger Erhebung im Juni 1524, denn die Beziehungen der Stühlinger zu Waldshut, wo Balthasar Hubmaier erfolgreich wirkte, sind bekannt; und die evangelische Predigt und Agitation im benachbarten Gebiet von Schaffhausen werden ebenfalls nicht ohne Wirkung gewesen sein. So könnte der Bericht des Andreas Lettsch durchaus historisch zuverlässig sein, wonach die Bauern „sich ainhellig Ratschlags entschlossen hetten, welcher Gestalt si dem Evangelio gewertig und der Gerechtigkait beistendig sein wölten"[63]. Also schon hinter

---

[60] H. A. OBERMAN, Tumultus rusticorum (wie Fußnote 41), S. 164 Fußn. 23.

[61] G. FRANZ, Der deutsche Bauernkrieg (wie Fußnote 12), S. 95 und 109; s. auch J. MAURER, Prediger im Bauernkrieg, 1979.

[62] Vgl. auch die Bewegung, die im Nürnberger Gebiet mit der Ablehnung des Zehnten vehement einsetzte und ins Bauernkriegsgeschehen überging: L. P. BUCK, Opposition to Tithes in the Peasants' Revolt: A Case Study of Nuremberg in 1524, in: Sixteenth Century Journal IV, 2, 1973, S. 11–22.

[63] G. Franz (Hg.), Quellen (wie Fußnote 47), S. 86.

den Artikeln, die noch ohne das polemische Instrument des Göttlichen Rechts auskamen, könnte evangelische Gesinnung und reformatorisches Gemeinschaftsbewußtsein gestanden haben. Luther hat sich bereits in seiner „Ermahnung zum Frieden auf die Zwölf Artikel der Bauernschaft in Schwaben" energisch gegen die Bauern gewandt, weil sie das Evangelium oder das Göttliche Recht für ihren Widerstand gegen die Obrigkeit in Anspruch nahmen. Er hat sie ihrerseits beim Wort genommen, eine „Christliche rotte oder vereynigung" sein zu wollen und ihnen in antiklerikaler Umkehrlogik vorgeworfen, „widder Christu vn seyn recht/ widder lere und exempel" zu sein und „unter des Evanglij namen widder das Euangelion" zu handeln[64]. Genauer und empfindlicher hätte er das Selbstverständnis der Bauern gar nicht treffen und in seine ursprüngliche antiklerikale Frontstellung einordnen können: „Den ich sehe das wol/das der teuffel/so er mich bis her nicht hat mugen vmbringen durch den Babst/sucht er mich durch die blutdürstigen mordpropheten vnd rotter geyster/so vnter euch sind/zu uertilgen vnd auffressen."[65] Er hat sich also nicht, wie oft gemeint wurde, von seinen anfänglichen theologischen Intentionen getrennt, sondern nur von dem Reformationsprozeß, wie er auf dem Lande mit revolutionärer Konsequenz ablief. Die Bauern haben sich der Reformation zugewandt, weil die handfeste Kritik an den Mißständen und dem Klerus der Kirche mit ihrer religiösen Sehnsucht nach unverstellter Frömmigkeit und ihrem Unmut über die wirtschaftliche und soziale Bedrückung, die sie von den Grundherren erfuhren, korrespondierte und in dieser krisenhaften Situation Hoffnung auf bessere Zeiten weckte.

Henry J. Cohn hat in seinem anregenden Aufsatz über „Anticlericalism in the German Peasants' War 1525" den Antiklerikalismus eine wichtige Brücke zwischen Reformation und Bauernkrieg genannt[66]. Das scheint mir richtig zu sein, wenn der Antiklerikalismus als die Form verstanden wird, in der die Reformation für die Bauern Realität wurde. Offensichtlich hat er es aber, wie an anderer Stelle zu lesen ist, nicht ganz so gemeint: „Es ist im wesentlichen der wirtschaftliche Antiklerikalismus des gemeinen Mannes in Stadt und Land gewesen, der für die reformatorischen Lehren den fruchtbaren Nährboden für die Reformation abgegeben und damit zu einem allgemeinen Bauernkrieg geführt hat."[67] Sicherlich war der Antiklerikalismus ein Nährboden für die Reformation, aber grundsätzlich war er wohl, durch reformatorische Schriften und Predigten belebt und geschärft, die Form, in der die Reformation aufgenommen wurde. Für die Bauern waren Antiklerikalismus und Reformation

---

[64] M. LUTHER, WA 18, S. 301, 312 und 316.
[65] Ebd., S. 316.
[66] H. J. COHN, Anticlericalism in the German Peasants' War 1525, in: Past and Present 83, 1979, S. 3.
[67] DERS., Reformatorische Bewegung und Antiklerikalismus in Deutschland und England, in: W. Mommsen u. a. (Hgg.), Stadtbürgertum und Adel (wie Fußnote 8), S. 322.

identisch. Nicht so sehr überzeugt auch die Auffassung, daß der eigentliche Impuls des Bauernkriegs von den Auseinandersetzungen der Bauern mit den geistlichen Grundherren ausgegangen sei[68]. Es gibt einfach zuviele Beispiele, die das genetisch unabhängige Nebeneinander von Erhebungen gegen geistliche und weltliche Obrigkeiten belegen, so heftig allerdings gerade die Reaktionen der Bauern gegen ihre geistlichen Herren waren. Von dem sich als Antiklerikalismus darstellenden Reformationsverständnis her besteht jedoch keine Schwierigkeit, den Angriff auf Prälaten und weltlichen Adel in gleicher Weise und unabhängig voneinander zu führen, denn „mit der kirchlichen Autorität war für ihn (den Bauern) auch die weltliche zusammengebrochen"[69], das vor allem, wenn die weltliche Obrigkeit sich der Bitte um evangelische Verkündigung widersetzte und zum Schirmherrn des alten Glaubens aufwarf. Unter dem Gesichtspunkt des Antiklerikalismus muß ein innerer Zusammenhang zwischen Reformation und Bauernkrieg angenommen werden, so daß der Bauernkrieg zwar eine „tiefe", aber eine von der Reformation selbst erzeugte „Zäsur" (W. P. Fuchs) ihrer eigenen Entwicklung war, besser wohl: sich als eine Reformation zeigte, die den Reformatoren nicht recht war und sich von dem weiteren Gang der Reformation unter dem direkten Einfluß der Reformatoren unterschied. Trotz des inneren Zusammenhangs von Reformation und Bauernkrieg kann der Bauernkrieg unter dem Gesichtspunkt des Antiklerikalismus jedoch nicht als die Spitze eines revolutionären Prozesses bezeichnet werden, der geradlinig vom Thesenanschlag 1517 zum Bauernkrieg 1525 verlaufen sei, wie in der „Theorie der frühbürgerlichen Revolution" angenommen wird. Der Bauernkrieg hängt mit der Reformation zusammen, bildet im „Wildwuchs der Reformation" aber so etwas wie eine eigene revolutionäre Bewegung, einen eigenen revolutionären Kreis[70]. Der Bauernkrieg läßt sich tatsächlich als eine „Glaubensrevolte" (H. A. Oberman)

---

[68]   DERS., Anticlericalism (wie Fußnote 66), S. 5.

[69]   G. FRANZ, Der deutsche Bauernkrieg (wie Fußnote 12), S. 89; vgl. H. J. COHN, Anticlericalism (wie Fußnote 66), S. 30: "Nor should it be discounted that once the clergy had been attacked, revolt could turn against the lay powers, either in response to their reaction or by a process of radicalization as soon as the rebells crossed the threshold of disobience."

[70]   Diesen Begriff habe ich im Anschluß an das strukturanalytische Erklärungsmodell geprägt, das Furet zur Interpretation der Französischen Revolution verwandte. Er spricht nicht wie die marxistischen Forscher von einem zielgerichteten, sich radikalisierenden Revolutionsprozeß, sondern von drei Revolutionen, die parallel nebeneinander abliefen: die bürgerliche in Versailles, die unterbürgerliche in den Städten (vor allem Paris) und die bäuerliche (F. FURET, Das revolutionäre Frankreich, in: F. Furet, R. Kosellek und L. Bergeron, Das Zeitalter der europäischen Revolutionen, 1969, S. 31 f; vgl. auch F. FURET und D. RICHET, Die Französische Revolution, 1980). Für die Reformationszeit wird jedoch stärker eine gemeinsame, wenn auch ein wenig diffuse Mitte der revolutionären Bewegungskreise, die eine eigene Dynamik entwickelten, angenommen werden müssen, als Furet es für die Französische Revolution annimmt.

begreifen, aber nicht in dem Sinn, daß er vor allem und zuerst ein religiöser Aufstand im Gegensatz zu einer sozialen Revolution gewesen wäre; selbst die nicht „vom Glauben abgedeckte Entwicklung im Programm und Vorgehen der Bauern" ist nicht vom „religiösen Faktor" zu trennen[71]. Religiöser Aufstand und soziale Revolution verschmelzen in der Erfahrung und dem antiklerikal-ekklesiologischen Selbstverständnis der Bauern, das hinter allen aufständischen Aktionen steht, zu einer Einheit. Die krisenhafte Situation wirtschaftlichen und sozialen Drucks, der auf den Bauern lastet und dessen Ursachen sozialhistorisch ergründet werden müssen, läßt sie besonders auf die antiklerikalen Angriffe der reformatorischen Verkündigung achten. In der antiklerikalen Argumentation finden sie ein Muster dafür – das zeigt die Verwendung des Göttlichen Rechts sehr deutlich –, wie sie auch mit den weltlichen Problemen fertig werden können. So gerät ihnen die Reformation zu einer biblisch begründeten Aufforderung, den gesamten Lebensbereich in eine gottgewollte Ordnung umzugestalten.

Gegen die „antichristlichen Gebräuche"

Im „Wildwuchs der Reformation" ist auch das Täufertum herangewachsen, genauer: sind die täuferischen Bewegungen entstanden, die in dem reformierten Kongregationalismus der Zürcher Landgemeinden und den Auseinandersetzungen um die Reformation in Zürich (Schweiz) selbst, in der apokalyptischen und mystischen Verkündigung des Buchführers Hans Hut im Anschluß an die Niederlage der Bauern bei Frankenhausen (Mitteldeutschland, Süddeutschland, Österreich, Mähren) und in den apokalyptischen Visionen des Kürschners und Laienprädikanten Melchior Hoffman (Straßburg, Ostfriesland, Niederlande, Westfalen) ihren Ursprung haben[72]. Gemeinsam ist diesen Bewegungen, daß ihre Führer in enger Arbeitsgemeinschaft mit den Reformatoren in Zürich und Wittenberg, auch in enger Verbindung mit Karlstadt und Müntzer, gelegentlich sogar mit den aufständischen Bauern, zu wirken begannen und um eine Reform der Christenheit rangen. Wo die Reformation in diesen Gebieten mit antiklerikalen Mitteln vorangetrieben wurde, waren diese Männer oft aktiv dabei. Darüber ist an anderer Stelle ausführlicher berichtet worden, so daß ich hier auf die Schilderung des antiklerikalen Engagements verzichten und mich auf einige grundsätzliche Bemerkungen zum Antiklerikalismus im Täufertum beschränken kann[73].
Gemeinsam ist den Anführern dieser Bewegungen, daß sie mit dem schleppenden Gang der Reformation unzufrieden waren und ihre antiklerikalen Aggres-

---

[71]   H. A. OBERMAN, Tumultus rusticorum (wie Fußnote 41), S. 172.
[72]   Zur polygenetischen Sicht des Täufertums vgl. K. DEPPERMANN, W. O. PACKULL und J. M. STAYER, From Monogenesis to Polygenesis. The Historical Discussion of Anabaptist Origins, in: Mennonite Quarterly Review 49 (1975), S. 83–122.
[73]   H.-J. GOERTZ, Die Täufer. Geschichte und Deutung. 1980, bes. S. 40 ff.

sionen bald kritisch gegen die Reformatoren selbst wandten. In der Verweigerung der Säuglingstaufe und in der Praxis der Glaubenstaufe fanden sie schließlich ein Reformanliegen, das sie neu in den „Wildwuchs der Reformation" einführten und das als antiklerikales Symbol ihrer Opposition gegen die Reformatoren und die gesamte Ordnung des Corpus christianum gelten kann. Die Taufe sollte das Eingangstor zur Gemeinde Christi sein, aber nicht mehr zur Gesellschaft allgemein. Die Glaubenstaufe wurde auch das Symbol, das ihnen den unerbittlichen Kampf der Reformatoren und Obrigkeiten, der evangelisch gesinnten genauso wie der altgläubigen, einbrachte. Auf dem Reichstag zu Speyer 1529 wurde – angefacht von der Furcht vor einem erneuten Aufstand des „gemeinen Mannes" gegen die Obrigkeit – von allen Ständen beschlossen, auf die Wiedertaufe die Todesstrafe auszusetzen. Es ging den Täufern aber nicht nur um die Praxis der Taufe, sondern ganz grundsätzlich um die Säuberung der bestehenden Christenheit. Die Glaubenstaufe fügte sich in das Benühen um eine Erneuerung der Christenheit ein und wurde im Kampf gegen die „antichristlichen Gebräuche"[74] erst allmählich in ihrer ekklesiologischen und gesellschaftlichen Brisanz erkannt. Die Forderung nach evangelischer Predigt und freier Pfarrerwahl, die Verweigerung des Zehnten und die Kritik an der altgläubigen Messe waren Forderungen, die vorher von vielen erhoben wurden, mit der Forderung der Glaubenstaufe jedoch setzte ein Prozeß einschneidender Differenzierung im reformatorischen Lager ein. Der Bruch mit Zwingli war allerdings schon vorher sichtbar geworden[75]. Zunächst war die Glaubenstaufe ein antiklerikales Instrument zur Säuberung der Christenheit. Als die weitreichenden Pläne, die gesamte Christenheit zu erneuern, aber scheiterten und die Täufer sich auf separatistische Gemeinschaften zurückzogen, erhielt die Taufe die Funktion, die Reinheit der Gemeinde zu verbürgen. Erst mit den Schleitheimer Artikeln von 1527 wurde die Taufe ein separatistischer Akt. Das gilt für das Schweizer Täufertum. Bei Hut hatte die Taufe weniger eine ekklesiologische als vielmehr eine apokalyptisch-missionarische Funktion. Sie war ein Instrument, das die große Scheidung der Menschen in Auserwählte und Verdammte am Ende der Tage vorbereiten sollte. Hut bewegte sich hier ganz im antiklerikalen Fahrwasser Thomas Müntzers und gab selbst nach dem unerbittlichen Zusammenstoß zwischen Fürsten und Bauern die Hoffnung auf einen Sieg der Geschlagenen nicht auf. Die Auserwählten wurden in der Taufe versiegelt, um im Endgericht verschont zu werden, Rache an den Gottlosen zu üben und schließlich die Herrschaft im Reiche Gottes zu übernehmen. Auch Hoffmans Glaubenstaufe trug kaum ekklesiologische Züge. Sie war der Bund zwischen Christus und den Gläubi-

---

[74] H. Fast (Hg.), Der linke Flügel (wie Fußnote 41), S. 13.
[75] J. F. G. GOETERS, Die Vorgeschichte des Täufertums in Zürich, in: L. Abramowski und J. F. G. Goeters (Hgg.), Studien zur Geschichte und Theologie und Reformation. Festschrift für E. Bizer, 1969, S. 249 ff.; J. M. STAYER, Die Anfänge des schweizerischen Täufertums im reformierten Kongregationalismus, in: H.-J. Goertz (Hg.), Umstrittenes Täufertum (wie Fußnote 3), S. 19 ff., bes. S. 35.

gen und brachte das reine, makellose Leben der „Heiligen" im Gegensatz zum heuchlerischen und sündhaften Lebenswandel der Pfaffen und ihres Anhangs zum Ausdruck, wie ja der endzeitliche Kampf, den Hoffman erwartete, im Grunde auch eine gigantische Projektion des antiklerikalen Kampfes an einen apokalyptisch verdüsterten Himmel war[76]. Die Praxis der Glaubenstaufe war diesen Bewegungen gemeinsam und gab ihnen den Namen; doch die Begründung und inhaltliche Entfaltung der Taufanschauungen war, wie bereits diese Beispiele andeuten, recht verschieden. Sie tragen noch die Spuren ihrer Herkunft aus dem antiklerikal aufgeladenen „Wildwuchs der Reformation", der ein breites Spektrum von Reaktionen und Vorstellungen hervorbrachte und zuließ.

Wie stark die antiklerikale Situation auf das Täufertum eingewirkt hat, zeigt sich besonders deutlich an anderer Stelle. Die Täufer haben den Kampf gegen die altgläubige Werkgerechtigkeit leidenschaftlich unterstützt, doch sie haben bald auch das reformatorische Rechtfertigungsverständnis kritisiert. Es schien ihnen den Glauben von den Werken zu trennen und das sittliche Leben der Gleichgültigkeit preiszugeben. Sie waren angetreten, um für eine „Besserung des Lebens" zu kämpfen, die sich ihnen als Gegenbild zu dem verkommenen Lebenswandel und der liederlichen Amtsführung des Klerus nahelegte[77]. Wollte der neue Glaube tatsächlich erneuernde Kraft entfalten, mußte er sich an den Werken ausweisen. Und umgekehrt: Wo das Verhalten und Handeln der Menschen im Gegensatz zu dem Leben stand, das in der Heiligen Schrift beschrieben wurde, konnte unmöglich neuer Glaube am Werke sein. Unter diesem Gesichtspunkt war es nur konsequent, wenn der antiklerikale Affront sich jetzt auch gegen die Reformatoren richtete. So durchzieht alle täuferischen Bewegungen ein „syllogismus practicus", der den ethischen Ernst dieser Bewegungen zum Ausdruck bringt. Ein solcher Ernst wurde den Täufern von ihren Gegnern gelegentlich auch bestätigt[78]. Sie mußten sich allerdings mit dem Vorwurf auseinandersetzen, eine neue Werkgerechtigkeit wieder eingeführt zu haben. Gegen diesen Vorwurf haben sie sich gewehrt, denn sie hatten nicht im Sinn, ein meritorisches Heilsverständnis wieder aufzurichten. Andererseits hat das Bemühen der Täufer, Rechtfertigung und Heiligung zu einem Prozeß zusammenzuziehen, den manche von ihnen „Rechtfertigmachung" nannten[79], diesem Vorwurf durchaus Vorschub geleistet. Zu erklären ist das

[76] G. SEEBASS, Müntzers Erbe. Werk, Leben und Theologie des Hans Hut. Theol. Habil. Schr., 1972; DERS.: Das Zeichen der Erwählten. Zum Verständnis der Taufe bei Hans Hut, in: H.-J. Goertz (Hg.), Umstrittenes Täufertum (wie Fußnote 3), S. 138 ff.; K. DEPPERMANN, Melchior Hoffman. Soziale Unruhen und apokalyptische Visionen im Zeitalter der Reformation, 1979.

[77] H.-J. GOERTZ, Die Täufer (wie Fußnote 73), S. 67 ff.

[78] H. S. BENDER, Das täuferische Leitbild, in: G. F. Hershberger (Hg.), Täufertum – Erbe und Verpflichtung, 1963, S. 45 f.

[79] Zum Rechtfertigungsprozeß vgl. H.-J. GOERTZ, Die Täufer (wie Fußnote 73), S. 67–79.

Konzept des Rechtfertigungsprozesses sehr leicht aus der antiklerikalen Frontstellung heraus. Pfaffen und Priester sollten durch Gläubige und Heilige abgelöst werden. Die sichtbare Liquidierung eines Standes führte zum Aufbau eines sichtbaren Gegentypus. Angemessener als in dem Begriff „Besserung des Lebens" konnte das Reformprogramm der Täufer kaum zum Ausdruck gebracht werden.

Der Rechtfertigungsprozeß selber wurde in jeder täuferischen Bewegung anders begründet und theologisch entfaltet. Im Hutschen Täufertum wurden die Werke in den mortifikatorischen Teil des Heilsprozesses im Sinne Thomas Müntzers hineingezogen: Das Werk Gottes mußte erlitten werden, bevor der göttliche Geist den Menschen erfüllen konnte. Im melchioritischen Täufertum wurde die Vorstellung von einem reinen, unbefleckten Leben durch die Vorstellung vom „himmlischen Fleisch" Jesu Christi überhöht[80]. Nachfolge Jesu konnte nur mit dem Ziel erfolgen, sich dem sündlosen Zustand des Vorbildes zu nähern. Im Schweizer Täufertum wurde dieses Problem mit Ausnahme Balthasar Hubmaiers theologisch am wenigsten bedacht; es wurde bis zu einem ethischen Rigorismus hin nur immer wieder die Notwendigkeit betont, den Glauben an seinen Früchten nachzuweisen. Gemeinsam ist allen Täufern das Bemühen, Glauben *und* Leben zu erneuern. Das ist übrigens ein Anliegen, das sich bei Müntzer, aber auch bei den aufständischen Bauern beobachten ließ, wenn sie auf die Absicht hinwiesen, das „Evangelium zu hören" und „demgemäß zu leben" oder Christus nachzufolgen. Die antiklerikale Situation hatte das einfache Denken der Bauern und Täufer offensichtlich so stark ergriffen, daß sie wohl den Angriff auf den Klerus, der von der reformatorischen Rechtfertigungslehre ausging, nicht aber deren Vorstellung vom unfreien Willen und die subtile Dialektik des „simul iustus ac peccator" aufnehmen konnten, die ja gerade nicht in einem empirisch aufweisbaren Dualismus oder Antagonismus von Priestern und Laien endete.

Antiklerikale Züge trägt auch das Kirchenverständnis der Täufer. Sie führten einen Kampf gegen „antichristliche Gebräuche", kirchliche Gebote und Gelübde, gegen die weltliche Macht und den Reichtum des Klerus. Sie waren mit angetreten, die bestehende Christenheit zu säubern und konnten auch mit so drastischen Maßnahmen wie dem Pfaffenmord drohen[81]. Sie bewegten sich in einer Atmosphäre, die von dem kämpferischen Dualismus Kirche Christi versus Kirche des Antichrist geprägt war. Ekklesiologischer Bezugsrahmen reformerischer Gedanken, Pläne und Aktionen war zunächst die gesamte Christenheit. James M. Stayer hat diese, modern gesprochen, volkskirchlich zugeschnittene Reformabsicht der frühen Täufer in der Schweiz herausgearbeitet und die übliche Annahme, die Täufer hätten mit einer freikirchlichen Gemeindevorstellung zu wirken begonnen, aus den Angeln gehoben[82]. Die

---

[80] K. Deppermann, Melchior Hoffman (wie Anm. 76), S. 197 ff.
[81] J. M. Stayer, Die Schweizer Brüder (wie Fußnote 39), S. 9 f.
[82] Ders., Die Anfänge des schweizerischen Täufertums (wie Fußnote 75), S. 19–49.

volkskirchliche Täuferreformation, die Hubmaier in Waldshut durchgeführt hatte, war alles andere als ein Sonderfall in der Frühgeschichte des Täufertums. Sie war die Regel. Von den antiklerikalen Impulsen her, die in dieser Geschichte wirksam waren, leuchtet das ohne weiteres ein. Eine Verengung des Kirchenverständnisses auf eine separatistische Gemeinschaft tritt erst ein, als die Täufer mit ihrer radikalen und ungeduldig voranstürmenden Volksreformation, die mit dem bäuerlichen Streben nach lokaler Autonomie in den Landgemeinden Zürichs besser zusammenpaßte als mit der Politik des Rates in der Stadt, auf den entschiedenen Widerstand der Obrigkeit und der Reformatoren stießen und ins Abseits gedrängt wurden[83]. Die Täufer kehrten ihre antiklerikalen Initiativen nun gegen Zwingli und begannen, sich auch kirchlich abzugrenzen. Die Kirche, für die die Reformatoren wirkten, konnte nicht mehr die Kirche sein, für die sie sich einsetzten. Das Muster ihrer Kirche fanden sie in der Urgemeinde, wie sie in der Apostelgeschichte beschrieben wurde. Die Heilige Schrift wurde wie bei den Bauern nach Geboten, Verboten und Mustern für Verhalten und Handeln durchsucht. Die Urgemeinde war eine Kirche ohne klerikale Hierarchie, auch eine Kirche, in der der weltlichen Obrigkeit kein Mitspracherecht eingeräumt wurde. Die Absonderung vom Klerus, die sich zunächst in antiklerikaler Militanz und einzelnen Aktionen äußerte, nahm erst Jahre nach dem Bruch mit den Reformatoren ekklesiologische Gestalt an. So wurde die Freikirche geboren. Das erste eindeutige Dokument dieser freikirchlichen Konzeption sind die Schleitheimer Artikel von 1527.

Der antiklerikale Entstehungsimpuls der Freikirche äußert sich noch in einem anderen Zug des ekklesiologischen Selbstverständnisses. Die Täufer legten Wert darauf, daß die Kirche nur von denjenigen gebildet werde, die mit Ernst Christen sein wollten. Das liegt ganz in der Konsequenz der „Besserung des Lebens". Die Kirche, die von Bischöfen und Priestern repräsentiert und geführt wurde, wird abgelöst von der Kirche, in der das Priestertum aller Gläubigen konstitutiv ist. Die Institution oder Anstalt wird abgelöst von der Gemeinschaft oder Bruderschaft. Dagegen ist oft eingewandt worden, die Täufer würden den Ursprung der Kirche in die freiwillige Bereitschaft der Menschen legen, sich zu einer Kirche versammeln zu wollen, und vergessen, daß Kirche ihren Ursprung in Kreuz und Auferstehung Jesu Christi habe und das Geschöpf des Wortes sei, das davon zeugt. In einer Situation, in der die Kirche vom alten und neuen Klerus so stark beherrscht wurde, konnte es für die Täufer aber kaum eine andere Möglichkeit geben, den neutestamentlichen „Leib Christi" wiederherzustellen, als bei dem erneuerten Menschen, dem Gegenteil des Priesters, anzusetzen. Diese Ekklesiologie war im kirchlich-

---

[83] DERS., Die Schweizer Brüder (wie Fußnote 39), S. 7–34; M. HAAS, Der Weg der Täufer (wie Fußnote 3), S. 50–78; K. DEPPERMANN, Die Straßburger Reformatoren und die Krise des oberdeutschen Täufertums im Jahre 1527, in: Mennonitische Geschichtsblätter 1973, S. 24–52.

gesellschaftlichen Arrangement jener Tage ein revolutionäres Novum, weil die
Täufer sich nicht wie klösterliche Orden und Bruderschaften vorher in das
Corpus christianum einfügten, es mit ihrem alternativ entworfenen Kirchen-
verständnis vielmehr sprengten.

Diese Beobachtungen zur antiklerikalen Akzentuierung der Ekklesiologie
beziehen sich auf das Schweizer Täufertum. Im Hutschen und melchioritischen Täufertum können ähnliche, wenn auch anders begründete und verar-
beitete Züge beobachtet werden, vor allem auch die Bewegung von einem
universalen ekklesiologischen Bezugsrahmen zu separatistischen Gemeinschaften. Besonders ausgeprägt ist diese Tendenz bei Menno Simons, desssen
gesamte Theologie ihre Herkunft aus antiklerikaler Erfahrung und Auflehnung nicht verleugnen kann[84].

Diese Bemerkungen zu Antiklerikalismus und Täufertum lassen den Schluß
zu, daß die antiklerikale Situation und Frontstellung der „Sitz im Leben" für
die Entfaltung der theologischen Anschauungen der Täufer ist. Sie geben den
Gedanken ihre Form und stecken die Fluchten ab, innerhalb derer die Täufer
biblische Aussagen aufnehmen und orthodoxe sowie häretische Anschauungen des ausgehenden Mittelalters beerben. Dieser Schluß müßte vor allem
einleuchten, wenn man bedenkt, wieviele ehemalige Priester und Mönche zu
Führern der täuferischen Bewegungen geworden sind: Stumpf, Reublin,
Mantz, Hubmaier, Sattler, Brötli; Schiemer, Schlaffer, Dachser; Rothmann,
Obbe und Dirk Philips, Menno Simons, Adam Pastor[85]. Diese Männer geben
der antiklerikalen Argumentation noch eine besondere emotionale Schärfe, da
sie nicht allein die kirchlich-gesellschaftliche Situation, sondern auch ihre
eigene Vergangenheit bewältigen mußten.

Revolutionäre Kreise

Der Antiklerikalismus hatte sich im frühen 16. Jahrhundert wie ein Lauffeuer
im ganzen Reich verbreitet und der Reformation den Weg geebnet. Das trifft
auf den wirtschaftlich motivierten Antiklerikalismus zu, der dem Unmut von
Handwerkern und Bauern über die privilegierte Gewerbetätigkeit der Klöster
und die rigiden Abgabeforderungen in den geistlichen Grundherrschaften
entsprungen war. Das trifft auch auf die Kritik humanistischer Kreise an der

---

[84]   Vgl. W. O. PACKULL, Mysticism and the Early South German-Austrian Anabaptist
Movement, 1525–1531, 1977; H.-J. GOERTZ, Antiklerikale Argumentation bei
Menno Simons, in: I. B. Horst (Hg.), Dutch Dissenters, 1982 (im Druck).
[85]   C. P. CLASEN, Anabaptism. A Social History, 1525–1618, 1968, S. 310, vermerkt,
daß unter den „Intellektuellen" die Kleriker von 1525–1529 den größten Anteil an der
Führung der täuferischen Gemeinden oder Gemeinschaften innehatten. Er zählt 38
Vorsteher; von 1530–1549 noch 5 und von 1550–1618 nur noch 1 Vorsteher. Unter
den „Nichtintellektuellen" führten die Handwerker mit 76, 38, 22 Vorstehern.

geistigen und moralischen Verwahrlosung des Klerus zu, ebenfalls auf die reichsständische Sorge um den Geldabfluß nach Rom, wie sie in den „Gravamina nationis teutonica" artikuliert wurde. Daran konnte die Reformation anknüpfen. Intensität und Breitenwirkung erhielt der Antiklerikalismus aber erst durch die frühen reformatorischen Angriffe auf das Ablaßwesen, die Hofhaltung des Papstes und den Klerus allgemein, so daß man sagen könnte, die Reformation habe sich im Antiklerikalismus den Boden für ihre Aufnahme und Verbreitung eigentlich erst selber geschaffen. Luther hatte die Herrschaft des Klerus in der Kirche zwar aus theologischen Gründen und auf theologische Weise angegriffen, sein Angriff hatte den Autoritätsverfall des Klerus aber nicht nur im kirchlichen, sondern auch im sozialen Bereich beschleunigt und dessen gesellschaftliche Stellung innerhalb der Ständegesellschaft erschüttert. Der kirchlich und gesellschaftlich angeschlagene Zustand des Klerus mußte den Angriff auf breiter Front dann geradezu herausfordern, zumal er mit einem neu erwachten Selbstbewußtsein der Laien und dem erfolgreichen Zurückdrängen der selbständigen geistlichen Jurisdiktion durch Magistrate und Landesherren in Reichsstädten und Territorien einherging. In diesen Angriff mischten sich religiöse, politische, soziale und wirtschaftliche Motive, so daß es kaum möglich ist, den Antiklerikalismus der Reformationszeit auf unterschiedliche Ursachen und Motive zurückzuführen. In ihm wirkte das ganze Unmuts- und Auflehnungspotential, wie es sich in den verschiedenen Bereichen angesammelt hatte, zusammen. Zu diesem Potential gehörte nicht nur die Unzufriedenheit mit dem Klerus im engeren Sinn, hier fließt vielmehr alles ein, was auf den verschiedensten Ebenen – vom politischen Traktat bis zur astrologischen Prophetie – über die Jahrhunderte hin an papst- und kirchenkritischer Äußerung hervorgebracht wurde[86]. Antiklerikalismus muß sehr weit gefaßt werden, und doch formiert er sich zu einer zielbewußten, gesellschaftlich höchst wirksamen Bewegung.

Zu unterscheiden sind allerdings verschiedene Wirkweisen des Antiklerikalismus. Er konnte als Kampfinstrument benutzt werden, um reformatorische Prozesse in Gang zu bringen, und das vor allem in den Städten. Unter der Aufsicht der Reformatoren konnte er – wie in Wittenberg und Zürich – kanalisiert und in einen ruhigen, mit der Obrigkeit teilweise abgestimmten und durchgesetzten Reformationsprozeß überführt werden. Er konnte auch dazu dienen, Zeichen eines neuen religiösen Lebensstils zu setzen, wie Karlstadt das versucht hatte, oder die Affekte so stark besetzen, daß jeder Widerstand, der sich reformerischem Denken und Handeln in den Weg stellte, antiklerikal eingeschätzt und mit antiklerikalen Mitteln angegriffen wurde. Für Müntzer läßt sich behaupten, daß der Antiklerikalismus der „Sitz im Leben" seiner militanten und revolutionären Theologie war und die Art und Weise bestimmte, wie er Gedankengut aus der mittelalterlichen Mystik und

---

[86]   Vgl. A. G. DICKENS, Intellectual and Social Forces in the German Reformation, in: Wolfgang Mommsen u. a. (Hgg.), Stadtbürgertum und Adel (wie Fußnote 8), S. 11 ff.

Apokalyptik aufnahm. Eine ähnlich formgebende Wirkung der antiklerikalen Situation ist auch für das Täufertum zu beobachten, nur daß hier teilweise andere Traditionen, neue Motive und Erfahrungen eine Rolle spielten, wie ja die kämpferische Bewegung von ihrem Gegner mitgeprägt wird und ihre besondere Heftigkeit, Farbe und gedankliche Ausprägung erhält. Besonders scharf und hartnäckig war der täuferische Antiklerikalismus in Österreich und den Niederlanden; hier mußte er – meist als Pionier reformatorischer Bewegungen – gegen das enge Bündnis von römischer Kirche und habsburgischer Herrschaft ankämpfen, das zu den drastischsten Mitteln griff, um nonkonformistische Strömungen abzuwehren und auszumerzen. Wieder anders wirkte der Antiklerikalismus unter den Bauern. Hier prägte er auch das Denken und Handeln ganz grundsätzlich, er war, meine ich, aber noch mehr, nämlich geradezu das Medium, in dem die Reformation auf dem Lande Gestalt annahm. So sehr es stimmt, daß die Reformation ein „urban event"[87] war, so wenig darf bei aller stadtgeschichtlichen Forschung vergessen werden, daß die Reformation, wenn auch in anderer Gestalt, mit erstaunlicher Breitenwirkung und gesellschaftlicher Sprengkraft in den meisten Fällen auf dem Lande sogar früher als in der Stadt Fuß gefaßt hatte. Sie wurde zweifellos von Prädikanten aus der Stadt aufs Land getragen, aber eben in den meisten Fällen doch bevor die Reformation in den Städten offiziell eingeführt werden konnte. Die Reformation auf dem Lande war nicht die Reformation, die Luther vorschwebte, aber sie war Reformation, die sich über weite Strecken zu Luther bekannte. Mit der Niederlage der Bauern wurde auch die Reformation auf dem Lande zerschlagen; hier konnte sie erst wieder im Zuge landesherrlicher bzw. stadtterritorialer Kirchenpolitik eingeführt werden.

Zweierlei ist dem Antiklerikalismus eigen: Erstens vermag er dem „Wildwuchs der Reformation" eine innere Einheit zu geben; eine Erneuerung von Kirche und Christenheit konnte der gemeine Mann sich in den frühen Jahren der Reformation offensichtlich nur vorstellen, wenn Wege gefunden wurden, den Klerus der alten Kirche zu entmachten und abzuschaffen. Zweitens ist er aber auch in seiner Eigenschaft, Religiöses und Soziales miteinander zu verknüpfen, in der Lage, den jeweils besonderen religiösen, politischen, sozialen und wirtschaftlichen Konstellationen in Städten, Territorien und Grundherrschaften gerecht zu werden und eine differenzierte Ausgestaltung antiklerikaler Bewegungen zuzulassen. So erklären sich auf recht ungezwungene Weise strukturelle Ähnlichkeiten unter diesen Bewegungen, ohne gleich immer genetische Abhängigkeiten annehmen zu müssen, warum Müntzer beispielsweise in den mitteldeutschen Bauernhaufen Resonanz finden konnte oder das Täufertum in einigen Gegenden der Ostschweiz zu einer Massenbewegung im Zuge der bäuerlichen Erhebungen wurde, auch warum das Täufertum sich gelegentlich zu einer Bewegung wandelte, die bäuerliche Anliegen unter veränderten Umständen in veränderter Gestalt fortleben ließ. Es ist also

---

[87]   DERS., The German Nation and Martin Luther, 1974, S. 182.

möglich, diese Bewegungen zu einem „Aufstand gegen den Priester" zusammenzufassen, aber nicht als einen konsistenten und stringent ablaufenden Revolutionsprozeß mit dem Ziel, einer bestimmten gesellschaftlichen Schicht zu politischer und sozialer Herrschaft zu verhelfen, wie das in der „Theorie der frühbürgerlichen Revolution" der Fall ist, sondern in dem Sinn, daß verschiedene antiklerikale Bewegungen mit unterschiedlichen Motiven, Erfahrungen, sozialen Zusammensetzungen und religiösen Gedanken in eine ähnliche Richtung wirkten: die Erneuerung der Christenheit durch Beseitigung des Klerus zu erreichen. Besser als von einer „evangelischen Bewegung" (R. Scribner) ist es wohl, von verschiedenen antiklerikal-reformatorischen Bewegungen zu sprechen oder von revolutionären Kreisen, die einer zwar nicht eindeutig feststehenden, aber im Tageskampf doch deutlich genug wahrgenommenen Mitte entspringen, sich überlagern, berühren, unabhängig voneinander bewegen, auch einander bekämpfen und ablösen.

PETER BIERBRAUER

Das Göttliche Recht und die naturrechtliche Tradition

Daß die Entwicklung des ländlichen Sektors der altständischen Gesellschaft nicht einfach als Ergebnis objektiver innerer und äußerer Faktoren begriffen werden kann, daß sie vielmehr auf hinlängliche Weise nur zu erfassen ist, wenn man den Bauern als denkendes und handelndes Subjekt in die Perspektive des historischen Prozesses einbezieht, ist die wohl wesentlichste Einsicht, die die jüngere Forschung aus der jahrzehntelangen Beschäftigung Günther Franz' mit dem Bauernstand gewinnen kann[1]. Franz hat, über lange Zeit fast als einziger, den Konflikten in der ländlichen Gesellschaft ein allgemeineres Erkenntnisinteresse zugebilligt und sie in quellennahen Analysen unter besonderer Berücksichtigung der Motive und Beweggründe, der Beschwerden und Ziele der Empörer sozusagen „von unten" her dargestellt[2]. Bei allen Unterschieden der Aufstände in ihren jeweiligen Anlässen und Abläufen fand er gerade auf der Ebene der Sujektivität einen gemeinsamen Ausgangspunkt und ein gemeinsames Grundmotiv. Der Ausgangspunkt ließe sich charakterisieren als ein in hohem Maß ausgeprägtes Bewußtsein von Recht und Gerechtigkeit, das stets wiederkehrende Grundmotiv als das Bemühen, angesichts ungerecht gewordener Verhältnisse Recht und Rechtlichkeit wiederherzustellen.
Auch im Konfliktverhalten selbst manifestiert sich dieses Rechtsbewußtsein: Das bäuerliche Handeln unterliegt in seinen Mitteln und Zielen einer Art „Legitimitätspostulat", d.h., es muß innerhalb der eigenen normativen Prämissen gerechtfertigt werden. Günther Franz selbst hat diesen Zusammenhang

---

[1] Diese Einsicht vermag insbesondere seine „Geschichte des deutschen Bauernstandes" zu vermitteln, in der erstmals der Versuch unternommen wurde, einen Überblick über die politische und soziale Aktivität der Bauern in der altständischen Gesellschaft zu gewinnen. Vgl. G. FRANZ, Geschichte des deutschen Bauernstandes vom frühen Mittelalter bis zum 19. Jahrhundert (Deutsche Agrargeschichte 4), 1976².
[2] Neben einer Reihe von Einzeluntersuchungen vor allem: G. FRANZ, Die agrarischen Unruhen des ausgehenden Mittelalters. Ein Beitrag zur Vorgeschichte des Bauernkrieges, 1930; Wiederabdruck unter dem Titel Außerdeutsche Bauernkriege im ausgehenden Mittelalter, in: ders., Persönlichkeit und Geschichte. Aufsätze und Vorträge, 1977, S. 78–96. – Ders., Der Kampf um das alte Recht in der Schweiz, in: Vierteljahrsschrift für Sozial- und Wirtschaftsgeschichte 26 (1933), S. 105–145. – Ders., Der deutsche Bauernkrieg, 1977¹¹, S. 1–79. – Ders., Bauernstand (wie Fußnote 1), S. 21–23, 46–50, 87–95, 132–138, 183–202, 247–269.

nicht in einer derart abstrakten Form expliziert[3], er erkannte jedoch die besondere Bedeutung der Rechtfertigungsproblematik für den bäuerlichen Widerstand und nutzte sie als hermeneutischen Schlüssel zur Einordnung der spätmittelalterlichen Aufstände und insbesondere auch zur Analyse des Bauernkriegs.

Danach lassen sich in den spätmittelalterlichen Revolten zwei grundsätzlich verschiedene Legitimationsformen feststellen, denen jeweils ein bestimmter Revoltentypus zugeordnet werden kann. In der weit überwiegenden Mehrzahl der Erhebungen berufen sich die Bauern auf das überlieferte „Alte Recht"[4]. Sie gehen dabei von dem für die mittelalterliche Gesellschaft insgesamt charakteristischen Rechtsverständnis aus, wonach die Verbindlichkeit rechtlicher Normen aus der Tradition ihrer Geltung resultiert. In diesem Argumentationsrahmen wird die gegebene Rechts- und Herrschaftsordnung nicht grundsätzlich in Frage gestellt, der Widerstand verfolgt vielmehr das Ziel, ihre Integrität, die durch einseitige herrschaftliche Eingriffe bedroht ist, wiederum zu sichern. Ein Charakteristikum von Aufständen auf dieser Grundlage ist ihre territoriale bzw. herrschaftliche Begrenztheit, da der Kreis der Teilnehmer notwendigerweise auf die Mitglieder einer einheitlichen Rechtsgemeinschaft beschränkt ist[5].

Den altrechtlichen Aufständen stellte Franz eine zweite Gruppe von Erhebungen gegenüber, die in ihren Zielsetzungen den Rahmen des positiven, traditional legitimierten Rechts sprengten[6]. Auch in diesen Bewegungen unterwarfen sich die Bauern einem Rechtfertigungszwang, machten jedoch für ihr Vorgehen ein höherwertiges Rechtsprinzip geltend: das „Göttliche Recht", aus dessen absoluter Verbindlichkeit sie die Berechtigung zu Eingriffen in positives Recht ableiteten. Den Inhalt des Göttlichen Rechts bestimmte Franz als die in der Bibel, insbesondere im Neuen Testament enthaltenen Normen. Ihren absoluten Geltungsanspruch führte er auf die Lehre Wiklifs zurück: „Nullum est civile dominium, nisi iustitia evangelica sit fundatum"[7].

Die Idee des Göttlichen Rechts wurde durch häretische Bewegungen, insbesondere durch die Hussiten in der ländlichen Gesellschaft verbreitet, gewann im Spätmittelalter jedoch noch kein entscheidendes politisches Gewicht. Die Bundschuhverschwörungen vermochten zwar durch das Leitmotiv der göttli-

---

[3] Die These läßt sich gleichwohl auf der Grundlage der neueren Forschungsergebnisse aufstellen. Vgl. dazu allgemein: P. BLICKLE (Hg.), Aufruhr und Empörung. Studien zum bäuerlichen Widerstand im Alten Reich, 1980, und W. SCHULZE, Bäuerlicher Widerstand und feudale Herrschaft in der frühen Neuzeit (Neuzeit im Aufbau 6), 1980. – Die Zusammenhänge verdeutlicht am Beispiel des Bauernkriegs P. BLICKLE, Die Revolution von 1525, 1981[2], S. 142, 146, 148f.

[4] G. FRANZ, Bauernkrieg (wie Fußnote 2), S. 1–41.

[5] Ebd., S. 42.

[6] Ebd., S. 41–79.

[7] Ebd., S. 42.

chen Gerechtigkeit neue, grundsätzliche Ziele zu formulieren und auf dieser programmatischen Basis Untertanen verschiedener Herrschaft zu integrieren, aber der Kreis der Teilnehmer blieb begrenzt, die Ineffizienz der konspirativen Organisation ließ alle Aufstandspläne scheitern[8]. Ihre eigentliche Bedeutung sah Franz in einem anderen Zusammenhang. Im Bundschuh zeigte sich, daß das Göttliche Recht dem politischen Bewußtsein der Bauern nicht nur neue Wertungsmaßstäbe bot, sondern daß es mit einer auf bäuerlicher Seite bestehenden Konfliktbereitschaft einherging und dieser neue Impulse vermitteln konnte. In den ersten beiden Dekaden des 16. Jahrhunderts hatte sich demnach in der ländlichen Gesellschaft ein erhebliches revolutionäres Potential angehäuft, das nur noch eines besonderen Anlasses bedurfte, um sich zu entladen.

Dieser Anlaß war die Reformation. Der Bundschuh fand seine Fortsetzung im Bauernkrieg von 1525. Aus einer Konzentration von altrechtlichen Erhebungen in Südwestdeutschland erwuchs eine Volkserhebung neuer Art. Das Göttliche Recht bildete dabei die legitimatorische Basis, auf der sich eine die territorialen Grenzen überwindende Massenbewegung überhaupt erst formieren konnte. Es erhielt seine prägnanteste Ausformung in den „Zwölf Artikeln", dem Manifest des Bauernkrieges.

Günther Franz erkannte in der Verbindung reformatorischer Ideen und Anstöße mit dem Prinzip des Göttlichen Rechts die entscheidende subjektive Triebkraft der Bewegung von 1525, er blieb jedoch in seinem Bauernkriegsbuch eine präzise Analyse der inhaltlichen Beziehung zwischen beiden Elementen schuldig. Seine Aussagen zu diesem Problem sind nicht frei von Widersprüchen. So hob er einerseits die strikte Festlegung des Göttlichen Rechts auf das Wort Gottes als entscheidende Veränderung hervor[9], die durch die Reformation verursacht wurde, stellte andererseits aber fest, „daß ja auch schon Joß Fritz" das Göttliche Recht „nirgends anders als in der Bibel suchte"[10]. Kaum als Weiterentwicklung kann auch die von Franz mehrfach betonte enge Bindung des Göttlichen Rechts an das Evangelium angesehen werden[11], da ja Wiklif, den Franz als Begründer der Lehre vom Göttlichen Recht ansieht, bereits das Evangelium als maßgebliche Instanz ausgewiesen hatte. Zudem lassen auch die Bauernkriegsquellen selbst keinesfalls eine ausschließliche Orientierung auf das Evangelium erkennen. So begründen etwa die Zwölf Artikel die Forderung nach Freigabe von Jagd und Fischerei mit der Genesis[12],

---

[8] Franz stützt seine Darstellung des Bundschuhs weitgehend auf A. Rosenkranz, Der Bundschuh, die Erhebungen des südwestdeutschen Bauernstandes in den Jahren 1493–1517 (Schriften der Elsaß-Lothringer im Reich), 2 Bde., 1927.

[9] G. Franz, Bauernkrieg (wie Fußnote 2), z. Bsp. S. 89, 109, 120.

[10] Ebd., S. 89.

[11] Ebd., z. Bsp. 108, 144, 150. – G.Franz, Bauernstand (wie Fußnote 1), S. 138.

[12] A. Götze, Die zwölf Artikel der Bauern 1525. Kritisch herausgegeben, in: Historische Vierteljahresschrift 5(1902), 1–33. Leichter zugänglich jetzt bei P. Blickle, Revolution (wie Fußnote 3), S. 289–295.

um nur ein Beispiel zu nennen. Der Nachweis einer qualitativen inhaltlichen Veränderung des Göttlichen Rechts durch die Reformation wurde von Franz letztlich nicht erbracht. Immerhin konnte er aufzeigen, daß der Katalog der durch das Göttliche Recht abgedeckten Forderungen durch die Reformation um zwei wesentliche Punkte (Pfarrerwahl, Zehnt) erweitert wurde[13], und er vermochte eine Begründung dafür zu geben, daß die Reformation mittelbar den breiten gesellschaftlichen Durchbruch des Göttlichen Rechts beförderte, indem er auf die Erschütterung der kirchlichen Autorität hinwies[14].

Die hier dargestellte Auffassung über das Verhältnis von Altem Recht, Göttlichem Recht und Reformation bildet ein Kernstück der Bauernkriegsinterpretation, die Günther Franz in seiner 1933 erstmals erschienenen Monographie entwickelt hat, und der hohe Rang dieses Werkes zeigt sich nicht zuletzt darin, daß auch in der neuaufgelebten Auseinandersetzung der jüngeren Forschung mit dem Bauernkrieg der von Franz hergestellte kategoriale Rahmen eine zentrale Rolle spielt. Das gilt insbesondere für den Begriff des Göttlichen Rechts, dem im Zusammenhang der neu gestellten Fragen um die Gesamtbewertung der Ereignisse von 1525 eine Schlüsselstellung zukommt. Zur Debatte steht dabei nicht der Begriff als solcher; daß der Begriff „Göttliches Recht", den bereits die ältere Forschung als den markantesten Terminus ihrer Quellen aufgegriffen und als Wissenschaftsbegriff profiliert hatte, in adäquater Weise das spezifische Leitmotiv der Erhebung zum Ausdruck bringt, ist unumstritten. Die Diskussion konzentriert sich vielmehr auf seine inhaltliche Präzisierung, Abgrenzung und Einordnung. Sie zielt letztlich darauf, die „Seele des Bauernkrieges", wie Franz Ludwig Baumann das Göttliche Recht genannt hatte[15], zu verstehen, um zu einer Qualifizierung des historischen Vorgangs insgesamt zu gelangen.

Die wichtigsten Positionen und ihre Konsequenzen seien kurz dargestellt:

1 Das Göttliche Recht ist das Alte Recht.

Der von Franz herausgearbeitete grundsätzliche Unterschied wurde von Irmgard Schmidt in einer 1939 publizierten Studie relativiert[16]. Auch das alte Recht ist göttlich. Der Begriff des Göttlichen Rechts ist vielgestaltig und wird von unterschiedlichen Gruppen für gegensätzliche Ziele beansprucht. In seiner Verwendung durch die Bauern kommt kein neues Rechtsverständnis zum Ausdruck, die Reformation bewirkt mit der Festlegung auf Evangelium und Gotteswort nur einen veränderten Sprachgebrauch, dem im Prinzip aber ein ungebrochenes und einheitliches Rechtsbewußtsein der Bauern zugrundeliegt.

---

[13] G. FRANZ, Bauernkrieg (wie Fußnote 2), S. 94.
[14] G. FRANZ, Bauernstand (wie Fußnote 1), S. 138.
[15] F. L. Baumann (Hg.), Akten zur Geschichte des deutschen Bauernkrieges aus Oberschwaben, 1877, S. V f.
[16] I. SCHMIDT, Das göttliche Recht und seine Bedeutung im Deutschen Bauernkrieg, phil. Diss. Jena, 1939.

Die Konsequenzen dieser Auffassung liegen auf der Hand. Der Bauernkrieg wird marginalisiert: „Um das Recht hatten sie schon jahrhundertlang vor dem Bauernkrieg gekämpft und für das Recht stritten sie noch Jahrhunderte später. Der Kampf um das Göttliche Recht 1525 war nur ein Abschnitt . . .“[17]. Diese Position ist auch in der neueren Forschung noch durchaus lebendig. So wandten sich etwa auch Thomas Nipperdey und Peter Melcher unter Berufung auf Fritz Kern gegen die Franzsche Differenzierung[18].

2   Die Idee des Göttlichen Rechts im Bauernkrieg ist ein originäres, aber illegitimes und irrationales Ergebnis der reformatorischen Predigt.
Das von Franz nicht befriedigend gelöste Problem der Verbindung von Göttlichem Recht und reformatorischer Theologie ließ in seiner Gesamtinterpretation des Bauernkriegs den Faktor Reformation zwangsläufig stark in den Hintergrund treten. Daraus erklären sich die intensiven Anstrengungen der neueren Forschung um die Konkretisierung der reformatorischen Einflüsse. Dieser spezifische Ausgangspunkt macht sich besonders deutlich in einer Untersuchung Winfried Beckers bemerkbar[19], der eine neue Bestimmung der Kategorie „Göttliches Recht" durch die Konzentration auf die religiösen und theologischen Bezüge der Bauernkriegsquellen zu gewinnen sucht. Er negiert die von Franz behauptete Kontinuität, indem er die vorreformatorischen Erscheinungsformen des Göttlichen Rechts als Vorstufen qualifiziert und – ohne empirischen Nachweis – ihre Übereinstimmung mit dem traditionalen Rechtsverständnis behauptet. Erst unter dem Einfluß der reformatorischen Predigt gelangen die Bauern zur neuen Vorstellung eines absoluten Göttlichen Rechts, das sie mit dem Evangelium bzw. dem Wort Gottes gleichsetzen. Das Göttliche Recht ist jedoch kein konsistent begründetes Normensystem, sein Ausgangspunkt liegt vielmehr im „intentionalen, emotionalen und intuitiven Bereich"[20]. Seine Funktion ist diejenige eines vagen Leitmotivs, dessen wesentlicher Inhalt die Idee der Brüderlichkeit bildet. Insgesamt ist das Göttliche Recht „kein Säkularisat, sondern ein auch theologisch fragwürdiges Produkt übersteigerter religiöser Mentalität"[21].
Die Auffassung Beckers ist insofern charakteristisch für eine bestimmte Tendenz der Bauernkriegshistoriographie, als sie die alte These vom „fleischli-

---

[17]   Ebd., S. 56.
[18]   TH. NIPPERDEY – P. MELCHER, Artikel „Bauernkrieg", in: Sowjetsystem und Demokratische Gesellschaft. Eine vergleichende Enzyklopädie, Bd. I, 1966, Sp. 611–627; wieder abgedruckt und mit einem Zusatz versehen in: TH. NIPPERDEY, Reformation, Revolution, Utopie. Studien zum 16. Jahrhundert (Kleine Vandenhoeck-Reihe 1408), 1975, S. 85–112, die Kritik S. 101.
[19]   W. BECKER, „Göttliches Wort", „göttliches Recht", „göttliche Gerechtigkeit". Die Politisierung theologischer Begriffe?, in: P. Blickle (Hg.), Revolte und Revolution in Europa (Historische Zeitschrift Beiheft 4 NF), 1975, S. 232–263.
[20]   Ebd., S. 253.
[21]   Ebd., S. 262.

chen" Mißverstehen der evangelischen Predigt durch die Bauern auf einer subtileren Ebene fortführt.

3 Das Göttliche Recht ist als revolutionäres biblizistisches Rechtsverständnis eine legitime Konsequenz der reformatorischen Theologie.

Nicht auf die spätmittelalterliche Tradition, sondern auf den unmittelbaren Einfluß reformatorischer Ideen führt auch Peter Blickle[22] den Durchbruch des Göttlichen Rechts im Bauernkrieg zurück. Durch die Anwendung des reformatorischen Schriftprinzips auch auf den Bereich der säkularen Ordnung erheben die Aufständischen die Bibel zum absolut verbindlichen Maßstab des positiven Rechts und durchbrechen damit den altrechtlichen Legitimationsrahmen. Das Göttliche Recht der Bauern, das Blickle durch den Begriff „Biblizismus" präzisiert, ist keine illegitime Konsequenz der reformatorischen Theologie. Blickle begründet diese These, indem er einerseits auf den systematischen Ausgangspunkt der reformatorischen Theologie hinweist und den durch die lutherische Grundkategorie „sola scriptura" hergestellten Freiraum der Subjektivität auch für die Bauern beansprucht und andererseits die direkten historischen Bezüge zur Theologie Zwinglis nachweist[23], der in seinen „Schlußreden" die Verbindlichkeit des Naturrechts, das er mit dem Gottesrecht identifizierte, für das positive Recht postulierte. Ungeklärt läßt Blickle allerdings das Verhältnis des reformatorischen Biblizismus zu der von Franz dargestellten spätmittelalterlichen Tradition des Göttlichen Rechts.

Blickle bestreitet den irrationalen Charakter der bäuerlichen Berufung auf das Göttliche Recht. Der biblizistische Argumentationsrahmen erweist sich als tragfähiges Fundament einer revolutionären Programmatik. Die auf dieser Grundlage entwickelten Zwölf Artikel sind – entgegen der Auffassung von Franz – kein gemäßigtes Reformprogramm, sondern zielen auf die grundlegende Umgestaltung der Sozialordnung[24].

Die Auffassungen in der Forschung über Wesen und Bedeutung des Göttlichen Rechts sind, wie diese Positionsbeschreibungen zeigen, derart kontrovers, daß eine Übereinstimmung auch in Grundzügen nicht zu erkennen ist, ja selbst ein fruchtbarer wissenschaftlicher Diskurs kaum mehr als möglich erscheint[25]. Angesichts der Bedeutung des Gegenstandes sah sich Heide Wunder deshalb 1976 veranlaßt, ein eigenes Forschungskonzept zu entwickeln, das der wissenschaftlichen Auseinandersetzung neue Anregungen und Impulse vermitteln sollte[26]. Eine Lösung der offenen Fragen sieht sie an die Durchführung

---

[22] P. BLICKLE, Revolution (wie Fußnote 3), S. 139, 140–149.

[23] Ebd., S. 237–244.

[24] Ebd., S. 196–223.

[25] Diesen Eindruck vermittelt zumindest das Diskussionsprotokoll der Memminger Bauernkriegstagung von 1975. Vgl.: Ergebnisprotokoll der Diskussion, in: P. Blickle (Hg.), Revolte und Revolution (wie Fußnote 19), S. 325–327.

[26] H. WUNDER, „Altes Recht" und „göttliches Recht" im Deutschen Bauernkrieg, in: Zeitschrift für Agrargeschichte und Agrarsoziologie 24 (1976), S. 54–66.

breitangelegter begriffsgeschichtlicher Untersuchungen gebunden und empfiehlt die vergleichende Aufarbeitung bäuerlicher Unruhen unter Berücksichtigung anthropologischer und sozialpsychologischer Ansätze.
Dieser anspruchsvollen Aufgabenstellung kann der vorliegende Beitrag nicht
genügen. Wenn hier nun dennoch der Versuch unternommen werden soll, zur
Klärung der kontroversen Standpunkte beizutragen, so liegt dem die Einsicht
zugrunde, daß die unbefriedigende Situation primär nicht auf empirische
Defizite zurückzuführen ist. Die zitierten Untersuchungen, insbesondere die
Arbeiten von Schmidt und Becker, entwickeln ihre Thesen auf einem Fundament von zahlreichen Belegen, aus denen die bäuerliche Gebrauchsweise von
Bezeichnungen wie „göttliche Gerechtigkeit", „Göttliches Recht", „Evangelium" usw. hinreichend deutlich wird. Die Schwierigkeiten sind vielmehr
interpretatorischer Art. Sie resultieren aus einem Mangel an systematischen
Kategorien zur Einordnung der Quellenbefunde, der sich daraus ergibt, daß
die bäuerlichen Rechtsanschauungen immer nur immanent betrachtet werden
und gar nicht erst der Versuch unternommen wird, in grundsätzlicher Weise
ihren rechtsphilosophischen Standort zu bestimmen. Dies für die Zeit des
Spätmittelalters zu leisten, bedeutet konkret, die Stellung des Göttlichen
Rechts im Zusammenhang der christlichen Naturrechtslehre zu analysieren.
Auf Beziehungen zwischen dem Göttlichen Recht des Bauernkriegs und dem
Naturrecht ist in der Forschung gelegentlich hingewiesen worden, ohne daß
sie allerdings systematisch verfolgt worden wären. So hat etwa bereits Hans
von Voltelini den „deutlichen Anklang"[27] des Leibeigenschaftsartikels der
Zwölf Artikel an die Formulierungen der deutschen Rechtsbücher betont und
den Ursprung der Forderung nach persönlicher Freiheit im antiken Naturrecht
aufgezeigt. Walter Müller hat 1975 diese These durch zusätzliches Material
abgesichert[28]. Am nachdrücklichsten wurde das Göttliche Recht bisher von
Karl Heinz Burmeister in Beziehung zum Naturrecht gesetzt. Er sieht den
Kerngedanken des Göttlichen Rechts im Prinzip der „Normenkontrolle" im
Hinblick auf das positive Recht, führt diesen Gedanken auf das antike
Naturrecht zurück und glaubt, daß seine Vermittlung ins bäuerliche Bewußt-
sein durch die Rezeption des römischen Rechts zu erklären sei[29].

---

[27]   H. V. VOLTELINI, Der Gedanke der allgemeinen Freiheit in den deutschen Rechtsbü-
chern, in: Zeitschrift für Rechtsgeschichte, Germanistische Abteilung 57 (1937),S. 189.
[28]   W. MÜLLER, Wurzeln und Bedeutung des grundsätzlichen Widerstandes gegen die
Leibeigenschaft im Bauernkrieg 1525, in: Schriften des Vereins für Geschichte des
Bodensees und seiner Umgebung 93 (1975) S. 1–41. Eine Zusammenfassung dieser
Studie in: *ders.*, Freiheit und Leibeigenschaft – Soziale Ziele des deutschen Bauernkriegs, in: P. Blickle (Hg.), Revolte und Revolution (wie Fußnote 19), S. 264–272.
[29]   K. H. BURMEISTER, Genossenschaftliche Rechtsfindung und herrschaftliche Rechts-
setzung – Auf dem Weg zum Territorialstaat, in: P. Blickle (Hg.), Revolte und
Revolution (wie Fußnote 19), S. 183 ff.

Um die hier angedeuteten Zusammenhänge zu prüfen, scheint es dienlich, Ursprung und Entwicklung der Naturrechtslehre etwas eingehender zu betrachten.

Den Ausgangspunkt allen naturrechtlichen Denkens bildet die Einsicht, daß den Einzelnen moralisch bindendes Recht nicht einfach auf der Macht, Gesetze zu erlassen und durchzusetzen, beruhen könne. Schon bei Heraklit findet sich der Hinweis auf ein überlegenes göttliches Gesetz, aus dem die menschlichen Gesetze gespeist würden[30], und insgesamt setzte sich in der vorsokratischen Philosophie der Griechen eine Auffassung durch, die die Ordnung der Natur zum Maßstab der Gesetze der Polis nahm. Damit war die philosophische Reflexion auf ein Problem gelenkt, das von nun an in der abendländischen Geistesgeschichte immer erneut aufgegriffen wurde. Im Laufe der Jahrhunderte wandelten sich zwar die Auffassungen über den Charakter und den Inhalt der höherwertigen naturrechtlichen Normen, in deren Rahmen das positive Recht seine Legitimität zu erweisen hatte, aber es bestand bis zum Durchbruch des Rechtspositivismus im 19. Jahrhundert kein Zweifel daran, daß allein auf dieser Grundlage verpflichtendes Recht begründet werden konnte. Unter Bezugnahme auf diesen stets gewahrten Zusammenhang von Naturrecht und positivem Recht konnte deshalb auch Karl-Heinz Ilting eine zeitlich übergreifende, allgemeine Definition des Naturrechtsbegriffs entwickeln: Das Naturrecht sei „ein System rechtlicher Normen, die für alle Menschen als Vernunftwesen, auch ohne und im Konfliktfall gegen alle positiven, insbesondere staatlichen Gesetze und Weisungen, überall und jederzeit verbindlich sind"[31].

Diese knappe Umschreibung der Essenz des Naturrechts ist vielleicht besser als eine langwierige Darstellung geeignet, das kritische und emanzipatorische Potential zu verdeutlichen, das in ihm angelegt ist. Wesentlich sind dabei zwei Aspekte:

1. Das Naturrecht unterwirft die bestehenden Ordnungen einem Rechtfertigungszwang. Wird die Vereinbarkeit negiert, sind Veränderungen geboten.
2. Das Naturrecht geht vom Individuum aus und besitzt einen universalen Geltungsanspruch. Damit ist im System naturrechtlichen Denkens im Grundsatz auch das Gleichheitsprinzip angelegt[32], weil alle vorfindbaren Formen sozial und politisch abgestufter Gleichheit auf der universalen Argumentationsebene des Naturrechts nicht unmittelbar begründbar sind.

Diese systemkritischen Implikationen der Ausgangsposition des naturrechtlichen Denkens, auf die im Zusammenhang des Göttlichen Rechts noch einzu-

---

[30] K. H. ILTING, Naturrecht, in: O. Brunner, W. Conze, R.Koselleck (Hgg.), Geschichtliche Grundbegriffe. Historisches Lexikon zur politisch-sozialen Sprache in Deutschland, Bd. 4, S. 248; dort auch S. 248–252 zum Naturrechtsverständnis der Sophisten.
[31] Ebd., S. 247.
[32] Diesen Gedanken entwickelt E. TROELTSCH, Die Soziallehren der christlichen Kirchen und Gruppen (Gesammelte Schriften 1), 1923³, S. 60 f.

gehen sein wird, sind nun allerdings nicht charakteristisch für die elaborierten Naturrechtssysteme vor der Aufklärung. Sie verhalten sich zur gegebenen Sozialordnung mehr oder minder apologetisch und suchen durch die Inanspruchnahme verschiedener zusätzlicher Annahmen (Goldenes Zeitalter, Sündenfall, Staatsvertrag) ihre Vereinbarkeit mit dem Naturrecht zu begründen. Eine zentrale Bedeutung für das Rechtsverständnis des christlichen Mittelalters gewann die theoretisch vertiefte Naturrechtslehre, die seit dem dritten vorchristlichen Jahrhundert von der Stoa entwickelt wurde[33]. Auch die Philosophen der Stoa gingen davon aus, daß sich die Gesetze der menschlichen Gemeinschaft an der Natur zu orientieren hätten, aber diese teleologische Bindung wurde in einem neuen Sinn aufgefaßt. An die Stelle eines naiv naturalistischen Verständnisses der Naturordnung, wie es für die Frühzeit charakteristisch war, trat die Vorstellung eines das gesamte Universum umfassenden ewigen Naturgesetzes, einer lex aeterna, die der Rechtsordnung der Menschen Maß und Grenzen gibt. So postulierten die Stoiker eine natürliche Rechtsordnung, die einerseits als Richtschnur der positiven Gesetze verstanden wurde, von der aber andererseits angenommen wurde, daß sie infolge der universalen Wirksamkeit der lex aeterna im konkreten Recht der Völker in irgendeiner Form präsent sei (ius gentium). Wenn nun auch in der Stoa grundsätzlicher als je zuvor die Gleichheit aller Menschen betont wurde, so führte das dennoch nicht zur zwingenden Forderung nach Veränderung der auf Ungleichheit bis hin zur Sklaverei beruhenden Verhältnisse[34]. Die eher auf die privaten Bezüge der menschlichen Existenz ausgerichtete Philosophie der Stoa blieb im politischen Bereich recht unbestimmt. Sie entwickelte die Idee eines Goldenen Zeitalters, in dem das Naturrecht in allen Beziehungen verwirklicht gewesen sei, und gab sich im Hinblick auf die Unzulänglichkeit der bestehenden Verhältnisse mit dem Hinweis auf ungünstige Einflüsse und einer gewissen Reformbereitschaft zufrieden.

Entscheidend für die historische Wirkung dieser Lehren wurde nun der Umstand, daß sie in der sogenannten „mittleren Stoa" maßgeblichen Einfluß auf das Geistesleben der Römer gewannen. Hier entstand aus der Verschmelzung von römischer Religion und stoischer Philosophie „eine Art Staatsreligion der Gebildeten"[35]. Diese Entwicklung führte auf zwei Gebieten zu

---

[33]   K.-H. ILTING, Naturrecht (wie Fußnote 30), S. 257–260. – E. BLOCH, Naturrecht und menschliche Würde (suhrkamp taschenbuch wissenschaft 250), 1977, S. 23–29. – E. TROELTSCH, Soziallehren (wie Fußnote 32), S. 52–58.

[34]   K.-H. ILTING, Naturrecht (wie Fußnote 30), S. 258 f., betont in diesem Zusammenhang die „Entpolitisierung und Entökonomisierung des Gemeinschaftsgedankens" in der Stoa, deren Bezugspunkt nicht mehr die Polis, sondern die Menschheit ist. – E. TROELTSCH, Soziallehren (wie Fußnote 32), S. 52 ff., verweist auf die Relativierung der naturrechtlichen Normen durch die Idee des Goldenen Zeitalters. – E. BLOCH, Naturrecht (wie Fußnote 33), S. 29 ff., zeigt die politische Ambivalenz des stoischen Naturrechts am Beispiel von Epiktet, Seneca und Tiberius Gracchus.

weitreichenden historischen Folgen. Einerseits bedienten sich die römischen Juristen, die vor der Aufgabe standen, eine den Bedürfnissen des Weltreiches entsprechende Rechtssystematik zu entwickeln, zu diesem Zweck der stoischen Naturrechtslehre[36]. Auf diesem Weg drangen in die systematischen Darstellungen des römischen Rechts solche Sätze ein, wie etwa: „Von Anfang an wurden alle Menschen als frei geboren", der sich in den Institutionen des Corpus Juris findet[37]. Wenn auch auf diese Fundamentalnormen „in den positiven Bestimmungen schwerlich oft zurückgegriffen"[38] wurde, so waren sie doch nun in den für die europäische Rechtsgeschichte einflußreichsten Werken an prominenter Stelle enthalten. Diesen Umstand hat Karl Heinz Burmeister im Auge, wenn er das Auftauchen naturrechtlicher Argumentationsformen im Bauernkrieg mit dem Vordringen des römischen Rechts im Spätmittelalter in Verbindung bringt und auf die außerordentliche Verbreitung der Institutionen hinweist[39]. Gegen seine Auffassung spricht jedoch nicht nur die Annahme, daß der Einfluß der lateinischen Kathedergelehrsamkeit der Juristen auf das politische Bewußtsein der Bauern, die eben diesen Juristen abwehrend gegenüberstanden[40], als gering zu betrachten ist, sie übersieht auch, daß im Rahmen einer wesentlich bedeutenderen Institution der mittelalterlichen Gesellschaft weitaus breitere Vermittlungskanäle für naturrechtliche Ideen vorhanden waren. Gemeint ist die Kirche.

Die Übernahme der in Rom maßgeblichen stoischen Naturrechtslehre durch das Christentum, das seit 391 als Staatsreligion anerkannt war, stellt die zweite folgenschwere Verbindung dar, durch die das Naturrecht in noch höherem Maß Einfluß auf die abendländische Geschichte gewann. Diese Rezeption wurde möglich durch eine spezifische innere Verwandtschaft zwischen christlicher und stoischer Lehre, die beide einen universalen Anspruch mit der Orientierung auf das Individuum verbanden[41]. Der an sich überraschende Eingang einer heidnischen Theorie in die christliche Dogmatik ist dadurch zu erklären, daß die rein auf das Praktisch-Anschauliche bezogenen christlichen Morallehren einer begrifflich entwickelten theoretischen Grundlage entbehrten[42]. Dieses Defizit wurde durch die Aneignung des römisch-

---

[35]   K. Vorländer, Geschichte der Philosophie, Bd. 1: Philosophie des Altertums (rowohlts deutsche enzyklopädie 183), 1976[10], S. 158.

[36]   E. Bloch, Naturrecht (wie Fußnote 33), S. 29–37. – K.-H. Ilting, Naturrecht (wie Fußnote 30), S. 260.

[37]   E. Bloch, Naturrecht (wie Fußnote 33), S. 35.

[38]   Ebd., S. 35.

[39]   K. H. Burmeister, Rechtsfindung (wie Fußnote 29), S. 183.

[40]   Besonders deutlich wird die Abwehrhaltung im Aufstand des Armen Konrad 1514, in dem die bäuerlichen Klagen gegen die „Doctores" eine wichtige Rolle spielen. Vgl. G. Franz, Bauernkrieg (wie Fußnote 2), S. 25–30.

[41]   E. Troeltsch, Soziallehren (wie Fußnote 32), 54 ff.

[42]   K.-H. Ilting, Naturrecht (wie Fußnote 30), S. 261. – E. Troeltsch, Soziallehren (wie Fußnote 32), S. 144 f.

stoischen Naturrechts behoben, das von den Kirchenvätern nun in christlichem Sinn interpretiert und an die christliche Theologie angepaßt wurde[43]. Die lex aeterna der Stoa wurde als das in der Natur wirkende umfassende Gottesgesetz verstanden und mit dem Dekalog identifiziert, das goldene Zeitalter mit dem Paradies gleichgesetzt und die Unzulänglichkeit der auf Gewalt und Unfreiheit beruhenden weltlichen Ordnung mit dem Sündenfall begründet. Und ähnlich wie bei der Stoa führte auch in der christlichen Lehre die Einsicht in die Unverträglichkeit der bestehenden Verhältnisse mit den Postulaten des Naturrechts nicht zur zwingenden Forderung nach Veränderung, wobei auch hier die Gründe in einer weitgehenden Indifferenz gegenüber den Ordnungen der Welt und der vorrangigen Orientierung auf das Seelenheil des Menschen liegen. In der Patristik setzte sich die Auffassung durch, daß der Sündhaftigkeit des Menschen nicht mehr das absolute, sondern nur noch ein relatives Naturrecht gemäß sei, und auf dieser Grundlage fand sich die Kirche mit den bestehenden Verhältnissen ab[44].

Die in der Spätantike vollzogene Adaption des stoischen Naturrechts wurde zur dauerhaften Grundlage der kirchlichen Soziallehre. Zwar wurden die Akzente dabei im Lauf der Jahrhunderte neu und anders gesetzt, aber auch die Neufassung der Naturrechtslehre durch Thomas von Aquin, die für die katholische Soziallehre bis heute maßgebliche Bedeutung besitzt, brachte in der entscheidenden Frage nach der konkreten Anwendung des Naturrechts auf das positive Recht keine wesentliche Veränderung, eher im Gegenteil. Während die alte Kirche die Unzulänglichkeit der weltlichen Ordnungen immerhin erkannt und sich lediglich mit ihr abgefunden hatte, wurden bei Thomas ständische Ordnung und feudale Herrschaft durch das relative Naturrecht des Sündenstandes ausdrücklich legitimiert[45].

Die soziologischen und politischen Determinanten, in deren Zusammenhang die thomistische Lehre zu begreifen ist, hat Ernst Troeltsch höchst überzeugend dargestellt. „Die hochmittelalterliche und insbesondere die thomistische Lehre konnte und mußte", so seine These, „eine einheitliche Sozialphilosophie konstruieren, weil sie von dem Gedanken der Tatsächlichkeit und Gefordertheit einer christlichen Einheitskultur ausging"[46]. Dieser Satz weist auf das Dilemma hin, in das zwangsläufig jede philosophische oder theologische Stellungnahme zu den vorfindbaren staatlich-gesellschaftlichen Verhältnissen

---

[43]   Der Rezeptionsprozeß wird ausführlich dargestellt bei E. TROELTSCH, Soziallehren (wie Fußnote 32), S. 145– 174.

[44]   K.-H. ILTING, Naturrecht (wie Fußnote 30), S. 264 f. – E. TROELTSCH, Soziallehren (wie Fußnote 32), S. 164 f., S. 179.

[45]   E. TROELTSCH, Soziallehren (wie Fußnote 32), S. 252–285. – E. BLOCH, Naturrecht (wie Fußnote 33), S. 38 ff. – Die Soziallehre Thomas von Aquins dargestellt aus katholischer Sicht bei R. LINHARDT, Die Sozialprinzipien des heiligen Thomas von Aquin. Versuch einer Grundlegung der speziellen Soziallehren des Aquinaten, 1932.

[46]   E. TROELTSCH, Soziallehren (wie Fußnote 32), S. 290; vgl. allgemein S. 286–358.

führen mußte, die einerseits dem Selbstverständnis der mittelalterlichen Kirche als leitender, letztlich auch verantwortlicher Instanz gegenüber den weltlichen Mächten entsprechen und andererseits den ethischen Postulaten des christlichen Glaubens genügen sollte. Eine grundsätzliche, theologisch begründete Kritik an der bestehenden Herrschaftsordnung war mit einer kirchentreuen Position unvereinbar, weil durch sie die Kirche selbst diskreditiert wurde, die mit ihrem Superioritätsanspruch für die weltliche Ordnung haftbar gemacht werden konnte und die zugleich institutionell aufs engste mit der weltlichen Macht verwachsen war. So war die Aufgabe der kirchlichen Soziallehre vorgegeben, eine theoretische Vermittlung zu liefern, die die gegebene feudalständische Ordnung mit der Ethik des Christentums in Einklang brachte. Sie wurde gelöst durch das relative Naturrecht der Scholastik, das, ausgehend von einer statischen Gesellschaftskonzeption, Göttliches Recht und positives, „altes" Recht in Einklang brachte[47]. Damit wurde das Göttliche Recht verfügbar zur Begründung tradierter feudaler Herrschaftsrechte. Ernst Bloch hat diesen politischen Zusammenhang, in dem das relative kirchliche Naturrecht zu sehen ist, charakterisiert, indem er von der „Rente" sprach, „welche der Sündenfall der Herrenschicht abwarf"[48]. Aus diesem Zusammenhang einer ihrer kritischen Funktionen beraubten scholastischen Naturrechtslehre erklären sich die von Irmgard Schmidt angeführten Zeugnisse dafür, daß sich vor und im Bauernkrieg auch die feudalen Obrigkeiten zur Begründung ihrer Ansprüche auf das Göttliche Recht beriefen[49]. Sie verkennt jedoch, daß die Bauern die gleiche Bezeichnung in einem ganz anderen Sinn verwenden, daß es sich letztlich um einen völlig anderen Begriff handelt.

Der Weg vom Göttlichen Recht der Herren zum Göttlichen Recht der Bauern ist ein Prozeß der Emanzipation von der kirchlichen Autorität, der zur Überwindung des relativen Naturrechts führt. Dieser Prozeß ist vielschichtig und zieht sich in den verschiedensten Formen durch das gesamte Spätmittelalter hin. Er manifestiert sich in der Ausbreitung häretischer Bewegungen seit dem hohen Mittelalter, die den Boden der Kirche verlassen, aber auch in dem Bemühen, durch eine grundsätzliche Kritik der Kirche eine Heilung der im Spätmittelalter immer deutlicher zutage tretenden Mißstände zu bewirken. Seinen allgemeinsten Ausgangspunkt bildet der Widerspruch zwischen der aus dem Neuen Testament erwachsenden individuellen Glaubenserfahrung und der Kirche in ihrer historisch gewordenen Gestalt[50]. Dieses Spannungsverhältnis findet seine Entsprechung im Gegensatz zwischen dem aus der religiösen Subjektivität erwachsenden individuellen Rechtsbewußtsein und der

---

[47] Ebd., S. 279. Troeltsch charakterisiert den Zusammenhang mit der Feststellung: „Das ständische soziale System und das scholastische Denken entsprechen und bedingen einander"; vgl. auch S. 308 f.
[48] E. BLOCH, Naturrecht (wie Fußnote 33), S. 43.
[49] I. SCHMIDT, Das göttliche Recht (wie Fußnote 16), S. 54 f.
[50] E. TROELTSCH, Soziallehren (wie Fußnote 32), S. 359 f.

beschwichtigenden kirchlichen Soziallehre. In dem Bereich der Autonomie des christlichen Gewissens konnte die Einsicht in die Unvereinbarkeit der bestehenden Sozialordnung mit unabdingbaren christlichen Postulaten zum Durchbruch gelangen und, trotz der Mauer rigiden scholastischen Denkens, mit der die Kirche solche Entwicklungen zu verhindern suchte, in die Forderung nach Veränderung einmünden. Ein frühes Beispiel für eine solche Entwicklung bietet der um 1220 entstandene Sachsenspiegel Eike von Repgows, dessen Argumentation etwas eingehender betrachtet werden soll, weil sie den Schritt vom relativen zum absoluten christlichen Naturrecht deutlich macht.

Über sein Rechtsverständnis gibt der Spiegler Aufschluß in einer Vorrede und einem Prolog, die er der eigentlichen Darstellung voranstellt. Dabei werden zwei verschiedene Erklärungen für den Ursprung des sächsischen Rechts, die jeweils auch mit einer spezifischen Begründung seiner Legitimität verbunden sind, nebeneinander gestellt. In der Vorrede beruft sich Eike zunächst auf die Tradition, aus der das Recht erwachsen sei. Im Prolog wird dann jedoch aus einer christlichen Ausgangsposition eine gänzlich andere Begründung vorgenommen, indem nun das Recht auf Gott zurückgeführt wird: „Got is selve recht, dar umme is em recht lef"[51]. Um den göttlichen Ursprung des Rechts zu erläutern, verweist Eike auf die Schöpfungsgeschichte: Gott schuf den Menschen und setzte ihn ins Paradies; der Mensch brach den Gehorsam und ging in die Irre bis zur Erlösung durch Christus. „Nu aver we bekart sin unde uns Got weder geladet hevet, nu halde wir sine e unde sin gebot"[52]. Gottes Recht und Gottes Gebote sind demnach die verbindliche Richtschnur für das weltliche Recht. Damit greift Eike die zentrale Idee des christlichen Naturrechts auf. Der Gedankengang, den er dabei entwickelt, weist jedoch eine wesentliche Abweichung von der kirchlichen Naturrechtslehre auf. Im kirchlichen Naturrecht dient die Bezugnahme auf den Sündenfall zur Begründung des Übergangs vom absoluten Naturrecht zum relativen. Nun verweist auch der Verfasser des Sachsenspiegels zunächst auf das Paradies und betont, daß nach dem Sündenfall der Mensch in die Irre gegangen sei. Daraus leitet er jedoch keinerlei Konsequenzen ab, sondern fügt sogleich einen dritten Schritt hinzu, indem er betont, „dat he uns irlosede mit siner martere"[53]. Für die erlöste Menschheit ist Gottes Gesetz nun wieder verbindlich: „nu halde we sine e". Das Naturrechtsverständnis Eike von Repgows geht also nicht, wie die kirchliche Lehre, vom Alten Testament aus, sonder bezieht sich auf das Evangelium; damit entfällt zugleich die Vorstellung eines relativen Naturrechts des Sündenstandes, das absolute Naturrecht bleibt ungeschmälert verbindlich.

---

[51] K. A. Eckhardt (Hg.), Sachsenspiegel, Landrecht (Germanenrechte Neue Folge, Land- und Lehnrechtbücher 1), zweite Bearbeitung, 1955, S. 51 f.; zur traditionalen Begründung vgl. S. 41, Zeile 151 ff.: „Dit recht hebbe ek selve nicht irdacht,/ it hebbet van aldere an unsik gebracht/Unse guden vorevaren./mach ek ok, ek wel bewaren".
[52] K. A. Eckhardt (Hg.), Sachsenspiegel (wie Fußnote 51), S. 52.
[53] Ebd.

Dieser Ansatz müßte nun eigentlich dazu zwingen, das dargestellte sächsische Recht einer grundsätzlichen Kritik im Sinn christlicher Wertmaßstäbe zu unterziehen. Doch werden solche weitreichenden Konsequenzen dadurch unterbunden, daß der Autor neben dem Göttlichen Recht eben auch die Tradition als Legitimationsgrundlage des positiven Rechts anerkennt. Unbekümmert um logische Widersprüche läßt er beide Positionen nebeneinander bestehen und deutet nur beiläufig den Versuch einer Vermittlung an, indem er darauf hinweist, daß die Sachsen ihr Recht auf christliche Könige zurückführen.

In dem dualistischen Rechtsverständnis Eike von Repgows scheint die Bindung an die Tradition in der weitgehend unkritischen Darstellung des geltenden Rechts vorherrschend. Daß das Göttliche Recht für ihn jedoch wesentlich mehr ist als dekorative Rhetorik, wird in seiner vom naturrechtlichen Standpunkt aus mit aller Konsequenz durchgeführten Bewertung der persönlichen Unfreiheit deutlich. „An keiner Stelle hat", wie schon Hans von Voltelini bemerkte, Eike von Repgow „einen so persönlichen Ton angeschlagen . . . und zugleich so wuchtig gesprochen"[54], wie in seiner Stellungnahme zur „Eigenschaft". Unter Hinweis auf die Erlösungstat Christi verwirft er alle aus dem Gedankenkreis des relativen Naturrechts stammenden Argumente zur Begründung der Eigenschaft und gelangt zu einer Zurückweisung der persönlichen Unfreiheit, die an Deutlichkeit nichts zu wünschen übrig läßt: „Nach rechter warheit so hevet egenscap begin van dwange unde van venknisse unde van unrechter gewalt, de men van aldere in unrechte gewonheit getogen hevet unde nu vor recht hebben wel"[55].

Es wäre zweifellos verfehlt, den Verfasser dieser Sätze zum Begründer einer freiheitlichen christlichen Naturrechtslehre machen zu wollen, aber Eike von Repgow hat, gestützt auf sein subjektives Rechtsbewußtsein, zumindest an einer Stelle die engen Grenzen einer um die Rechtfertigung der etablierten Ordnung sorgsam bemühten kirchlichen Naturrechtslehre überwunden und mit seinem Verdikt über die Eigenschaft ein Fenster aufgebrochen, durch das – undeutlich noch und von ferne – die Freiheit des Individuums und die Würde des Menschen als mögliche Folgerungen eines christlichen Naturrechts wahrgenommen werden konnten.

Die von Eike von Repgow entwickelte und im Schwabenspiegel durch neue Elemente erweiterte Position[56] einer an christlichen Normen orientierten

---

54   H. v. VOLTELINI, Freiheit (wie Fußnote 27), S. 184 f.

55   K. A. Eckhardt (Hg.), Sachsenspiegel (wie Fußnote 51), S. 228, III 42, §6.

56   Im Schwabenspiegel wurde die Argumentation Eike von Repgows, die inhaltlich ungeschmälert übernommen wurde, durch einen neuen Gedanken ergänzt: „wir sulln den herrn dar umb dienen, das sy vns schirmen, vnd als sy die lant nit schirmert so sind si nicht dienst schuldig". Dieses Argument geht über die Ablehnung der Eigenschaft noch einen Schritt hinaus, insofern es sich grundsätzlich auf die Legitimität von Herrschaft bezieht und die einzig mögliche Rechtfertigung in einem intakten funktio-

Sozialkritik enthält in einer antizipatorischen und rudimentären Form bereits die wesentlichen Gedanken, die in der Reformatio-Bewegung des Spätmittelalters in einem allgemeineren und vertieften Sinn zur Begründung der Forderung nach einer grundsätzlichen Erneuerung der kirchlichen und sozialen Ordnung dienten. Ihre Ausgangsbasis war, wie Karl Griewank zeigte, die Vorstellung, daß eine Heilung der kirchlichen und sozialen Mißstände nur durch die „unmittelbare Anwendung des Gesetzes Christi"[57] zu erwarten sei. Religiöse Energien und Motive standen bei der Ausbildung eines absoluten christlichen Natur- und Gottesrechts zunächst im Vordergrund. Wie Ernst Troeltsch gezeigt hat, ist das Aufkommen eines spezifischen „Sektentypus" neben der Amtskirche dadurch zu erklären, daß die institutionell verfestigte Kirche des Mittelalters, die die Religion anstaltsmäßig zu verwalten und damit zu objektivieren trachtete, einer von radikaler Subjektivität bestimmten Religiosität keinen Raum mehr bieten konnte[58]. Diese Kräfte, die sich nun in neuen Gemeinschaftsformen neben und außerhalb der Kirche organisierten, negierten schon von ihrem Ansatz her alle kirchlichen Vermittlungsversuche zwischen christlichen Glaubensinhalten und der gegebenen weltlichen Ordnung. Für sie war das Evangelium die unbedingte ethische Richtschnur.

Auch Wiklif, der dem absoluten christlichen Naturrecht ein theoretisches Fundament schuf, verfolgte mit seiner Lehre von der „Lex Christi", die ihm als Instrument zur Kritik der bestehenden Kirchenverfassung diente, eine rein religiöse Zielsetzung[59]. Doch hier zeigten sich im englischen Aufstand von 1381 in der zentralen Rolle des Predigers John Ball die sozialrevolutionären Konsequenzen einer Naturrechtskonzeption, die das kunstvoll aufgerichtete Gebäude des relativen Naturrechts mit einem Schlag in Trümmer legen konnte. Daß die englischen Bauern die Aufhebung der Leibeigenschaft zur zentralen Forderung ihrer Erhebung machten, daß sie die freie Nutzung der Wälder, die Jagd und den Fischfang als natürliche Rechte reklamierten und daß schließlich selbst die Aufhebung der ständischen Hierarchie in den programmatischen Horizont der Bewegung trat, macht deutlich, daß mit der

---

nalen Zusammenhang wechselseitiger Leistungen annimmt. Die utilitaristische Begründung läuft letztlich auf eine Absage an die auf geburtsständischer Grundlage fixierte Verteilung der herrschaftlichen Gewalt hinaus. Vgl. K. A. Eckhardt (Hg.), Schwabenspiegel, Kurzform, Bd. II, Zweiter Landrechtsteil, Lehnrecht (Germanenrechte Neue Folge), 1961, das Zitat nach Ia (Kb), S. 215.

[57] K. GRIEWANK, Der neuzeitliche Revolutionsbegriff. Entstehung und Geschichte (suhrkamp taschenbuch wissenschaft 52), 1973, S. 34.

[58] E. TROELTSCH, Soziallehren (wie Fußnote 32), S. 358 ff. – Vgl. allgemein: H. GRUNDMANN, Religiöse Bewegungen im Mittelalter, 1961². DERS., Ketzergeschichte des Mittelalters (Die Kirche in ihrer Entwicklung. Ein Handbuch, hg. v. K. D. Schmidt und E. Wolf, Bd. 2, Lfg.G), 1967².

[59] E. TROELTSCH, Soziallehren (wie Fußnote 32), S. 393. – F. SEIBT, Geistige Reformbewegungen zur Zeit des Konstanzer Konzils, in: Th. Mayer (Hg.), Die Welt zur Zeit des Konstanzer Konzils (Vorträge und Forschungen 9), 1965, S. 34 ff.

neugewonnenen naturrechtlichen Position egalitäre Vorstellungen durchbrachen[60]. In ähnlicher Weise läßt sich der Zusammenhang von theologisch-kirchlicher Erneuerung, absolutem biblischen Normenverständnis und sozialer Veränderung auch in der Hussitischen Revolution nachweisen, wenngleich in dem Bemühen der Taboriten um die Begründung einer neuen Form sozialer Gemeinschaft auf der Grundlage christlicher Gleichheit die religiöse Heilserwartung gegenüber säkularen Interessen im Vordergrund zu stehen scheint[61]. Die politisch-gesellschaftliche Rezeption des von Waldensern und Joachimiten, Wiklifiten und Hussiten auf breiter Front verkündeten Gottesrechts zeigt sich in den Reformschriften des späten Mittelalters. An die Stelle eines radikalen Subjektivismus, der in seiner Weltindifferenz die „christliche Einheitskultur" (Troeltsch) zu opfern bereit ist, tritt hier jedoch das Bestreben, durch die Orientierung auf den normativen Gehalt der Heiligen Schrift die Schäden an Kirche und Staat zu heilen. Diesen Geist der Erneuerung verbreitete insbesondere die 1439 verfaßte Reformatio Sigismundi, die das Postulat der „göttlichen Gerechtigkeit" als Leitmotiv eines fast alle Lebensbereiche einschließenden Reformplans verwandte und erstmals, zumindest in drohender Absicht, dem Gedanken Raum gab, notfalls mit dem Schwert die notwendigen Veränderungen durchzusetzen. Die radikalste Schlußfolgerung, die der Verfasser aus seiner naturrechtlichen Ausgangsposition zog, war die grundsätzliche Absage an die Leibeigenschaft, und er legte dieser Forderung ein solches Gewicht bei, daß er sie gleich an mehreren Stellen seines Werkes wiederholte[62]. Die gleiche Konsequenz leitete auch Erasmus in seiner 1517 (lateinisch, 1521 deutsch) erschienenen „Fürstenerziehung" aus seinem Bekenntnis zur Verbindlichkeit des Gebotes Christi und des Evangeliums ab, indem er die Leibeigenschaft grundsätzlich verwarf[63].

---

[60]   Allgemein zum englischen Bauernaufstand von 1381: R. HILTON, Bond Men Made Free. Medieval Peasant Movements and the English Rising of 1381, London 1973, S. 135 ff. – Zur Programmatik: DERS., Soziale Programme im englischen Aufstand von 1381, in: P. Blickle (Hg.), Revolte und Revolution (wie Fußnote 19), S. 31–46. Hilton weist darauf hin, daß Wiklif nicht unmittelbar und direkt als geistiger Urheber des Aufstands anzusehen ist (S. 41). Mittelbar ergibt sich jedoch ein Zusammenhang dadurch, daß die Agitation John Balls ihren Ausgangspunkt ebenfalls im absoluten christlichen Naturrecht hat. Vgl. dazu F. GRAUS, Ketzerbewegungen und soziale Unruhen im 14. Jahrhundert, in: Zeitschrift für Historische Forschung 1 (1974), S. 12 f.

[61]   F. SEIBT, Hussitica. Zur Struktur einer Revolution (Archiv für Kulturgeschichte Beiheft 8), 1964, insbes. S. 179–182.

[62]   H. Koller (Hg.), Reformation Kaiser Siegmunds (MGH, Staatsschriften des späteren Mittelalters VI), 1964, Stellungnahmen zur Leibeigenschaft nach Handschrift N: S. 86, 276 ff., 280, 322; Androhung der gewaltsamen Durchsetzung der göttlichen Gerechtigkeit: S. 68, 168.

[63]   ERASMUS VON ROTTERDAM, Fürstenerziehung. Institutio Principis Christiani – Die Erziehung eines christlichen Fürsten (Sammlung Schöningh zur Geschichte und Gegenwart), 1968, S. 102 f.

Sowohl die Reformatio Sigismundi wie die Fürstenerziehung des Erasmus sind in Zusammenhang mit dem Leibeigenschaftsartikel der Zwölf Artikel gebracht worden[64]. Die Kontinuitätslinien reichen jedoch wesentlich weiter zurück. Walter Müller hat dafür plädiert, den dritten der Zwölf Artikel auf den Schwabenspiegel zurückzuführen[65]. Die Hypothese Müllers läßt sich durch eine Quelle erhärten, die Sebastian Lotzer, der unter Berücksichtigung der Beschwerdeschriften der Baltringer Dörfer zwischen dem 27. Februar und dem 1. März 1525 die Zwölf Artikel zusammenstellte[66], mit Sicherheit bekannt war, und zwar durch die aus dem Februar 1525 stammenden Artikel der zum Baltringer Haufen gehörenden Gemeinde Äpfingen. Der Zusammenhang zwischen dem Schwabenspiegel[67], den Äpfinger Artikeln[68] und den Zwölf Artikeln[69] wird bei einer synoptischen Aufbereitung dieser Texte evident:

Schwabenspiegel um 1280, Langform Mp	*Äpfinger Artikel* Februar 1525	*Zwölf Artikel* März 1525, umgestellt
daz wirt in der heiligen schrift nit funden, daz ymant des anderen eigen seye mit rehte	Und so findt man nit in der hailge schrift das ein her ein eigen mensch soll haben	Darumb erfindt sich mit der Geschrift, das wir frei seien und wöllen sein
Got hat den menshen nach im selber gepildet er hat auch den menschen mit seiner marter von dem tode erlöst	Mir seind eins heren das ist Christus, der hat uns erschafen und uns mit seinem leiden erkoft das wal wir sein	Uns Christus all mit seinem kostbarlichen plutvergüssen erlößt und erkauft hat den Hirten gleich als wohl den Höchsten kein ausgenommen
do sprach iesus, lat den keiser seines bildes walden und gotes bilde gebt gote	der her spricht gib got, das got zugehört und dem dem Kaiser, das dem Kaiser zugehört des wel wir tun und nit witer	

---

[64] I. SCHMIDT, Das göttliche Recht (wie Fußnote 16), S. 16 f., behauptet die Beziehung zu Erasmus. – M. M. SMIRIN, Deutschland vor der Reformation. Abriß der Geschichte des politischen Kampfes in Deutschland vor der Reformation, 1955, S. 150, führt den Leibeigenschaftsartikel auf die Reformatio Sigismundi zurück.

[65] W. MÜLLER, Wurzeln und Bedeutung (wie Fußnote 28), S. 27 f.

[66] G. FRANZ, Bauernkrieg (wie Fußnote 2), S.123.

[67] Hier zitiert nach der Langform-Handschrift Mp. Vgl. K. A. Eckhardt (Hg.), Schwabenspiegel Langform M (Bibliotheca rerum historicarum, Studia 5, Studia Juris Suevici II), 1971, S. 292–294.

[68] G. Franz (Hg.), Der deutsche Bauernkrieg. Aktenband, 1968[2], S. 148.

[69] P. BLICKLE, Revolution (wie Fußnote 3), S. 291 f.

Die Äpfinger Bauern griffen, das ergibt sich aus dieser Gegenüberstellung, auf einen dreihundert Jahre zuvor erstmals fixierten Gedankengang zurück, um ihre Forderung nach Aufhebung der Leibeigenschaft zu begründen, und Lotzer fand diese Formulierungen offenbar geeignet, sie – leicht verändert – in ein von reformatorischem Geist bestimmtes Grundsatzprogramm zu übernehmen. Daraus ergeben sich interessante Rückschlüsse auf die Überlieferung der Rechtsbücher und insbesondere auf die Verbreitung des von Eike von Repgow formulierten Leibeigenschaftsverdikts. Aber das Bedeutsame dieses Vorgangs liegt nicht eigentlich in der letztlich von unwägbaren Umständen bestimmten Überlieferung isolierter Argumentationsformen. An die Stelle der Schwabenspiegelformulierungen hätten ebensogut die Argumente der Reformatio Sigismundi treten können, die beispielsweise auch der Oberrheinische Revolutionär aufgegriffen hat[69a], oder auch diejenigen des Erasmus. Alle diese Stellungnahmen sind prinzipiell gegeneinander austauschbar, weil sie alle aus dem gleichen Grundgedanken dieselbe Forderung ableiten. „daz uns got erloste mit siner martere" heißt es im Sachsenspiegel, „so hat euch Christus mit seinem Tode gekauft und gefreyet"[70] in der Reformatio Sigismundi und deutlicher noch bei Erasmus: „Wie schantlich ist es, das du die eygenlüt hast, die Christus mit seinem blut gemeinlich erlöst und fry gemacht hat"[71]. Die Übereinstimmung dieses Gedankengangs, die sich aus diesen jeweils verschiedenen Jahrhunderten entstammenden Formulierungen entnehmen läßt, ist offenbar nicht zufälliger Art. In ihnen wird vielmehr ein grundsätzlicher Zusammenhang deutlich: Sobald die Erlösungstat Christi in eine direkte Beziehung zur Welt und ihrer Ordnung gebracht wird, sobald sich ein Rechtsverständnis entfaltet, das die Verbindlichkeit der „lex evangelica" oder der „lex christi" für das positive weltliche Recht postuliert, gerät die Möglichkeit und zugleich die Notwendigkeit einer Veränderung der ständischen Ordnung in den Blick. Die erste Konsequenz, die aus dieser Position sofort und unmittelbar gezogen wird, ist die Forderung nach Beseitigung der ständischen Unfreiheit, weil die Unvereinbarkeit der Leibeigenschaft mit den Prinzipien christlicher Gleichheit und Freiheit offenbar bestimmter und eindeutiger erkannt wurde, als die Widersprüche, die sich allgemein zwischen einer auf Ungleichheit beruhenden Gesellschaftsordnung und der christlichen Gleichheit ergeben mußten. Die Kontinuität dieser Grundposition über mehr als drei Jahrhunderte signalisiert das Erscheinen der Sachsenspiegelargumente in den Zwölf Artikeln, wobei zugleich deutlich wird, daß das Göttliche Recht der

---

[69a]   A. Franke–G. Zschäbitz, Das Buch der Hundert Kapitel und der Vierzig Statuten des sogenannten Oberrheinischen Revolutionärs (Leipziger Übersetzungen und Abhandlungen zum Mittelalter, Reihe A, 4), 1967, vgl. fol. 160[b], S.455.
[70]   H. Koller (Hg.), Reformation Kaiser Siegmunds (wie Fußnote 62), S.86.
[71]   Hier nach der deutschen Übersetzung von 1521, die I. SCHMIDT, Das göttliche Recht (wie Fußnote 16), S. 16, zitiert.

Revolution von 1525 mit dem absoluten christlichen Naturrecht des Spätmittelalters zumindest vereinbar ist.

Neben der Leibeigenschaftsproblematik läßt sich ein zweites Thema aufzeigen, das innerhalb dieses Traditionsstranges eines absoluten christlichen Naturrechts immer wieder aufgegriffen wurde, und zwar die Frage der Verfügungsrechte im Bereich von Wald, Wasser und Allmende. Auch hier kann eine naturrechtliche Kontinuitätslinie aufgezeigt werden, die vom hohen Mittelalter bis zu den Zwölf Artikeln reicht, deren vierter unter Berufung auf die göttliche Schöpfungstat die Freigabe von Jagd und Fischerei fordert[72].

Aus der Feststellung, daß die Bauern 1525 zur Begründung bestimmter Forderungen auf ältere naturrechtliche Argumentationsformen zurückgriffen, kann noch nicht geschlossen werden, daß ihre Vorstellung vom Göttlichen Recht aus der gleichen Tradition eines absoluten christlichen Naturrechts erwachsen war. Die bisher zitierten literarischen Zeugnisse für die Ausformung und Entwicklung eines absoluten Gottesgesetzes geben keinen Aufschluß darüber, inwieweit die Bauern diese Ideen im Spätmittelalter tatsächlich aufgenommen hatten. Empirische Belege für eine Rezeption sind nur sehr schwer zu erlangen, weil, wie Peter Blickle feststellte, „die Beschwerden, die in der Regel über das bäuerliche Rechtsbewußtsein Auskunft geben, zunächst formuliert wurden, um vor Gericht verwertbar zu sein"[73], was zugleich bedeutet, daß sie notwendigerweise an den Argumentationsrahmen des Alten Rechts gebunden blieben. Die wenigen Zeugnisse für die Verbreitung des Begriffs „Göttliches Recht" in der ländlichen Gesellschaft des späten Mittelalters verdienen deshalb eine etwas eingehendere Betrachtung.

Eine Berufung auf das Göttliche Recht läßt sich in drei Urkunden aus dem frühen 15. Jahrhundert feststellen, die das bäuerliche Erbrecht im Berner Oberland betreffen. Im Jahr 1400 beschließen die Kirchgenossen der Pfarrei Brienz mit Zustimmung ihrer verschiedenen Herren, die die Urkunde besiegeln, die weiblichen Familienmitglieder, die bisher erbrechtlich gegenüber den

---

[72] So findet sich schon im Sachsenspiegel die Feststellung: „Do got den menschen gescup, do gaf he eme (de) gewalt over vische unde vogele unde alle wilde dir; dar umme hebbe we des orkunde van Godde, dat nemant sinen lif noch sin gsunt an dissen dingen verwerken ne mach." Vgl. K. A. Eckhardt (Hg.) Sachsenspiegel (wie Fußnote 51), II 61 §1, S. 179 f. – Der vierte Artikel der Zwölf Artikel enthält den gleichen Gedanken in einer nahezu gleichlautenden Formulierung: „Wañ als Gott der herr den menschen erschuof, hat er jm gewalt geben vber alle thier, vber den fogel im lufft vnd vber den fisch jm wasser. Darumb ist vnser begeren . . .". Vgl. P. BLICKLE, Revolution (wie Fußnote 3), S. 292. – Vgl. weiterhin H. Koller (Hg.), Reformation Kaiser Siegmunds (wie Fußnote 62), S. 284. – A. Franke – G. Zschäbitz, Oberrheinischer Revolutionär (wie Fußnote 69 a), fol.16 a, S. 205, fol.67 a, S.285, fol. 88 a, S. 332. – Daß die Forderung nach freiem Fischfang bereits in den Aufständen vor dem Bauernkrieg eine Rolle spielte, zeigt H. HEIMPEL, Fischerei und Bauernkrieg, in: Festschrift Percy Ernst Schramm, Bd. I, 1964, S. 353–372.

[73] P. BLICKLE, Revolution (wie Fußnote 3), S. 147, Anmerkung 19.

Männern benachteiligt waren („Als an unsern gerichten jetzo lange zitt da her sitt und gewonlich gewesen ist, das muoter noch muoter mage nut gelich erbten und geerbet hand als vater und vater mage . . .“), den männlichen gleichzustellen[74]. Die Begründung für diesen Schritt ist sehr ungewöhnlich: „. . .wan aber wir nu vor etwaz zites, . . ., grossen menigvaltigen gebresten gehebt hand und hatten als von der freiße des todes wegen, da wir aber gedacht haben alle, das uns gotte und sin libe muoter und alle gottes heiligen des haben dester furo lassen engelten, und engelten an uns und den unsern in menigen weg, har umb so haben wir uns alle gemeinlich ze samen bedacht und sint och da gen Briens in unser gotzhus . . . ze samen komen . . . und haben uns da einhelenklich geeinbert und sint des uber ein komen als verre, dz wir alle gemeinlich . . ., . . . willenklich und gern und mit guoter vorbetrachtung an unsere knuwe sint gevallen und haben da mit uffe erhabnen henden got und siner liben muoter Marien und allen gottes heiligen ze lobe und ze eren verheißen und geloben umbe das, das si ires großen zornes gegen uns armen luten vergeße, und die großen freiße des todes an uns wende und mindere, . . ., also daz von dis hin iemer me muoter und muoter mage under uns und an unseren gerichten elich recht gelich haben und erben sol als vater und vater mage ungevarlich, und die muoter ires großen schmertzen und ire ublen zites och ergetzt werde, und och das guot . . .an die stete kome, da es och *billich und nach goetlichem rechten* hin komen soll . . .“.

Der Begriff des Göttlichen Rechts, der hier zutage tritt, ist offenkundig nicht dem relativen Naturrecht zuzurechnen. Das Göttliche Recht gebietet, bestehendes altes Recht zu ändern und die Gleichbehandlung von Mann und Frau im Erbrecht herzustellen, ja die Bauern sehen in der Heimsuchung durch die Pest geradezu eine Strafe dafür, daß ihr altes Recht dem Willen Gottes nicht gemäß war.

In einem ähnlichen, wenn auch weniger dramatischen Zusammenhang stehen auch die beiden anderen Urkunden, in denen das Kloster Interlaken 1404 für seine Gotteshausleute und auf deren Bitten hin ebenfalls die erbrechtliche Gleichstellung der Frauen verfügt und bestätigt[75]. Auch hier bekunden die Bauern ein Rechtsbewußtsein, das sich auf den Willen Gottes bezieht. Sie bitten „ir alten rechten und satzungen zu todvellen und andren sachen durch gottes . . . willen . . . (zu) verwandlen“[76] und weisen darauf hin, daß ihnen das bestehende Recht „ungoettlich“[77] erscheine.

---

[74] M. Graf-Fuchs (Hg.), Das Recht der Ämter Interlaken und Unterseen (Sammlung Schweizerischer Rechtsquellen, II. Abt., Die Rechtsquellen des Kantons Bern, 2. Teil, Rechte der Landschaft 6) 1957, Nr. 84, Brienz. Satzung der Kirchgenossen betr. Änderung des Erbrechts, S. 100–102.

[75] M. Graf-Fuchs (Hg.), Interlaken (wie Fußnote 74), Nr. 88, Interlaken. Weistum der Gotteshausleute: Landrecht in Erbfällen . . ., S. 113–122; Nr. 89, Interlaken. Bestätigung des geänderten Landrechts in Erbfällen, S. 122–124.

[76] M. Graf-Fuchs, Interlaken (wie Fußnote 74), S. 113.

[77] Ebd., S.122.

Es wäre sicherlich verfehlt, aus diesen wenigen Belegen weitreichende Schlüsse über das bäuerliche Rechtsbewußtsein ableiten zu wollen. Sie zeigen aber immerhin, daß schon zu Beginn des 15. Jahrhunderts der Begriff des „Göttlichen Rechts" in der ländlichen Gesellschaft nicht unbekannt war und daß er im Sinn verbindlicher überpositiver Normen verstanden wurde.

Den wichtigsten Beleg für die Verbreitung der Idee des Göttlichen Rechts im Bauernstand des Spätmittelalters hat Günther Franz in den Bundschuhverschwörungen des Joß Fritz gesehen. Auch wenn die realhistorische Bedeutung dieser gescheiterten, auf wenige Hundert Teilnehmer begrenzten Verschwörungen nicht überschätzt werden sollte und im Zusammenhang der Frage nach der Repräsentativität der egalitären, antifeudalen Programmatik die herausragende Rolle Joß Fritzens als Motor und Kopf der gesamten Bewegung zu berücksichtigen ist, so lassen doch bestimmte Einzelheiten darauf schließen, daß die Vorstellung einer neuen Freiheit jenseits der ständischen Schranken und das Postulat der Verwirklichung des Gottesgesetzes mittlerweile im politischen Bewußtsein der Bauern auch allgemein in Verbindung gebracht wurden. Diese Folgerung drängt sich auf, wenn man einerseits die Pläne der Verschwörer zur Auslösung der allgemeinen Volkserhebung betrachtet und andererseits die obrigkeitliche Reaktion darauf, die zu erkennen gibt, daß diese Pläne durchaus für erfolgversprechend gehalten wurden.

Sowohl der Untergrombacher Bundschuh von 1502 wie der Lehener von 1513 leiten aus der Devise der göttlichen Gerechtigkeit das zentrale Ziel ab, die Freiheit des gemeinen Mannes durch die Liquidation aller feudalen Gewalten in den Händen von Adeligen und Prälaten durchzusetzen und fortan keinem „herren" mehr „gehorsam (zu) sin, dan allein keiser und babst"[78]. In beiden Fällen legten die Konspirateure ihrer Fahne ein besonderes Gewicht bei. 1502 wurde der Beginn des eigentlichen Aufstands verschoben, weil die Fahne noch nicht zur Verfügung stand[79], 1513 dagegen war geplant, die Fahne auf einer ländlichen Kirchweihe auszubreiten, und die Verschwörer gingen davon aus, daß allein das öffentliche Zeigen der Fahne das Volk veranlassen werde, ihnen zu folgen[80]. Diese Fahne nun, von der man sich eine derart große Wirkung versprach, zeigte ein Bild des gekreuzigten Christus, darüber die Devise „Nichts denn die Gerechtigkeit Gottes", einen knienden Bauern zur einen Seite des Kreuzes und den Bundschuh zur anderen[81]. Wie leicht zu erkennen ist, enthält die Fahne demnach in symbolischer Gestalt die wesentlichen Gedanken, die für das absolute christliche Naturrecht des Spätmittelalters konstitutiv sind: die Berufung auf Christus als den Stifter der christlichen

---

[78] A. ROSENKRANZ, Bundschuh (wie Fußnote 8), Bd. 2, S. 125; die Darstellung der Bundschuhverschwörungen des Joß Fritz im 1. Bd., S. 137–249 (Untergrombach 1502), 253–393 (Lehen 1517), 452–500 (Oberrhein 1517).

[79] Ebd., S. 214 f.

[80] Ebd., S. 308–315, insbes. 320 f.

[81] Ebd., S. 200, 314 – G. FRANZ, Bauernkrieg (wie Fußnote 2), 65, 72.

Freiheit und den Maßstab des Gesetzes, den Bundschuh als das Zeichen der endlich ins Werk zu setzenden Durchführung des Gottesgesetzes und den gemeinen Mann als das Werkzeug, aber auch als Begünstigten der göttlichen Gerechtigkeit.

Der Aufstandsplan der Verschwörer setzt, wenn er nicht auf einer völlig verfehlten Einschätzung des bäuerlichen Bewußtseins beruhen soll, voraus, daß die Bauern diese Zeichen zu lesen und zu deuten verstanden, daß demnach auch die Bauern die Vorstellung einer göttlichen Gerechtigkeit kannten und teilten. Daß diese Annahme allzu abwegig nicht gewesen zu sein scheint, bestätigt in gewisser Weise die Haltung der Obrigkeiten, die mit seltener Geschlossenheit, Gründlichkeit und Schärfe auf das Vorhaben der Bundschuher reagierten[82].

Acht Jahre nach dem letzten Versuch des Joß Fritz, die göttliche Gerechtigkeit gewaltsam durchzusetzen, acht Jahre auch nachdem Erasmus die christlichen Fürsten auf „Christi leges" verpflichtet hatte, begann der Kampf der Bauern um das Göttliche Recht. Es wurde gezeigt, daß die Argumentationsfiguren des absoluten christlichen Naturrechts in den Zwölf Artikeln aufgegriffen wurden, es wurde ferner gezeigt, daß auch die Idee eines absolut verbindlichen Gottesrechts selbst bereits vor der Reformation in der ländlichen Gesellschaft ausgebildet war, die Frage nach dem reformatorischen Ursprung des Göttlichen Rechts ist damit zu verneinen. Es stellt sich nun die Frage nach dem spezifisch reformatorischen Gehalt des Göttlichen Rechts. Die Auffassung von der absoluten Verbindlichkeit des Gottesgesetzes für die Ordnung der Welt konnte nicht von Luther bezogen werden, der mit seiner in den Jahren 1520 – 1525 ausgebildeten Zwei-Reiche-Lehre[83] die Tradition des relativen Naturrechts der Alten Kirche auf einer neuen Ebene fortführte[84]. Sie findet sich jedoch, wie Peter Blickle gezeigt hat[85], bei Zwingli. Zwingli leitet aus der Forderung „Man muoß Got me gehorsam sin weder den Menschen"[86] unmittelbare Konsequenzen für die Legitimität des positiven Rechtes ab. Er postuliert dementsprechend, daß „Alle Gsatzt gegen dem nächsten äbnen Men-

---

[82] A. ROSENKRANZ, Bundschuh (wie Fußnote 8), S. 209 ff., 219 ff., 323 ff.

[83] H. SCHOLL, Reformation und Politik. Politische Ethik bei Luther, Calvin und den Frühhugenotten, 1976, S. 34.

[84] Diese Einordnung bei E. BLOCH, Naturrecht (wie Fußnote 33), S. 42 ff. – K.-H. ILTING, Naturrecht (wie Fußnote 30), S. 276, betont die entscheidende Bedeutung des Sündenfalls für Luthers Naturrechtskonzeption. Der Sündenfall hat weitreichende Folgen für die menschliche Natur: „Naturalia erga deum plane corrupta"(WA 40/2, 1914, 324,8). „Für die gefallene Kreatur tritt daher der Zwangs- und Sollenscharakter des Rechts entschieden in den Vordergrund: ,In omni iure mus das debet sein'". S. 277 (WA Tischreden 1, 1912, Nr. 581, S. 267).

[85] P. BLICKLE, Revolution (wie Fußnote 3), S. 237–244.

[86] H. ZWINGLI, Auslegung und Begründung der Schlußreden 1523, in: Huldreich Zwinglis Sämtliche Werke, Bd. 2, 1908, 39. Artikel, S. 323.

schen, die söllend ggründt sin in dem Gsatz der Natur"[87], geht im Sinn der christlichen Naturrechtstradition von der Identität von Naturrecht und Gottesrecht aus[88] und gelangt so folgerichtig zur der Feststellung, daß die gegebenen positiven Gesetze nur dann als verbindlich zu erachten seien, wenn „sy dem götlichen Gsatzt des Nächsten und der Natur, die bede ein Gsatzt sind gleichförmig sind"[89]. Eindeutiger ließe sich ein Bekenntnis zum absoluten christlichen Naturrecht kaum formulieren. Vor diesem Hintergrund wird verständlich, daß Schappeler als Schüler Zwinglis die alten naturrechtlichen Argumentationsfiguren im Zusammenhang von Jagd und Fischerei in den Zwölf Artikeln tolerieren konnte[90]. Das Göttliche Recht von 1525 deckt sich demnach mit der Lex Christi des Spätmittelalters in seiner Eigenschaft als ein System überpositiver, auf Gott begründeter Normen, die für das positive Recht verbindlich sind. Das Göttliche Recht ist, entgegen der Auffassung Winfried Beckers, durch die reformatorische Theologie in der Ausprägung Zwinglis gerechtfertigt. Der Ansatz Günther Franz', das Göttliche Recht des Bauernkriegs aus der Tradition eines sozialkritischen christlichen Naturrechts herzuleiten, erweist sich als fruchtbar.

Das Göttliche Recht des Bauernkriegs gewann gegenüber dem Gottesrecht des Mittelalters jedoch eine neue politische Qualität, insofern es einerseits durch die Reformation eine prinzipielle Legitimität erhielt und andererseits über die kritische Funktion hinaus eine positive wertmäßige Orientierung bot.

Solange die alte Kirche trotz aller Kritik sich als institutionelle Verkörperung des Christentums behauptete, mußte jede von ihrer Lehre abweichende Auffassung den Stempel der Sonderung, der Subjektivität, letztlich der Illegitimität tragen. Dies mag dazu geführt haben, daß die freiheitlichen Ideen des absoluten christlichen Naturrechts zwar in der ländlichen Gesellschaft aufgenommen, daß sie aber in den Konflikten vor 1525 nicht offen artikuliert wurden, weil das politische Handeln der Bauern durch ein starkes Legitimitätsbedürfnis bestimmt war. Die Reformation jedoch stellte das Göttliche Recht auf ein neues Fundament und sicherte ihm dadurch erst seine gesellschaftlich-politische Wirksamkeit, indem sie einerseits die Mündigkeit des Christen propagierte und andererseits den Glaubensinhalt nach dem Grundsatz „sola scriptura" allein auf die Schrift stellte[91]. Damit mußte an die Stelle der von der Alten Kirche beanspruchten Objektivität des Dogmas die Subjektivität des individuellen Urteils treten, das allerdings mit der strikten Bindung an die Bibel auf eine intersubjektive Grundlage festgelegt war. In diesem neuen

---

[87] Ebd., S.324.
[88] Ebd., S.325.
[89] Ebd., S. 329 f.
[90] P. BLICKLE, Revolution (wie Fußnote 3), S.240.
[91] E. TROELTSCH, Soziallehren (wie Fußnote 32), S.440 f. zum systematischen Ausgangspunkt des Schriftprinzips; J. MAURER, Prediger im Bauernkrieg (Calwer Theologische Monographien 5), 1979, S.23 ff. zur konkreten historischen Erscheinungsform.

Argumentationsrahmen mußte zugleich mit der kirchlichen Lehrtradition im allgemeinen auch die überkommene relativ-naturrechtliche Soziallehre, die nicht aus der Schrift, sondern aus den kanonisierten Lehren der Kirchenväter und Thomas von Aquins begründet war, hinfällig werden, und an ihre Stelle konnte nur ein System überpositiver Normen treten, das unmittelbar aus der Schrift herleitbar war. Dieser sozusagen gemeinreformatorische Ansatzpunkt einer biblizistischen Ethik, den Peter Blickle überzeugend dargestellt hat[92], konnte in der konkreten Durchführung und inhaltlichen Ausgestaltung bei den einzelnen Reformatoren allerdings zu durchaus unterschiedlichen Folgerungen und Ergebnissen führen[93], eben weil in die Schriftexegese ein subjektives Element zwangsläufig eingehen mußte. Wenn daher auch die normativen Vorstellungen der Reformatoren nicht unwesentlich voneinander abwichen, so ist doch für den breiten gesellschaftlichen Durchbruch des Göttlichen Rechts im Jahr 1525 nicht allein die Tatsache verantwortlich zu machen, daß eine bestimmte reformatorische Richtung die säkularen Konsequenzen einer biblizistischen Ethik weitergehender faßte als Luther. Auch vorher waren ja einzelne Protagonisten eines absoluten christlichen Naturrechts aufgetreten. Der eigentliche und tiefere Grund dafür, daß aus der Reformation die Revolution hervorgehen konnte, ist vielmehr darin zu finden, daß die Reformation eine grundsätzliche Legitimation dafür schuf, den normativen Maßstab des Evangeliums unmittelbar und direkt gegenüber dem positiven Recht zur Geltung zu bringen. Damit erst wurden die bereits im Spätmittelalter in die ländliche Gesellschaft eingedrungenen naturrechtlichen Vorstellungen auf einer durch den reformatorischen Grundkonsens anerkannten Grundlage begründbar, damit artikulierbar und so politisch handlungsrelevant.

Die neue politische Qualität, die die Reformation dem Göttlichen Recht vermittelte, zeigt sich weiterhin darin, daß dem positiven Recht nun eine definitive Zweckbestimmung gesetzt wurde. Das Gottesrecht des Mittelalters blieb auf seine kritische Funktion beschränkt; es vermochte als Indikator der Verhältnisse zu dienen, die den Anforderungen christlicher Moral nicht standhalten konnten, aber mit ihm verband sich keine Vorstellung von der Gestalt einer neuen Ordnung, die die alte ersetzen konnte. Es wirkte so im wesentlichen destruktiv, und der Weisheit letzter Schluß der Bundschuher etwa war das Programm „wer ine widerwertig were, dieselben zu döt slagen"[94]. Das Göttliche Recht der Revolution dagegen gewann aus dem reformatorischen Bemühen um eine Erneuerung des Glaubens aus dem Geist des Evangeliums zugleich die Leitlinie für die kontruktive Neugestaltung einer christlichen

---

[92] P. BLICKLE, Revolution (wie Fußnote 3), S. 239.
[93] Ebd., 239 f.
[94] A. ROSENKRANZ, Bundschuh (wie Fußnote 8), Bd. 2, S. 95.

Polis: gemeiner Nutzen und brüderliche Liebe[95] wurden aus dem Evangelium als oberste Werte menschlicher Gemeinschaft erkannt und damit zur Richtschnur der positiv-rechtlichen Satzung. Der Begriff des „Göttlichen Rechts" bezeichnet daher 1525 mehr als ein formales System überpositiver Normen, das als kritisches Instrumentarium gegenüber dem geltenden Recht dient. Mit ihm verbunden ist zugleich eine inhaltliche Bestimmung der zentralen Werte, die für eine christliche Gesellschaft verpflichtend sind und damit eine teleologische Festlegung jeder Rechtsetzung auf ein vorgegebenes Ziel.

---

[95]   P. BLICKLE, Revolution (wie Fußnote 3), S. 151 ff. – W. BECKER, „Göttliches Wort" (wie Fußnote 19), S. 256 f., hat den teleologischen Bezug der Kategorie „Göttliches Recht" zum Prinzip der Brüderlichkeit richtig gesehen, diesen Aspekt in seiner Interpretation jedoch verabsolutiert.

HEIDE WUNDER

Bauern und Reformation im Herzogtum Preußen

Der Deutsche Bauernkrieg von 1524–1526 belegt für Südwest- und Mitteldeutschland eine enge Verbindung zwischen Bauern und Reformation und verweist zugleich auf allgemeinere Aspekte der Beziehungen zwischen Bauern und Religion in den spätmittelalterlich/frühneuzeitlichen Gesellschaften Europas.

Die antiklerikale Haltung der Bauern gegenüber der Anstaltskirche fand in den Zehntverweigerungen und den Klosterstürmen ihren Ausdruck[1]. Andererseits wählten die Bauern Geistliche als Führer (z. B. Müntzer und Hubmaier), und sie konnten nicht ohne Feldprediger und geistliche Schreiber in ihren Feldkanzleien auskommen. Die Bauern begründeten ihre Forderungen mit dem Evangelium und dem „göttlichen Recht" und schlugen Theologen als Schiedsrichter zur Schlichtung ihres Streites mit den Herren vor. Zwar waren die Städte die Zentren der reformatorischen Predigt[2], doch gehörten die Bauern neben den Bürgern von Anfang an zu den Zuhörern, bedingt durch die intensiven wirtschaftlichen Stadt-Land-Beziehungen und die herausragende Stellung der städtischen Kirchen für die Volksfrömmigkeit vor der Reformation[3]. Es ist daher davon auszugehen, daß Kenntnisse der reformatorischen

---

Die Arbeiten von Günther Franz zum Themenbereich Bauern und Reformation dienen als Grundlage der folgenden Überlegungen und werden nicht in jedem Einzelfall zitiert. Entscheidende Anstöße, die Religionssoziologie Max Webers für die Erörterung des Verhältnisses von Bauern und Religion heranzuziehen, gehen auf die Zusammenarbeit mit St. Breuer, H.-P. Schneider, H. Treiber und M. Walther (alle Hannover) im Projekt „Die Entstehung des modernen Staates" zurück.

[1] Den neuesten Forschungsstand bietet H. J. COHN, Reformatorische Bewegung und Antiklerikalismus in Deutschland und England, in: Stadtbürgertum und Adel in der Reformation. Studien zur Sozialgeschichte der Reformation in England und Deutschland, hg. v. W. J. Mommsen u. a. (Veröffentlichungen des Deutschen Historischen Instituts London, 5), S. 309–329.
[2] B. MOELLER, Reichsstadt und Reformation, 1962, sowie ST. E. OZMENT, The Reformation in the Cities, 1975.
[3] B. MOELLER, Frömmigkeit in Deutschland um 1500, in: Archiv für Reformationsgeschichte 56 (1965), S. 5–31; H. MOLITOR, Frömmigkeit in Spätmittelalter und früher Neuzeit als historisch-methodisches Problem, in: Festgabe für Ernst Walter Zeeden zum 60. Geburtstag am 14. Mai 1976, hg. v. H. Rabe u. a., 1976, S. 1–20; H. BOOCKMANN, Zu den geistigen und religiösen Voraussetzungen des Bauernkrieges, in: Bauernkriegsstudien, hg. v. B. Moeller, 1975, S. 9–27.

Lehren nicht nur bei den bekannten Führern der Bauern und den Verfassern ihrer Artikel vorhanden waren, sondern ebenso bei vielen „einfachen" Bauern. Trotzdem ist die gezielte Benutzung der religiösen und theologischen Argumente der Reformation durch die Bauern auffallend: sie beschränken sich darauf, das als Argument zu übernehmen, was der Legitimierung ihrer „antifeudalen" Forderungen dienen könnte[4]. Auch die Forderung nach Pfarrerwahl ist in diesem Zusammenhang zu sehen: nämlich die Kontrolle über die lokalen Resourcen zu erlangen. Dieses Verhalten gegenüber der „reinen Lehre" ist von P. Blickle als „Biblizismus" bezeichnet worden[5], ohne dieses Phänomen näher zu erläutern. Die Berufung auf die Bibel ist allerdings nichts Spezifisches der Reformation, sondern bezeichnend für die wiederholten Erneuerungsbewegungen in der Geschichte des Christentums und der christlichen Kirche, wobei freilich die Entwicklung der Kommunikationsmöglichkeiten im ausgehenden Mittelalter – Buchdruck und Lesefähigkeit – einen neuen Akzent setzte[6]. Weiter ist zu bedenken, daß dieser Biblizismus, der auch in dem Schlagwort „göttliche Gerechtigkeit"/„göttliches Recht" anklingt, mit Vorstellungen eines bäuerlichen Naturrechtsdenkens einherging[7], das zwar sakral fundiert war, jedoch als Recht einen eigenen Gültigkeitsanspruch besaß.

Mit der dargestellten Verbindung zwischen Bauernkrieg und Reformation wird nur eine Dimension des Verhältnisses von Bauern und Religion berührt, nämlich die Rolle der institutionalisierten Religion als Ideologie zur Legitimierung einer sozialen – oder sozialrevolutionären – Bewegung. Dies ist sowohl bei den Vertretern der These von der „frühbürgerlichen Revolution" zu beobachten, als auch bei der traditionellen Historiographie des Bauernkriegs: beide isolieren die legitimierende und mobilisierende Rolle religiöser Begründungen, indem sie einerseits den Geltungsbereich von Religion zu eng fassen, nämlich als institutionalisierte Religion, und andererseits ihre Eigenständigkeit wie Wechselwirkungen mit sozialen, wirtschaftlichen und politischen Strukturen nicht hinreichend berücksichtigen. Für die Durchsetzung der Reformation wird daher den Bauern keine tragende, geschweige führende Rolle zuerkannt. Vielmehr werden die rückblickend als zukunftsweisend und

---

[4] M. BRECHT, Der theologische Hintergrund der Zwölf Artikel der Bauernschaft in Schwaben von 1525. Christoph Schappelers und Sebastian Lothers Beitrag zum Bauernkrieg, in: Zeitschrift für Kirchengeschichte 85 (1974), S. 30–64.

[5] P. BLICKLE, Die Revolution von 1525, 1977, S. 135.

[6] Siehe hierzu die Beiträge von B. MOELLER, TH. A. BRADY, Jr., R. W. SCRIBNER und ST. OZMENT, in: Stadtbürgertum und Adel in der Reformation (wie Fußnote 1), S. 25–48.

[7] W. MÜLLER, Wurzeln und Bedeutung des grundsätzlichen Widerstandes gegen die Leibeigenschaft im Bauernkrieg 1525, in: Schriften des Vereins für Geschichte des Bodensees und seiner Umgebung 93 (1975), S. 1–41; ST. BREUER, Sozialgeschichte des Naturrechts (erscheint 1982); H. WUNDER, „Altes Recht" und „göttliches Recht" im Deutschen Bauernkrieg, in: Zeitschrift für Agrargeschichte und Agrarsoziologie 24 (1976), S. 54–66.

fortschrittlich identifizierten Kräfte – Bürgertum („Kapitalismus") und Landesherren („moderner Staat") – mit dem Protestantismus als religiöser Innovation positiv korreliert und ihnen ein bewußtes Interesse an der Durchsetzung neuer religiöser Inhalte und Normen zugeschrieben. Die Repräsentanten der „alten Ordnung", Bauern und Adel, treten demgegenüber zurück. Adlige nahmen zwar als Landesherren, als landesherrliche Beamte, als ehemalige Kirchenfürsten und Prälaten, als Humanisten und als ritterschaftliche Herren an der Reformation teil[8], doch war damit die Aufgabe ihrer adligen Kultur und Unterordnung unter die entstehende bürgerliche und höfische Kultur verbunden[9]. Von einer „Wahlverwandtschaft" (M. Weber), wie zwischen Protestantismus und ökonomischer/politischer Rationalisierung, kann wohl nicht die Rede sein. Max Webers „protestantische Ethik" hat Historiker immer wieder in dieser linear-fortschrittlichen Rekonstruktion von Geschichte unterstützt, ohne daß Webers Erkenntnisinteresse, nämlich den universalen Prozeß der Rationalisierung im Okzident zu ergründen, ausreichend mit den methodischen Implikationen (Idealtypus) und der bewußten Begrenzung des Aussageradius bedacht worden wäre. Vielmehr werden Webers „Verkettungen von Umständen" als historische Tatsachen benutzt.

Die führende Rolle von Bürgertum und Landesherren für die Ausbreitung und Durchsetzung der Reformation soll hier gar nicht in Frage gestellt werden, wohl aber die Kategorien, mit denen – wie selbstverständlich – die Bauern aus diesem gesellschaftlichen Vorgang ausgeschlossen werden, nämlich ökonomischer Konservativismus[10], Beschränktheit („Kirchturmpolitik") und Unbildung. Dagegen sprechen nicht nur die niederländischen Mennoniten[11], sondern auch die Salzburger Protestanten[12]. Beispiele für eine „Volksreformation" wie für eine „Reformation von oben" lassen sich beliebig anführen, ohne daß sich damit Klarheit über das Verhältnis von Bauern und Reformation gewinnen ließe. Vielmehr muß das allgemeine Verhältnis von Bauern und Religion untersucht werden, innerhalb dessen dann das Problem Bauern und Reformation (als religiöse Innovation)[13] erörtert werden kann.

---

[8]   Dies dokumentiert auch die neueste Bearbeitung dieses Problems bei V. Press, Adel, Reich und Reformation, in: Stadtbürgertum und Adel in der Reformation (wie Fußnote 1), S. 330–383.

[9]   M. Weber, Religionssoziologie (Typen religiöser Vergemeinschaftung), in: ders., Wirtschaft und Gesellschaft. Studienausgabe, 1976, S. 288–290.

[10]   M. Scharfe, Geschichtlichkeit, in: H. Bausinger u. a., Grundzüge der Volkskunde, 1978, S. 127–203, hier S. 143–152.

[11]   K.-H. Ludwig, Zur Besiedlung des Weichseldeltas durch die Mennoniten, 1961.

[12]   Reformation, Emigration, Protestanten in Salzburg. Ausstellung 21. Mai–26. Oktober 1981, Schloß Goldegg, Pongau, Land Salzburg, 1981.

[13]   Einen umfassenden Überblick über den gegenwärtigen Stand der Forschungen zur „Reformation" entwickelt R. Wohlfeil, Einführung in die Geschichte der deutschen Reformation, 1981.

Dafür gibt es drei Zugänge: den kirchengeschichtlichen – vor allem den reformationsgeschichtlichen –, den religionssoziologischen und den volkskundlichen. Die beiden ersten Zugänge erstrecken sich von den „Spitzen" in Theologie und kirchlicher Organisation bis zum „Aberglauben" mit deutlicher Hierarchie der Bewertungen in der kirchengeschichtlichen Sicht, während die religiöse Volkskunde sich überwiegend der Volksfrömmigkeit und dem Volksglauben widmet[14]. Da es hier um das Verhältnis *einer* gesellschaftlichen Gruppe zur Religion geht[15], soll der religionssoziologische Ansatz Max Webers[16], ergänzt durch ethnologische Überlegungen zum Verhältnis von Bauern und Religion in komplexen Gesellschaften[17], als Ausgangspunkt dienen. Max Webers Positionen erscheinen insofern besonders geeignet, als sein Interesse gerade dem Prozeß der universalen Rationalisierung galt, der religiösen Rationalisierung, der „Entzauberung" der Welt und ihrer Verfügbarmachung für das Handeln der Menschen, Prozesse, für die die Reformation ein zentrales Argumentationsfeld bietet.

Es reicht nicht aus, die einschlägige Passage der „Religionssoziologie" § 7 „Stände, Klassen und Religion. Die Religiosität des Bauerntums"[18] heranzuziehen, obwohl sie wichtige Stichworte für die Interpretation des Verhältnisses von Bauer und Religion/Bauer und Reformation nennt, die zu überprüfen sind: Ohne weiteres leuchtet die Naturabhängigkeit der Bauern ein, fraglich ist der Mangel an „rationaler Systematisierung" in ihrem ökonomischen Verhalten, fraglich auch die These, daß der Bauer „nur da Mitträger einer Religiosität zu werden pflegt, wo ihm durch innere (fiskalische oder grundherrliche) oder äußere (politische) Mächte Versklavung oder Proletarisierung droht." Gegenbeispiel ist die „Erbuntertänigkeit" in den ostdeutschen Territorien. Zentral für eine weiterführende Diskussion erscheinen dagegen zwei Thesen: 1. „Bauern als Träger rational ethischer Bewegungen" kommen im Christentum nur ausnahmsweise vor, und zwar eben nur auf der Grundlage des Christentums als einer bereits ethischen Religion; 2. selbst im Rahmen einer ethischen Religiosität bleiben die Bauern auf eine „streng formalistische Ethik, des ‚do ut des' dem Gott und Priester gegenüber, eingestellt". In diesen Zitaten fällt die Formulierung „ethische Religiosität" zur Charakterisierung des Chri-

---

[14]   Siehe G. WIEGELMANN, M. ZENDER, G. HEILFURTH, Volkskunde. Eine Einführung, 1977; H. TRÜMPY, Die Reformation als volkskundliches Problem, in: Kontakte und Grenzen, Festschrift für G. Heilfurth zum 60. Geburtstag, 1969, S. 249–258.

[15]   Siehe hierzu J. MATTHES, Religion und Gesellschaft. Einführung in die Religionssoziologie I, 1967; Social Groups and Religious Ideas in the Sixteenth Century, hg. v. M. U. Chrisman, O. Gründler (Studies in Medieval Culture XIII), 1978.

[16]   M. WEBER, Religionssoziologie (wie Fußnote 9).

[17]   M. BANTON (Hg.), Anthropological Approaches to the Study of Religion, 1966: „Religion", in: International Encyclopaedia of Social Sciences, Bd. 13, 1968, S. 398–421; J. GOODY, Religion and Ritual: The Definitional Problem, in: British Journal of Sociology 12 (1961), S. 142–164.

[18]   M. WEBER, Religionssoziologie (wie Fußnote 9), S. 285 f.

stentums auf. Dieses ist jedoch nur eine Komponente bäuerlicher Religion. Beherrschender scheint nach den Zeugnissen des Spätmittelalters und der Frühen Neuzeit der „Aberglaube" gewesen zu sein, also eine magische Vorstellungswelt[19], die Weber unter „Die Entstehung der Religionen" ausführlicher abhandelt, die aber immer wieder in seinen vergleichenden Überlegungen zu Einzelaspekten von Religion auftaucht. Neben dieser typologischen Gegenüberstellung untersucht Weber das Gegen- und Miteinander von elitärer ethischer Religion, Laienrationalität und volkstümlicher Magie, in dem wichtige Gesichtspunkte für die Unterscheidung von mittelalterlicher Katholizität und Protestantismus enthalten sind: in der mittelalterlichen Kirche die Tendenz der Annäherung durch Einverleibung („Volksfrömmigkeit"), im Protestantismus „Reinigung" durch ideologische Ausgrenzung und physische Vernichtung (z. B. Hexenprozesse).

Der Spannung zwischen der mittelalterlichen elitären und volkstümlichen Religiosität, die sogar zu der Auffassung Anlaß gab, daß das Kirchenvolk eigentlich gar nicht zu den Gläubigen zu rechnen sei, versuchte man im Protestantismus durch eine breite Bildung[20] zu begegnen, die den Menschen nicht nur die elementaren Kenntnisse der jeweiligen Konfession vermittelte, sondern auch deren bisweilen subtile Unterschiede[21].

Das richtungsweisende Interpretament, das sich für das Verhältnis Bauern–Reformation aus Webers Ansatz gewinnen läßt, ist folgendes: Der Protestantismus ist eine religiöse Innovation im Sinne einer ethischen Rationalisierung, in der das Wort gegenüber dem rituellen Handeln (Sakramente, „gute Werke") das Übergewicht gewinnt, in der die Gewißheit der Erlösung nicht verdient, sondern durch Gottvertrauen und die Ausrichtung des gesamten Lebens nach den Geboten Gottes erlangt werden kann („Gotteszwang" – „Gottesdienst"). Die Frage zum Verhältnis von Bauern und Reformation muß daher lauten: Nahmen die Bauern am Prozeß einer ethischen Rationalisierung der Religion teil? Auf die Nutzung der reformatorischen Lehren zur Abwehr von „Herrschaft" wurde bereits verwiesen. Dies war zwar eine Form bäuerlicher Rationalität, aber noch keine Teilnahme am Vorgang der religiösen Rationalisierung selbst. Die Frage mag verwundern angesichts des in der reformationsgeschichtlichen Forschung nachgewiesenen bäuerlichen Beharrens auf reformatorischen Forderungen, z. B. der Verkündung des „reinen Wortes" und der Spendung des Abendmahls in beiderlei Gestalt[22]. Doch ist zu bedenken, daß ersteres dem „Biblizismus", letzteres einer sakramentalen Orientierung zuzurechnen ist, d. h., beide Phänomene dienen der anschauli-

---

[19] H. GEERTZ, An Anthropology of Religion and Magic, in: Journal of Interdisciplinary History 6 (1975), S. 71–89.

[20] G. STRAUSS, Luther's House of Learning, 1978.

[21] M. WEBER, Religionssoziologie (wie Fußnote 9), S. 312 f.

[22] G. FLOREY, Protestanten im Lungau und Pinzgau, im Defreggental und am Halleiner Dürrnberg, in: Reformation (wie Fußnote 12), S. 77–84, hier S. 77.

chen und greifbaren Vermittlung von „Heil" und können daher nicht als eindeutige Anhaltspunkte für einen Fortschritt in der ethischen Rationalisierung von Religion genommen werden. Das Blickfeld der Untersuchung muß also erweitert werden, einerseits auf die gesamte Breite des Spektrums von bäuerlicher „Religion", andererseits auf die Aspekte der bäuerlichen Lebenswelt, die ein verändertes Verhältnis von Bauern und Religion begründen können.

Dem heutigen Historiker drängen sich auf Grund der seit Weber fortgeschrittenen Kenntnis der europäischen Agrargesellschaften weitere Fragen auf: Ist es ertragreich, für eine differenzierte ländliche Gesellschaft wie die des späten Mittelalters und der Frühen Neuzeit von „dem Bauern" oder dem „Bauerntum" zu sprechen? Denn seit dem 15. Jahrhundert war die Mischung landwirtschaftlicher und gewerblicher Arbeit/Einkommensmöglichkeiten ein bezeichnender Zug der ländlichen Wirtschaft, deren Erweiterung und Diversifikation eine weitgehende soziale Differenzierung der ländlichen und dörflichen Bevölkerung mit sich brachte. Zu den nicht berechenbaren ökologischen Abhängigkeiten kamen die gezielte Marktproduktion mit relativer Berechenbarkeit zumindest für einen Teil der Bauern und damit ihre Abhängigkeit von den Schwankungen der agrarischen und gewerblichen Konjunkturen[23]. Ob und inwieweit die wirtschaftliche und soziale Differenzierung zu verschiedenen religiösen Haltungen führte, bleibt zu untersuchen.

Weber gesteht den Bauern kaum Möglichkeiten einer ökonomischen Rationalisierung zu. Diese Bewertung erscheint zu pauschal, da bereits der hochmittelalterliche Vorgang der Vergetreidung und Verdorfung, der vielfach mit der Dreifelderwirtschaft verbunden war, als ökonomische Rationalisierung anzusehen ist, zumal im Zusammenhang einer geregelten wirtschaftlichen Stadt-Land-Beziehung[24]. Darüber hinaus forderte dieser Vorgang eine Rationalisierung der sozialen Beziehungen innerhalb der bäuerlichen Siedlungen, die ihren Ausdruck im Recht und in bäuerlichen Verbänden („Gemeinde") fand, die das wirtschaftliche, soziale und religiöse Leben regelten[25].

Während Weber in seiner Argumentation zur Religiosität des Bauerntums einerseits die naturgegebenen Abhängigkeiten mit dem magischen Charakter von Volksglauben und Volksfrömmigkeit in Beziehung setzt, andererseits die Abhängigkeit von einer elitären ethischen Religion betont, stellt er für die Religiosität des Kleinbürgertums als Determinante von Religiosität neben die Art der wirtschaftlichen Betätigung die gemeindliche Organisation, die erst die Übernahme und Weiterentwicklung einer ethischen Religiosität ermöglicht habe. Da inzwischen erkannt worden ist, daß das Gemeindeprinzip seit dem

[23] P. KRIEDTE, Spätfeudalismus und Handelskapital. Grundlinien der europäischen Wirtschaftsgeschichte vom 16. bis zum Ausgang des 18. Jahrhunderts (Kleine Vandenhoeck-Reihe 1459), 1980.

[24] E. PITZ, Wirtschafts- und Sozialgeschichte Deutschlands im Mittelalter, 1979.

[25] K. S. BADER, Studien zur Rechtsgeschichte des mittelalterlichen Dorfes, 3 Bde. 1961–73.

hohen Mittelalter für die bäuerliche Vergemeinschaftung ebenso grundlegend war wie für die Stadt[26], kann dieses Kriterium nicht mehr zur Unterscheidung von Bauern und Bürgern maßgebend sein, vielmehr ist in dieser Hinsicht von einer Gleichläufigkeit der Entwicklung auszugehen. Unbezweifelt ist jedoch, daß in den Städten eine neue Form christlicher Frömmigkeit ausgebildet wurde und daß im Zuge der schon genannten intensiven Stadt-Land-Beziehungen die Bauern an ihr teilnahmen. Ebenso unbezweifelt ist, daß die Pfarrsprengel, die zunächst mehr administrativen Charakter hatten, in den Städten früher als auf dem Land Gemeindecharakter im Sinne von Gemeinschaft der Gläubigen annahmen[27], also eine Intensivierung der Beziehungen zwischen institutionalisierter Religion und den Gläubigen wie der Gläubigen untereinander stattfand. Das Gemeindeprinzip als bezeichnende Form mittelalterlicher Vergesellschaftung in ihren vielfältigen Ausprägungen dokumentiert zudem eine Verbindung von religiöser Rationalität und Laienrationalität nicht nur für das Verhältnis Religion–Laien, das Weber im Auge hatte, sondern darüber hinaus für eigentlich säkulare Organisationsformen.

Mit der Festigung der Gemeinden ging die Herausbildung lokaler Führungspositionen einher, einerseits vom Amtsträgern (z. B. Dorfpfarrer, Schulz, Bürgermeister usw.), andererseits von wohlhabenden Gemeindemitgliedern, auf dem Land z. B. Müller, Wirt, Schmied, die auf Grund ihres lokalen Ansehens sowie ihrer Vermittlungstätigkeit zwischen Stadt und Land, Herrschaft und Bauern eine wichtige Rolle auch im Verhältnis der Bauern zur Reformation spielten, sowohl was die Vermittlung von Informationen und ihre persönliche Haltung als auch was ihr Organisationspotential angeht[28]. Es reicht nicht aus, die „Propheten" oder die professionellen Vermittler von Religion („Priester") zu berücksichtigen, vielmehr muß die breite Schicht von Exponenten der Laiengesellschaft in ihren Verflechtungen mit der Kirche beachtet werden, wenn der historische Vorgang der Reformation als religiöser Innovation erklärbar werden soll.

Diese Konfrontation der Thesen Max Webers mit dem gegenwärtigen Forschungsstand der verschiedenen Disziplinen, die sich mit „Bauern", „Religion" und „Reformation" beschäftigen, hat bewiesen, daß Webers Theoretisierung auf dem Hintergrund der damaligen Forschungssituation keineswegs

---

[26]   Die Anfänge der Landgemeinde und ihr Wesen, 2 Bde. (Vorträge und Forschungen 7 und 8), 1964.

[27]   H. E. FEINE, Kirche und Gemeindebildung, in: Die Anfänge (wie Fußnote 26), Bd. 7, S. 53–77.

[28]   G. FRANZ, Die Führer im Bauernkrieg, in: Bauernschaft und Bauernstand 1500–1970, hg. v. G. Franz, 1975, S. 1–15; H. WUNDER, Zur Mentalität aufständischer Bauern. Möglichkeiten der Zusammenarbeit von Geschichtswissenschaft und Anthropologie, dargestellt am Beispiel des Samländischen Bauernaufstandes von 1525, in: Der Deutsche Bauernkrieg 1524–1526, hg. v. H.-U. WEHLER (Geschichte und Gesellschaft, Sonderheft 1), 1975, S. 9–37.

überholt ist, sondern durch die Art seiner Sektion der Probleme und ihrer Systematisierung eine Fülle von Anstößen zum Überdenken von Ergebnissen der neueren Agrar-, Religions-, Reformations- und Sozialgeschichte gibt. Da er sich mit dem Prozeß der universalen Rationalisierung beschäftigt, ist seine Religionssoziologie besser als die neueren Ansätze[29] geeignet, das Thema „Bauern und Reformation" erneut anzugehen[29a].

Ein lehrreiches Beispiel für das Verhältnis von Bauern und Reformation stellt das östliche Preußen dar, in dem die Bischöfe bereits vor der Säkularisierung des Restordensstaates 1525 die Reformation verkündeten. Da Preußen das erste protestantische Territorium war und Luthertum und Preußentum als eng zusammengehörig angesehen wurde, erklärt sich, daß die Reformation zu den Lieblingsthemen der landesgeschichtlichen Forschung gehört, die vor allem eine reiche Dokumentation der „Reformation von oben" sowie der erbitterten theologischen Streitigkeiten vorgelegt hat[30], während die neuere reformationsgeschichtliche Forschungsrichtung auch das religiöse und kirchliche Leben im 16. Jahrhundert untersucht hat[31]. Der Tatsache, daß im Herbst 1525 im Samland ein „Bauernkrieg" ausbrach, sind Zeugnisse zu verdanken, die – wie für den „Großen deutschen Bauernkrieg" – Rückschlüsse auf die Beziehungen zwischen Bauern und Reformation erlauben[32]. Demgegenüber gibt es für die Ordenszeit keine neuere zusammenfassende Darstellung der kirchlichen und religiösen Verhältnisse, deren Kenntnis jedoch unerläßlich für die Beurteilung der Reformation in Preußen sind. Im folgenden sollen unter den in der Auseinandersetzung mit Max Weber gewonnenen Gesichtspunkten und ihrer Neuformulierung: soziale Differenzierung – Religion – „Christianisierung" der ländlichen Bevölkerung – ethische Rationalisierung durch die Reformation, das Verhältnis von Bauern zu Religion sowie Reformation am Beispiel von Ordensstaat und Herzogtum Preußen erläutert werden.

---

[29] Religion und Gesellschaft, hg. v. J. Matthes (Rowohlts deutsche Enzyklopädie 279/280), 1967; H. BLUMENBERG, Säkularisierung und Selbstbehauptung (Suhrkamp Taschenbuch Wissenschaft 79), 1974; N. LUHMANN, Funktion der Religion, 1977.

[29a] Auch in der anglo-amerikanischen Forschung zur frühen Neuzeit erweist sich M. Weber immer wieder als fruchtbarer Anreger, z. B. N. ZEMON DAVIS, The Sacred and the Body Social in Sixteenth-Century Lyon, in: Past and Present 90 (1981), S. 40–70.

[30] W. HUBATSCH, Geschichte der evangelischen Kirche Ostpreußens, Bd. 1, 1968; P. TSCHACKERT, Urkundenbuch zur Reformationsgeschichte des Herzogthums Preußen, 3 Bde., 1890; Die evangelischen Kirchenordnungen des 16. Jahrhunderts, hg. v. E. Sehling, Bd. 4, 1911.

[31] A. ZIEGER, Das religiöse und kirchliche Leben in Preußen und Kurland (Forschungen und Quellen zur Kirchen- und Kulturgeschichte Ostdeutschlands 5), 1967.

[32] H. WUNDER, Zur Mentalität (wie Fußnote 28).

1. Der Deutsche Orden hatte das Land der Prußen im 13. Jahrhundert unter dem Schlagwort der Heidenmission mit mehreren Kreuzzügen erobert[33]. Auf die Unterwerfung folgte die Taufe der Prußen und die Errichtung von Kirchen in den prußischen „terrae"[34]. Obwohl der Deutsche Orden und die anderen Landesherren (die Bischöfe von Samland, Ermland und Pomesanien) geistliche Landesherren waren, haben sie sich sehr unterschiedlich um die religiöse Unterweisung und Seelsorge ihrer prußischen Bauern gekümmert, am intensivsten wohl – nach Aussage der Synodalstatuten – die ermländischen Bischöfe. Sie förderten auch das Zusammensiedeln von Deutschen und Prußen, was schneller zur Assimilation der Prußen führte[35]. Demgegenüber gelang im überwiegend prußisch besiedelten Samland, in dem es zudem keine Städte gab, nur eine ganz oberflächliche Christianisierung[36]. Nicht nur die Bauern, sondern ebenfalls die kleinen prußischen Freien hingen noch 1520 dem alten Glauben an[37]. Dies braucht nicht zu erstaunen, wenn man erfährt, daß Predigt und Beichte von einem Dolmetscher übersetzt werden mußten und die Grundkenntnisse der christlichen Lehre auf das Hersagenkönnen zweier Gebete beschränkt waren. Nach den Aussagen der Landesordnungen des 15. Jahrhunderts[38] ist es wohl nicht übertrieben, für die prußischen Bauern von einem offiziellen Christentum und einem praktischen Heidentum zu sprechen. Ihre Priester („Weidler") wurden den Zauberern gleichgesetzt und verfolgt. Dennoch gelang es anscheinend erst im 17. Jahrhundert, ihre „Macht" zurückzudrängen. Aus Berichten über ihre sakralen Handlungen läßt sich entnehmen, daß sie „heidnische" und christliche Elemente mischten. Allerdings bleibt unklar, ob sie dies zur Tarnung taten oder ob in dieser Mischung ein allmähliches Eindringen christlicher Gottesdienste zu sehen ist.

Für die einwandernden deutschen Bauern gehörte die „Kirche im Dorf" zu den Selbstverständlichkeiten ihrer lokalen gemeindlichen Organisation. Bei der Neugründung eines Dorfes wurde nur dann auf die Ausstattung eines Pfarrers verzichtet, wenn das Dorf zu klein war, einen Pfarrer samt Kirche zu unterhal-

---

[33] Heidenmission und Kreuzzugsgedanke in der deutschen Ostpolitik des Mittelalters, hg. v. H. Beumann (Wege der Forschung 7), 1963.

[34] R. WENSKUS, Zur Lokalisierung der Prußenkirchen des Vertrages von Christburg 1249, in: Acht Jahrhunderte Deutscher Orden (Quellen und Studien zur Geschichte des Deutschen Ordens Bd. 1), 1967, S. 121–136.

[35] V. RÖHRICH, Die Kolonisation des Ermlandes, in: Zeitschrift für die Geschichte und Altertumskunde Ermlands 12 (1899), 13 (1901), 14 (1903), 18 (1913), 19 (1916), 20 (1919), 21 (1923), 22 (1924); M. TOEPPEN, Geschichte Masurens. Ein Beitrag zur preußischen Landes- und Kulturgeschichte, 1870, S. 168–170; J. A. LILIENTHAL, Die Hexenprozesse der beiden Städte Braunsberg, 1861.

[36] C. KROLLMANN, Eine merkwürdige samländische Urkunde, in: Altpreußische Forschungen 11 (1934), S. 32–38.

[37] L. DAVID, Preußische Chronik, Bd. 1, 1812, S. 117–126.

[38] Akten der Ständetage Preußens unter der Herrschaft des Deutschen Ordens, hg. v. M. Toeppen, Bd. 2, 1880, S. 664.

ten[39]. Die Kartierung der Kirchengründungen[40] zeigt daher kein planmäßiges Vorgehen im Sinne einer möglichst gleichmäßigen seelsorgerischen Betreuung. Schon von diesen äußeren Gegebenheiten her war die Beziehung zwischen deutschen Bauern und institutionalisierter Religion enger als bei den Prußen. Zudem sprachen Pfarrer und deutsche Bauern eine gemeinsame Sprache, die Distanz zwischen Priester und Gläubigen war auf Grund der längeren Vertrautheit mit dem Christentum weniger stark ausgeprägt und wurde vielleicht sogar durch die Konfrontation mit den zunächst feindseligen Preußen noch weiter vermindert.

Deutsche und prußische Bauern demonstrieren ein Modell ländlicher sozialer Differenzierung entlang ethnischer Unterschiede, das in ähnlicher Weise in der Anfangsphase der deutschen Ostsiedlung in den anderen ostdeutschen Territorien anzutreffen war und wohl ebenfalls geeignet ist, andere Wanderungsbewegungen z. B. in der Merowingerzeit zu erläutern. Das ethnische Kriterium verschwand mit der Zeit, es blieb jedoch lange der sachliche Unterschied in Wirtschaftsweise und Recht als Bestimmungsgrund für soziale Differenzierung. Die preußischen Verhältnisse sind daher kein Sonderfall, sondern erhellen vielmehr allgemeine europäische Entwicklungen, die in Mittel- und Westeuropa bereits im frühen und hohen Mittelalter stattgefunden haben. Es wäre auch falsch, Preußen am Rande der Christenheit anzusiedeln. Gerade die bis ins 14. Jahrhundert andauernde Kreuzzugssituation gegen Litauen machte Preußen zum Ziel von Rittern[41] und Pilgern aus ganz Europa, und die Bewohner des Ordenslandes, Bürger wie Bauern, nahmen ihrerseits an den internationalen Wallfahrten teil[42], es entstanden Wallfahrtsorte in Preußen[43], und Preußen erhielt eine „eigene" Heilige, Dorothea von Montau[44]. Allerdings, die multi-ethnische Struktur des Ordensstaates wirkte sich auch in

---

[39] H. WUNDER, Siedlungs- und Bevölkerungsgeschichte der Komturei Christburg (13.–16. Jhdt.) (Marburger Ostforschungen 28), 1968, S. 48–58.

[40] G. MORTENSEN, Erläuterungen zur Karte „Der Gang der Kirchengründungen (Pfarrkirchen) in Altpreußen", in: Historisch-Geographischer Atlas des Preußenlandes, hg. v. H. Mortensen, G. Mortensen, R. Wenskus, 3. Lieferung, 1973.

[41] E. MASCHKE, Burgund und der preußische Ordensstaat. Ein Beitrag zur Einheit der ritterlichen Kultur Europas im Spätmittelalter, in: ders., Domus Hospitalis Theutonicorum. Europäische Verbindungslinien der Deutschordensgeschichte. Gesammelte Aufsätze aus den Jahren 1931–1963 (Quellen und Studien zur Geschichte des Deutschen Ordens 10), 1970, S. 15–34.

[42] H. FREYTAG, Preußische Jerusalempilger vom 15. bis 16. Jahrhundert, in: Archiv für Kulturgeschichte 3 (1905), S. 129–154.

[43] z. B. Heilige Linde.

[44] Dorothea von Montau. Eine preußische Heilige des 14. Jahrhunderts, hg. v. R. Stachnik und A. Triller, 1976; A. TRILLER, Der Kanonisationsprozeß Dorotheas von Montau in Marienwerder 1394–1405 als Quelle zur altpreußischen Kulturgeschichte und Volkskunde, in: Preußenland und Deutscher Orden. Festschrift für K. Forstreuter, 1958, S. 311–343.

diesem Bereich aus: daß die Bürger der Städte im Hinblick auf fromme Stiftungen den mittel- und westeuropäischen Städten nicht nachstanden, ist fast selbstverständlich, aber sie und die deutschen Bauern trugen die Verehrung der Dorothea von Montau: unter den Zeugen im Kanonisierungsprozeß erscheint – neben einigen Polen – nur eine Prußin. Dennoch sollten die Unterschiede zwischen christlichen deutschen und „heidnischen" prußischen Bauern nicht überbetont werden. Trotz der Bereitschaft, die finanziellen Belastungen für den Unterhalt eines Pfarrers zu tragen und trotz der dargestellten „Volksfrömmigkeit" scheint die äußere Kirchlichkeit der deutschen Bauern im 15. Jahrhundert – nach Aussage der Landesordnungen – schwach ausgebildet gewesen zu sein: es wird über nachlässigen Besuch des Gottesdienstes, die Unkenntnis der elementaren Glaubensgrundsätze und die Neigung zum Zauberglauben geklagt[45].

Ein letzter Gesichtspunkt bedarf der Erläuterung für Preußen: der Antiklerikalismus des 15. Jahrhunderts als *eine* Basis für die Breitenwirksamkeit der Reformation. Da der Deutsche Orden sowie die Bischöfe nicht nur die geistlichen Landesherren, sondern auch die größten Grundherren waren, fielen Kritik am unchristlichen Lebenswandel der geistlichen Herren mit ihrem unchristlichen Verhalten gegenüber den Untersassen zusammen. Dieses Verhalten erregte um so mehr Widerspruch, als die Ordensritter „Fremde" waren, so daß sich kaum vertikale Loyalitäten, die durchaus zwischen Bauern und Grundherren bestehen konnten, entwickelten. Selbst der lokale Repräsentant kirchlicher Herrschaft, der Dorfpfarrer, bot nicht nur Anstoß, wenn er mit einer Konkubine zusammenlebte, sondern der Konflikt mit den Bauern war vorprogrammiert, da sein Landbesitz meist im Gemenge mit den bäuerlichen Äckern lag und sein Vieh zusammen mit dem Gemeindevieh gehütet wurde. In diesen Konflikten oder bei Zehntverweigerungen griffen die Pfarrer auch zu kirchlichen Strafen, z. B. Ausschluß vom Abendmahl, um ihre Forderungen durchzusetzen[46]. Maßnahmen, die nicht dazu beitrugen, das Vertrauen der Bauern in die Kirche zu stärken.

Insgesamt darf wohl davon ausgegangen werden, daß das Verhältnis Bauern–Religion am Vorabend der Reformation in Preußen dem in Mitteleuropa ähnlich war[47], daß jedoch die multi-ethnische Struktur der Bevölkerung und die landesfremde Herrschaft des Deutschen Ordens die Bedeutung der sozialen Differenzierung des „Bauerntums" mit den verschiedenen Ausprägungen von Religiosität und das Phänomen des „Antiklerikalismus" besonders hervortreten lassen. Allerdings scheinen die häretischen Traditionen in Preußen wenig ausgebildet gewesen zu sein, wobei dahingestellt sei, ob dies allein oder

---

[45] M. Toeppen, Akten (wie Fußnote 38); J. A. Lilienthal, Hexenprozesse (wie Fußnote 35).

[46] Siehe P. Tschackert, Urkundenbuch (wie Fußnote 30), Bd. 1, S. 84 f.

[47] E. Joachim, Vom Kulturzustand im Ordensland Preußen am Vorabend der Reformation, in: Altpreußische Forschungen 1 (1924), S. 1–22.

überwiegend auf das Bestreben des Deutschen Ordens, keine Bettelorden auf seinem Territorium zu dulden, zurückzuführen ist, da doch die Kontakte z. B. mit den Hussiten ziemlich naheliegend waren[47a].

2. Der Ordensstaat Preußen war das erste Territorium, in dem die Bischöfe sich der Reformation zuwandten (1524) und diese ab 1525 mit der Unterstützung des ersten weltlichen Landesherrn durchsetzten. Vorbereitet war diese Aktion durch das Wirken lutherischer Prediger in Königsberg, das wie die königlich preußischen Hansestädte Elbing, Danzig, Thorn und Kulm früh von den Ausstrahlungen der protestantischen Bewegung erfaßt wurde[48]. So mag es zwar formal richtig sein, von einer „Reformation von oben" zu sprechen, diese wäre jedoch kaum durchsetzbar gewesen, wenn es nicht zugleich eine organisierte bürgerliche protestantische Bewegung gegeben hätte. Die reformatorischen Kirchenordnungen berichten über die Gewohnheit der Landbewohner, an Sonntagen die Königsberger Kirchen aufzusuchen, die wohl nicht neu, sondern althergebracht war, so daß davon auszugehen ist, daß zumindest die Bauern in der Umgebung von Königsberg direkt an den Predigten von lutherisch gesinnten Priestern teilnahmen. Daneben dürften die fränkischen Söldner im Dienste des Hochmeisters Albrecht, die in der Umgebung von Königsberg stationiert waren[49], früh gerade auf dem Lande zur Kenntnis der lutherischen Lehren beigetragen haben. Jedenfalls zeigen die chronikalischen Aufzeichnungen über den samländischen Bauernaufstand 1525[50] die Vertrautheit der aufständischen (deutschen) Bauern mit den Schlagworten der Reformation, die auch die Bauern im Westen benutzten, und die enge Stadt-Land-Beziehung vor allem, was die führenden Gruppen in Stadt und Land betraf[51].

[47a]   A. TRILLER, Häresien in Altpreußen um 1390? in: Studien zur Geschichte des Preußenlandes, Erich Keyser zu seinem 70. Geburtstag, 1963, S. 397–404; PH. FUNK, Zur Geschichte der Frömmigkeit und Mystik im Ordensland Preußen, in: Kultur- und Universalgeschichte, W. Goetz zum 60. Geburtstag, 1927, S. 67–90.
[48]   F. GAUSE, Die Geschichte der Stadt Königsberg in Preußen, Bd. 1, 1965; G. SCHRAMM, Danzig, Elbing und Thorn als Beispiele städtischer Reformation (1517–1558), in: Historia Integra, Festschrift für Erich Hassinger zum 70. Geburtstag, 1977, S. 125–154.
[49]   H. WUNDER, Der samländische Bauernaufstand von 1525. Entwurf für eine sozialgeschichtliche Forschungsstrategie, in: Der Bauernkrieg 1524–26. Bauernkrieg und Reformation, hg. v. R. Wohlfeil (Nymphenburger Texte zur Wissenschaft 21), 1975, S. 143–176, hier S. 161.
[50]   NIKOLAUS RICHAU, Historie von dem Aufruhr der samländischen Bauern, in: Scriptores Rerum Prussicarum, Bd. 6.
[51]   A. SERAPHIM, Soziale Bewegungen in Altpreußen im Jahre 1525, in: Altpreußische Monatsschrift 58 (1921), S. 1–36, 71–104.

Die frühe Institutionalisierung der Reformation in Preußen erklärt zwei Schwierigkeiten bei ihrer tatsächlichen Durchsetzung[52]:

1. Es fehlte an einer ausreichenden Zahl von lutherischen Pfarrern: zwar bekannte sich eine Reihe von Landpfarrern zum Luthertum, doch andere blieben beim alten Glauben, und es war schwierig, Pfarrer im Reich anzuwerben. Schließlich trug der Pfarrermangel dazu bei, in Königsberg eine Landesuniversität zu gründen. Doch die materielle Ausstattung der Pfarrstellen war so schlecht, daß dieser Beruf keine große Anziehung auszuüben vermochte und die Pfarrer vielfach schlecht ausgebildet waren.

2. Die klare theologische Abgrenzung von der alten Kirche mußte erst erarbeitet werden, und es bedurfte eines langen Klärungsprozesses, bevor die Entscheidung für die lutherische Richtung des Protestantismus gesichert war (1581), so daß Landpfarrer wie Gläubige sich mit den wechselnden Konstellationen der theologischen Streitigkeiten konfrontiert sahen[53], die zugleich der Konfliktaustragung zwischen den Landesherrn und seinen adligen Ständen dienten[54].

Die obligatorische Predigt in der Volkssprache und die Aufnahme des deutschen Kirchenliedes in den Gottesdienst brachte eine Annäherung zwischen Kirche und Gläubigen, die eine Voraussetzung für eine Verinnerlichung der von der Kirche gesetzten Normen darstellt. Während mit Predigt und Kirchenlied wichtige Elemente der Volksfrömmigkeit in das offizielle Kirchentum aufgenommen wurden, wurden wesentliche Elemente des alten Glaubens und Ritus, vor allem die sakramentale Orientierung der Heilsvermittlung, in ihrer Bedeutung reduziert: als Sakramente blieben nur die Taufe und das Abendmahl. Die Heiligenverehrung wurde abgeschafft, in einem Atemzug mit Zauberei und Abgötterei genannt und mit Sanktionen bedacht. Das Zentrum der geduldeten Religiosität verlagerte sich auf die Verkündung und Kenntnis des Wortes Gottes, auf einen „Gottesdienst", in dem das Wort im Mittelpunkt stand und die Ausrichtung des gesamten Lebenswandels an den durch das göttliche Wort vermittelten Normen. An die Stelle des „do ut des" sollte die Lebensführung als Gottesdienst treten. Um dieses Ziel zu erreichen, wurden nicht nur in allen Kirchspielen Schulen errichtet, sondern der Pfarrer sollte seine Kirchspielkinder in regelmäßigen Abständen examinieren. Dies war um so notwendiger, als – wie die preußischen Bischöfe klar erkannt hatten – der größere Teil der Bevölkerung, nämlich Prußen und Litauer, überhaupt noch nicht wirklich christianisiert worden war[55]. Der erste Schritt, um diese Landes-

---

[52] Hierzu ausführlich W. HUBATSCH, Geschichte (wie Fußnote 30) und A. ZIEGER, Das religiöse und kirchliche Leben (wie Fußnote 31).

[53] So klagten z. B. Bauern über „Neuerungen", wenn der Pfarrer sich auf die jeweilige Kirchenordnung umstellte.

[54] N. OMMLER, Die Landstände im Herzogtum Preußen 1543–1561, 1967.

[55] P. TSCHACKERT, Urkundenbuch (wie Fußnote 30), Bd. 1, S. 165; M. TOEPPEN, Geschichte Masurens (wie Fußnote 35), S. 234–241.

kinder zu erreichen, war daher die Übersetzung der wesentlichen religiösen Schriften und die Bereitstellung von Ausbildungsplätzen für Prußen und Litauer, die später als Pfarrer den Prußen und Litauern in ihrer eigenen Sprache predigen sollten. Gleiches galt für die aus dem angrenzenden Masowien einwandernden Polen, die als polnische Untertanen noch katholisch waren.

Wie aus den Visitationsberichten[56], den Kirchenordnungen und den Landesordnungen[57] zu entnehmen ist, zog die Verkündung des „reinen Wortes" die Gläubigen nicht von selbst an, sondern es war ein enges Netz von Bestimmungen und kontrollierenden Instanzen nötig, um das Wort den Gläubigen zu vermitteln. Sofort nach der Verordnung der Reformation durch Herzog Albrecht machte er sich selbst zusammen mit den Bischöfen daran, alle Kirchspiele zu visitieren, um die materielle Lage der Kirchen (Pfarrerbesoldung, Pfarrhaus, Instandhaltung von Pfarrhaus und Kirchhof, Schule, Lehrerbesoldung, Kirchenvermögen) zu klären und neu zu ordnen. Diese Visitationen waren tatsächlich Landesaufnahmen, und hinter der Neuordnung stand zugleich der Landesherr mit seinen Beamten, die die Forderung der Kirche nachdrücklich unterstützten, z. B. bei der Dezemeintreibung und den Arbeitsleistungen der Bauern für den Pfarrer. Das Einkommen der Pfarrer wurde in Geld festgelegt, und die Bauern sollten ihren Dezem in Geld erlegen. Dieser Versuch ökonomischer Rationalisierung, der zugleich eine Rationalisierung in den Beziehungen zwischen Geistlichen und Bauern hätte bewirken können, war jedoch zu partiell angesichts der Tatsache, daß – wie in der Ordenszeit – ein wesentlicher Teil des Einkommens aus dem Ertrag der Pfarrhufen stammte, die der Pfarrer selbst bewirtschaftete und daher ständig in die damit verbundenen Konflikte zwischen den Bauern einbezogen war. Außerdem mußte für Pfarrer wie Gemeindemitglieder ein Problem entstehen, wenn der Pfarrer zur Aufbesserung seines Einkommens einen Krug betreiben durfte und mitunter zu seinen besten Kunden gehörte.

Pfarrer und Gemeinde waren nicht nur ökonomisch, sondern auch was die Kirchenaufsicht angeht, eng aneinander gebunden: einerseits sollte der Pfarrer die „Verächter des Abendmahls" nennen und über den Lebenswandel der Gemeindemitglieder wachen, andererseits wurde bei den Visitationen die Gemeinde „gesondert", d. h. ohne Anwesenheit des Pfarrers über seine Amtsführung und seinen Lebenswandel befragt[58]. Dieses System gegenseitiger Kontrolle sollte – von der Intention her – Mißbräuchen vorbeugen, es konnte aber ebenso Denunziationen fördern.

---

[56]   Die Visitationsberichte sind noch nicht ediert. Sie befinden sich im Königsberger Staatsarchiv, das von der Stiftung Preußischer Kulturbesitz verwaltet wird (Berlin-Dahlem, Geheimes Staatsarchiv).

[57]   Eine Edition der Landesordnungen ist in Vorbereitung.

[58]   Siehe Visitationsinstruktion des Bischofs Paul Speratus vom 12. März 1542 und vom 28. April 1544 (Staatsarchiv Königsberg, Etatsministerium 37a Nr. 5).

Am anschaulichsten wird die Intensivierung der Kontrolle des kirchlichen Verhaltens beim sonntäglichen Gottesdienst. Wurden bereits im 15. Jahrhundert die Schulzen und Kirchenväter damit beauftragt, auf den regelmäßigen Kirchenbesuch zu achten, so wurden im 16. Jahrhundert neue Kirchenbänke angefertigt, auf denen jedem Gemeindemitglied ein bestimmter Platz angewiesen wurde, um sein Fehlen leichter feststellen zu können. In der Kontrolle wechselten sich die Gemeindemitglieder ab[59], die bäuerliche Gemeinde wurde also mit dem ihr vertrauten Rügeverfahren in den neuen landesherrlich-landeskirchlichen Kontrollapparat eingebaut.

Die Erfolge dieser neuen Kirchendisziplin waren langsam und beschränkten sich auf den Erwerb von Wortkenntnissen und der Demonstration von äußerer Kirchlichkeit, wobei bei den Litauern selbst diese Formalität nicht unbedingt eingehalten wurde[60]. Um so verwunderter waren zeitgenössische Beobachter, daß sie eine Sittlichkeit des Verhaltens zeigten, die anscheinend bei den deutschen Bauern nicht anzutreffen war[61].

Es ist der Kirchenzucht ebenfalls nicht gelungen, Volksglauben („Aberglauben") und das Beharren auf „papistischen" Formen der Volksfrömmigkeit zu unterdrücken oder wenigstens einzuschränken, hatte doch die Reformation dazu beigetragen, den kriminalisierten Bereich von Religion auszuweiten[62]. So läßt sich zwar eine Reinigung der Hochreligion von „abergläubischen" Bestandteilen feststellen, doch wirkte die Rationalisierung der Religion noch nicht auf eine Ethisierung der Lebensführung, sondern unter den Bedingungen der Entwicklung rationaler Verwaltungsmittel durch den entstehenden Staat nur als äußere Disziplinierung. Das distanzierte Verhältnis der preußischen Bauern zur institutionalisierten Religion wird in der Konfrontation mit den aus Salzburg vertriebenen Protestanten anschaulich dargestellt: Der Pfarrer in Budwethen beschreibt erstaunt, wie die Salzburger ihren Dialog mit Gott in freien Gebeten führen können[63]. Toeppen beobachtete noch im 19. Jahrhundert, daß die Masuren zwar steng kirchlich waren, ihre Religiosität jedoch außerhalb der Kirche im Volksglauben entfalteten[64]. Hier spielen sicher die

---

[59]   Die evangelischen Kirchenordnungen (wie Fußnote 30), Nr. 10a „Fürstlicher durchleuchtigkeit zu Preussen bevelch, in welchem das volk zu gottesforcht, kirchengang, empfahnung der heiligen sacramente und anderm vermant wird. Vom 1. Februar 1543", S. 58.

[60]   Königsberger Staatsarchiv, Etatsministerium 55e, Nr. 1, Kirchenvisitation Insterburg 1590.

[61]   CASPAR HENNENBERGER, Erclerung der Preussischen groessern Landtaffel oder Mappen, Königsberg 1595, S. 160–162.

[62]   H. WUNDER, Hexenprozesse im Herzogtum Preußen während des 16. Jahrhunderts, in: Hexenprozesse in Norddeutschland und in Skandinavien im 16., 17. und 18. Jahrhundert (vorläufiger Titel), erscheint 1982 in der Reihe „Studien zur Volkskunde und Kulturgeschichte in Schleswig-Holstein".

[63]   W. HUBATSCH, Geschichte (wie Fußnote 30), Bd. 1, S. 190.

[64]   M. TOEPPEN, Geschichte Masurens (wie Fußnote 35), S. 497–508.

mehrfach angeführten ethnischen Unterschiede in Preußen eine Rolle, die im
Hinblick auf die Vermittlung von Religion mit den Übersetzungen der wichtigsten Texte keineswegs aufgehoben waren. Vor allem bei den Preußisch-
Litauern blieb eine kulturelle Eigenständigkeit auch in der wirtschaftlichen
und sozialen Organisation bis weit in das 19. Jahrhundert erhalten.

Doch ist die grundsätzliche Frage, warum die verschiedenen bäuerlichen
Gruppen in Preußen, möglicherweise mit unterschiedlicher Akzentuierung, am
Prozeß der Ethisierung der Lebensführung durch die Ethisierung der Religion
kaum teilnahmen, noch nicht beantwortet. Die Erklärung, die sich unter der
Weberschen Perspektive anbietet, könnte darin gesehen werden, daß die
realen Existenzbedingungen aller bäuerlichen Gruppen sich nicht so grundlegend veränderten, daß sich ihnen eine neue Sinngebung und eine neue Lebens-
weise aufgedrängt hätte. Für die bäuerliche Lebensperspektive war immer
noch die Vorstellung vom „limited good"[65] bestimmend, und im Rahmen
dieser ökonomischen Rationalität handelten sie, gaben Gott, was ihm gebührt
(ceremonial fund[66]). Ökonomische Rationalisierung als fortschreitender
kumulativer Prozeß, der die gemeindliche Organisation von Wirtschaft und
Gesellschaft sprengte und neue individuelle Lebenschancen eröffnete, war für
sie noch nicht realisierbar. Doch bestätigen die preußischen Bauern keineswegs Webers pauschale Aussage über die Religiosität des Bauerntums, sie
belegen nur, daß sie im Falle der Reformation aus guten Gründen nicht an der
Ethisierung der Religion teilnehmen konnten. Bäuerliche Gruppen, wie die
Mennoniten, die aus den Niederlanden nach Preußen auswanderten, und die
Salzburger im 18. Jahrhundert zeigen andere Einstellungen zur Religion, die
nicht nur – wie bisher – religionsgeschichtlich behandelt werden müßten,
sondern präziser auf den Zusammenhang von ökonomischer und religiöser
Rationalisierung befragt werden müßten.

Die Auseinandersetzung mit Webers Relitionssoziologie anhand eines konkreten Beispiels hat gezeigt, daß Religionssoziologie weiterhin nicht in einer
„Religionsgeschichte als historische Sozialwissenschaft"[67] aufgehoben ist und
daß trotz aller Annäherungen die Grenzen zwischen Soziologie und Sozialgeschichte nicht verwischt werden können. Soziologische Theoriebildung kann
nicht durch Einzelbeispiele verifiziert oder falsifiziert werden, sondern nur
durch die Prüfung der zentralen These weiterentwickelt werden. Historiker
seien gewarnt, die Explikation einer These mit historischem Prozeß ineinszu-
setzen und Genese mit Funktion gleichzusetzen. Vielmehr bietet die Religionssoziologie dem Historiker Leitlinien zur Ordnung seiner „Fakten" und zu
ihrer Interpretation, die über die explizit in seinem Material enthaltenen

---

[65]   G. M. FOSTER, Peasant Society and the Image of Limited Good, in: American
Anthropologist 67 (1965), S. 293–315.
[66]   E. WOLF, Peasants, 1966, S. 7–9.
[67]   R. VAN DÜLMEN, Religionsgeschichte in der Historischen Sozialforschung, in:
Geschichte und Gesellschaft 6 (1980), S. 36–59.

Verknüpfungen und die Verknüpfungen, die er mit Hilfe der „kritischen Methode" herstellen kann, hinausführen. Bezeichnend für den Unterschied im Zugriff ist z. B. die Behandlung von Adel und Reformation bei M. Weber und bei V. Press. Während Weber bei der grundsätzlichen Orientierung des Adels ansetzt, fragt Press nach den aktuellen Problemen von Adel und Reformation, die vor allem in der standesgemäßen Versorgung der nicht zu verheiratenden Töchter und Söhne bestanden, die ein Auskommen in der katholischen Adelskirche fanden. Beide Zugriffe stehen zwar in einem Spannungsverhältnis zueinander, beide sind jedoch notwendig, um das Verhältnis Adel–Reformation nicht nur kurzfristig, sondern langfristig zu überblicken.

IV. Bauernkrieg

HANS-GEORG ROTT

Der Bauernkrieg und die Stadt Weißenburg im Elsaß
Bemerkungen zur Quellenlage und Versuch einer genaueren
Chronologie

Schon mehr als einmal ist dieses Thema behandelt worden, sei es in allgemeinen Darstellungen des Bauernkrieges[1], sei es im engeren Rahmen der elsässischen Geschichte[2]. Und doch, bei näherem Zusehen stellen sich noch so
manche Fragen, sind auch so manche Unstimmigkeiten zu berichtigen, daß
man es wagen dürfte, dem verehrten Altmeister der Bauernkriegsforschung
folgende, aus heimatgeschichtlichem Interesse geschriebenen Zeilen zu widmen, auf die Gefahr hin, des „sus Minervam docet" bezichtigt zu werden. Da
aber eine ins Detail gehende Abhandlung den Umfang dieses Beitrages über-
schreiten würde, beschränkt dieser sich auf die Erörterung der Quellenlage
und auf den Entwurf einer besseren Chronologie, mit Hinweisen, im Anmer-
kungsapparat, auf neue Einzelheiten und noch ungelöste Probleme.
Vorerst sei jedoch zur Orientierung der Verlauf der damaligen Weißenburger
Ereignisse hier zusammengefaßt. Bei Ausbruch des Bauernaufstandes verbietet

---

[1] Am ausführlichsten bei K. HARTFELDER, Zur Geschichte des Bauernkriegs in
Südwestdeutschland, 1884, S. 150–172; kürzer, aber mit Hinweisen auf neue Quellen,
bei G. FRANZ, Der deutsche Bauernkrieg, 1933[1], S. 365–366 und 370 sowie S. 234,
Fußnote 6.
[2] A. W. STROBEL, Vaterländische Geschichte des Elsasses, Bd. IV, 1844, S. 63–81;
J. RHEINWALD, L'abbaye et la ville de Wissembourg, 1863, S. 197–215; B. BOELL, Der
Bauernkrieg um Weißenburg Anno 1525. Nach einem bei dem Brande der Straßburger
Bibliothek im Jahre 1870 zu Grunde gegangenen Manuscript von Balthasar Boell, hg.
von Joh. Ohleyer, 1873, S. 3–94 + 121–130; O. R[ABAYOIE] LANDSMANN, Wissembourg. Un siècle de son histoire, 1480–1580, 1902, S. 86–125 (dieser Abschnitt auch
in: Revue catholique d'Alsace 21 [1902] passim); J. L. VONAU, La Guerre des Paysans
dans l'Outre-Forêt, in: Etudes alsatiques. La Guerre des Paysans 1525. Etudes et
documents réunis par A. Wollbrett, 1975, S. 39–42 (die dort S. 42 erwähnte Pariser
Handschrift S. Victor 955 [jetzt Bibl. Nat., ms. fr. 25.257] ist nur eine französische
Übersetzung des Gnodalius). Die jüngsten Arbeiten von H. SCHWEER, Weißenburg im
Elsaß. Eine Stadtgeographie, 1964, und von F. EYER, Wissembourg, Geschichte und
Kunst, 1980, streifen nur kurz unser Thema.

Mitte April 1525 der Rat den Bürgern, die Stadt zu verlassen. Dessen ungeachtet, schlägt sich der Rebmann Bacchus Fischbach mit anderen Gesinnungsgenossen zu den Bauern und wird Hauptmann des in nächster Nähe sich bildenden Kleeburger Haufens. In der Stadt wächst die jahrhundertealte Feindschaft gegen die 1524 in ein weltliches Stift verwandelte Weißenburger Abtei: durch die neuen sozialen und religiösen Spannungen noch gesteigert, entlädt sie sich in der Plünderung der Stiftshöfe, als der gefangengenommene Schreiner und Dieb Konrad Umblauff bekennt, im Auftrag des Stiftspropstes Rüdiger Fischer vier Brände gelegt zu haben. Rat und Bürgerschaft bilden einen gemeinsamen Ausschuß, besetzen die Klöster, requirieren deren Vorräte und reißen die Kirche St. Stefan ab.

Auch als der Kleeburger Haufe vor das Schloß des Propstes, St. Remig, zieht, helfen die Weißenburger, es zur Kapitulation zu zwingen und durchs Feuer „an den Himmel zu hängen". Wenige Tage danach fordern die Bauernhaufen die Stadt zum Anschluß auf, doch vergebens; sie versuchen es noch einmal einen Monat später, indem sie vor den Stadtmauern aufmarschieren, aber mit ebensowenig Erfolg. Im Innern zwingt der Ausschuß den Stiftsherren nach zähen Verhandlungen einen Vertrag auf, durch den der Klerus seine autonome Stellung ganz verliert. Aber Anfang Juli wendet sich das Blatt: Der alte Feind der Reichsstadt, der Pfälzer Kurfürst, dessen Schirmverwandter der Weißenburger Propst ist, belagert und bezwingt sie; am 12. Juli muß sie fünf Rädelsführer ausliefern, ihr Geschütz abgeben, auf die Ernennung des Stadtvogtes verzichten, den Vertrag mit dem Klerus kassieren, die evangelischen Prediger abschaffen und ansehnliche Kriegsentschädigungen bezahlen.

1   Die Quellenlage

Als am 25. Januar 1677 der berüchtigte Oberst La Brosse Weißenburg anzünden ließ, ging mit dem Rathaus auch das städtische Archiv in Flammen auf[3]. So konnten sich für diese Stadt in Ermangelung gleichzeitiger Protokolle und Akten die Bauerkriegshistoriker lange nur auf Gnodalius[4] und auf dessen ungenannten Gewährsmann Peter Harer[5] stützen, bis 1873 Johann Ohleyer

---

[3]   Über die ganz wenigen Überreste vgl. A. SCHAAF, Trois livres de taille wissembourgeois du XVe siècle, in: Etudes wissembourgeoises 1 (1959), S. 9–28, bes. S. 11, und P. LEVY, Die Urkunden der Stadt Weißenburg, in: Jahresbericht des Vereins zur Erhaltung der Altertümer in Weißenburg 8 (1912), S. 10–47, 212–214, und 9 (1913), S. 166–167 (bis auf zehn sind z. Z. diese Urkunden z. T. schon länger verloren, z. T. unauffindbar). Über ein weiteres Überbleibsel s. unten Fußnote 19.

[4]   P. GNODALIUS, Seditio repentina vulgi (1570), S. 157–161, 417–425.

[5]   Erstdruck 1625; s. jetzt P. HARER, Wahrhafte und gründliche Beschreibung des Bauernkrieges, hg. v. G. Franz, 1936, S. 45–47, 104–107.

Balthasar Boells Darstellung herausgab[6], die seither als maßgebliche Quelle benützt worden ist.

Bei dieser Veröffentlichung war es allerdings nicht leicht, auf den ersten Blick Boells ursprünglichen Text von den Zusätzen oder Abänderungen Ohleyers zu unterscheiden, um so mehr als ihre Vorlage 1870 verbrannt ist[7]. Dies ist jedoch jetzt möglich, dank dem Auftauchen einer anonymen Handschrift, die sich seit 1886 in Straßburg befindet und sich als eine andere Abschrift von Boells Arbeit herausgestellt hat[8]. Ihr Vergleich mit der Ausgabe von 1873 zeigt, daß Ohleyer Boells Text korrekt wiedergegeben hat, abgesehen von den nur bei Personennamen relevanten orthographischen Varianten sowie von einigen Umstellungen und Auslassungen, welche z. T. wahrscheinlich auf das Konto der verbrannten Vorlage zu buchen sind[9].

Beim ersten Zusehen hat es den Anschein, als ob Boell mehrere seither

---

[6] B. BOELL, Bauernkrieg (wie Fußnote 2). Über diesen Weißenburger Rechtsgelehrten und Chronisten Joh. Balth. Boell (1673–1729) s. R. REUSS, De scriptoribus rerum alsaticarum historicis, 1898, S. 211–212, und E. SITZMANN, Dictionnaire de biographie des hommes célèbres de l'Alsace, I, 1909, S. 191–192. – Über den Weißenburger Professor und Geschichtsforscher Joh. Ohleyer (1816–1888) s. [P. STIEFELHAGEN], Johannes Ohleyer, in: Jahresbericht des Vereins zur Erhaltung der Altertümer in Weißenburg 3 (1907), S. 9–12 sowie DERS., Der handschriftliche Nachlaß des Professors Ohleyer, in: ebd. 9 (1913), S. 104–116; über diesen Nachlaß, der noch im Besitz der Familie ist und der mit B. BOELL, Bauernkrieg (wie Fußnote 2) den manchmal ungenauen Ausführungen von O. R. LANDSMANN, Wissembourg (wie Fußnote 2) als Grundlage gedient hat, vgl. noch die handschriftlichen Übersichten und Auszüge von P. Stiefelhagen in der Weißenburger Stadtbibliothek (Sign. 0489, 0546 und 0907).

[7] Diese gehörte zur Bibliothek Schöpflins, war aber, wie aus einigen falschen Namensformen hervorgeht, nur eine Abschrift des bis jetzt verschollenen Originals, das „Nachrichten von der Stadt Weißenburg" betitelt war und dessen 2. Teil „Weißenburger Stadtrecht" hieß.

[8] Archives du Bas-Rhin (zitiert: ABR), 12 J. 1679 (Austausch Baden I): „Weißenburger Bürgermeisterbuch, 2ter Theil". Bl. 1–22 der alten Zählung fehlen; auf Bl. 23 beginnt [Boell] den 2. Teil seines „Denck-Memorials" mit der Episode des Pfarrers Motherer von St. Johann und den Predigten Bucers in Weißenburg. Ab Bl. 32 r° geht es mit dem Bauernkrieg und seinen unmittelbaren Folgen für die Stadt weiter bis Bl. 80 r°, was den Seiten 9–95 und 121–130 von Ohleyers Ausgabe entspricht.

[9] So hat Ohleyer die „Vergichten" Umlauffs erst am Ende seiner Veröffentlichung abgedruckt, andere Akten aber, wie den Vertrag vom 12. Juli 1525 und die Protestation dagegen vom 5. Januar 1526, an ihren rechten Platz gesetzt (S. 50–57, 80–86). Als wichtige Auslassungen seien angegeben: ein vierter Brief der Bauern an Gemeinde und Einwohner der Stadt, vom 27. April 1525 (zu S. 14); § 8 der den Stiftsherren am 14. Juni 1525 vorgehaltenen Artikel (zu S. 25); eine Bemerkung Boells über die Parteilichkeit des Beatus Dietrich (zu S. 48). Um so willkommener sind die zahlreichen Fußnoten sowie die Boell z. T. unbekannten Akten, die Ohleyer in ihrem vollen Wortlaut hinzugefügt hat (bes. S. 58–80).

verschwundene Originaldokumente von 1525, deren Text er auch wiedergibt, noch unter der Hand gehabt hätte. In Wirklichkeit ist dem nicht so, sondern, wie der Jubilar es schon vor Jahren feststellte[10], standen Boell nur zwei Quellen zur Verfügung, die er, so gut es ging, chronologisch ineinander verwob. Da sie aus zwei entgegengesetzten Lagern stammen, ergänzen sie sich gut und haben noch den Vorteil, daß sie den Ereignissen von 1525 sehr nahe liegen, ja z. T. mit ihnen gleichzeitig sind. Boell gibt aber nur von der einen die Identität an[11].

Es ist das Tagebuch des Weißenburger Stiftsherrn Beatus Dietrich[12], dessen Original noch vor 150 Jahren existierte, dann aber, bis auf ein von Ohleyer gerettetes Bruchstück, zu Tüten zerrissen wurde und so verlorenging[13]. Man wäre auf Boells Auszüge angewiesen, die übrigens nicht leicht abzugrenzen sind, wenn es nicht noch eine andere Handschrift gäbe, die auf dieses Diarium

---

[10] G. FRANZ, Bauernkrieg (wie Fußnote 1), S. 365 Fußnote 2.

[11] B. BOELL, Bauernkrieg (wie Fußnote 1), S. 25, 48, 95.

[12] Über ihn siehe R. REUSS, De scriptoribus (wie Fußnote 6), S. 103–104. Als Ergänzung dazu sei vermerkt, daß er bereits 1510 und 1512 als „diffinitor" des Stiftes St. Stefan in Weißenburg fungiert (ABR, Arch. d. kath. Pfarrei v. Weißenburg, Nr. 221 [„Liber censualis S. Stephani"], Bl. lxxxiij r°, Cvj v° und lxij v°: er müßte also in den achtziger Jahren des 15. Jh. geboren sein). Am 25. April 1524 figuriert er als ehemaliger Mönch von SS. Peter und Paul zu Weißenburg in der Säkularisationsbulle der Abtei und wird einer der zehn Kanoniker des neuen Stiftes, dem das St. Stefansstift inkorporiert wird (vgl. Gallia christiana, Bd. V, 1731, Instr. Sp. 539; war der dort genannte Heinrich Dieterich, ebenfalls ehemaliger Mönch und nun vicarius perpetuus des neuen Stifts, ein Verwandter von ihm?). Am 26. April 1525 verwüstet der Weißenburger Pöbel seinen Stiftshof (Schlettstadt, Stadtbibl., Hds. 188, Bl. 6 v°). Am 6. Februar 1546 wird er zum Dekan des Weißenburger Stiftes gewählt (B. Boell, „Nachrichten von der Stadt Weißenburg", Abschrift Stiefelhagens von der Abschrift Ohleyers, Weißenburg, Stadtbibl., Nr. 0489, S. 199–200). 1558 erscheint er noch im „Liber censualis" des Stiftes (ABR, Arch. d. kath. Pfarrei v. Weißenburg, Nr. 219, b, Bl. 111 r°).

[13] B. BOELL, Bauernkrieg (wie Fußnote 2), S. 25. Über den Umfang des Originals macht Boell in seinem „Bürgermeisterbuch" nur die folgenden Angaben: auf Bl. 3 und 4 standen die Nachrichten über Heinrich Motherer und Bucers Aufenthalt in Weißenburg 1522/23, und auf Bl. 31 der Anfang der Beschießung vom 9. Juli 1525 (ABR, 12 J 1679, Bl. 23 v° und 60 v°). Ein wichtiger Teil davon war die Erzählung des Überganges des Stiftes Weißenburg an die bischöfliche Mensa in Speyer 1545/46, von der Ohleyer eine französische Übersetzung veröffentlicht hat in: Revue d'Alsace, 1852, S. 305–312 (von diesem Text gibt es noch weitere Fassungen, z. B. in der Weißenburger Stadtbibl., Hds. Zoegger, Heft XII, S. 19–32 und XIII, S. 1–9; Schlettstadt, Stadtbibl., Hds. 385, Heft Nr. 7, S. 12–20; vgl. auch unten Fußnote 14). Wo sich z. Z. das von Ohleyer gerettete Originalfragment, das anscheinend die Jahre 1545/46 betraf, befindet, ist nicht bekannt.

zurückgeht. Eine solche befindet sich in der Stadtbibliothek von Schlettstadt[14]: soweit noch feststellbar, ist es ein nicht immer fehler- und lückenloser Auszug, der aber erlaubt, Boells Entlehnungen genauer zu bestimmen[15]; man kann sogar die Veröffentlichung Ohleyers durch Notizen vervollständigen, welche durchaus beachtenswert sind, trotz Dietrichs Animosität gegen die Neuerer und den städtischen Pöbel[16].

Boells zweite Quelle, die er aber nicht namhaft macht, sind, wie es der Jubilar schon bemerkt hat[17], die Akten des Prozesses, den der Reichsfiskal Ende Juli 1525 vor dem Reichskammergericht gegen Bürgermeister, Rat und Gemeinde zu Weißenburg anstrengte wegen aktiver Beteiligung am Bauernaufstand. Diese Akten sind erhalten, sogar in zweifacher Überlieferung. Die erste, auf die sich Strobel bereits bezogen hat[18], ist ein wertvolles Überbleibsel des 1677

---

[14] Hds. 188, auf die mich H. J. Vogt freundlicherweise aufmerksam gemacht hat: „Kurtze Verzeichnuß etlicher denckwürdiger Sachen, so sich von der Translation des Stiffts Weißenburg zwischen gemeltem Stifft und der Statt daselbst zugetragen, aus glaubwürdigen Manuscriptis getreulich transsumirt und überschriben worden Anno 1622". Der Schreiber war Mitglied oder Beamter des Stiftes; im Laufe des 18. Jahrhunderts scheint die Handschrift in bürgerliche Hände übergegangen zu sein. Sie umfaßt die Jahre 1513 bis 1622, beginnt Bl. 2 r° mit dem Tod des Abtes Wilhelm von Eyb am 13. Januar 1513 und dem Amtsantritt seines Nachfolgers, des Weißenburger Konventualen Rüdiger Fischer von Berg in Geldern. Es folgt das Auftreten Sickingens und seiner evangelisch-revolutionären Prediger, die Geschichte von Motherer und Bucer in Weißenburg (Bl. 2 v°), Sickingens Ende (Bl. 3 r°), der Vertrag von Schlettenbach vom 20. Mai 1523 (Bl. 3 v°–5 v°) und kurz die Säkularisation von 1524. Von Bl. 6 r° an werden der Bauernkrieg und seine unmittelbaren Folgen für Weißenburg bis 1526 behandelt. Die Feststellung, daß für 1525 die meisten Einträge, nur in etwas ausführlicherer Form, mit den entsprechenden Notizen bei Boell übereinstimmen, auch daß sich dann auf Bl. 27 v°–32 v° die anderweitig als Dietrichs Arbeit bezeugte Relation von der Eingliederung des Stiftes in die Speyerer Bischofsmensa befindet, läßt darauf schließen, daß Dietrichs Tagebuch dieser Handschrift als Vorlage gedient hat und daß sie es in einer vollständigeren Form wiedergibt. Dies hat mir dankenswerterweise auch H. Aug. Schaaf, der beste Kenner der Weißenburger Geschichte, bestätigt, der sicher noch zum vorliegenden Thema wertvolle Ergänzungen sowohl auf sozial-wirtschaftlichem und führungsgeschichtlichem als auf prosopographisch-dokumentarischem und topographisch-ikonographischem Gebiet beisteuern könnte.

[15] Es kommen in Frage B. BOELL, Bauernkrieg (wie Fußnote 2), S. 15 unten, 16, 17 oben, 18 unten, 19 oben, 22 unten bis 27, 44 oben, 47 unten, 48 oben, 61 untere Hälfte, 95, 130 Schluß.

[16] Vgl. im allgemeinen, was die Beziehungen der Stadtgemeinde zu den Klerikern betrifft, besonders die verschiedenen Fassungen der ihnen vorgeschlagenen Artikel und ihre Antworten darauf (vorwiegend zu S. 22–27). Dietrich ergeht sich ausführlicher über die Plünderung der Abtei und die Zerstörung von St. Stefan; in der Affäre Umblauff vermutet er ein Täuschungsmanöver des Rates; auch gibt er viel mehr Namen von Mitgliedern des Ausschusses an.

[17] Siehe Fußnote 10.

[18] A. W. STROBEL, Geschichte (wie Fußnote 2), S. 64–65 Fußnote 3.

zerstörten Stadtarchivs von Weißenburg und muß Boell als Vorlage gedient haben. Es ist ein stattlicher, auf Pergament geschriebener Foliant, mit solidem Einband aus Holzdeckeln, die mit gepreßtem Schweinsleder überzogen und mit zwei Messingschließen versehen sind. Er steht jetzt in der Weißenburger Stadtbibliothek, im Westercamp-Museum[19]. Er enthält die etwas gekürzte, offizielle, beim Reichskammergericht gemachte und beglaubigte Abschrift der Prozeßakten, mit dem für die Stadt so wichtigen Endurteil, dem Freispruch vom 6. Mai 1530.

Die andere Fassung, die originalere, ist die am Reichskammergericht gewachsene Akte, so wie sie sich im Laufe des Prozesses gebildet hat. Sie ist seit 1880 in Straßburg, wo sie 1894 in die Bestände des Bezirksarchivs überging[20]. Das am Anfang liegende Protokoll zeigt, daß die Prozeßakten darin vollständig erhalten sind, außer dem Endurteil, das dort nicht eingetragen wurde. Da es die Originaleingaben sind, ist ihnen gegenüber der Pergamenthandschrift der Vorzug zu geben.

Daß Boell den Text des Prozesses genau kannte, geht aus seiner detaillierten Beschreibung des Prozeßverlaufs hervor[21]. Mehr noch: alle Dokumente und Briefe, die er in extenso bringt[22], hat er aus dieser Quelle; ebenso die markantesten Aussprüche, die er in seine Darstellung eingeflochten hat. Da diese meist aus den städtischen Defensionalartikeln und aus den Aussagen der von der Stadt zitierten Zeugen herstammen, ist es nicht zu verwundern, daß sie fast alle zugunsten der damaligen Stadtregierung sprechen. Um dies besser zeigen zu können, muß man näher auf den Gang des Prozesses eingehen. Am 24. Juli 1525, kaum zwölf Tage nachdem Weißenburg vor der Übermacht der Kurfürsten von der Pfalz und von Trier kapituliert hatte, ließ der Reichsfiskal, Dr. Kaspar Mart, die Stadt vors Reichskammergericht laden wegen Mithilfe bei den Raubzügen der Bauern[23]. Der Rat erklärte sich für unschul-

---

[19] Sign. 0819; er trägt auf dem vorderen Deckel den handschriftlichen Titel: „Urtheyl Brieff Keyserlichen Fiscals contra Weißenburg am Rhein de anno 1530". 1 + 132 Pergamentblätter, mit Notiz von Ohleyer von 1853, daß das letzte Blatt mit dem Namenszug des Kaisers schon seit 25 Jahren fehlt; seither ist auch das damals noch gut erhaltene große Siegel abhanden gekommen. Das Endurteil steht auf Bl. 132 v° (siehe B. BOELL, Bauernkrieg [wie Fußnote 2], S. 93); das erste Zeugenverhör ist, abweichend von den Originalakten, vom 24. November 1526 datiert (Bl. 19 v°–68 v°) und das zweite vom 16. März 1528 (Bl. 102 r°–118 v°).

[20] ABR, 3 B 287 (ehem. Wetzlar 452); dickes Konvolut mit 39 Stücken.

[21] B. BOELL, Bauernkrieg (wie Fußnote 2), S. 91–93: einige der bei ihm fehlenden Daten können anhand der Originalakte ergänzt werden. Er gibt auch S. 93–94, nach dem Endurteil, die Namen der Zeugen, allerdings ohne die wertvollen Altersangaben, welche in den Verhören figurieren.

[22] B. BOELL, Bauernkrieg (wie Fußnote 2), S. 12–15, 28–43, 50–57, 81–87.

[23] ABR, 3 B 287, Nr. 2. Dies geschah wohl auf Anstiften des Pfälzer Kurfürsten sowie seines Schützlings und Rates, des Weißenburger Propstes, der, um sich besser gegen die Stadt behaupten zu können, sich unter den Schirm von Kurpfalz gestellt hatte. Die

dig, und es gelang ihrem Sachwalter, Dr. Konrad von Schwabach, am 19. September 1526 zu erreichen, daß er durch Zeugenaussagen seine 62 Defensionalartikel beweisen dürfe. Diese legten dar, daß der Weißenburger Magistrat die Forderungen der Bauern stets zurückgewiesen habe, trotz deren wiederholten Drohungen, die Reben der Weißenburger auszuhauen. Die Beschlagnahmung der Kirchengüter sei auf Bitten des Deutschordenskomturs und des Statthalters der Johanniter geschehen, um sie vor der Wut der durch Umblauffs Brände erregten Menge zu sichern: dadurch habe der Rat besonders die zahlreichen Rebleute, die mit den Bauern Gemeinschaft machen wollten, zu beschwichtigen gesucht[24]. Fast die Hälfte dieser Artikel setzte auseinander, daß die Stadtverwaltung ihr möglichstes getan habe, um dem Kleeburger Haufen erst ihr schweres Geschütz zukommen zu lassen, als bereits Schloß St. Remig sich ergeben hatte[25].

So wurden am 12. November 1526 und folgend zu Weißenburg 46 Zeugen von drei Kommissaren des Speyrer Rates verhört[26]: Außer 4 Personen[27] waren

---

Ladung erfolgte vielleicht, um einer Klage der Stadt gegen die zwei Kurfürsten zuvorzukommen, da Weißenburg sich schon Ende Juni wegen ihnen an das Reichskammergericht gewendet hatte. Übrigens war Mart seit 1512 und noch 1522 der Sachwalter der Weißenburger Abtei gewesen in dem Prozeß, den sie seit 1510 vor dieser Instanz gegen die vier Mundatdörfer des Amtes Kleeburg führte (vgl. J. ROTT, Der Streit des Weißenburger Abtes mit dem Cleeburger Amt. Ein Vorspiel des Bauernkriegs im Unterland, in: L'Outre-Forêt Nr. 33 [1981/I], S. 63–67). Hat Mart dann 1526, bei entspannterer Lage eventuell, im Zuge des kurpfälzisch-habsburgischen Tauziehens im nördlichen Elsaß, auf habsburgischen Druck hin der Stadt erlaubt, den Beweis ihrer Unschuld zu erbringen? Oder war es, um dem eher altgläubigen, dem Stift besser gesinnten Teil des Rates nicht größere Schwierigkeiten bei der Einwohnerschaft zu bereiten? Auffallend ist, daß Mart von seinem Recht keinen Gebrauch machte, zu den städtischen Defensionalartikeln verfängliche Fragstücke zu stellen.

[24]   ABR, 3 B 287, Nr. 7; deswegen wurden auch die Geständnisse Umblauffs miteingereicht und die Briefe der Bauern beim Zeugenverhör produziert und ins Protokoll aufgenommen.

[25]   In ihren „exceptiones" vom 13. Oktober 1525 hatte die Stadt noch behauptet, daß die Bauern St. Remig mit Hilfe des von den Lauterburgern geliehenen, bischöflich-speyerischen Geschützes erobert hätten (ABR, 3 B 287, Nr. 5, § 42): davon ist dann in den endgültigen Dafensionalartikeln keine Rede mehr.

[26]   Der städtische Büchsenmeister Hans von Pfeddersheim (Pfeddersheimer) sollte als Zeuge auftreten: er war schon 1491 in Weißenburg ansässig (ABR, Arch. d. kath. Pfarrei v. Weißenburg, Nr. 229, k [Ewige Zinse der Abtei], Bl. xxxvij r°); aber er starb zwischen dem 5. Oktober und dem 12. November 1526, angeblich aus Gram über den Haß, den er sich bei den Rebleuten zugezogen hatte, weil er hatte verhindern wollen, daß das große Geschütz dem Kleeburger Haufen geliehen werde; auf alle Fälle hatte ihn im Mai 1525 deren Zunftmeister, der dann Anfang Juli flüchtige Kolben Peter, während einem Essen des städtischen Ausschusses in der ehemaligen Abtei, mit gezücktem Messer zu erstechen gedroht, so daß die Sache vor dem Ausschuß geschlichtet werden mußte (ABR, 3 B 287, Nr. 11, Bl. 60 r° und 126 v°). Als Zeuge wurde

Pfeddersheim durch den Notar Johannes Cleinman ersetzt. Stadtsyndicus war 1526 der Priester Nikolaus Wende, der am 5. Juli 1525 den bereits flüchtigen Thomas Schachinger ersetzt hatte. Letzterer sowie Kaspar Breitenacker (d. mittl.) und Hieronymus Helwig, die alle damals nach Straßburg geflohen waren, waren spätestens am 5. Oktober 1526 wieder in Weißenburg zurück und fungierten resp. als Stadtschreiber, Bürgermeister und Ratsherr; als Alter gaben sie an resp. 44, ca. 35 und ca. 57 Jahre (ABR, 3 B 287, Nr. 11, Bl. 74 r°, 53 r° u. 123 r°). Sie waren wohl die Hauptvertreter der evangelischen Richtung im Rat: von Schachinger weiß man das positiv (M. Bucer, Correspondance, I, publ. p. J. Rott, 1979, S. 205). Der Lebenslauf und die Rolle dieses Mannes wären noch genauer zu untersuchen: laut B. HERTZOG, Edelsasser Cronick, 1592, 10. Buch, S. 220–221, heiratete er (wann?) Katharina, die Tochter des Hans [d. ält.] Breitenacker und der Magdalena Harst, und trat damit in den Kreis der tonangebenden Familien von Weißenburg ein. Im März 1528 ist der Priester Nikolaus Wende Stadtschreiber an seiner Stelle (ABR, 3 B 287, Nr. 32, Bl. 63 r°) und im März 1533 Nikolaus Neuferinger von Rangendingen (ABR 3 B 466, Nr. 29, Bl. 42 r°), der ca. 1510–1527 Sekretär des Grafen Philipp III. von Hanau-Lichtenberg war, im Oktober 1529 als Stadtschreiber von Kaysersberg erscheint (ABR, 3 B 466, Nr. 127, BL. 75 v°) und 1536/37 als Sekretär des Grafen Jakob von Zweibrücken-Bitsch-Lichtenberg fungiert (ABR, E 1679 II, Bl. 98 v°–106 r°). 1533 und 1537 ist Schachinger einer der am Weißenburger Staffelgericht amtierenden städtischen Hausgenossen (B. HERTZOG, Cronick [wie oben], S. 182). 1539 ist er Fürsprech am Großen Rat in Straßburg, 1543 aber nicht mehr (Straßburg, Stadtarchiv, VI [VCG] 496). Heinrich Motherer, der evangelische Pfarrer von St. Johann, der ebenfalls flüchtete, ging 1526 nach Wittenberg und wurde 1527 Pfarrer in Hessen, wo er 1543 starb (M. J. BOPP, Die evangelischen Geistlichen und Theologen in Elsaß und Lothringen, 1959, S. 380, Nr. 3615 und S. 627). Sein Helfer, Johann Merkel (Merkler, ebd. Nr. 3449) wurde am 12. Juli geköpft; laut B. Dietrich hatte er Anna, Tochter des Jakob von Rittershofen von Weißenburg geheiratet (Schlettstadt, Stadtbibl., Hds. 188, Bl. 2 v°; ein Jacop von Rutershofen zinst ab 1491 dem Stift St. Stefan für einen Weingarten (ABR, Arch. d. kath. Pfarrei v. Weißenburg, Nr. 221, b, Bl. viij v$_o$); ein Merckels Adam von Cleburg, Weinbauer, ist 1490 der Abtei den Zins seit 1468 schuldig, hat aber z. T. dafür gearbeitet: war er der Vater des Helfers? (ABR, Arch. d. kath. Pfarrei v. Weißenburg, Nr. 201, Bl. lxxxvij r°). Über Nikolaus Maurus, den anderen Gehilfen Motherers, vgl. M. J. BOPP, Die Geistlichen [wie oben], Nr. 3408.

[27] Es waren: der Deutschordenskomtur Heinrich Marschalk von Pappenheim, ca. 40 Jahre alt; Herr Christof Schober, Statthalter des Johanniterordens im Eichhof, ca. 48 Jahre alt; Junker Rudolf von Alben, genannt von Sulzbach, ca. 48 Jahre alt und der Notar Johannes Cleimann, ca. 46 Jahre alt (ABR, 3 B 287, Nr. 11, Bl. 78 r°, 89 v°, 72 r° und 115 v°). Pappenheim ist schon 1518 als Richter am Staffelgericht bezeugt (B. HERTZOG, Cronick [wie Anm. 26], 10. Buch, S. 182). Dem Schober wirft der Fiskaladvokat vor, daß er eingestandenermaßen mit einigen Führern der südpfälzischen Bauern während dem Aufstand in Weißenburg gegessen habe; worauf Schwabach erwidert, daß Schober nur den Bauern „den Kragen gefüllt" habe, um die Verheerung der (Johanniter)güter zu verhüten (ABR, 3 B 287, Nr. 14 und 27). Laut B. HERTZOG, Cronick (wie Fußnote 26), S. 215, scheint Sulzbach irgendwie verwandt gewesen zu sein mit der Familie des reichen Altbürgermeisters Mittel Metzer, der ebenfalls als Zeuge verhört wurde und angibt, über 60 Jahre alt zu sein (ABR, 3 B 287, Nr. 11, Bl. 109 v°). Unter den anderen Hintersassen, die am 7. Mai 1525 den beson-

es lauter Bürger von Weißenburg, ja Ratsherren und Bürgermeister oder alte Bürgermeister. Prompt hob auch der Fiskaladvokat, Dr. Mathias Held, der spätere Reichsvizekanzler, diese Tatsache hervor und wies darauf hin, daß sogar die vier Nichtbürger Einwohner der Stadt seien, also ebenfalls alles Interesse daran hätten, daß diese nicht gestraft werde.

Da aber Held zur Erhärtung der Anklage am 28. Januar 1527 dem Reichskammergericht den Text des Kapitulationsvertrags vom 12. Juli 1525 vorlegte, in dem die Stadt sich den zwei Kurfürsten gegenüber als schuldig hatte erklären müssen[28], reichte Schwabach 19 Exceptional- und 7 Additionalartikel dagegen ein, um darzutun, daß jener Vertrag nur unter schwerster Bedrohung zustande gekommen sei, und daß die damals vom Reichsregiment geschickten Kommissare[29] die städtische Führung nur noch mehr eingeschüchtert hätten. Auch dafür erlaubte das Gericht der Stadt, den entsprechenden Beweis zu erbringen, worauf am 10. März 1528 in Weißenburg elf Zeugen verhört wurden, von denen drei 1526 noch nicht zitiert worden waren[30]. Die Beschießung der Stadt durch die Kurfürsten im Juli 1525 war so offenkundig, daß der Prozeß 1530 mit der Zurückweisung der Klage des Reichsfiskals endigte.

Wie schon gesehen, spielte die Leihgabe des städtischen schweren Geschützes an die Bauern während der Belagerung von St. Remig eine große Rolle im Prozeß des Fiskals: war es doch einer seiner gewichtigsten Klagepunkte. In diesem Prozeß, wie schon 1525 den Kurfürsten gegenüber[31], gab der Rat nur

---

deren Treueid der Stadt schwören mußten, figuriert auch Jakob Schorr, Landschreiber der kurpfälzisch/Pfalz-Zweibrückischen Gemeinschaft Gutenberg, der später Kanzler in Zweibrücken wurde und mit Elisabeth, der Schwester von Kaspar Breitenacker [d. mittl.], verheiratet war (s. B. HERTZOG, Cronick [wie Fußnote 26], S. 220). Die genauere Kenntnis dieser Familienzusammenhänge würde sehr zu einem besseren Einblick in die Gliederung der damaligen Weißenburger Führungsschicht beitragen; leider fehlen bei Hertzog öfters die unerläßlichen Jahresangaben.

[28]   ABR, 3 B 287, Nr. 13; das entspricht B. BOELL, Bauernkrieg (wie Fußnote 2), S. 50–57.

[29]   Es waren Graf Ruprecht von Manderscheid-Blankenheim (nicht Dietrich, wie P. GNODALIUS, Seditio [wie Fußnote 4], S. 423 und P. HARER, Beschreibung [wie Fußnote 5], S. 106 es schreiben) und Friedrich von Lippach (Lidwach). Auf ihre Sendung beziehen sich das von G. FRANZ, Bauernkrieg (wie Fußnote 1), S. 370 Fußnote 3 angegebene Schriftstück in Heidelberg, Universitätsbibliothek, Cod. pal. germ. 788, Bl. 18 und die Akten im Haus-, Hof- und Staatsarchiv Wien, Kleine Reichsstände, Weißenburg 535, auf die J. KÜHN, Deutsche Reichstagsakten. Jüngere Reihe, Bd. VII, 1935, S. 167 Fußnote 2, hinweist. Vgl. auch J. VOLK, Zur Frage der Reichspolitik gegenüber dem Bauernkrieg, in: Staat und Persönlichkeit. Erich Brandenburg zum 60. Geburtstag dargeboten, 1928, S. 61–90.

[30]   Es sind der Weber Georg Artzt, Bürger zu Weißenburg, 43 Jahre alt; der Ratsherr Oswalt Gisel, ca. 36/37 Jahre alt, und Meister Nikolaus Wende, Priester und Stadtschreiber, ca. 64 Jahre alt (ABR, 3 B 287, Nr. 32, Bl. 66 r°, 77 v° und 63 r°).

[31]   B. BOELL, Bauernkrieg (wie Fußnote 2), S. 42.

zu, daß er infolge des stürmischen Auftritts der Rebleute dem Kleeburger Haufen lediglich eine Halbkartaune zugestanden habe, ihren Transport aber so lange aufgehalten, daß aus ihr kein Schuß gegen St. Remig gefeuert wurde, weil die Garnison vorher kapitulierte[32]. In Wirklichkeit bekannte der Rat nur einen Teil der Wahrheit; denn es gibt eine dritte Quelle, die weder Boell noch Ohleyer gekannt haben und die zu dieser Episode einige die Stadt mehr belastende Korrekturen beisteuert.

Es sind die Akten des Prozesses, den Propst Rüdiger im August 1528 vor dem Reichskammergericht gegen die vier großen Dörfer des Hattgaues wegen ihrer Teilnahme am Kleeburger Haufen und der Zerstörung von St. Remig anstrengte[33]. Da der Propst seine Klage durch Zeugenaussagen beweisen durfte, ließ er 32 Zeugen aufmarschieren, von denen mindestens 17 sich aktiv am Bauernkrieg beteiligt hatten und, trotz ihrer zurückhaltenden Aussagen, die offenkundigen Tatsachen nicht leugnen konnten. Der Sachwalter der Hattgauer, Dr. Christof Hoß, ging daher darauf aus, die Schuld seiner Partei soviel wie möglich herunterzuspielen: mittels der von ihm zu den Klagartikeln gestellten Fragstücke versuchte er, durch die Zeugen sein Argument stärken zu lassen, daß ohne die Mithilfe der Weißenburger das Schloß St. Remig nicht kapituliert hätte und nicht zerstört worden wäre.

Tatsächlich erfährt man aus dem am 27. Januar 1533 erfolgten Verhör[34], daß Fischbach, der Hauptmann des Kleeburger Haufens während der Belagerung von St. Remig zweimal in die Stadt ritt: das erste Mal brachte er einen starken Trupp Weißenburger Schanzer heraus, mit all dem nötigen Geschirr; das

---

[32] Da laut Kapitulation vom 12. Juli 1525 die Weißenburger ihr gesamtes grobes Geschütz den beiden Kurfürsten ausliefern mußten, weiß man aus P. HARER, Beschreibung (wie Fußnote 5), S. 107, daß es aus „2 vast hubsch carthaunen, uff die new form seuberlich gemacht, schossen eysenkugel, . . ., item 2 guter halbschlangen, . . . , 2 alter steinbuchslin" bestand. Es ist auch die Rede von 6 Doppelhaken mit den dazugehörigen Steinen, welche die Rebleute aus dem Zeughaus nach St. Remig brachten, nachdem sie dem Zeugmeister und dem Deutschordenskomtur die Schlüssel entrissen hatten (ABR, 3 B 287, Nr. 11, Bl. 82 v° f; der Fiskaladvokat spricht 1528 von 12 Doppelhaken: ebd., Nr. 38).

[33] ABR, 3 B 1411 (ehem. Wetzlar 1947): auf sie hat, in anderem Zusammenhang, bereits G. FRANZ, Bauernkrieg (wie Fußnote 1), S. 234 Fußnote 6, hingewiesen. Über diesen Prozeß siehe W. LIST, Zur Geschichte des Bauernkrieges im Elsaß. Belagerung, Plünderung und Zerstörung des Schlosses St. Remigius bei Weißenburg, in: Landeszeitung für Elsaß-Lothringen, 1886, Nr. 206; [A.] SCHMITTER, Plünderung und Zerstörung des Schlosses St. Remigius bei Weißenburg, in: Jahresbericht des Vereins zur Erhaltung der Altertümer in Weißenburg 2 (1906), S. 18–23; J. ROTT, Neue Quellen und Detailaspekte über den Bauernkrieg im Unterelsaß, in: Reform, Reformation, Revolution, hg. v. S. Hoyer, 1980, S. 212–217.

[34] Nachdem der Prozeß im März 1529 eingeschlafen war, wurde er im Mai 1532 wieder aufgegriffen und endete 1538 mit der Verurteilung der Hattgauer zur Zahlung einer Entschädigung von 700 Gulden an den Propst, die sie auch im August 1538 entrichteten (ABR, 3 B 1411, Nr. 25).

zweite Mal handelte es sich darum, das grobe Geschütz der Stadt zu bekommen. Er scheint dabei mehr Erfolg gehabt zu haben, als der Rat es später zugeben wollte; denn die Mehrzahl der Zeugen, die vor St. Remig gewesen waren, behaupteten, dort zwei große Büchsen aus Weißenburg gesehen zu haben[35]. Wichtiger noch ist die Mitteilung, daß die Bauern dafür einen Bürgen stellten, nämlich einen der Ratgeber ihres Stabes[36]: das wirft ein neues Licht auf die Verhandlungen der Bauernschaft mit dem städtischen Ausschuß. In diesem Prozeß findet man auch die Bestätigung der schon im ersten Prozeß gemachten Wahrnehmung, daß in der ganzen Zeit die Bauern so ziemlich ungestört in Weißenburg aus- und eingehen konnten. So brachten sie nach der Einnahme von St. Remig, unter guter Bewachung, das Silberzeug des Propstes in die Stadt und verkauften es dort für 227 Gulden an den Goldschmied Peter[37]. Die Zeugen behaupten auch, daß die Weißenburger den Befehlshaber

---

[35] Allerdings spricht ein Teil der Zeugen nur von einer oder zwei Büchsen; einige haben Ratsherren und Hans von Pfeddersheim dabei gesehen. Interessant ist die Aussage von Fauts Jörg von Weißenburg, genannt Fischbachs Jörg, damals ca. 40 Jahre alt, verheiratet, nicht leibeigen, 100 Gulden vermöglich, der eine Wiese vom Stift in Lehnung hat und sehr wahrscheinlich der Bruder des Bacchus Fischbach ist: er sagt u. a., daß er selbst und etwa 40 Weißenburger beim Kleeburger Haufen waren, daß aber die Bauern auch ohne die Hilfe der Bürger St. Remig erobert hätten (ABR, 3 B 1411, Nr. 25, Bl. 93 ff). Für die Haltung des Bacchus Fischbach seiner Vaterstadt gegenüber ist auch wichtig die Szene, die sich in Niederrödern nach dem ersten Aufmarsch der Bauern vor Weißenburg abspielte: dort warf ihm ein pfälzischer Bauernführer vor, den Haufen „vom rechten nest, Weißenburg meynende" abgezogen zu haben; bei der darauf folgenden Abstimmung, durch welche der Beschluß gefaßt wurde, wieder gegen die Stadt zu ziehen, stimmten die beim Haufen anwesenden Weißenburger dagegen, ebenso die Surburger und etliche Bauern aus dem Kleeburger Amt (ARB, 3 B 287, Nr. 11, Bl. 120 r⁰ f, 121 v⁰, 129 v⁰ f). Das so getadelte Verhalten Fischbachs paßt genau zu seiner ihm ebenfalls vorgeworfenen Verzögerung beim späteren Aufmarsch der Bauernhaufen gegen Weißenburg (s. B. BOELL, Bauernkrieg [wie Fußnote 2], S. 21–22).

[36] Hans Reuter (Reiterhensel) von Hatten, aus Hagenau gebürtig, nicht leibeigen, mehr als 50 Jahre alt, der vorsichtigerweise beim Verhör die Höhe seines Vermögens nicht angibt und nur sagt, daß es ungefähr zur Hälfte aus Schuldforderungen besteht, auch nicht verrät, daß er Bürge gewesen war, aber gestehen muß, daß er während sechs Jahren nach dem Bauernkrieg von zu Hause abwesend war (ABR, 3 B 1411, Nr. 25, Bl. 33 r⁰ ff, 58 v⁰, 97 v⁰). Tatsächlich tritt er 1529 als Fleckensteinischer Schultheiß im Uffried auf, gibt an, Wirt zu sein und ein Vermögen von 200 Gulden zu haben (ABR, 3 B 466, Nr. 127, Bl. 47 v⁰).

[37] Dieser wird als „Schwager" des Propstes bezeichnet, dem er dann alles zurückgeben mußte, dafür sich aber schadlos halten konnte an den Bauern, die beim Verkauf des Silbers dabei gewesen waren: so mußte der eine, Kilis (Künlins) Michel von Surburg, 49 Jahre alt, ca. 800–900 Gulden vermöglich, 85 Gulden bezahlen, und der andere, Fischbachs Jörg, 45½ Gulden geben (ABR, 3 B 1411, Nr. 25, Bl. 53 r⁰j, 95 r⁰). Der Propst behauptete jedoch 1537, daß er längst nicht alles wiederbekommen habe (vgl. [A.] SCHMITTER, Plünderung [wie Fußnote 33], S. 21–22), von den Dokumenten

des Schlosses, Wolfgang Breitenacker, zur Übergabe aufforderten, aber er habe sich erst dazu entschlossen, als er „die Hauptstück" der Stadt in Stellung vor St. Remig sah[38]. Den Aussagen zufolge wurde das ausgeplünderte Schloß unter der Leitung des Weißenburger Büchsenmeisters Hans von Pfeddersheim mit Holz, Stroh und Pulver gespickt und in Brand gesteckt[39].

Was noch an sonstigen Quellen vorhanden ist, wurde zum größten Teil bereits von Ohleyer in seiner Ausgabe von Boells Darstellung gedruckt; anderes ist sonstwo erschienen[40]. Letzteres und andere Dokumente, die noch zerstreut in Karlsruhe und in Straßburg, auch in Heidelberg und in Wien liegen, tragen nur, soweit ersichtlich, Einzelheiten zum Gesamtbild bei[41].

2 Chronologie

Den zeitlichen Ablauf der Ereignisse betreffend sind die Prozeßakten leider oft von einer mißlichen Unbestimmtheit; manchmal hat man sogar den Eindruck,

---

ganz abgesehen: laut B. Dietrich wurde Schachinger beauftragt, die in St. Remig vorhandenen Register und Briefschaften zu sortieren, die dem Rat nützlichen, in die Stadt bringen zu lassen und den Rest an Ort und Stelle zu verbrennen (Schlettstadt, Stadtbibl., Hds. 188, Bl. 8 r°).

[38] ABR, 3 B 1411, Nr. 25, Bl. 52 v°, 90 r°, 108 r°. Wolfgang Breitenacker, gestorben 1561, von 1518 bis 1546 Schultheiß des Stiftes in Weißenburg, war der Sohn des Paul Breitenacker und der Katharina Artzt, also ein Vetter ersten Grades von Kaspar Breitenacker [d. mittl.] (B. HERTZOG, Cronick [wie Fußnote 26], 10. Buch, S. 217–218). Seine Frau, geb. Elisabeth Harst, die in der Stadt ihr zehntes Kind erwartete, schickte ihren Bruder, den Altbürgermeister Eucharius Harst, 34 Jahre alt, mit noch zwei verschiedenen Vettern ihres Mannes, Hans Breitenacker [d. j.], 30 Jahre alt, und Reinfried Breitenacker, Altbürgermeister, ca. 26 Jahre alt, nach St. Remig, um mit Bacchus Fischbach zu reden, daß ihr Mann mit dem Leben davonkomme, was auch der Fall war (ABR, 3 B 287, Nr. 11, Bl. 105 r° f, 112 r°, 127 v° f). B. Hertzog hat sich gescheut zu sagen, daß Wolf Breitenacker schließlich doch das Schloß aufgab: der Chronist hatte nämlich Elisabeth, das 21. und letzte Kind der Gatten Breitenacker-Harst, geheiratet. Vgl. J. ROTT, Bernhart Hertzog (1537–1596/97), Chronist und Amtmann zu Wörth, in: L'Outre-Forêt, Nr. 26 (1979 II), S. 37–48.

[39] ABR, 3 B 1411, Nr. 25, Bl. 52 v°.

[40] Der bei B. BOELL, Bauernkrieg (wie Fußnote 2), S. 57, Fußnote, angegebene Vertrag ist veröffentlicht worden von A. STERN, in: Zeitschrift für die Geschichte des Oberrheins 23 (1871), S. 196–198. Ein für die unmittelbare Vorgeschichte wichtiges Aktenstück ist abgedruckt bei G. FRANZ, Der deutsche Bauernkrieg, Aktenband, 1968[2], S. 184–185, Nr. 46.

[41] In Karlsruhe sind es die bei O. R. LANDSMANN, Wissembourg (wie Fußnote 2), verschiedentlich zitierten Dokumente aus den kurpfälzischen und Speyerer Beständen; in Straßburg, ABR, Schriftstücke in den Serien C und G; für Heidelberg und Wien s. oben Fußnote 29.

daß dies gewollt sei, um die Tatbestände besser zu verschleiern[42]. In dieser Hinsicht ist es mit dem Tagebuch Dietrichs weit besser bestellt. Deswegen beansprucht auch der folgende Versuch einer genaueren Chronologie keine unbestreitbare Gültigkeit.

1525, Januar 24/25: Tag in Hagenau wegen dem drohenden Bundschuh.

Februar 7: Städtetag in Straßburg wegen dem Bundschuh.

Februar kurz vor 12: Konrad Umblauff trifft Propst Rüdiger Fischer im Bienwald.

März 5: Umblauff trifft den Propst wieder in St. Remig.

März 27 und 28: Vier von Umblauff angelegte Feuer brechen aus.

März 29/30: Tag in Hagenau wegen dem Bundschuh.

April 2: Umblauff geht nach Schweigen und trifft den Propst nicht.

April 3: Umblauff wird gefangengenommen.

April 3–11: Erste Bauernunruhen im mittleren Elsaß (Heiligenstein usw.).

April 9–10: Markgräfliche Bauern besetzen vorübergehend Durlach.

April 14–15: Zusammenkünfte der Bauern in Dorlisheim.

April 16 (Ostern): Besetzung der Abteil Altdorf, Anfang des Aufstandes im Unterelsaß.

April ca. 16/17: Verordnung des Weißenburger Rates, daß jedermann zu Hause bleiben soll.

April 17/18: Bildung des Neuburger Haufens.

April ca. 17/18: Bacchus Fischbach geht zum Neuburger Haufen und wird darauf Hauptmann des Kleeburger Haufens.

April 19: Erstes Verhör Umblauffs.

April 20: Zweites Verhör Umblauffs.

April zwischen 21 und 25: Zusammenrottung eines Teils der Bürger unter drei Hauptleuten.

April 22: Der Neuburger Haufe schreibt an den Rat von Weißenburg.

April 26: Überfall auf den Stürzelbronner Hof, den Eichhof, die Stiftshöfe von Johann Bingel, Beatus Dietrich u. a. Klerikern.

April 27: Zwei Briefe des Kleeburger Haufens, einer an den Rat, der andere an die Gemeinde und Einwohner von Weißenburg.

April 28: Bildung des Ausschusses; Einnahme der Abtei St. Peter u. Paul.

April 29: Briefe des Kleeburger Haufens an Bürgerschaft und Zünfte.

Mai 1: Plünderung der Abtei, Abtransport der Wertsachen und Bausteine.

Mai 2: Besetzung von St. Stefan, Anfang des Abbruchs, Abtransport der Wertsachen. Abgraben des Wassers von Schloß St. Remig.

Mai 3: Bacchus Fischbach holt Schanzer aus der Stadt gegen St. Remig.

---

[42] So scheinen zum Beispiel die auf die beiden Aufmärsche der Bauern vor Weißenburg sich beziehenden Begebenheiten durcheinander geraten zu sein; die nach Schweigen verlegte Episode, angeblich vom 10. Juli 1525, bei B. BOELL, Bauernkrieg (wie Fußnote 2), S. 48, dürfte sich eher im Lager zu Minfeld am 5. Juli abgespielt haben.

Mai 4: Stürmische Versammlung im Bürgerhaus zum Holzapfel wegen dem Leihen des städtischen Geschützes an die Bauern vor St. Remig.

Mai 5: Szenen wegen dem Hinausführen einer großen Büchse; Übergabe von St. Remig, Abtransport des Silbers und der Dokumente, Plünderung.

Mai 6: Fortsetzung der Plünderung und Verbrennung von St. Remig.

Mai 7: Eid der Bürger und Hintersassen, beim Reich zu bleiben.

Mai wahrscheinlich 8 (nach 7, vor 13?): Demonstration der Bauern vor Weißenburg, am anderen Tag nach der Einnahme von Bergzabern; Ringels Veltin begehrt 200 Mann im Namen der Bauern; die Schultheißen von Minfeld und Kandel essen in der Herberge zum Helfant.

Mai 9: Der Ausschuß verlangt die Gültbriefe von St. Stefan.

Mai 10 (wahrscheinlich eine Woche vorher): Straßburg schreibt an Weißenburg wegen St. Remig.

Mai 11: Schreiben der Stiftsherren von St. Stefan an ihren Dekan und den Altbürgermeister Heinrich Merbel in Speyer wegen den Gültbriefen.

Mai 13: Verbrennung der Zinsbücher der Abtei.

Mai 14: Zerstörung der Bilder in St. Stefan.

Mai ca. 14: In Niederrödern beschließen die Bauern, gegen Weißenburg zu ziehen, müssen aber nach Zabern abmarschieren.

Mai 17: Der Ausschuß fragt nach den Gütern der Stiftsherren. Niederlage der unterelsässischen Bauern bei Zabern.

Mai 23: Der Ausschuß läßt die Stiftsherren 6 Artikel schwören.

Mai 27: Neues Verhör Umblauffs.

Mai 29: Bekanntmachung von Umblauffs Aussagen.

Juni 3 (sehr wahrscheinlich): Mißglückter Angriffsversuch der Mörlheimer, Westricher und Kleeburger Haufen auf Weißenburg.

Juni 5: Der Ausschuß übergibt den Stiftsherren einige Artikel.

Juni 6: Umblauffs Vergicht wird dem Landvogt von Hagenau geschickt.

Juni 7: Die Stiftsherren antworten dem Ausschuß.

Juni 9: Verhör Umblauffs vor dem Gesandten des Landvogts.

Juni 10: Verbrennung der Zinsbücher des Stiftes. Tagung der unterelsässischen Stände in Hagenau.

Juni 13: Erwiderung des Ausschusses auf die Antwort der Stiftsherren.

Juni 14: Verurteilung und Verbrennung Umblauffs. Die Stiftsherren legen den Text ihrer Rückantwort an den Ausschuß fest.

Juni 15: Übergabe dieser Rückantwort an den Ausschuß.

Juni 16: Verlesung der Rückantwort vor dem Rat und Beschluß desselben.

Juni 17: Der Ratsbeschluß wird den Stiftsherren mitgeteilt; einwilligende Antwort derselben; Versprechen, ihnen das Entwendete zurückzugeben.

Juni 19: Der Ausschuß läßt den Stiftsherren seine endgültigen Artikel vorlesen.

Juni 20: Wegnahme von Spelz und Hafer aus der Abtei; Abbruch ihres Bierhauses.

Juni 21: Verlesung der endgültigen Artikel, Annahme derselben durch die

Stiftsherren und Besiegelung durch den Deutschordenskomtur sowie Junker Rudolf von Alben, genannt von Sulzbach.

Juni 22–23: Dieser Vertrag wird der Gemeinde bekanntgemacht; trotzdem wird weiter Holz, Stein und Frucht aus dem Stift geholt.

Juni 24: Niederlage der linksrheinischen Pfälzer Bauern bei Pfeddersheim; Kurpfalz und Kurtrier marschieren gegen Weißenburg.

Juni 26: Bürgereid der Stiftspersonen; Anfang der Rückgabe der beschlagnahmten Kleinodien.

Juni nach 24, vor 30: Supplikation von Dr. Schwabach an das Reichsregiment; Mandat an die zwei Kurfürsten.

Juni 30: Schreiben des Kurfürsten von der Pfalz an Weißenburg.

Juni 30 oder Juli 1: Die Stadt schickt dieses Schreiben an den Landvogt; Supplikation Schwabachs an das Reichskammergericht.

Juli 1: Antwort des Reichskammergerichts: Die Sache geht das Reichsregiment an.

Juli 1 oder 2: Zweite Supplikation Schwabachs an das Reichsregiment. Antwort des Landvogtes. Antwort der Stadt an Kurpfalz.

Juli 3: Zweites Schreiben des Pfälzer Kurfürsten an die Stadt.

Juli 3 oder eher 4: Entschuldigung der Stadt an Kurpfalz.

Juli 4: Pfälzischer Rekognitionsritt vor die Mauern von Weißenburg.

Juli vor 5: Flucht Schachingers nach Straßburg.

Juli 5: Verhandlungen der Ratsdelegierten mit den Kurfürsten zu Minfeld.

Juli 6: Erfolglose Mitteilung der Kapitulationsbedingungen an die Gemeinde.

Juli 7: Beschluß der Gemeinde, sich zu wehren; Rückkehr der Ratsdelegierten ins Lager nach Minfeld. Flucht von Kaspar Breitenacker, Hieronymus Helwig und Heinrich Motherer nach Straßburg. Angebot der in den Wäldern bei Kleeburg und Straßburg versteckten Bauern, der Stadt Weißenburg zu Hilfe zu kommen.

Juli 8: Beginn der Belagerung der Stadt und ihrer Beschießung durch die Kurfürsten. Zweite Supplikation Schwabachs an das Reichskammergericht.

Juli zwischen 8 und 10: Zweites Mandat des Reichsregiments an die Kurfürsten; Mandat des Reichskammergerichts an dieselben.

Juli 9: Blasen der Trompeten und Verschärfung der Beschießung.

Juli 10: Fortgang der Beschießung. Ankunft der Kommissare des Reichsregimentes im kurfürstlichen Lager und Besprechung derselben mit den Ratsdelegierten vor den Toren von Weißenburg.

Juli 11: Ca. 1200 Schüsse werden in die Stadt geschossen. Rückkehr der Kommissare vom Lager, ihr Vortrag vor der Gemeinde, die kapituliert.

Juli 12: Einzug der Fürsten, Besiegelung des Kapitulationsvertrages, Hinrichtungen; Abzug der Fürsten und Abtransport des groben Geschützes aus der Stadt.

Juli 13: Die Kurfürsten teilen sich die Beute und die Kriegsschatzung. Vorläufiger Bescheid des Landvogtes an die Gesandten der Stadt und des Stiftes betreffend den Ersatz der Kriegsschäden.

Juli 14: Die Stiftsherren lesen wieder die Vesper in der Stiftskirche.

Juli 15: Abzug der Fürsten von ihrem Feldlager. Fortgang des Chorgangs.

Juli kurz nach 15: Kassierung des Vertrags zwischen Stadt und Klerisei vom 21. Juni 1525. Ankunft des Landvogts und Ernennung altgläubiger Pfarrer an St. Johann und St. Michael.

Juli ca. 24: Entschuldigungsschreiben der Stadt an den Städtetag zu Ulm.

Juli 24: Ladung vor das Reichskammergericht auf Klage des Reichsfiskals.

August 11: Eröffnung dieser Ladung dem Bürgermeister der Stadt.

September 4: Erneute Vollmacht für Dr. Schwabach für diesen Prozeß.

1525 nach Juli 12, vor 1526, Januar 6: Schadenersatzforderung des Stiftes.

1525 nach Juli 12, vor 1526, Januar 6: Entgegnung des Rates darauf.

1525 nach Juli 12, vor 1526, Januar 6: Replik des Stiftes.

1526, Januar 5: Protestation der Stadt gegen den Vertrag vom 12. Juli 1525.

Januar 6: Allgemeiner Schiedsspruch des Landvogtes zwischen der Stadt und dem Stift wegen dem Bauernkrieg.

Oktober 31: Vertragsentwurf zwischen Stadt und Stift wegen einzelnen Forderungen.

November 16: Endgültiger Abschluß dieses Vertrags.

1527, Quittung des Stiftes für die von der Stadt laut Vertrag bezahlten 400 Gulden für den Platz, wo die Kirche von St. Stefan stand.

1530, Mai 6: Freispruch der Stadt durch das Reichskammergericht.

August 16: Kaiser Karl V. erlaubt wieder dem Rat, den (Stadt)Vogt vorzuschlagen.

HEINZ HAUSHOFER

Die Ereignisse des Bauernkriegsjahres 1525 im Herzogtum Bayern

In dem schon klassisch gewordenen Werk von Günther Franz über den deutschen Bauernkrieg[1] wird das vom übrigen deutschen Süden so deutlich verschiedene Verhalten des Herzogtums Bayern sichtbar. Franz erwähnt auch das mehrdeutige und unterschiedlich beurteilte Treffen oberbayerischer Bauern auf dem Peißenberg. Es liegt also für einen in Sichtweite des Peißenbergs ansässigen Oberbayern nahe, in einer Festschrift für Franz nach den Gründen für diese Sonderstellung des Herzogtums Bayern im entscheidenden Jahr 1525 zu fragen.

Dabei interessiert zuerst der Zustand eben dieses Herzogtums Bayern vor 1525. Zur Methodik des Versuchs einer Antwort kann H. Lutz in Spindlers „Handbuch der bayerischen Geschichte" zitiert werden[2], der einleitend zu seinem Kapitel „Das konfessionelle Zeitalter" schrieb: „Dabei ist es weder deskriptiv möglich noch methodisch sinnvoll, die inneren Entwicklungsmomente des Landes säuberlich zu trennen von den gewaltigen politisch-kirchlichen Impulsen und Herausforderungen, die das neue Zeitalter sozusagen von außen her an Bayern herantrug."

Damit sind bereits angesprochen: die Entwicklung der eigenen Staatlichkeit des Herzogtums; das sozusagen außenpolitische Verhältnis etwa zu Habsburg und Württemberg – in das durch die Persönlichkeit des Herzogs Ulrich von Württemberg eine besondere Note hereingebracht wurde; der Humanismus; die katholische Reformbewegung und die Reformation Luthers; die sozialrevolutionäre Unruhe und eine religiöse Subkultur, die sich besonders im Täufertum sammeln sollte.

Für den Zweck dieses Beitrags war also eine Entscheidung hinsichtlich des Vorgehens zu treffen: zwischen dem Versuch einer minutiösen Darstellung des Ablaufs der Ereignisse unter Berücksichtigung aller dieser Strömungen oder einer relativ groben Gliederung – auch wenn diese im Sinne des obigen Zitats von Lutz nicht ganz säuberlich trennen könnte. Es wurde deshalb für folgende Gliederung entschieden:

---

[1] G. FRANZ, Der deutsche Bauernkrieg, 1977[11].
[2] H. LUTZ, Das konfessionelle Zeitalter, in: Max Spindler (Hg.), Handbuch der bayerischen Geschichte, Bd. 2, 1966, 296 f.

1. Die politische Verfassung des Herzogtums Bayern um 1525.
2. Die konfessionelle Entscheidung und ihre Auswirkungen.
3. Die gesellschaftliche Stellung des Bauern im Herzogtum.
4. Die politischen und militärischen Ereignisse 1525.
5. Die spätere geschichtliche Beurteilung der Krise.

Auch hier wäre eine andere Anordnung möglich, es wäre z. B. durchaus denkbar, mit der gesellschaftlichen Stellung des Bauern zu beginnen. Dagegen herrscht bei fast allen Autoren Übereinstimmung darüber, daß der werdende Territorialstaat der Wittelsbacher durch sein politisches und militärisches Eingreifen entscheidend zur Wendung der Ereignisse beigetragen hätte, so daß es auch aus diesem Gesichtspunkt unausweichlich ist, mit diesem Einfluß zu beginnen – mag man ihn nun Herrschaft, Macht, Gewalt, Regiment, Regierung oder Verwaltung nennen ... er hatte von alledem etwas!

1   Die politische Verfassung des Herzogtums Bayern um 1525

Das Herzogtum war 1506 durch die Primogeniturordnung Albrechts IV. wieder vereinigt worden, das Zeitalter der Landesteilungen war beendet, und Bayern sollte für alle Zukunft „eins und unteilbar" bleiben. Die Landeseinheit war hart erkauft worden. Der vorhergegangene Bayerische Erbfolgekrieg 1504/05 hatte eine grauenhafte Verwüstung Ostbayerns und 1506 die Abtretung der drei Gerichte Rattenberg, Kufstein und Kitzbichl an Tirol zur Folge gehabt. Bayern hatte damit den Bergreichtum dieses Gebiets und eine bedeutende Quelle seines Staatseinkommens verloren, war aber für die kommenden Jahrzehnte auch innenpolitisch entlastet worden: Das streitbare Element der Bergknappen war kein bayerisches Problem mehr, sondern war ein tirolisches geworden.
1508 hatte Wilhelm IV. die Regierung angetreten. Er regierte bis 1550, also – lange Zeit zusammen mit seinem Bruder Ludwig – 42 Jahre. Von 1512 bis ebenfalls 1550 diente ihm als Rat und Vertrauter Leonhard Eck, also 38 Jahre. Auf die Persönlichkeit Ecks ist noch zurückzukommen, aber allein schon das Vorhandensein eines solchen unerschütterlichen „Gespanns" von Herzog und Rat über rund vier Jahrzehnte stellte in dieser erregten Zeit einen bestimmenden Faktor dar. (Von beiden Protagonisten existieren gute Portraits: von Herzog Wilhelm das Bild von Wertinger in der Münchner Alten Pinakothek von 1526, von Eck der bekannte Kupferstich von Beham von 1527. Das erstere zeigt einen ernsthaften, eher nachdenklichen Renaissance-Fürsten, der letztere einen hochintellektuellen, aber harten Politiker – beide können den Psychologen zum vergleichenden Studium empfohlen werden.)
Der Landtag von 1516 bildete einen Markstein im Prozeß des stetigen Abbaues der früheren ständischen Vormacht und der Herausbildung des modernen „Staates". Die „Erklärung der Landsfreiheit" wurde 1518 neuge-

faßt, es folgte die „Reformation des Landrechts". Die „Landesordnung"
bedeutete einen weiteren Schritt in der Richtung auf eine Vereinheitlichung
von Verwaltung und Polizei. 1520 wurde eine neue Gerichtsordnung für
Ober- und Niederbayern erlassen und damit die Rechtseinheit im Herzogtum
angebahnt. Mit ihr wurde auch das Recht der Berufung (Appellation) an die
herzoglichen Gerichte abgesichert.

Es liegt auf der Hand, daß alle diese neuen Maßnahmen und Ordnungen
erhebliche Zeit für ihre Durchsetzung in der Praxis von Verwaltung und
Rechtssprechung brauchten. Trotzdem ergibt sich ganz objektiv für jeden in
der Wirklichkeit der Gesetzgebung Erfahrenen der Eindruck einer umfangreichen reformierenden Leistung, und dies gerade in den Jahren unmittelbar vor
dem Bauernkrieg. Aus dem noch „spätgotischen" Ständestaat des 15. Jahrhunderts wurde der „Staat der Renaissance". Besonders in den 20 Jahren von
1506 bis 1525 hatte sich viel verändert.

Die sog. Freiheitsbriefe oder Handvesten der gleichen Jahre sind selbstverständlich mit einer modernen Verfassung oder einem Grundgesetz nicht zu
vergleichen – vielleicht enthalten sie sogar (verglichen mit der Praxis auf dem
flachen Land!) auch Elemente des Utopischen. Gerade deswegen und in
gewissem Sinn als Dokument des Ständestaats wie des „Alten Rechts" sei aus
dem 48. Handveste von 1508, also der ersten seit der Vereinigung des Landes
1506, zitiert[3]. Die Handveste wendet sich an

„die Würdigen, Ehrsamen und Andächtigen in Gott, Wohlgeborenen, Edlen
und Vesten, Ehrsamen und Weisen, unser lieben und getreuen Prälaten,
Grafen, Freien, Dienstmannen, Ritter und Edlen, Knechte, Stätte und
Märkte in allen Landen zu Obern und Niedern Bayrn . . .",
und bestätigt den Genannten dann

„Burgern und Baurn, armen und reichen . . . alle und jede ihrer Handvest,
Privilegia, Freiheitsbrieff, Gerechtigkeit, löblich altes Herkommen, und gut
gewohnheit."

„Also wer der were, der uns daran engen, irren, darein greiffen, oder ainich
krenckhen darinn thun wolle, daß wir des getreulichen beieinander bleiben,
und uns wehren . . . Wurde aber jemands unter uns darin übergriffen, der
mag . . . sich des erklagen der Herrschaft und irn Amtleuten, etc.".
So stark hier das ständische Element noch erscheinen mag – zwei Jahre später
folgt der Landtag von 1516 mit einer anderen Weichenstellung. Das folgende
16. Jahrhundert steht in Bayern hinsichtlich des Verhältnisses von Landesherrschaft und Adel ganz im Zeichen der Einordnung dieses Adels in den werden-
den Flächenstaat. Bosl hat für das Mittelalter von der „Adeligen Unfreiheit"

---

[3] Sammlung der Baierischen Landständischen Freyheitsbriefe und sogenannten
Handvesten etc., 1779, 86 f.

gesprochen[4]. Dieser Begriff ist ohne weiteres auch auf die beginnende Neuzeit in Bayern zu übertragen. „Herrschaft" und „Dienst" halten sich auch für diejenigen Familien die Waage, die in der Wirklichkeit der Verwaltung für den Bauern das „Land" (oder den „Staat") repräsentieren. Das wird sehr deutlich, wenn man die konkreten Einzelfälle, also methodisch gesehen die Genealogie, heranzieht. Das bekannte Werk von Ferchl über die bayerischen Behörden und Beamten[5] setzt zwar aus Gründen der Quellenlage erst mit 1550 ein. Aber die daraus ersichtlichen Tendenzen gelten schon für die vorhergegangenen Jahrzehnte. Der Einblick in die Genealogien der damals „staatstragenden" Schicht macht zwei Tatsachen deutlich: Wie sehr es erstens dem Herzogtum gelungen war, den Adel in seinen Staats- und Verwaltungsaufbau einzugliedern, und wie durchlässig die Abgrenzungen dieser Schicht gegen die „sozialen Aufsteiger" in Wirklichkeit waren. Fried übertreibt sicher nicht, wenn er als Folge dieses Prozesses feststellt[6]: „(Beim Adel entstand) eine neue Mentalität, die vom Ethos des Fürstendienstes geprägt und als eine Vorform des absolutistischen Staatsdienerbewußtseins des späteren bayerischen Hof-, Offiziers- und Beamtenadels anzusehen ist." Das Verfahren der sozusagen photographischen Momentaufnahme der sozialen Schichtung genügt zum Erkennen ihrer unablässigen Dynamik absolut nicht. Sobald die Untersuchung des Sachverhalts in die konkreten Einzelschicksale eintritt, wird deutlich, daß auch in Bayern z. B. die Beziehungen zwischen Bauern und Bürgern viel enger waren, als oft angenommen wurde.

Der großflächige Staat konnte auch hinsichtlich der Freizügigkeit des Bauern die neuzeitliche Dynamik, vor allem der Bevölkerungsbewegung, viel elastischer aufnehmen als die kleine Grundherrschaft. Daraus folgt die Problematik der Behinderung der Freizügigkeit durch „Eigenschaft", die Gero Kirchner deutlich gemacht hat[7], eine Behinderung, die ja mit eine der Hauptursachen der bäuerlichen Unzufriedenheit wurde. Ein kennzeichnendes Beispiel für die Möglichkeiten des Staates bietet etwa das Gericht Marquartstein, in welchem die Bauern schon Ende des 15. Jahrhunderts Erbrecht bekommen hatten[8]. Es wurde

„. . . bey allen und jeden Underthonen im Gericht Marquartstein Erbrecht

---

[4] K. BOSL, Die Adelige Unfreiheit, in: Bohemia, Jahrbuch 16 (1975).

[5] G. FERCHL, Bayerische Behörden und Beamte 1550–1804, in: Oberbayerisches Archiv 53 (1911/12).

[6] P. FRIED, „Modernstaatliche" Entwicklungstendenzen im bayerischen Ständestaat des Spätmittelalters. Ein methodischer Versuch, in: H. Patze (Hg.), Der deutsche Territorialstaat im 14. Jahrhundert, Bd. 2 (Vorträge und Forschungen 14), S. 301–341.

[7] G. KIRCHNER, Probleme der spätmittelalterlichen Klostergrundherrschaft in Bayern, Landflucht und bäuerliches Erbrecht, in: Zeitschrift für bayerische Landesgeschichte 19 (1956).

[8] HSTA München, Marquartsteiner Gerichtsurkunden I, 56, 81/2, Urbarsbuch von 1569.

geben auf den Guetern Gründten Albm Asten, dann waidt Visch und andern Wössern Holzwax zue Perg und Tall Mohs und Auen." Die Verleihung des Erbrechts sollte sich hier in der Folge nicht nur auf die herzoglichen, sondern auch auf die nichtherzoglichen Bauern erstrecken – die klösterlichen und kirchenstiftischen Güter wurden aber trotzdem noch am Ende des 16. Jahrhunderts nur freistiftisch verliehen! Hier wird die Spannung zwischen dem Herzogtum und den kleineren – besonders auch geistlichen – Herrschaften deutlich, der wir besonders im westbayerischen sog. Pfaffenwinkel und an einem der Brennpunkte der bayrisch-allgäuischen Auseinandersetzung 1525 begegnen. Einen hervorragenden und darum besonders aufschluß-reichen Fall der „Späne und Irrung" zwischen einer geistlichen Grundherr-schaft gerade dieser Landschaft und ihren Bauern (Rottenbuch 1466–1470) hat Renate Blickle in allen Einzelheiten dargestellt. Die Erinnerung daran muß 1525 bei allen Beteiligten lebendig gewesen sein![9] Zur Beurteilung dieser geistlichen Herrschaften ist aber wichtig, daß es keinem der früher reichsun-mittelbaren Stifte im Herzogtum gelungen war, seine Reichsunmittelbarkeit zu behaupten. Sie waren samt und sonders landständisch geworden und unter-standen damit einer Münchner Kontrolle, die sich auch auf das Verhältnis der Prälaten zu ihren Bauern auswirken konnte, wie die Behandlung einzelner Konflikte ausweist[10]. Auch stammten die Prälaten der landständischen Klö-ster, wie statistisch von Edgar Krausen nachgewiesen wurde, überwiegend aus dem Bürger- und Bauerntum. Diese Stifte waren also keine Reservate des Adels.

Um die Ursachen dieser Spannung zu erkennen, ebenso aber auch die Mög-lichkeiten der dann 1525 tatsächlich eingetretenen staatlichen Einwirkung, genügt ein vergleichender Blick auf die politische Landkarte des Herzogtums Ober- und Niederbayern, dann Schwabens und Frankens, wie sie der „Bayeri-sche Geschichtsatlas" möglich macht[11].

2 Die konfessionelle Entscheidung und ihre Auswirkungen

Die vorreformatorische Situation in Bayern war denkbar uneinheitlich: „Zu verschiedenartig stellen sich die Fragen nach den Mißständen, Mentalitäten, Reformansätzen und -möglichkeiten von Ort zu Ort, von Kloster zu Kloster,

---

[9] R. BLICKLE, „Spenn und Irrung" im „Eigen" Rottenbuch. Die Auseinandersetzun-gen zwischen Bauernschaft und Herrschaft des Augustiner-Chorherrenstifts, in: P. Blickle (Hg.), Aufruhr und Empörung. Studien zum bäuerlichen Widerstand im Alten Reich, 1980, S. 69–145.
[10] P. FRIED, Studien zur Grundherrschaft des Augustiner-Chorherrenstifts Rotten-buch, in: H. Pörnbacher (Hg.), 900 Jahre Rottenbuch, 1974.
[11] M. Spindler (Hg.) und G. Diepolder (Red.), Bayerischer Geschichtsatlas 1969 (hier besonders die Karten Schwaben um 1450 und Franken um 1500).

oft auch von einem Jahrzehnt oder Jahrfünft zum anderen"[12]. In dieser Lage verhielten sich die beiden Herzöge zunächst abwartend, sie mahnen noch 1521 hinsichtlich der Verfolgung der Schriften Luthers „gemach zu thun". Bayern hatte auch bei der Zusammenstellung der „Gravamina Nationis Germanicae" auf dem Wormser Reichstag deutlich mitgewirkt. Den Herzögen wird auch der im ganzen Deutschland „weitverbreitete antirömische Affekt" nachgesagt.

Erst als die „zwayung" im Glauben – dies der Begriff bei Herzog Wilhelm! – deutlicher wird, kommt es 1522 zu einer Entscheidung gegen Luther: auf der Konferenz der beiden Herzöge in dem kleinen, noch heute als mittelalterlicher Baukörper erhaltenen Schloß Grünwald im Isartal südlich von München. Das Gewicht der Grünwalder Beschlüsse lag aber auch nur zum Teil auf der Abwehr dieser „zwayung", sondern noch stärker auf dem entschlossenen Weitertreiben jener innerkirchlichen Reform, die dann nach der Glaubensspaltung zur katholischen Reform wurde.

Der Grünwalder Konferenz folgte das erste bayerische Religionsmandat vom 5. März 1522 und die Verhandlungen mit dem Salzburger Erzbischof wegen der Einberufung eines geistlichen Reformkonvents unter Beteiligung der Herzöge. Tatsächlich kam es schon vom 26. bis 31. Mai 1522 zum Mühldorfer Reformkonvent, der verschiedene an sich brauchbare Ansätze erbrachte, die aber als Folge der politischen Unruhe im Reich wieder versandeten. Daraufhin trat Bayern in direkte Verhandlungen mit der Kurie ein, wobei der Wunsch nach einem Nationalkonzil im Hintergrund stand. Ergebnis war der Regensburger Konvent vom 27. Juni bis 7. Juli 1524, auf dem die bayerischen Herzöge mit der Drohung des Verlassens des Konvents erzwangen, daß neben der Religionsfrage im allgemeinen auch die Reformfrage behandelt wurde. Das praktische Ergebnis war einerseits ein Zusammenschluß gegen Luther, andererseits eine kirchliche Reformordnung, deren Statuten für ganz Deutschland verbindlich werden sollten.

Vor dem Ausbrechen des Bauernkrieges stand Bayern also konfessionspolitisch in einer doppelten Frontstellung: Einerseits gegen die Gefahr der „zwayung" – so noch 1524 betont! –, andererseits gegen das reformfeindliche Beharren besonders der geistlichen Reichsstände. Man kann also den Herzögen keinen uneingeschränkten Konservatismus anlasten, sie waren entschiedene Vorkämpfer der katholischen Kirchenreform. Allerdings sahen sie eine praktische Chance für die Verwirklichung dieser Reform nur auf dem Wege über die entschlossen einzusetzende Kraft der Landesfürsten und ihrer „Staaten". Doch hätte dieses Vorgehen, wie schon der zähe Beginn der Verhandlungen 1522–1524 erwies, einen längeren Spielraum erfordert. Es genügt, darauf zu verweisen, daß es bis zum Beginn des Tridentinums 1545 weiterer zwanzig Jahre bedurfte. Das Ausbrechen des Bauernkrieges 1525 ließ alle diese langfristig angelegten Reformgespräche plötzlich abbrechen, denn von nun an wurde

---

[12] H. LUTZ, Das konfessionelle Zeitalter (wie Fußnote 2).

die direkte Koppelung des religiösen mit dem sozialpolitischen Komplex offenbar. Nicht nur der bayerische Rat Leonhard Eck war davon überzeugt, daß „zwischen sozialer Revolution und evangelischer Lehre" ein direkter Zusammenhang bestand, sondern auch die Geschichtsschreibung bis heute, daß in der Bewegung ein „starker sozialreligiöser Unterton" (Bosl[13]) vorhanden war.

Hinzu kam, daß – ganz abgesehen von späterer katholischer Staatsreligion und späterem evangelischem Landeskirchentum –, also unabhängig von katholischer Reformbewegung und Luthertum, eine religiöse Unterströmung im Werden war, die alles kirchliche Wesen als „Betrügerei" bezeichnete und sich nach 1526 auch in Bayern in einem rasch ausbreitenden Täufertum sammelte. Der Unterschied in der Beurteilung beider Kräfte äußert sich (wie Rankl gezeigt hat[14]) sehr deutlich in ihrer verschiedenen Behandlung durch den Staat. Während die konfessionellen Konflikte bis zum Frühjahr 1525 noch relativ mild, großenteils durch Urfehdebriefe, aus der Welt geschafft wurden, tritt den Täufern gegenüber nach dem Bauernkrieg eine z. T. grausame Verschärfung ein. Diese Verschärfung traf dann in Einzelfällen auch evangelische – es gab auch hier Hinrichtungen. Jedenfalls sind von 1525 an die örtlich aufflackernden Stellungnahmen für die Reformation im konfessionellen und die Revolution im politischen Bereich nicht mehr genau zu trennen.

Einzelne Adelige scheinen von Anfang an mit der Reformation sympathisiert zu haben – es handelt sich dabei um einen ähnlichen Kreis, aus dem dann 1553 die sog. Adelsverschwörung der Ortenburg, Maxlrain und Freyberg kam. Aus dieser ständisch-konfessionellen Fronde gelang es dann nur dem Reichsstand Graf Joachim von Ortenburg, 1563 offiziell die Augsburger Konfession einzuführen. Einzelne evangelische Zellen scheint es auch in Städten (Straubing, Landshut, Wasserburg) gegeben zu haben – doch sind hier irgendwie organisierte Bildungen kaum zu fassen. Direkt zu fassen sind dagegen die von Rankl[15] aufgeführten Einzelfälle, wie u. a. die Enthauptung des Sebastian Tuschler in München 1523, der seine antikatholische, ja fast antichristliche Überzeugung in Schwaz gewonnen haben wollte, und die Enthauptung des gebürtigen Kitzbühlers Johannes Hörl 1526 in Wasserburg. Beide Fälle, so verschieden sie im einzelnen auch lagen, deuten aber auch auf die starken Einflüsse aus den erregten, vormals bayrischen und nun tirolischen Bergwerksgebieten und dem Zentrum Schwaz in Tirol.

Am 15. Februar 1525 war Leonhard Eck der Meinung, „das diser Handl entlich seinen Ursprung aus den luterischen leren (hat), dann den merernteil so ziehen die Paurn ihre Begern auf das Gotzwort, Evangeli und pruederliche

---

[13] K. Bosl, Bayerische Geschichte, 1971, 178 f.
[14] H. Rankl, Gesellschaftlicher Ort und strafrichterliche Behandlung von „Rumor", „Empörung", „Aufruhr" und „Ketzerei" in Bayern um 1525, in: Zeitschrift für bayerische Landesgeschichte 38 (1975). S. 524–569.
[15] Ebd.

Lieb"[16]. Die 12 Artikel schienen ziemlich genau vier Wochen später diese Auffassung zu bestätigen, ganz gleich, ob man ihnen zustimmte oder sie ablehnte.

In den kommenden Monaten des Frühjahrs 1525 verschmelzen Abwehr der „lutherischen Lehre" und der sozialen Forderungen der Bauern für das Herzogtum zu einer unauflösbaren Einheit. Dieser politischen wie zeitweise auch militärischen Herausforderung gegenüber treten die zwangsläufig mehr diplomatischen Bemühungen um die innerkirchliche Reform in den Hintergrund. Erst nachdem die Katholizität des Landes gewährleistet war und dadurch eine eigentliche Gegenreformation innerhalb des Herzogtums unterbleiben konnte, kam die innerkirchliche Reform in Richtung auf das Tridentinum zum Tragen.

3   Die gesellschaftliche Stellung des Bauern im Herzogtum

Aus der Zeit vor dem Bauernkrieg stammt die oft zitierte Charakteristik des 1534 verstorbenen Aventin[17]:

> „Der gemain Mann so auf dem Gä und Land sitzt gibt sich auff den Ackerbau und das Vihe / liegt demselben allein ob / darff sich nichts on geschefft der Obrigkeit understehen / wirdt auch in keinen Raht genomen oder Landschafft erfordert / doch ist er sonst frey / mag auch frey ledig eygen Güter haben / dient seinen Herren / der sonst kein Gewalt yber in hat / järlich Gelt / Zinse und scharbach (= Scharwerk, d. V.) / thut sonst was er wil / sitzt tag und nacht bey dem Wein / schreyet / singt / tantzt / kartet / spielt / mag Wehren tragen / Schweinspiess und lang Messer."

Dieses eine Zitat könnte eingehender kommentiert werden. Nachdem aber gerade das Waffenrecht im Bauernkrieg und für seine Auswirkungen eine große Rolle spielt, sei kurz auf dieses eingegangen. Es ist dabei für damals zwischen Waffenbesitz und Waffentragen ebenso zu unterscheiden wie heute. Wenn z. B. in einem Fall, den Rankl[18] nennt, 1520 eine Verurteilung zu Gefängnis erfolgt, weil ein Mann mit einer gespannten Armbrust zu Pferd ritt – dann ist dies mit dem Auftreten eines Heutigen in der Öffentlichkeit mit durchgeladener Maschinenpistole vergleichbar. Stöcklein sagt dazu[19]: „Diese . . . Waffenverbote stellten nur das offene Tragen von Waffen unter Verbot, nicht aber den Besitz von Waffen." Ja, dieser wurde vor und nach dem Bauernkrieg bei den Musterungen gefordert und listenmäßig festgehalten.

---

[16]   W. VOGT, Die bayerische Politik im Bauernkrieg und der Kanzler Leonhard von Eck als Haupt des Schwäbischen Bundes, 1883, S. 71, 383.

[17]   J. AVENTINUS, Chronica, 1566, S. 12.

[18]   H. RANKL, Gesellschaftlicher Ort (wie Fußnote 13).

[19]   H. STÖCKLEIN, Bauernwaffen, in: Bayerischer Heimatschutz 30 (1934), 59 f.

Die Wehrverfassung des Herzogtums war mehrfach durchorganisiert worden. Im 16. Jahrhundert galt, daß auf 10 Höfe ein Hauptmann entfiel, von dem es in den Musterungslisten oftmals heißt: „Ist ein Baur"[20]. Ich habe zur Sicherheit Musterungslisten aus dem 16. Jahrhundert durchgesehen, die einen bäuerlichen Zweig meiner Familie, also „gemeiner Leute" betreffen, und fand durchweg Spieß, Kragen oder Krebs, auch Vorder- und Hinterteil genannt, und Hauben, in der zweiten Hälfte des Jahrhunderts, also nach dem Bauernkrieg, auch „Puchsen"[21]. Das Aufgebot der Bauern verlief dann auch 1525 in den an den Lech grenzenden Landgerichten fast ohne Anstände.

In engstem Zusammenhang mit dem Waffenrecht steht seit jeher das Jagdrecht. Die große Rolle, die Mißstände auf dem Gebiet der übermäßigen Wildhege und der daraus folgenden Wildschäden bei allen Bauernaufständen dieser Jahre gespielt hatten, ist genugsam bekannt. Doch hing ihr Ausmaß weitgehend von der Verfassung und Verwaltung der Landes- und Grundherrschaften ab. Ein Vergleich zwischen dem bayerischen Herzogtum und dem übrigen Süd-, im besonderen Südwestdeutschland, veranlaßte jedoch Hans W. Eckardt zu dem differenzierenden Urteil, die Mißstände mit der Jagd hätten „im großen Territorium Bayerns mit seiner starken Landesherrschaft nicht die Schärfe annehmen können wie im stark zersplitterten Westen"[22].

Etwa gleichzeitig mit der Organisation der Hauptmannschaften seit der zweiten Hälfte des 15. Jahrhunderts hatte sich im Herzogtum auch die Einteilung der Bauernhöfe nach dem sog. Hoffuß durchgesetzt, vom Ganzen (1/1) zunächst bis zum 1/8-Hof, der sog. Bausölden. Als Folge des wachsenden Bevölkerungsdrucks im 16. Jahrhundert ging dann die Unterteilung vom 1/16 und 1/32-Hof, dem „Leerhäusl", weiter. Der bayerische Hoffuß ist heute meist durch die heftige Kritik der Aufklärungszeit in schlechter Erinnerung, zumal er im 18. Jahrhundert als Grundlage für die Besteuerung überholt und ungeeignet war. Damals aber war das Durchsetzen dieser einheitlichen Bemessungsgrundlage – so primitiv sie uns heute erscheint – ein großer Schritt in die Richtung auf jene Steuergerechtigkeit, die der Bauer erwartete.

Es ist erfahrungsgemäß schwierig, die Lage „des Bauern" oder „der Landwirtschaft" in irgendeinem Zeitraum objektiv zu bestimmen. Das gelingt immer nur relativ, im Vergleich zu einem früheren Zeitpunkt oder zu anderen vergleichbaren Verhältnissen. Weil gut erforscht, eignet sich dazu das Verhältnis des bayerischen Bauern in den ersten Jahrzehnten des 16. Jahrhunderts zur Geldwirtschaft. Auf der einen Seite gab es selbstverständlich auch in Bayern

---

[20] H. HAUSHOFER, Bäuerliche Führungsschichten in Altbayern, in: G. Franz (Hg.), Bauernschaft und Bauernstand 1500–1972 (Deutsche Führungsschichten der Neuzeit 8), 1975, S. 113.

[21] BSTA Amberg, Standbuch 154, Musterungslisten aus dem 16. Jahrhundert u. a.

[22] H. W. ECKARDT, Herrschaftliche Jagd, bäuerliche Not und bürgerliche Kritik. Zur Geschichte der fürstlichen und adligen Jagdprivilegien vornehmlich im südwestdeutschen Raum (Veröffentlichungen des Max-Planck-Instituts für Geschichte 48), 1976.

das Festhalten des Bauern an jedem „alten Recht", etwa im Sinn der schon genannten Handveste von 1508. Andererseits wollte auch er die Abschaffung von Bindungen, die ihn im „Zeitalter der fortschreitenden Geldwirtschaft" fesselten[23]. Schon die Landesordnung von 1516 und die Reformation des Landrechts von 1518 hatte den Notwendigkeiten der Modernisierung von Kauf, Verkauf und Beleihung von Grund und Boden Rechnung getragen. Die Ordnung des Kreditwesens – und dieses war eben weitgehend Agrarkredit! – war Aufgabe des Staates geworden. Dementsprechend wehrte sich das Herzogtum entschieden gegen die „wucherischen Händel", wozu z. B. 1516 jedes Geschäft gehörte, bei dem mehr als 10 % Zinsen verlangt wurden. Die Herzöge selbst waren, zunächst auch aus religiösen Gründen, Gegner des sog. „5-%-Vertrages" – dem ein heutiger Kreditnehmer nur nachtrauern könnte –, der sich aber dann in der zweiten Hälfte des Jahrhunderts durchsetzte. Berücksichtigt man die Summen, mit denen in den fortgeschrittenen Teilen des Landes auch die Bauernschaft in den Grundstücks-, Waren- und Geldverkehr einbezogen war, dann korrigiert sich auch das Bild des Bauern, soweit man es etwa allein aus der Literatur des 16. Jahrhunderts gewinnen zu können glaubte. Martini kommt z. B. in seiner bedeutenden Arbeit über das Bauerntum im deutschen Schrifttum[24] zu der Ansicht: „Es wird deutlich, wie die Stände innerhalb des Volkskörpers beziehungslos nebeneinander stehen, das Gesamtgefüge des Volkes zerrissen ist" – und dies wäre auch mit eine Hauptursache für den Bauernkrieg gewesen. Dieses Bild mag sich aus der Literatur der Bauernkriegszeit ergeben, besonders soweit diese auf städtische Humanistenfedern zurückgeht. Hier mag man auch den „blinden Haß" auf den Bauern finden, den Tross feststellte[25]. Wir werden beim Kapitel Eck darauf zurückkommen müssen. In der wirtschaftlichen Wirklichkeit scheinen sich die Dinge anders verhalten zu haben, d. h., es bestanden sehr viel mehr Beziehungen zwischen Bauern und Bürgern, Bürgern und Akademikern, Akademikern und Adel, als eine nur statische Betrachtungsweise erkennen läßt. Das war allein schon dadurch bedingt, daß die Bürgerschaft der bayerischen Städte „auch in ihrer Blütezeit an Zahl und wirtschaftlichem Gewicht mehr oder weniger nur Inseln in einem von Bauerndörfern und Bauernmärkten übersäten Land" darstellt (Fried[26]). Berücksichtigt man die bürgerliche Lebenshaltung in diesen Landstädten und -märkten, dann fällt auch die oft angeführte relative Minderung der Stellung des Bauern gegenüber dem neuen Reichtum weniger ins Gewicht – dieser konzentrierte sich in den Städten des Fernhandels.

---

[23] A. COHEN, Die Verschuldung des bäuerlichen Grundbesitzes in Bayern 1598–1745, 1906, 427 f.

[24] F. MARTINI, Das Bauerntum im deutschen Schrifttum von den Anfängen bis zum 16. Jahrhundert, 1944, S. 351.

[25] E. TROSS, Der oberdeutsche Bauer zur Zeit der Entstehung der neuzeitlichen Kultur, Diss. München, 1919.

[26] P. FRIED, „Modernstaatliche" Entwicklungstendenzen (wie Fußnote 6).

Kirchner und Sandberger[27] haben auf die Bedeutung dieser Mobilität, im besonderen für die bäuerliche „Eigenschaft" hingewiesen; und hier wieder auf die Verschiedenheit der Behandlung der Formen der Besitzrechte zwischen dem Herzogtum, also dem Landesherrn, und den kleineren Grund- und Leibherren, wie etwa der westbayerischen Klöster, die sich gegen die „Landflucht" ihrer Untertanen mit zum Teil rigorosen Mitteln wehrten. Der Landesherr dagegen war in der Lage, einen „Schlußstrich unter einen nicht mehr aufzuhaltenden historischen Tatbestand" zu ziehen[28]. Das Herzogtum mußte also „das Rechtsinstitut der Leibeigenschaft nicht mehr einsetzen, um die Geschlossenheit seines Staatsgebildes zu vollenden", und das zum Teil schon Ende des 15. Jahrhunderts. Hier liegen also die Anfänge der späteren vollständigen Auflösung der Leibeigenschaft „spätestens seit dem 17. Jahrhundert". Zur materiellen Lage des bayerischen Bauern fand etwa Tross[29] die Inventare aus dem 16. Jahrhundert „noch ganz mittelalterlich". Das gilt auch noch weitgehend für das 17. Jahrhundert, wie ich am Beispiel der Haushofer zu und von Haushofen nachprüfen konnte, bei denen auch noch „ein verspehrte Truchen und ain gerichts Peth" der wichtigste und manchmal einzige Bestandteil aller Ausstattung ist. Tross kam zwar zu dem Ergebnis, „daß der mittelalterliche Territorialstaat den Bedürfnissen der Bauern durchaus genügte", und daß der Bauer „von dem neuen Staat weitaus die geringsten Vorteile hatte". Berücksichtigt man aber die straffer werdende Überwachung der adeligen und geistlichen Grundherrschaften durch eben diesen „neuen Staat" der Renaissance, dann ist man doch geneigt, dieses Urteil zu korrigieren.

Eines der sichersten Kriterien für die soziale Stellung des Bauern war zu allen Zeiten sein Haus. Das Bayerische Denkmalschutzgesetz von 1973 erbrachte für Oberbayern 5700, für Niederbayern 4500 zu schützende alte Bauernhäuser, darunter eine leider nicht genau zu bestimmende Zahl aus dem 16. Jahrhundert. Liedke, der sich um die Erforschung gerade dieser Häuser bemüht hat, schreibt dazu[30]: „Erst mit dem Einsetzen der Renaissance in Bayern, die hier in Altbaiern etwa mit der Zeit um 1516 ihren Anfang nimmt, treten Bauernhöfe auf, die wir auch heute noch, wenngleich schon meist in stark veränderter Form, erhalten finden können." Diese sind in Einzelfällen heute noch bewohnt, wie etwa der Hof „zum Gugg" in Großbrandenberg von 1542, und lassen erkennen, daß der bäuerliche Wohnstil in der ersten Hälfte des 16. Jahrhunderts von demjenigen in den Landstädten und Märkten nicht

[27]   G. KIRCHNER, Probleme der spätmittelalterlichen Grundherrschaft (wie Fußnote 7). – A. SANDBERGER, Altbayerns Bauernschaft im Ausgang des Mittelalters, in: Bayerisches Landwirtschaftliches Jahrbuch 1956, Heft 6, S. 751 f.
[28]   A. SANDBERGER, Altbayerns Bauernschaft (wie Fußnote 26).
[29]   E. TROSS, Der oberdeutsche Bauer (wie Fußnote 24), S. 28.
[30]   V. LIEDKE, Oberbayerische Bauernhöfe des 16. Jahrhunderts, in: Freundeskreisblätter des Freilichtmuseums Südbayern e. V., 1976, Heft 5, S. 55.

allzu verschieden war. Auch über die Verpflegung scharwerkspflichtiger Bauern, und das gerade aus dem unruhigen Grenzraum westlich des Lech, wissen wir durch eine zufällig erhaltene Aufzeichnung eines Klosterökonomen für die Jahre 1525–1538 genau Bescheid – sie war körperlicher Arbeit angemessen[31]. Im großen ganzen ist also eine grundsätzliche Minderung der sozialen und wirtschaftlichen Stellung des Bauern im Verhältnis zu vergleichbaren sozialen Gruppen in den ersten Jahrzehnten des 16. Jahrhunderts nicht festzustellen, und wo Versuche dazu gemacht wurden, scheiterten sie an der Verfassung des „neuen Staates".

4   Die politischen und militärischen Ereignisse 1525

Wie ein Blick auf die Bauernkriegslandkarte, etwa bei Franz[32] zeigt, war das altbayrische Fünfeck, das „Pentragramma bavaricum", an drei Seiten vom Aufstand umgeben: von Franken, Schwaben, Tirol, Salzburg und z. T. Oberösterreich. Die Grenze zwischen Bayern und Tirol blieb 1525/26 ruhig, vielleicht – von Bayern aus gesehen – deswegen, weil das Zentrum des Aufstands in Südtirol war und Nordtirol sich in entscheidenden Fragen zurückhaltender verhielt und weil das wichtigste sozialrevolutionäre Problemgebiet in Nordtirol, das vormals bayerische Inntal, seit 1506 politisch nach Innsbruck tendierte. Auch darf nicht unterschätzt werden, welche Rolle das Inntal sowohl auf der tirolischen wie auf der bayerischen Seite für die militärischen Ereignisse vor und nach der Schlacht von Pavia (24. 2. 1525) spielte. Das Gewicht Frundsbergs sowohl bei seiner Rückkehr aus Italien auf seine Herrschaft Mindelheim in Schwaben, wie seine Rolle im Bauernkrieg trugen wesentlich dazu bei, daß Bayern ein Rekrutierungsgebiet für seine Landsknechte und militärisch von Süden unangreifbar blieb. Hinzu kommt – und das scheint uns fast entscheidend –, daß (wiederum von Bayern aus gesehen) der Geist der Tiroler Landesordnung in der Hauptsache defensiv auf das Innere der Bauernrepublik mit ihren festen Confinen gerichtet war und daß ihr eine aktiv außenpolitisch gegen Norden gerichtete Tendenz fehlte. Die Bewegungen über die tirolisch-bayerische Grenze blieben also nach dem heutigen Erkenntnisstand dem individuellen Entschluß überlassen: sei es des in Schwaz oder sonst in Tirol beeinflußten Prädikanten oder gewanderten Handwerkers, der ins Bayrische ging, sei es dem Landsknecht aus dem Bayrischen, der sich im Bauernkrieg auf der einen oder anderen Seite anwerben ließ.
Völlig anders verlief die Auseinandersetzung Bayerns mit Salzburg und Schwaben. Die Landgerichte Traunstein und Reichenhall waren von Norden bis Süden von salzburgischen Gerichten von Tittmoning bis Lofer umklammert,

---

[31]   J. Mois, Ein wirtschaftliches Merkbüchlein des Klosters Rottenbuch 1525–1538, in: Jahrbuch Lech-Isar-Land 1963, 62 f.
[32]   G. Franz, Bauernkrieg (wie Fußnote 1).

so daß der Aufstand im Salzburgischen sich unmittelbar auf alle Unzufriedenheit im benachbarten Bayrischen auswirken konnte. Kurze Zeit war Traunstein auch von Aufständischen besetzt. Im Januar 1526 wurden die vier
Rädelsführer – ein Müller, ein Schmied, ein Maurer und ein Lederergeselle –
hingerichtet. Sehr viel intensiver war das bayerisch-salzburgische Verhältnis
aber auf der Ebene der Verhandlungen und der militärischen Intervention.
Schon 1462 war in der vorherigen Generation Herzog Ludwig von Bayern um
Schlichtung zwischen dem Salzburger Fürstbischof und seinen Untertanen
gebeten worden (sein Spruchbrief bei Franz[33]). Die außerordentlich schwieri-
gen Verhandlungen, die München dann 1525 mit Innsbruck und Salzburg zu
führen hatte und die Vogt „jämmerlich und treulos" nennt[34], kamen dann zu
Ende, als Herzog Ludwig der Jüngere am 16. August 1525 als Befehlshaber
eines Heeres des Schwäbischen Bundes mit Frundsberg vor Salzburg zog.
Diese militärische Demonstration, bei der es keine Entscheidungsschlacht gab,
führte dann zu einem Vertrag zwischen Fürstbischof und Landschaft. Als dann
1526 der zweite Aufstand im Salzburgischen ausbrach, war die Hilfe Bayerns
für den Fürstbischof – den Eck gegenüber seinem Herzog einen Narren
genannt hatte – nur mehr halbherzig. Bayern verwahrte seine Pässe, seine
politische und militärische Stellung war aber inzwischen so stark geworden,
daß Ostbayern weder von außen noch von innen her in Unruhe versetzt
wurde.
Anders bedrohlich schien dem Herzogtum die Lage im Westen, an der
traditionellen Lechgrenze. München war vorgewarnt. Die Vorbereitungen für
die Abwehr eines Einfalls aus dem Allgäu hatten schon im Februar begonnen,
unter anderem war schon damals Geschütz in die Grenzstadt Schongau am
Lech beordert worden. Die Grenze gegen Schwaben wurde in Alarmzustand
versetzt, d. h., sie wurde regelmäßig von den herzoglichen Beamten abgeritten,
und es wurde über die Stimmung in den grenznahen Dörfern berichtet. Die
Befürchtungen über einen bewaffneten Einfall schienen sich dann zu bestätigen, als der Niederallgäuer Haufen in einer (berichteten) Stärke von 10 000
Mann vor Schongau zog und sich in die umliegenden Dörfer legte.
Auf bayerischem Gebiet wurde das Kloster Steingaden geplündert und verbrannt.
Die Meinungen über die Gründe dieses Auftretens des Niederallgäuer Haufens
an der und über der Grenze Bayerns sind geteilt. Sie variieren von der
Möglichkeit eines echten bewaffneten Einfalls, über eine Demonstration in der
Hoffnung auf einen Anschluß bayerischer Bauern, bis zur Wahrscheinlichkeit
einer defensiven Haltung, die Bayern von einem aktiven Eingreifen westlich
des Lech abhalten sollte. Jedenfalls aber genügte diese Bedrohung für einen
regulären Aufmarsch (mit heutigem Terminus: einer Mobilmachung) Bayerns

---

[33] G. Franz (Hg.), Quellen zur Geschichte des deutschen Bauernkrieges (Ausgewählte
Quellen zur deutschen Geschichte der Neuzeit 2), 1963, S. 13 f.
[34] W. Vogt, Die bayerische Politik (wie Fußnote 15), S. 340.

gegen den Lech, mit der üblichen Staffelung: Aufgebot der Bauern in den Grenzgemeinden am Lechrain zum ersten Grenzschutz; Aufgebot des „Vierten Mannes" in den Landgerichten zwischen Dachau und Starnberg und in Tölz; Beorderung von 2000 Mann besoldeten Fußvolks und 700 „Pferden" nach der Stadt Weilheim im Hinterland; Bestimmung des bewährten Landsknechtsführers Winzerer von Tölz (sein Standbild steht heute in der Hauptstraße von Tölz) als Feldhauptmann und nicht zuletzt die Bestellung einer Renn- oder Hauptfahne und von sechs Knechtsfähnlein nach Weilheim. Als geographischer Schwerpunkt der Auseinandersetzung zwischen dem Allgäuer Haufen vor Schongau und dem bayerischen Aufmarsch um Weilheim ergab sich fast zwangsläufig der alte Burg-, dann Wallfahrtsort Hohenpeißenberg, an dessen Wallfahrtskirche eine Tafel an das Treffen von einigen hundert bayerischen Bauern um den 13. bis 14. Mai 1525 erinnert. Auf die Einzelheiten dieses an sich sehr aufschlußreichen Treffens auf dem Hohenpeißenberg kann hier nicht eingegangen werden, sie wurden anderweitig festgehalten[35].

Es kam aber nicht zu der möglichen „Schlacht am Peißenberg", denn der Niederallgäuer Haufen zog nach dem 22. Mai aus dem Land um Schongau ab, und wenige Tage später wurde aus dem Grenzgebiet berichtet, daß die Bauern sich „verlaufen hätten". Als Ursachen dafür werden genannt: die Verhandlungen der Allgäuer mit der österreichischen Regierung in Füssen mit dem Ergebnis des Waffenstillstandes; die Nachricht von dem Ausgang der Schlacht von Böblingen am 12. Mai; der Aufmarsch der bayerischen Streitkräfte gegen den Lech und nicht zuletzt auch die nachweisbar geringe Lust der Bauernschaft östlich des Lech, sich der Sache der Niederallgäuer anzuschließen[36].

Renate Blickle hat an die Darstellung des bereits erwähnten Falles Rottenbuch[37] einen Exkurs „Die Haltung der Rottenbucher Bauern 1525" angeschlossen. Sie kommt darin zu dem Schluß, daß der Bauernkrieg auf dieses Gebiet traf, „als hier der Konfliktpegel ausgesprochen niedrig stand". Dabei handelte es sich hier um ein ausgesprochen konfliktträchtiges Gebiet. Es scheint also erlaubt, diese bemerkenswerte Schlußfolgerung Renate Blickles auf mindestens einen Großteil des Herzogtums auszudehnen. Die weitere militärische Entwicklung in der zweiten Mai- und ersten Junihälfte nahm dann den Druck von Bayern hinweg. Die Krise war überstanden.

---

[35] H. HAUSHOFER, Was geschah wirklich im Frühjahr 1525 auf dem Peißenberg?, in: Jahrbuch-Lech-Isar-Land 1970, 3–13.

[36] L. WESTENRIEDER, Beyträge zur vaterländischen Historie, Geographie, Statistik etc., Bd. 6, 1800, S. 234.

[37] R. BLICKLE, „Spenn und Irrung" (wie Fußnote 9).

5   Die spätere geschichtliche Beurteilung der Krise

Daß es sich um eine ernsthafte, tiefgehende Krise von Gesellschaft, Staat und Kirche gehandelt hatte – darüber ist sich die neuere bayerische Geschichtsschreibung immer einig gewesen. Fritz Zimmermann nennt[38] die „Atmosphäre des gegenseitigen Mißtrauens, einer teilweisen, nicht genau erfaßbaren Neigung zur Empörung in der Bevölkerung, eine gespannte Wachsamkeit und schlagkräftige Bereitschaft auf seiten der Obrigkeit". Franz gibt für das Ruhigbleiben des Herzogtums im Bauernkrieg folgende Gründe[39]:

– Bayern war weniger dicht bevölkert, d. h. städteärmer und mithin „agrarischer" als etwa der deutsche Südwesten (und hatte auch, wie schon berichtet, keine so revolutionären bergbaulichen Zentren wie Tirol);
– Bayern war politisch nicht so zersplittert, wie die Kerngebiete des Aufstandes, besaß also auch eine einheitlichere Verwaltung und Rechtsprechung;
– die rechtliche Lage des Bauern war in Bayern besser gesichert;
– der Adel war weitgehend in den Staat eingebaut (und dies gilt auch, wie bereits angedeutet, für die landständisch gewordenen Klöster);
– die Grenzen waren militärisch hinreichend abgeschirmt.

Dagegen sieht Franz mit Recht keine wirtschaftlichen Gründe, die im Sinne einer Besserstellung des Bauern gegen eine Teilnahme am Aufstand gewirkt hätten. Die Beteiligung gerade wirtschaftlich gutgestellter Bauern und Gewerbetreibender in vergleichsweise reichen Landschaften des ganzen Bauernkriegsgebiets bestätigt diese Auffassung.

Wenn an der Tatsache des Ruhigbleibens Bayerns im Bauernkrieg nicht zu rütteln war, so blieb sie doch für Generationen ein dankbares Feld der rückblickenden Beurteilung. Bis ins 18. Jahrhundert herrschte dabei eine staatstreue Auffassung vor, für die etwa der katholische Historiker und Publizist Lorenz von Westenrieder (1746–1829) stehen kann, der 1799 auf die Tatsache verwies, „daß Baiern eines derjenigen Länder war, welche von dem grässlichen Bauernaufruhr 1525 verschont blieben"[40]. Als Zweifel an seiner Aussage aufkamen, druckte er dann 1800 in seinen Jahrbüchern das „Offene Mandat" der Herzöge von Pfingsten 1525 ab, das von den bayerischen Bauern sagt: „Sy haben mit den swebischen paurn nicht zuschaffen"[41].

Der erste, der als Historiker eine kontroverse und von der bis dahin selbstverständlichen Katholizität Altbayerns abweichende Auffassung vertrat, war

---

[38]   F. ZIMMERMANN, Unbekannte Quellen zur Geschichte des Bauernkrieges 1525 in Bayern, in: Zeitschrift für bayerische Landesgeschichte 27 (1964), Festschrift für K. A. v. Müller zum 80. Geburtstag, S. 211.

[39]   G. FRANZ, Geschichte des deutschen Bauernstandes (Deutsche Agrargeschichte 4), 1976, S. 146.

[40]   L. WESTENRIEDER, Historischer Kalender für 1799.

[41]   L. WESTENRIEDER, Beyträge (wie Fußnote 36).

Wilhelm Vogt[42], der sein Hauptwerk auch betont Wilhelm von Giesebrecht, seinem „gefeierten Meister", widmete. Von diesem Standpunkt aus gesehen mußte das Handeln Bayerns als von einem „kleinen dynastischen Interesse" diktiert erscheinen, das „somit den Ausschlag bei einer so großen nationalen Angelegenheit gab".

Nachdem die entscheidende treibende Kraft dieses „kleinen dynastischen Interesses" (nach Vogt) der herzogliche Rat Leonhard von Eck war, entzündete sich die Verschiedenheit der Betrachtungsweise gerade an seiner Person, die auch als Kristallisationspunkt für das größere Ganze der Stellung Bayerns im Bauernkrieg dienen kann. An seinen Fähigkeiten besteht bei Freund und Feind kein Zweifel. Er war ein hochgebildeter Humanist mit einem Studium in Ingolstadt und Siena, und seine eigene geistige Richtung wird vielleicht dadurch am besten beleuchtet, daß er eine treibende Kraft bei dem Versuch war, Erasmus von Rotterdam als Professor für Ingolstadt zu gewinnen. Diesem Mann stritt Vogt alle „idealen Beweggründe" ab und ließ ihn nur aus „eigennützigen Hintergedanken und starker Interessenpolitik" handeln. Das Urteil Vogts ist dann 1883 ganz eindeutig: „Den Kanzler Eck trifft die Hauptschuld am Bauernkrieg, an seiner blutigen Gestalt und an seinem traurigen Ausgang."

Auf Vogt antwortete dann 1892 Sigmund Riezler in einem Akademievortrag[43], den er mit der folgenden Feststellung begann: „Daß Bayern von den Greueln des Bauernkrieges fast völlig verschont blieb, während ringsum bei den Nachbarn, in Schwaben und Franken, Salzburg und Tirol der Aufruhr zerstörend tobte, diese Thatsache bedeutet unter allen Umständen, die Gründe mögen liegen, wo sie wollen, einen der erfreulichsten Züge in der Geschichte des Landes". Aber auch er gibt zu, daß sich der bayerische Bauer „sozial und ökonomisch in nicht günstigeren Verhältnissen befand als seine Nachbarn" und er kennt die Gründe der Unzufriedenheit im Land.

Im Grunde blieben diese beiden Auffassungen die nächsten Jahrzehnte nebeneinander bestehen. Wer immer die Erhaltung des bayerischen Staates und auch die Bewahrung seiner Katholizität bis zur Wende des 18. zum 19. Jahrhundert als ein „kleines dynastisches Interesse" ansah, machte sich das Urteil Vogts zu eigen. Wer aber dieses Ziel unbedingt bejahte, schloß sich der Linie Westenrieder bis Riezler an, zu der auch katholisch engagierte Publizisten wie Jörg eigenwillige Züge beitrugen.

Daneben gab es noch eine dritte, man möchte sagen „mittlere" oder vermittelnde Auffassung, die wohl auch die Verantwortung der bayerischen Regie-

[42] W. VOGT, Bayerns Stimmung und Stellung im Bauernkrieg von 1525, in: Programm zum Jahresbericht über das Lyceum und die k. Studienanstalt zu Regensburg 1867–77. – DERS., Die bayerische Politik (wie Fußnote 15).

[43] S. RIEZLER, Die treuen bayerischen Bauern am Peißenberg, Mai 1525, in: Sitzungsbericht der phil.-philolog. und historischen Klasse der k. bayerischen Akademie der Wissenschaften 1892/V, S. 701.

rung und damit auch Ecks festhält. Diese vertrat etwa Michael Doeberl[44]. Er
beurteilt die Leitmotive Ecks objektiver als Vogt, erkennt auch an, daß sich
seine Politik „für den Augenblick zweifellos bewährt hat". Er kritisiert an dem
Sieger im Bauernkrieg hauptsächlich, daß er sich damit begnügt hätte, die
Bewegung mit roher Gewalt niederzuwerfen, „ohne die Quellen derselben
durch zeitgemäße Reformen zu verstopfen". Für den Standpunkt Doeberls ist
weiterhin kennzeichnend, daß er diese Forderung erst durch die Grundentla-
stung und Bauernbefreiung des 19. Jahrhunderts erfüllt sah!

Diese „mittlere Linie" setzt sich auch heute, etwa in Spindlers Handbuch der
Bayerischen Geschichte[45] fort, in dem Lutz von einer in den letzten 80 bis 90
Jahren erfolgten „Annäherung der Positionen von S. Riezler und W. Vogt"
schreibt. Dort wird zwar auch die besondere Funktion der „strengen landesherrlichen Aufsicht und Wirksamkeit" hervorgehoben, ohne daß aber als
Gegenstück auf die ausführliche Darstellung ihrer vorhergegangenen innenpo-
litischen Reformtätigkeit verzichtet wird.

Von diesem Gesichtspunkt aus ist auch eine gewisse Ergänzung zur ursprünglichen Formulierung von Franz möglich[46]: „Bayern lag gleich einer Insel im
Meer des Aufruhrs, als ein Hort der Ruhe und damit der Reaktion". Dem
Begriff der „Reaktion" wäre zuzustimmen, wenn damit allein die Gegner-
schaft gegen die Reformation und die Forderungen der Bauernführer gemeint
wären, nicht aber, wenn es sich um die Entwicklung des modernen Staates und
die innerkirchliche Reform handelte.

Reaktion – das hätte zu Beginn des 16. Jahrhunderts die Rückkehr zum
Feudalismus bedeuten müssen. Aber gerade Eck war ein abgesagter Gegner
des feudalen, ständischen Prinzips – wie er auch ein erklärter Gegner der
bäuerlichen Forderungen war. Lenk hat das sehr deutlich in der Neuen
Deutschen Biographie ausgesprochen[47], womit er auch das Bild des „Macchia-
vellisten" Eck wieder etwas zurechtrückt: „Inmitten einer sich wandelnden
Welt blieb Eck als einer der hervorragendsten deutschen Staatsmänner der
Reformationszeit unbeirrt seinem Ziel treu: das Herzogtum Bayern der alten
Kirche zu bewahren, es in seinem territorialen Bestand zu erhalten, zu mehren,
Verlorenes zurückzugewinnen, im Innern auszubauen und die Selbständigkeit
des endlich wieder geeinten Staatswesens gegenüber Kaiser, Reich und Kurie
zu kräftigen . . . Er war ein kompromißloser Verfechter des modernen Staats-
prinzips." Selbstverständlich sind rückblickend alle diese Ziele zu relativieren.
Aber selbst Vogt, ihr schärfster Kritiker, meinte dazu: „Das Vergangene ist
vergangen, ob es gefällt oder nicht . . . Das 16. Jahrhundert läßt sich aus
unserer Geschichte nicht streichen . . ."[48] . . . und darin ebenfalls nicht die
besondere Stellung Bayerns im Bauernkrieg.

---

[44] M. DOEBERL, Entwicklungsgeschichte Bayerns, Bd. 1, 1906, 380–388.
[45] H. LUTZ, Das konfessionelle Zeitalter (wie Fußnote 2).
[46] G. FRANZ, Bauernkrieg (wie Fußnote 1).
[47] L. LENK, Leonhard von Eck, in: NDB, Bd. 4, 1959, 277–279.
[48] W. VOGT, Die bayerische Politik (wie Fußnote 15), S. VI.

Zuletzt sei noch ein Gesichtspunkt erwähnt, der für die Beurteilung von 1525 vom Standpunkt der sogenannten „großen Politik" wichtig erscheint, wenn er auch in der eigentlichen Bauernkriegsliteratur so gut wie nicht behandelt wurde. Durch den Sieg bei Pavia war die Gefahr eines „Zweifrontenkriegs" für das Reich zwar gebannt worden, dafür aber wuchs gleichzeitig die Türkengefahr in einem noch weit bedrohlicheren Ausmaß. Der Großangriff Suleimans gegen Ungarn und in der Folge gegen Wien war schon für den Sommer 1522 befürchtet worden[49], und die Notwendigkeiten seiner Abwehr waren allen in Südostdeutschland Regierenden bewußt. 1526 folgte das Überrollen Ungarns durch die Türken nach der Niederlage von Mohacs und 1529 die erste Belagerung Wiens. Auch Bayern konnte sich nicht ohne Grund als in der Schußlinie dieser großen Auseinandersetzung glauben.

---

[49] F. O. ROTH, Zur türkischen Bedrohung der historischen Steiermark 1521–1531 – Ständedenken, Länderpartikularismus, Fremdenhaß und gesamtstaatliche Bemühung des Landesfürsten im Widerstreit, in: Festschrift für Fritz Posch, 1981.

PETER BLICKLE

Nochmals zur Entstehung der Zwölf Artikel im Bauernkrieg

Die Zwölf Artikel der Bauern von 1525 – „Dye Grundtlichen Vnd rechten haupt Artickel, aller Bauerschafft vnnd Hyndersessen der Gaistlichen vnd Weltlichen oberkayten von woelchen sy sich beschwert vermainen"[1], wie sie im vollen Titel heißen – verdanken ihre Berühmtheit der Tatsache, daß sie gleichermaßen Beschwerdeschrift, Reformprogramm und revolutionäres Manifest des Aufstandes von 1525 waren. Ihre Resonanz erklärt sich aus der prinzipiellen Inanspruchnahme des göttlichen Rechts für die Gestaltung des innerweltlichen Bereichs und aus der prägnanten Formulierung konkreter Forderungen – Wahl und Absetzung des Pfarrers durch die Gemeinde und seine Versorgung über den Zehnten, Aufhebung der Leibeigenschaft unter Einschluß des Todfalls, Freigabe von Jagd und Fischerei, Restituierung alter Gemeinderechte an Wald und Allmende, Ermäßigung der Abgaben und Dienste und Verbesserung der Rechtspflege. 25 Drucke der Zwölf Artikel[2], die in der kurzen Zeitspanne von nur zwei Monaten erschienen sind, bezeugen die Bedeutung dieses Dokuments.

Herkunft, Autorschaft und Datierung dieser anonym und ohne Herkunftsnachweis erschienenen Flugschrift haben schon die Zeitgenossen beschäftigt und sind bis in die jüngere Zeit Gegenstand zum Teil heftiger Forschungskontroversen gewesen. Günther Franz hat in einem 1939 erschienenen Aufsatz in dieser Frage „das letzte Wort" gesprochen: „Die 12 Artikel sind zwischen dem 28. Februar und dem 3. März auf Grund der Baltringer Beschwerden von Sebastian Lotzer als Feldschreiber der Baltringer Bauern gleichzeitig mit den Memminger Artikeln redigiert worden. Schappeler hat die Bibelstellen zu den letzten sieben Artikeln und die Einleitung hinzugefügt"[3]. Unter überzeugender Abwägung der kontroversen Forschungspositionen und unter Einarbeitung neu aufgefundenen Quellenmaterials kam dieses Urteil zustande, und es ist

---

[1] Druck bei A. GÖTZE, Die zwölf Artikel der Bauern 1525. Kritisch herausgegeben, in: Historische Vierteljahrschrift 5 (1902), S. 8–15.

[2] H. CLAUS, Der deutsche Bauernkrieg im Druckschaffen der Jahre 1524–1526 (Veröffentlichungen der Forschungsbibliothek Gotha 16), 1975, S. 24–29.

[3] G. FRANZ, Die Entstehung der „Zwölf Artikel" der deutschen Bauernschaft, in: Archiv für Reformationsgeschichte 36 (1939), S. 193–213. – Wieder abgedruckt in: DERS., Persönlichkeit und Geschichte. Aufsätze und Vorträge, 1977, S. 110–126. Ich zitiere nach der Ausgabe von 1939. Das Zitat S. 209.

nicht ohne Grund bislang nicht mehr in Frage gestellt worden[4]. Damit wurde allerdings ein bis in die Reformationszeit selbst zurückgehender Interpretationsstrang abgeschnitten, der die Zwölf Artikel am Oberrhein und nicht in Oberschwaben lokalisiert hatte und in der Frage der Autorschaft auf Hubmayer zugespitzt worden war[5].

Wenn ich das Thema der Zwölf Artikel – und damit auch einen Forschungsgegenstand von Günther Franz – nochmals aufgreife, dann deshalb, weil ich glaube, mit bisher übersehenem und neu aufgefundenem Material die Diskussion *nochmals* öffnen zu können. „Zeugnisse, die uns eindeutig über die Herkunft und den Verfasser der Zwölf Artikel Auskunft geben, fehlen noch immer"[6]. Dieses Urteil von Franz über die Quellenlage gilt heute wie 1939. Das bedeutet, daß ich in einem relativ komplizierten Argumentationsgang meine Überlegungen vortragen muß. Ich gehe in einem ersten Arbeitsgang auf die „Bundesordnung" der oberschwäbischen Bauern vom 7. März 1525 ein (1), die insofern in einem engen Zusammenhang mit den Zwölf Artikeln steht, als ihre oberschwäbische Herkunft gesichert scheint und der Memminger Kürschnergeselle und Feldschreiber des Baltringer Haufens, Sebastian Lotzer, als Autor beider Stücke in Anspruch genommen wird[7]. Begründen läßt sich die neuerliche Beschäftigung mit der Bundesordnung damit, daß die handschriftliche Überlieferung des Textes an den Oberrhein führt, was ich anderwärts schon angedeutet, aber nicht weiter verfolgt habe[8]. Ich greife in einem zweiten Argumentationsgang nochmals die Frage nach der regionalen Herkunft der Zwölf Artikel auf (2), deren enge Verwandschaft mit der sogenannten „Memminger Eingabe" der Dörfer der Reichsstadt Memmingen an den Rat seit Cornelius außer Frage steht[9]. Dieser Ansatz erklärt sich daraus, daß ich im

---

[4]   Vgl. M. SMIRIN, Die Volksreformation des Thomas Münzer und der große Bauernkrieg, 1956, S. 514. – W. ELLIGER, Thomas Müntzer, Leben und Werk, 1975, S. 653. – G. VOGLER, Der revolutionäre Gehalt und die räumliche Verbreitung der oberschwäbischen Zwölf Artikel, in: Revolte und Revolution in Europa (Historische Zeitschrift Beiheft 4 NF), 1975, S. 207. – Gewisse Modifikationen bei J. MAURER, Prediger im Bauernkrieg (Calwer Theologische Monographien 5), 1979, S. 394 ff.

[5]   Zuletzt vertreten von W. Stolze; dort auch die bis zu Fabri zurücklaufenden Argumente. Vgl. W. STOLZE, Die 12 Artikel von 1525 und ihr Verfasser, in: Historische Zeitschrift NF 55 (1903), S. 1–41; DERS., Zur Geschichte der 12 Artikel von 1525, in: Historische Vierteljahrschrift 8 (1905), S. 1–15; DERS., Der deutsche Bauernkrieg. Untersuchungen über seine Entstehung und seinen Verlauf, 1907, S. 93–117.

[6]   G. FRANZ, Zwölf Artikel (wie Fußnote 3), S. 194.

[7]   Vgl. Fußnote 80.

[8]   P. BLICKLE, Die Revolution von 1525, 1975, S. 147 f. Fußnote 5 und S. 185 Fußnote 12.

[9]   C. A. CORNELIUS, Studien zur Geschichte des Bauernkriegs, in: Abhandlungen der historischen Classe der königlich bayerischen Akademie der Wissenschaften, 1. Abt. 9 (1862), S. 145–204, bes. 148–151.

Bayerischen Hauptstaatsarchiv bisher unbekannte Lokalbeschwerden der Memminger Dörfer nachweisen konnte[10]. Abschließend will ich versuchen, die Ergebnisse der Einzelanalysen zu verknüpfen und prüfen, was daraus für die Interpretation der „Revolution von 1525" gewonnen werden kann (3).

I

Neben den Zwölf Artikeln ist als einzige weitere bäuerliche Programmschrift die „Handlung und Artickel so fürgenommen worden auff Afftermontag nach Inuocauit/von allen Retten der heüffen/so sich zusamen verpflicht haben/in dem namen der heyligen vnnzerteylten dreyeinigkeit"[11] im Druck erschienen. Summarisch könnte man sie einen Verfassungsentwurf nennen, der eine politisch labile Situation zwischen der älteren feudalen Ordnung und der neugeschaffenen kommunal-bündischen Ordnung der Aufständischen zu überbrücken sucht. Programmatisch im Sinne der Durchsetzung des göttlichen Rechts verfügt die Bundesordnung die Predigt des reinen Evangeliums in allen Kirchen der Vereinigung und die Respektierung feudaler Rechte insoweit, als sie mit dem göttlichen Recht vereinbar sind, was praktisch in einer vorläufigen Sperrung aller Zehnten und Gülten seinen Niederschlag findet. Pragmatisch will sie dem bäuerlichen Bündnis Stabilität geben, indem Bestimmungen über die Sicherung des Landfriedens getroffen, die adeligen Burgen und die Klöster durch den sogenannten „Schlösserartikel" militärisch neutralisiert und die adeligen Dienstleute, die feudale Klientel also, des Landes verwiesen werden. Die „Christliche Vereinigung" ist als „ewige(r) Verpüntnus" angelegt. Daraus folgt, daß Einzelverträge zwischen Bauern und Obrigkeit der Zustimmung der Vereinigung bedürfen und eine erste vorläufige Repräsentation der Bauernschaft in Form von Hauptleuten, Obersten und Räten geschaffen wird.
Acht Drucke sind von dieser sogenannten „Memminger Bundesordnung" nachgewiesen[12]. Die Bezeichnung „Memminger" Bundesordnung geht letztlich auf den St. Galler Chronisten Johannes Kessler zurück, nach dessen Bericht die Ordnung auf dem Memminger Bundestag der Baltringer, Allgäuer und Bodensee-Bauern, der auf den 6./7. März datiert werden kann[13], „verfasst" wurde[14]. Kesslers Aussage gewinnt insofern an Glaubwürdigkeit, als alle gedruckten Bundesordnungen, soweit sie überhaupt einen Datumsvermerk tragen, den 7. März ausbringen und er sich darüber hinaus auf Gewährs-

---

[10] BayHStA (Bayerisches Hauptstaatsarchiv München) Abt. I, Allgemeines Archiv, Reichsstädte-Literalien 26 1/2.

[11] So der Titel des Exemplars der Bayerischen Staatsbibliothek, Eur: 332/32 4°. Druck: J. Eckhart, Speyer.

[12] Vgl. H. CLAUS, Druckschaffen (wie Fußnote 2), S. 29 ff.

[13] F. L. BAUMANN, Die zwölf Artikel der oberschwäbischen Bauern 1525, 1896, S. 72 f.

[14] J. KESSLER, Sabbata, mit kleineren Schriften und Briefen, bearbeitet von E. Egli und R. Schoch, 1902, S. 176.

männer wie Christoph Schappeler und Sebastian Lotzer berufen konnte. Cornelius hat erstmals auf einen „Entwurf" der Bundesordnung aufmerksam gemacht, der als Datum den 6. März ausweist[15] und von Baumann[16] und Franz[17] Sebastian Lotzer zugeschrieben wurde. Er soll Grundlage der Memminger Verhandlungen der drei Haufen gewesen und in gemeinsamer Beratung in die Form gebracht worden sein, wie sie im Druck überliefert ist. Die Bundesordnung wird damit als Werk der oberschwäbischen Bauern ausgewiesen. Diese Annahme halte ich für revisionsbedürftig.

Üblicherweise wird heute der Entwurf der Bundesordnung nach Franz zitiert[18]. Franz hat seiner Ausgabe den Druck von Cornelius zugrunde gelegt[19]. Als Herkunftsnachweis gibt Cornelius ohne Präzisierung das Stadtarchiv Freiburg im Breisgau an[20]. Dort konnte ich die handschriftliche Vorlage nachweisen[21]. Ich nenne diese Handschrift „A". Bei gewissenhafter Lektüre zeigt sich, daß sie und ihr folgend die Editionen von Cornelius und Franz eine Reihe sinnstörender Fehler enthalten: So heißt es etwa im 2. Artikel, der über den Landfrieden handelt, im Falle von Krieg und Aufruhr „sol sich niemantz partien noch *reiten* in keinen Weg" [Hervorhebung P. B.][22], wo es sinngemäß wohl heißen müßte „parteien und *rotten*". Der 5. Artikel legt den Mitgliedern der Vereinigung nahe, zwei oder drei Bundesmitglieder beizuziehen, falls jemand sich vor der Obrigkeit zu verantworten habe, „uf das nit wie bisher der gemein Man in Gefangknus geworfen, und, so er wil ledig werden, sein Schuld, wie wol mit Unschuld, bekennen und *verursechen*" [muß][23]; das „verursechen" ist zweifellos dunkel und wird von Franz, der sonst viele Lesehilfen anbietet, auch nicht aufgelöst. In Artikel 11 werden die Handwerker, die in fremde Dienste gehen, angehalten, sich gegen die Vereinigung nicht in Pflicht nehmen zu lassen; und der 12. Artikel fährt konsequenterweise fort,

---

15 C. A. CORNELIUS, Bauernkrieg (wie Fußnote 9), S. 187–190.
16 F. L. BAUMANN, Zwölf Artikel (wie Fußnote 13), S. 68.
17 G. FRANZ, Der deutsche Bauernkrieg, 1975[10], S. 127 f.
18 G. FRANZ, Quellen zur Geschichte des Bauernkrieges (Ausgewählte Quellen zur deutschen Geschichte der Neuzeit. Freiherr vom Stein – Gedächtnisausgabe 2), 1963, S. 193–195.
19 Wie Fußnote 15.
20 Über die Frage, wie der angebliche Lotzer-Entwurf nach Freiburg gekommen sein soll, hat man sich in der Forschung wenig Gedanken gemacht. Die von F. L. BAUMANN, Zwölf Artikel (wie Fußnote 13), S. 69 Fußnote 1 mit Rückverweis auf H. SCHREIBER, Der deutsche Bauernkrieg, gleichzeitige Urkunden (Urkundenbuch der Stadt Freiburg NF) [3 Teile, I: 1524; II: Januar–Juli 1525, III: Juli–Dezember 1525], 1863–66, hier II, S. 46 f., gegebene Begründung, ist nicht überzeugend.
21 StaFr (Stadtarchiv Freiburg), C 1/101 Militaria, fol 39–42'. Das Exemplar ist mit Marginalien (vermutlich von der Hand des Freiburger Stadtschreibers) ausgestattet, die Cornelius in seinen Druck nicht übernommen hat.
22 G. FRANZ, Quellen Bauernkrieg (wie Fußnote 18), S. 193 Z. 21/22.
23 Ebd., S. 194 Z. 3–5.

„desgleichen sollent die Kriegsleut auch verpunden sein, welche dan in allen iren Dinsten dise christenliche *Einigkeit* vorbehalten und vornemen sollent"[24], meint aber wohl die christliche *Vereinigung*. Daß es sich in der Tat in allen genannten Fällen um Verlesungen handelt, zeigt ein zweites, in der Diskussion bisher unberücksichtigt gebliebenes handschriftliches Exemplar im Stadtarchiv Freiburg, das ich der Kürze halber als *Handschrift „B"* bezeichne[25]. Bei ihr handelt es sich um einen unvollständigen Text, der (nach der Zählung bei Franz) im 8. Artikel abbricht[26]. B bringt gegenüber A bessere Lesarten zu zwei der oben genannten Beispiele: statt „reiten" hat B *„rottenn"*[27], statt „verursechen" schreibt B *„verurfechtenn"* und liefert damit einen sinnstiftenden Text zum 5. Artikel, insofern er auf die Urfehde verweist, die geschworen werden mußte, um aus der Gefängnishaft entlassen zu werden; die dritte zweifelhafte Lesart in A hinsichtlich „Einigkeit" kann mit B nicht überprüft werden, weil die entsprechende Passage in B nicht mehr aufgenommen ist. Eine entscheidende Verbesserung gegenüber A bringt B allerdings in einem weiteren Fall, der bisher noch nicht erwähnt wurde. Artikel 7 in A nämlich, der in der Literatur so bezeichnete Synodalartikel, bestimmt, daß in der Verkündigung des Wortes Gottes Alt- und Neugläubige sich nicht wechselseitig als Ketzer beschimpfen sollen. „Wo sich aber je solcher Span begebe", fährt A fort, „sollent die Priester der selben Lantschaft oder Flecken mit iren Biblien zusamen beruft werden und die Handlung nach Inhalt der heilgen Geschrift und nit nach menschlichem Bedunken entscheiden und entlich usgesprochen werden, in Biwesen gemeiner *Kriegsgenossen* der selben Enden"[28]. B verwendet an dieser Stelle für Kriegsgenossen das sicher richtigere und sinngemäßere *„kirchgnossen"*, das sich mit der allgemein verbreiteten reformatorischen Forderung deckt, die Kirch- und Pfarrgemeinden sollen über die richtige Lehre entscheiden[29].

Es steht nach diesem Vergleich außer Frage, daß B den besseren Text gibt als A[30].

Daß A von B abhängt, ist auszuschließen, da es sich bei B um ein von Anfang an unvollständiges Exemplar handelt[31]. B weist aber eine auffällige Parallele

---

[24]   Ebd., S. 195 Z. 10–12.

[25]   StaFr (wie Fußnote 21), fol. 44–45'. Noch F. L. BAUMANN, Zwölf Artikel (wie Fußnote 13), S. 69 Fußnote 1 dagegen meint, daß das von Cornelius edierte Stück „das einzige erhaltene Exemplar dieses Entwurfes" sei.

[26]   Die letzten beiden Zeilen in B heißen: „Item ob sich yemandt mit siner obrikeitt In vertrag In lassenn wolt".

[27]   Ich gebe im folgenden alle Quellenzitate, die sich auf Archivalien beziehen, buchstabengetreu und unter strikter Beibehaltung der Interpunktion der Vorlage; Normalisierungen verbieten sich bei dem hier notwendigen textkritischen Verfahren.

[28]   G. FRANZ, Quellen Bauernkrieg (wie Fußnote 18), S. 194 Z. 16–21 und die darauf fußende Interpretation von G. FRANZ, Bauernkrieg (wie Fußnote 17), S. 127 f.

[29]   Entsprechend und sinngemäß hat B auch statt „Landschaft *oder* Flecken": Landschaft *vnd* Flecken.   (Fortsetzung der Fußnoten S. 292).

mit einer dritten handschriftlichen Fassung auf, die sich im Staatsarchiv Basel nachweisen läßt und die ich als *Handschrift „C"* bezeichne[32]. In allen bisher verzeichneten Abweichungen zwischen A und B sind B und C identisch. C löst auch den dritten sinnstörenden Fehler in A, wenn es dort zum 12. Artikel heißt: „Deßglichenn sollen die kriegsleut auch verbunden sin welche dan dise *vereynigung* Inn allen Irenn diensten vorbehalten vnnd vßdingen soll". Inhaltlich sind B und C allerdings nicht völlig deckungsgleich. C nämlich hat gegenüber B drei Abweichungen, die ich hier und später eigens notiere, weil sie für die weitere Interpretation von Gewicht sind.

B [Freiburg]	C [Basel]
„Item was bekantlicher schulden sindt, oder darumb man brieff vnd sigell oder sunst gloublich urkundt hatt, so verfallen sindt, sollen bezalt werden. Ob aber yemands witer Innred zü habenn vermeint, soll Ime das recht offenn sin, Doch yederman vff sin costen gemeiner landtschafft diser cristenlichen vereinigung vnuergriffen. Item unbekantlich nuw erdacht schulden, so on allen grundt der gottlichen gerechtikeit von ettlichen bizher erfordert, vnd geben worden ouch Zechennden, Rennt, gult, vnd alle ander beschwerniß sollenn, anston biz zü vßtrag des handels."	„Item was bekänntlicher schuldt seyn oder dorumb man brieff vnnd Innsigell oder sunst gloublich vrkhund hatt, sollen bezallt werdenn. Ob aber yemannds wither Innred zühabenn vermeynt, soll Im das recht offen sin doch yederman vff sin costen. gemeyner lantschafft vnnd diser vereynigung vnuergriffen. Es sollenn auch hinfur keyn zinß mer ewig oder vnablosig sin."

Der Textvergleich ergibt, daß C die Forderung nach wirtschaftlicher Entlastung sehr viel vorsichtiger formuliert als B; auch ist der Text von C in sich konsistenter: unablösige Zinsen oder Ewigzinsen nannte man Abgaben, die aufgrund hypothekarischer Belastung auf den Gütern lagen und gewissermaßen als Wucherzinsen schon in der Vorbauernkriegszeit vielfach Anlaß zu Beschwerden gaben. Demgegenüber stellt B mit seiner vorläufigen Sistierung der Zehnten und grundherrlichen Abgaben zweifellos eine Verschärfung dar. Diese Interpretation läßt sich mit der zweiten Abweichung stützen: In C fehlt der 17. Artikel von A, der lautet, „item welche sich in unser christenliche Vereinigung verpflichten, die sollent von jegklicher Herstat zwen Cruzer geben, mit welchem Gelt die Posten und anders usgericht wurt"[33]. Daraus kann man schließen, daß bei Abfassung von A und B die bäuerliche Bewegung schon eine festere Organisationsform gefunden hatte und die militärischen Sicherheitsvorkehrungen von größerer Bedeutung geworden waren.

Man wird also folgern können, daß C die älteste Fassung darstellt und zwischen der Abfassung von B und C eine Radikalisierung der bäuerlichen Bewegung stattgefunden hat. Das ist für die Datierung nicht ohne Folgen, denn daraus ergibt sich, daß die erste Fassung des Entwurfs vor dem 6. März liegen muß. Eine nähere zeitliche Angabe bleibt C schuldig, denn der auf A und B ausgebrachte Hinweis auf ‚Montag nach der alten Fastnacht' (6. März) fehlt; C verfügt lediglich über ein eigenes Vorsatzblatt mit der Aufschrift „Artikell".

Als Zwischenbilanz kann man zweierlei festhalten:
1. Alle handschriftlichen Fassungen weisen von ihrem Lagerort auf den Oberrhein als Herkunftsgebiet des „Entwurfs" der Bundesordnung hin.
2. Die älteste Fassung des „Entwurfs" liegt deutlich vor dem 6. März (vgl. dazu die Abbildung S. 305).

---

30 Ergänzend bringe ich die noch nicht erwähnten unterschiedlichen Lesarten von A (nach G. Franz, Quellen Bauernkrieg [wie Fußnote 18]) und B, die bis auf einen Fall für B als älteren Text zeugen, jedenfalls nicht gegen B als ältere Fassung sprechen.

A	B
S. 193 Z. 22 f.	
„die nechst person, in was Stantz die sie"	„die nechsten personen, in was stand die sindt"
S. 193 Z. 30	
„recht vorbehalten"	„recht offenn"
S. 193 Z. 30 f.	
„uf sein Costen und Schaden"	„vff sin costen"
S. 194 Z. 8	
„furhin"	„further hin"
S. 194 Z. 17 f.	
„der selben Lantschaft oder Flecken"	„der selbigen landtschafft vnd fleckenn"

31 B ist auf einem Doppelbogen geschrieben; beschrieben sind die Seiten 1, 1' und 2. 2' ist leergelassen.
32 StAB (Staatsarchiv Basel), Politisches M 4, 2, fol. 182–184'.
33 G. Franz, Quellen Bauernkrieg (wie Fußnote 18), S. 195 Z. 22–24.

Diese Aussagen bleiben auch richtig, wenn man die beiden Texte hinzunimmt, die bei Schreiber und Vogt ediert sind. Schreiber ediert nach A und verbessert nach B, hat also seinem „Freiburger Urkundenbuch" die Stücke im Stadtarchiv Freiburg zugrunde gelegt[34]. Vogt bringt einen Text, der zwischen den Freiburger Entwürfen und der endgültigen gedruckten Bundesordnung steht[35]; dem „Entwurf" ist diese Fassung durch den sogenannten Synodalartikel verpflichtet, der in der endgültigen Fassung fehlt; der gedruckten Bundesordnung steht die Fassung insofern nahe, als sie den sogenannten Schlösserartikel bereits kennt, der in den Fassungen A, B und C fehlt[36]. Daß freilich auch das von Vogt edierte, aus der Korrespondenz des Bundeshauptmannes Ulrich Artzt stammende Stück auf den Oberrhein verweist, ergibt sich aus einer Nachschrift von anderer Hand: „Zewissen, das wir Hans Bienckler oberster hoptman und räth des gantzen helen hufen yetzund im Högöw gantzen vollkomen gewalt geben habend Hanßen Helbling von Memmingen knecht anzunemend unser christlich bruderschaft got dem herrn zu lob und eer, erleuchtung des hailigen evangelion und gotlichem recht"[37]. Ich sehe nicht, welche Argumente dagegen angeführt werden könnten, daß diese Fassung im Besitz der Hegauer Bauern war und von dort auf unbekannte Weise an Artzt und damit an den Schwäbischen Bund gelangt ist[38]. Damit weisen schließlich alle Vorstufen der endgültigen „Memminger Bundesordnung" auf den Oberrhein als Herkunftsgebiet, und die Autorschaft Lotzers dürfte damit hinfällig sein.

Die bisher vorwiegend textkritische Argumentation läßt sich durch einen weiteren Beleg absichern, der in der bisherigen Forschungsdiskussion überraschenderweise übersehen wurde. Der Basler Ratsschreiber Heinrich Ryhiner

---

[34] H. SCHREIBER, Bauernkrieg Urkunden (wie Fußnote 20) II, S. 18 ff. Nr. 158. Schreiber übernimmt beispielsweise aus B das bessere „verurfachen" [!] statt des „verursechen" von A, hat aber noch die fehlerhafte Abschrift von A in der Form von „kristenliche Einigkeit" anstatt ‚christliche Vereinigung', die er aufgrund des fragmentarischen Charakters von B nicht verbessern konnte. – Erstaunlicherweise haben die stark unterschiedlichen und fast gleichzeitig vorgelegten Fassungen von SCHREIBER und CORNELIUS in der Forschung keine weiteren Überlegungen ausgelöst.

[35] W. VOGT, Die Correspondenz des schwäbischen Bundeshauptmannes Ulrich Artzt von Augsburg aus den Jahren 1524–1527. Ein Beitrag zur Geschichte des schwäbischen Bundes und des Bauernkrieges, in: Zeitschrift des Historischen Vereins für Schwaben und Neuburg 6 (1879), S. 218–404; 7 (1880), S. 233–380; 9 (1882), S. 1–62; 10 (1883), S. 1–298; hier S. 356–359 Nr. 110.

[36] Textvergleich bei K. LEHNERT, Studien zur Geschichte der zwölf Artikel vom Jahre 1525, 1894, S. 28.

[37] W. VOGT, Correspondenz Artzt (wie Fußnote 35), S. 359 Nr. 110.

[38] F. L. BAUMANN, Zwölf Artikel (wie Fußnote 13), S. 73 Fußnote 1, hingegen behauptet aufgrund dieser Textstelle, daß Helbling die Fassung aus Memmingen in den Hegau gebracht habe.

hat eine Bauernkriegschronik verfaßt[39], die bereits 1902 ediert wurde[40]. Ryhiner nimmt in seinen Bericht auch eine Bundesordnung auf, die sich nach genauerem Textvergleich als Abschrift der Fassung C zu erkennen gibt. Ryhiner hat also für seine Chronik das ihm als Ratsschreiber jederzeit zugängliche Stück unter den amtlichen Bauernkriegsakten der Stadt Basel benützt. Interessant und für die weitere Einordnung hilfreich ist sein Kommentar, mit dem er die Wiedergabe von C einleitet: „Und diewyl wir dann bitzhar furnemblich, was sich zwuschen loblicher stat Basel unnd iren underthonen verlouffen, beschryben, unnd aben ietzt mit gotlicher hilff ouch die Sontgouwische, Pryszgowische handlungen der schryft zu bevelhen willens, hat uns gelieben wollen, zu einem gemeinen ingang und verstand erweckter uffruren die artikel und verein, deren sich der gepursame huffen berumpt, die sy (als sy sagten) handthaben wölten, hie inzeliben mit den worten, wie die pursame (so darinnen reden) uszgeschryben hat. Und ist ir inhalt also:"[41]. Nach der Aussage Ryhiners also hatten sich die Sundgauer und Breisgauer Haufen auf eine Bundesordnung verpflichtet, die von der gedruckten „Memminger Bundesordnung" deutlich abweicht. Was bislang in der wissenschaftlichen Diskussion als „Entwurf" figuriert, wäre demnach verbindliches Programm am Oberrhein gewesen. Nun sind die Auskünfte von Chronisten für die Rekonstruktion der Bauernkriegsereignisse immer mit der gebotenen kritischen Distanz behandelt worden, die sie verdienen. Es kommt also für weitergehende Folgerungen darauf an, die Zuverlässigkeit Ryhiners zu prüfen. Seine Bauernkriegschronik hat mehrere Vorzüge: sie wurde 1525 geschrieben[42]; ihr Autor hatte als Ratsschreiber nicht nur Zugang zur amtlichen Korrespondenz der Stadt, sondern er hat sie weitgehend auch selbst geführt; stellt man in Rechnung, daß Basel neben Straßburg als Vermittler zwischen aufständischen Bauern und ihren Herren führend war[43] – vor allem ist zu verweisen auf die

---

[39] Das einzige überlieferte handschriftliche Exemplar der Chronik in der Universitätsbibliothek Basel, VB Mscr. 09 mit der Aufschrift „Baselischer Underthanen Empörung und widerbegnadigung Anno 1525". Es war offensichtlich immer in Privatbesitz und ist 1848 von Jakob Burckhardt der „Vaterländischen Bibliothek" in Basel geschenkt worden.

[40] A. BERNOULLI, Basler Chroniken, hg. von der Antiquarischen Gesellschaft in Basel, 6. Bd., 1902, S. 470–524.

[41] Ebd., S. 490 f. – Im Anschluß an die Ordnung bringt Ryhiner „artigkel, so die purschafft einem rath und gemeinde der stat Nuwenburg am Rhyn, als die zu inen geschworen, uberlifert" (ebd., S. 494 f.); sie stehen den Zwölf Artikel sehr nahe, ohne mit ihnen identisch zu sein. Ich sehe augenblicklich keine Möglichkeit, die damit angesprochenen Probleme zu klären.

[42] Ebd., S. 464.

[43] Die Vermittlertätigkeit Basels dokumentiert ausreichend H. SCHREIBER, Bauernkrieg Urkunden (wie Fußnote 20); für Straßburg H. VIRCK, Politische Correspondenz der Stadt Straßburg im Zeitalter der Reformation, 1. Bd.; 1517 – 1530, 1882, S. 103–250.

hervorragende Stellung Basels in den Verhandlungen mit den Bauern im Sundgau, Breisgau und Markgräflerland –, dann wird man Ryhiner eine detaillierte Kenntnis der oberrheinischen Verhältnisse nicht absprechen können. Seine Chronik gewinnt schließlich noch dadurch an Glaubwürdigkeit, daß er mehreren Basler Gesandtschaften angehörte – etwa an Herzog Ulrich von Württemberg oder Erzherzog Ferdinand von Österreich –, die über Bauernkriegsfragen zu verhandeln hatten. Zweifellos verdient „sein Werk . . . neben Kesslers ‚Sabbata' den ersten Platz unter allen schweizerischen Quellen des deutschen Bauernkriegs"[44]. Aus allem möchte ich folgern, daß für die Ereignisse im Sundgau, Breisgau und Schwarzwald – also für den Oberrhein schlechthin – Ryhiner gewiß ein glaubwürdiger Gewährsmann ist.

Daraus ergibt sich:

3. Es hat mindestens zwei „Bundesordnungen" gegeben: die „Memminger Bundesordnung", die – wie die Forschung nachgewiesen hat – von der Christlichen Vereinigung in Oberschwaben zum Druck gegeben wurde und auf diesem Weg eine sehr weite Verbreitung erfahren hat, und eine im Breisgau und Sundgau kursierende, ungedruckt gebliebene Bundesordnung, die ich im folgenden „Oberrheinische Bundesordnung" nenne.

Die unbezweifelbare Abhängigkeit der gedruckten Memminger Bundesordnung von den im Kern verwandten Fassungen A, B und C zwingt zu der Annahme, daß die Oberschwaben eine dieser Fassungen oder eine weitere, nicht mehr überlieferte Fassung redaktionell überarbeiteten.
Nun ergibt sich aus der Datierung von A und B auf den 6. März, daß man diese beiden Fassungen als Vorlage in Memmingen wird ausschließen müssen, weil schwerlich der Text in einem Tag vom Oberrhein nach Oberschwaben gelangen konnte. Von daher ist es wahrscheinlicher, daß Lotzer die ältere, vor dem 6. März liegende Fassung C oder eine ihr verwandte Fassung kannte. Ich halte es für vertretbar, zwischen C und B (bzw. A) eine Zwischenfassung CB anzunehmen. A und B machen nämlich keinesfalls den Eindruck eines „Entwurfes"[45], denn die entschiedene Form des Titels und die präzise Zeitangabe – „Handlung vnd veldartickell so furgenomen worden sindt, vff montag nach der alten vaßnacht, von allen hufen vnd Rotenn, so sich zü samen verpflicht Im namen der heiligen vnzerteilten dryfaltikeitt Anno Im 25ten" – sprechen

---

[44] StAB (wie Fußnote 32), Privatarchiv 115 (Archiv der Familie Ryhiner), Einleitung des Basler Staatsarchivs.
[45] Die Bezeichnung Entwurf für diese Fassung hat sich nur durchsetzen können, weil man sie seit Cornelius nur als Vorlage für die Memminger Bundesordnung in Anspruch genommen hat. Darüber hat man wohl vergessen, den Titel unbefangen zu lesen.

eher für die Verbindlichkeit dieser Fassung[46]. Um Verbindlichkeit herzustellen, bedurfte es jedoch der Beratungen, und das konnte unter Umständen viel Zeit erfordern – wir wissen das von der mühsam und aufwendig rekonstruierten Geschichte der Memminger Bundesordnung, die mehrere Überarbeitungen erfahren hat[47]. Eine Fassung CB anzunehmen, hätte den Vorzug, daß sich so erklären ließe, warum die Memminger Bundesordnung die Verschärfungen, die B gegenüber C enthält, teilweise übernimmt[48].

Wie die Oberrheinische Bundesordnung nach Oberschwaben gekommen ist, bleibt unklar. Der von Vogt mitgeteilte Text[49] verweist auf Beziehungen zwischen dem Hegauer Haufen und Memmingen. Der dort genannte Hans Bienckler ist als Hauptmann der Hegauer gesichert[50]; Hans Helbling, der im Auftrag der Hegauer Knechte werben soll, ist über das Memminger Steuerbuch von 1521 als relativ wohlhabend in Memmingen nachzuweisen[51]. Am 29. Februar [!] schreibt der Bischof von Augsburg den bayerischen Herzögen, seine Bauern seien „der puren pundtnuß im Hegew anhengig worden"[52]; am 25. Februar berichtet der Großkeller des Klosters Weingarten, Johann Halblützel, seinem Abt Gerwig Blarer, „wir haben auch gehort, Hurrenwagen [einer der Führer des Bodenseehaufens] well mit dem folk den Bodensee durchnider bis in das Hewow und die gepurschaft alle an sich pringen"[53]; und Anfang Februar berichten die Räte und Kommissare Erzherzog Ferdinands auf dem Bundestag in Ulm, „wir habn ware kundschaft das Innerthalbn wenig tagn ain botschaft von unserer gnedign hern von Auogspuorg und kemptn

---

[46] Die Handschrift A hat als Marginale von anderer Hand (vermutlich des Freiburger Stadtschreibers) an dieser Stelle: „ist geschehen vor und ee sy fur friburg zogen sind"; StaFr (wie Fußnote 21), fol. 44; das unterstützt die Annahme, hier eine verbindliche Ordnung vor sich zu haben.

[47] F. L. BAUMANN, Zwölf Artikel (wie Fußnote 13), S. 67–78, 143–151. – M. RADL-KOFER, Johann Eberlin von Günzburg und sein Vetter Hans Jakob Wehe von Leipheim, 1887, S. 289–294.

[48] Unklar bleibt, wie der „Schlösserartikel", der in A, B und C fehlt (allerdings in dem von Vogt edierten Exemplar [wie Fußnote 35] enthalten ist), in die Memminger Bundesordnung gekommen ist. Für weitergehende Überlegungen ist jedenfalls daran zu erinnern, daß am Oberrhein im sogenannten Schwarzwälder Artikelbrief (G. FRANZ, Quellen Bauernkrieg [wie Fußnote 18], S. 235 f.) ein eigener, von der Bundesordnung separierter Schlösserartikel bekannt war.

[49] W. VOGT, Correspondenz Artzt (wie Fußnote 35), S. 359 Nr. 110.

[50] F. L. BAUMANN, Akten zur Geschichte des deutschen Bauernkrieges aus Oberschwaben, 1877, S. 249 Nr. 237. – G. FRANZ, Die Führer im Bauernkrieg, in: DERS., Persönlichkeit und Geschichte, 1977, S. 103.

[51] Vgl. W. KUGLER, Steuerbuch der Reichsstadt Memmingen 1521 und Abstimmungslisten der Memminger Zünfte über den Reichstagsabschied 1530, in: Memminger Geschichtsblätter, Jahresheft 1964, 1965, S. 17.

[52] W. STOLZE, 12 Artikel (wie Fußnote 5), S. 29.

[53] H. GÜNTHER, Gerwig Blarer. Briefe und Akten, 1. Bd. (Württembergische Geschichtsquellen 29), 1914, S. 40.

unnd andern pawrn im Allgäw zuo den pawrn im Hegew zogen ist . . .“[54]. So wenig aussagekräftig die Angaben im einzelnen auch sein mögen, durch ihren gemeinsamen Hinweis auf den Hegau sind sie doch ein Indiz, wo die weitere Suche anzusetzen hat. Bevor auf diese Frage eingegangen werden kann, ist allerdings eine weitere Eigentümlichkeit der Handschrift C zu erwähnen. Sie enthält einen Artikel, der in A und B fehlt[55]. „Item es sollenn ouch hinfur ein yeder fry sin Inn der Ee Im todttfal Im abziehenn vnnd der eigennschafft. Deßglichenn zoll vmbgellt vnnd anndere der glichenn gefell an gemeynenn nutz steg vnnd weg etc. bewennt werden damit wir vnns hiemit vorbehalten haben wollenn alles das so wir vnnder annndernn vnnsern beschwerden finden, das zum lands frydenn vnnd rûw der armenn dienen vnd mit der geschrifft besteen mag. Als der geistlichen gutter wo hin die hinfûr bewennt werden sollenn, derglichen das wir denn kleynenn Zehenndenn gar nit gebenn wöllen ouch frontauwen vischen voglen vnnd jagens halber daby erbotten habenn, Das wir Inn vnnserm furnemen alles des so vnns mit der geschrifft vnformlich oder gar zu nichten erkennt werden mag gütlich abston vnnd daruon wyßen lassen wollenn".

Wenn Lotzer den Text der Handschrift C oder eine ihm verwandte Fassung gekannt hat – wofür die obigen Überlegungen sprechen –, dann hat er auch diesen Einschub gekannt. Ihn könnte man als eine embryonale Form der Zwölf Artikel bezeichnen. In sehr geraffter, verkürzter und damit auch interpretationsbedürftiger Form fordert C die Aufhebung der Leibeigenschaft (Art. 3 der Zwölf Artikel), des Todfalls (Art. 11), des Kleinzehnten (enthalten in Art. 2), der Dienste (Art. 6) und der Freigabe von Jagd und Fischerei (Art. 4). Entscheidender und von größerer Beweiskraft scheint mir jedoch die Tatsache zu sein, daß die Begründungsstruktur für diese Forderungen jener der Zwölf Artikel auffallend ähnelt. Die Zwölf Artikel wollen alle Forderungen fallen lassen, die sich mit der Schrift nicht vertragen, behalten sich aber auch weitere Forderungen vor, die sich aus dem Testament ableiten lassen. Die Handschrift C verzichtet gleichfalls – wie aus dem obigen Zitat hervorgeht – auf die explizit ausgebrachten Forderungen, falls sie mit der Schrift als unrechtmäßig nachgewiesen werden (zweite Phrase des Zitats); auch sie behält sich weitere Forderungen vor, soweit solche vor der Heiligen Schrift Bestand haben (erste Phrase des Zitats). Ich möchte die Passage keineswegs interpretatorisch überfordern, doch scheint sie mir in ihrer zweifachen Begründung diese Lesart zu rechtfertigen.

Kann man der vorgetragenen Argumentation folgen, hat dies freilich – wie ich meine – doch erhebliche Weiterungen für den ereignisgeschichtlichen Ablauf des Bauernkriegs. Bisher ist die Forschung nämlich davon ausgegangen, daß

[54]   W. STOLZE, 12 Artikel (wie Fußnote 5), S. 42. Einzelheiten zur Herkunft und Datierung des Stückes ebd. S. 40 ff.

[55]   Der Artikel ist plaziert nach Art. 16 und vor Art. 18 (Artikel 17 fehlt) der Fassung A. Vgl. G. FRANZ, Quellen Bauernkrieg (wie Fußnote 18), S. 195.

frühestens am 24. Februar mit der Eingabe der Memminger Dörfer[56] an den
Rat das göttliche Recht bzw. das Evangelium als Norm für alle Forderungen
der Bauern aufgestellt und über Lotzer an den Baltringer Haufen vermittelt
wurde[57], der diese Argumentationsfigur seit dem 27. Februar benützt[58]. Diesen als prinzipiellen Wandel in der Bauernkriegsbewegung apostrophierten
Begründungsmodus wird man nicht weiterhin der Bewegung in Oberschwaben gutschreiben können. Er kommt vom Oberrhein.

Für die Annahme, daß die Fassung C gewissermaßen als Vorläufer der Zwölf
Artikel gedeutet werden kann, sprechen aber noch weitere Argumente. C
nämlich hat einen ausgesprochenen Pfarrerwahlartikel, der mit Art. 1 der
Zwölf Artikel korrespondiert, wohingegen die gedruckte Memminger Bundesordnung eine vergleichsweise farblose und unpräzise Fassung bevorzugt. Ich
stelle die Texte einander gegenüber:

C [Basel]	Memminger Bundes-ordnung[59]
„Item wo pfarrer we-renn (dann der vicarien wöllen wir gar nit), sol-lenn frunttlich ersucht vnnd gebetten werdenn, das heylig Evangelium furohin zuverkünden vnnd Irenn Irsal beken-nenn vnnd abstellenn. Welche das thůn wol-lenn, denen soll diesel-bige Pfarr zimlich und Irem ampt gepurliche vnnderhaltung gebenn, wellichi aber sollichs nit thun wollenn, die selbi-gen gevrlobt werdenn vnnd die pfarr durch die wal der pfarrgenos-senn mit einem anndern versehenn werdenn."	„Item wo Pfarrer und Vicari sein, sollen sie freuntlich ersucht und gebeten werden, das heilig Evangelium zu verkünden und zu pre-digen. Und welche das tun wöllen, den soll die-selb Pfarr ein gepürliche Underhaltung geben. Welche aber solichs nicht tun wöllen, die sollen geurlopt werden, und die Pfarr mit einem andern versehen werden."

---

[56]   Der Text bei F. L. Baumann, Akten (wie Fußnote 50), S. 119 Nr. 107.

[57]   In der bisherigen Diskussion ist das Argument von H. Böhmer, Die Entstehung der
zwölf Artikel der Bauern von 1525, in: Blätter für württembergische Kirchengeschichte
NS 14 (1910), S. 99, die Gemeinde Beuren (Baltringer Haufen) argumentiere wie die
Zwölf Artikel, nicht aufgenommen worden. Ich meine zu Recht, denn es liegt doch eine
abweichende Begründungsstruktur vor. Zur Vergleichbarkeit gebe ich nochmals den
entsprechenden Text. „Dise obgeschribne artikel und punckten wel mir haben, wo
aber mer artikel hinder uns und for uns gemacht wurde, dieselbige wel mir auch han

Hinzu kommt, daß C, wenn auch in unzusammenhängender Form, Forderungen einbringt, die mit dem Frevelartikel (Art. 9) der Zwölf Artikel korrespondieren. C nämlich fordert, „das nit, alls bitzhar, der gemeyn Man Inn gefenngknuß geworffenn vnnd so er will ledig werdenn, seyn schuld wiewol mit vnschuldt bekennen vnnd vervrfechdenn müß"; C verlangt an anderer Stelle, „gericht vnnd recht sollenn ouch einenn furganng haben vnnd niemannt So vmb gerechtigkeit angerůfft, [on] recht gelassen werdenn doch soll keyner mit frembden vßlendigen gerichten ersůcht noch bekumbert werden. Item die oberkeyt sollenn niemannt lassenn annemen thurnnen noch plogenn Er sig dann im Malefitz verlumbdet". Außer der Sequenz, „es sollen Gericht und Recht, wie vor beschehen, Furgang haben", verzichtet die Memminger Bundesordnung auf Äußerungen zur Gerichtsbarkeit.

Damit kann man festhalten:
4. In der „Oberrheinischen Bundesordnung" (Handschrift C) sind in nuce alle Forderungen der Zwölf Artikel enthalten mit Ausnahme der Art. 5, 7 und 10, die eine bessere Versorgung mit Holz reklamieren, eine Herabsetzung der Gülten verlangen und die Rückgabe enteigneter Allmenden fordern.

Es ist offenkundig, daß C den Erfordernissen einer systematischen Behandlung der einzelnen Materien kaum entspricht, Beschwerden an die Herren und organisatorische Maßnahmen zur Sicherung des Verbündnisses stehen ziemlich unvermittelt nebeneinander. Eine redaktionelle Überarbeitung konnte bei einer Separierung der Beschwerden und der Organisationsmaßnahmen für aufständische Bauern leicht zwei unterschiedliche Fassungen hervorbringen: die Zwölf Artikel und die Bundesordnung.

An dieser Stelle ist es angebracht, gewissermaßen als Exkurs die bisher formale Begründung für die Herkunft der Texte vom Oberrhein um eine inhaltliche zu ergänzen, nachdem die Einzelforderungen von C referiert sind. Die Besonderheit der oberrheinischen Beschwerden ist die herausragende Bedeutung der Frevel-, Dienst- und Leibeigenschaftsartikel[60]. Die Klettgauer – um an diesem

und darbey gerend mir nuitz, dan das götlich recht und das haillig evangeli usweist".
W. VOGT. Correspondenz Artzt (wie Fußnote 35), S. 238 Nr. 883.
[58]   W. VOGT, Correspondenz Artzt (wie Fußnote 35), S. 344 Nr. 83, und F. L. BAUMANN, Akten (wie Fußnote 50), S. 131 Nr. 119.
[59]   G. FRANZ, Quellen Bauernkrieg (wie Fußnote 18), S. 197.
[60]   Für eine summarische Zusammenfassung und den Vergleich mit Oberschwaben siehe P. BLICKLE, Die Revolution von 1525, 1981², S. 92–97 und Anhang II, S. 296–301. – Ergänzend die Spezialstudien von U. LUTZ, Die Herrschaftsverhältnisse in der Landgrafschaft Baar in der Wende vom 15. zum 16. Jahrhundert. Ein Beitrag zur Entstehung des Territorialstaates und zur Geschichte des Bauernkriegs (Veröffentlichungen des Alemannischen Instituts Freiburg i. Br. 46), 1979, bes. S. 70–76, und E. MÜLLER, Der Bauernkrieg im Kreise Waldshut, 1961.

Beispiel die Beschwerdestruktur etwas deutlicher zu zeigen – bringen 43 Beschwerden ein[61]. Zieht man die dreizehn Artikel ab, die sich lediglich auf einzelne Orte beziehen, so entfallen von den verbleibenden dreißig auf die Rechtspflege zehn (Art. 3, 6, 12, 13, 21, 22, 37, 38, 39, 41), auf Dienste sechs (15, 16, 17, 19, 30), auf die Leibeigenschaft drei (1, 2, 23), auf Steuer, Umgeld und Zoll drei (11, 14, 18), auf Jagd und Fischerei zwei (4, 32) und schließlich ein Artikel auf den Zehnt. Die hohe Paßfähigkeit dieser Beschwerden auf die Oberrheinische Bundesordnung ist evident, zumal wenn man die beiden Schlußartikel in die Argumentation einbezieht: „Zum Letzten. All ander neue Fünd und Uffsäz, so hierin [in den 43 Beschwerden] nit begriffen wären, werden wir auch nit mehr thun, ohn Unterrichtung des göttlichen Rechten". „Item alles, das wir unserm Herrn, Herrn von Sulz pflichtig und schuldig sind nach göttlichen Rechten, entbieten wir uns, willig und gehorsam sein"[62]. Die Klettgauer haben am 25. März 1525 nochmals ähnlich argumentiert[63], aber auch die Stühlinger Beschwerden zeigen Anklänge an eine prinzipiellere Inanspruchnahme des göttlichen Rechts, was um so höher zu veranschlagen ist, als es sich hier um eine beim Reichskammergericht eingereichte Klageschrift handelt[64].

Es ist nicht meine Absicht, aus diesen Textstellen weitere Ableitungen vorzunehmen; was sie wohl hinreichend zeigen, ist, daß die Basler Handschrift auch nach inhaltlichen Kriterien an den Oberrhein gehört und so mit noch besseren Argumenten von einer „Oberrheinischen Bundesordnung" gesprochen werden kann.

---

[61]   H. SCHREIBER, Bauernkrieg Urkunden (wie Fußnote 20) I, S. 179–184.

[62]   Ebd. S. 184.

[63]   Die ganze Grafschaft bevollmächtigt ihre Boten für die Verhandlungen mit dem Grafen von Sulz in Zürich, „daß sie nit witer handlen söllend, dann nach der einzigen Richtschnur (das ist nach dem Gotzwort), und kein andern Richter nit han, und den Handel nit anheben, es sige dann das A. und N. Testament Richter. Diewil doch kein wahrhaftiger Richter ist im Himmel und uff Erden, dann das Gotzwort, und all unser Sachen, Handlung, Leben und Wesen allein im Gotzwort stat und nit by uns unstandhaftigen ergitigen Menschen. Daß dasselbig lebendig Wort auch unser Richter syn soll. Das ist der Gewalt und Meinung einer gantzen Grafschaft Kleggau ...". H. SCHREIBER, Bauernkrieg Urkunden (wie Fußnote 20), II, S. 31 f.

[64]   „Wir wollent uns vorbehalten haben, dise unsere Beschwerd, Clagen zu meren, mindern und endern und sunst alle unsere Notturft furzupringen ... Ob aber ein oder mer Begeren oder Peticion ... dem gar strengen Rechten nach nit möcht statt haben ..., so pitten wir nichtdestominder, das E.G. wollent bedenken und erwegen die gottliche, naturliche Pillickeit, Vernunft und Verstant, und was dieselbige vermogen, ausweisen und zugeben, erkennen und sprechen". G. FRANZ, Quellen Bauernkrieg (wie Fußnote 18), S. 123.

II

Folgt man dem bisherigen Beweisgang bis zu diesem Punkt, so ergeben sich daraus auch Konsequenzen für die Herkunft der Zwölf Artikel. Die Forschung ist bisher davon ausgegangen, daß die Zwölf Artikel in engstem Zusammenhang mit den als „Memminger Eingabe" bezeichneten Beschwerden der Dörfer der Reichsstadt Memmingen stehen. Der Memminger Rat hatte sich, nachdem aus den Dörfern Steinheim[65], Pleß[66] und Erkheim[67] in der zweiten Februarhälfte des Jahres 1525 Beschwerden eingegangen waren, am 22. Februar entschlossen, durch drei Ratsgesandtschaften alle Memminger Dörfer nach ihren Gravamina befragen zu lassen[68]. Wie vorgesehen, suchten die Gesandtschaften am 23. Februar die Dörfer auf, und der Rat erhielt von ihnen am 24. Februar die summarische Forderung zugestellt, „ir [die Räte] wöllen vns nach außweisung vnd inhalt des götlichen worts halten vnd bey demselben bleiben laßen. Was vns dann dasselbig götlich wort nimpt vnd gibt, wöl wir alzeit gern annemen vnd bey demselben bleiben"[69]. Noch am selben Tag beschloß der Rat, den Bauern zu versichern, „man wel ouch zu gotzwort setzen", verband diese Zusicherung allerdings mit der Forderung, die Beschwerden genauer zu benennen[70].
Die gewünschte Präzisierung erfolgte zwischen dem 24. Februar und dem 3. März in Form der sogenannten Memminger Eingabe in 10 Artikeln, die der Rat am 15. März beantwortete[71].
Durch ihre weitgehende Übereinstimmung mit den Zwölf Artikeln war die Frage aufgeworfen, welches der beiden Stücke Priorität beanspruchen könne. Dies zu klären, haben Historiker in den letzten hundert Jahren das methodische Instrumentarium der äußeren und inneren Quellenkritik mit viel Scharfsinn angewandt, ohne daß die Diskussion zu einem befriedigenden und überzeugenden Abschluß gekommen wäre. Lehnert[72], Götze[73] und Stolze[74] votierten für eine Abhängigkeit der Memminger Eingabe von den Zwölf Artikeln, Cornelius[75], Baumann[76], Böhmer[77] und zuletzt Maurer[78] erklärten

---

[65] F. L. BAUMANN, Akten (wie Fußnote 50), S. 36 Nr. 58 b (um 15. II.).
[66] Ebd.
[67] Ebd., S. 38 Nr. 58 b (zum 22. II.)
[68] Ebd.
[69] Ebd., S. 199 Nr. 107.
[70] Ebd., S. 39 Nr. 58 b: „vnd ire beschwerungen wellen sy [die Räte] hören".
[71] Beschwerden der Dörfer und Antwort des Rates in Gegenüberstellung, ebd., S. 120–126 Nr. 108.
[72] K. LEHNERT, Zwölf Artikel (wie Fußnote 36), S. 59 f.
[73] A. GÖTZE, Zwölf Artikel (wie Fußnote 1), S. 1.
[74] W. STOLZE, Bauernkrieg (wie Fußnote 5), S. 99.
[75] C. A. CORNELIUS, Bauernkrieg (wie Fußnote 9), S. 150 f.
[76] F. L. BAUMANN, Zwölf Artikel (wie Fußnote 13), S. 106.
[77] H. BÖHMER, Zwölf Artikel (wie Fußnote 57), S. 108.
[78] J. MAURER, Prediger (wie Fußnote 4), S. 394 mit S. 588 f. Fußnote 83.

die Zwölf Artikel als überarbeitete Fassung der Memminger Eingabe. Franz hat sich nach sorgfältiger Abwägung der kontroversen Argumente für Lotzer als Verfasser beider Dokumente entschieden[79] und die divergierenden Positionen derart harmonisiert, daß „beide Stücke sich in gewissen Grenzen gegenseitige Vorlage gewesen (sind). Die Unterschiede erklären sich aus den verschiedenen örtlichen Voraussetzungen und der verschiedenen Bestimmung"[80]. Die annähernde Gleichgewichtigkeit der Argumente für und gegen die Priorität der Zwölf Artikel bzw. der Memminger Eingabe schließt nicht aus, daß beide Texte Fortschreibungen einer älteren Vorlage sind. Zwar wurde in der Forschung diese Möglichkeit nie ernsthaft diskutiert[81], weil – wie schon Lehnert feststellte – „nirgends ein zwingender Grund vor(liegt), diesen Fall anzunehmen"[82]. Der „Fall" scheint mir nun allerdings durch die „Oberrheinische Bundesordnung" gegeben, und es bleibt zu prüfen, was daraus für die Redaktion der Zwölf Artikel zu gewinnen ist.

Es geht mir zunächst darum zu zeigen, daß die „Memminger Eingabe" lokale Beschwerden der reichsstädtischen Dörfer und Forderungen, wie sie die „Oberrheinische Bundesordnung" enthält, addiert, aber nicht zu einer überzeugenden, widerspruchsfreien Synthese verarbeitet.

Dieses Urteil basiert – neben anderem – auf einem Quellenfund in München[83], der die Kenntnis der Lokalbeschwerden der Dörfer der Reichsstadt Memmingen verbreitert und verbessert. Bislang waren nur die in den Memminger Ratsprotokollen notierten Beschwerden der Dörfer Steinheim, Pleß und Erkheim bekannt[84]; jetzt läßt sich zusätzlich mit Lokalbeschwerden der Orte Unterholzgünz und Oberhofen (Oberholzgünz)[85], Frickenhausen und Buxach (sowie der zum zweiten Mal beschwerdeführend einkommenden Dörfer Steinheim und Erkheim) argumentieren. Das in Frage stehende Aktenstück besteht aus einem Doppelblatt (beschrieben sind fol. 1, 1' und 2) von der Hand des Memminger Stadtschreibers[86]), das allerdings keinen fortlaufenden, zusammenhängenden Text gibt. Folglich handelt es sich um ein Fragment, was zu der Annahme zwingt, daß über die genannten Ortschaften hinaus weitere

---

[79] Entschieden bestritten hat eine gemeinsame Autorschaft, soweit ich sehe, allein K. LEHNERT, Zwölf Artikel (wie Fußnote 36), S. 60.

[80] G. FRANZ, Zwölf Artikel (wie Fußnote 3), S. 206.

[81] Ebd., S. 203.

[82] K. LEHNERT, Zwölf Artikel (wie Fußnote 36), S. 60. – So auch sehr kategorisch H. BÖHMER, Zwölf Artikel (wie Fußnote 57), S. 104.

[83] BayHSTA (wie Fußnote 10).

[84] Siehe oben Fußnote 65–67.

[85] Unterholzgünz und Oberhofen bilden eine Gemeinde.

[86] Das ergibt sich daraus, daß die Blätter von derselben Hand geschrieben sind wie der Entwurf des Rates auf die Memminger Eingabe; StaAM (Stadtarchiv Memmingen) 341/6. H. BÖHMER, Zwölf Artikel (wie Fußnote 57), S. 117, hat darauf aufmerksam gemacht, daß dieser Entwurf von derselben Hand geschrieben ist wie die Ratsprotokolle.

Beschwerden anderer Dörfer, vermutlich aller Dörfer aufgeschrieben wurden. Man wird in dieser Beschwerdesammlung die Vorarbeit zu einer Antwort auf das Ersuchen des Rates vom 24. Februar nach einem detaillierten Beschwerdekatalog sehen müssen. Daß sie vor dem 24. Februar formuliert wurden, ist deswegen unwahrscheinlich, weil das Ratsprotokoll die Eingänge lokaler Gravamina sorgfältig verzeichnet; sie zeitlich nach dem 3. März einzuordnen, verbietet sich, da zu diesem Zeitpunkt die „Memminger Eingabe" dem Rat bereits vorlag.

So behutsam bei einer Interpretation der Memminger Lokalbeschwerden angesichts des fragmentarischen Charakters der Überlieferung vorgegangen werden muß, es lassen sich doch einige allgemeinere Aussagen machen; denn immerhin liegen nun von 5 der 25 Memminger Dörfer Beschwerden vor; auch von den annähernd 300 Beschwerdeschriften des Baltringer Haufens sind nur 30 überliefert[87]. Die Artikel der Memminger Eingabe lassen sich in drei Gruppen unterteilen – in Artikel, die durch lokale Beschwerden gedeckt werden und eine hohe Kompatibilität mit den Forderungen der Handschrift C ausweisen (a); in Artikel, die durch Ortsbeschwerden abgesichert sind, aber keine Entsprechung in C haben (b), und schließlich in Artikel, die aus C bezogen sein könnten, aber keine regionale Absicherung haben, die man näherhin als „Fremdartikel" charakterisieren muß (c).

(a) Freigabe von Jagd und Fischerei findet sich als Forderung der Plesser Bauern[88], der Frevelartikel in den Beschwerden von Steinheim[89], die Forderung der Ehefreiheit wieder bei den Plessern. An die Stelle der Todfallbeschwerde tritt in den Memminger Dörfern der Ehrschatzartikel, der lokal durch die Plesser[90], zum Teil auch durch die Holzgünzer Artikel[91] begründet ist. Gleiche Forderungen bringt auch die „Oberrheinische Bundesordnung" aus.

(b) Steinheim, Erkheim Unter- und Oberholzgünz und ein wegen Unvollständigkeit der Vorlage nicht näher zu bezeichnender Ort beschweren sich über

[87]   G. FRANZ, Der deutsche Bauernkrieg, Aktenband, 1968², S. 147 Fußnote 1.

[88]   F. L. BAUMANN, Akten (wie Fußnote 50), S. 36 Nr. 58 b.

[89]   „Weiters vor kurtzen Jaren In von Irem pfleger und Hofmaister [des Memminger Spitals] angelangt worden der frevel halb, darin seien Sy anderst dan von altem her beschwert worden, Seien darumb fengclichen angnomen worden das Sy beghernd Sy bei alten Prauch beliben zu lassen haben Sy auch großen costen und schaden empfangen wer noch Ir beger Sy bej altem pruch bliben zu lassen". BayHStA (wie Fußnote 10).

[90]   Wie Fußnote 88.

[91]   „Sy seien beschwert wan ainer sterb so beschwer man im das gůt oder nem Ime etwas darauß". BayHStA (wie Fußnote 10).

unzureichende Beholzung[92]; Erkheim, Unter- und Oberholzgünz und ein nicht näher genannter Ort über die Höhe der Gülten[93]. Beide Beschwerden sind in die Memminger Eingabe als Artikel 8 und 10 eingegangen[94], treten aber in der „Oberrheinischen Bundesordnung" nicht auf.

(c) Nun verzeichnet aber die Memminger Eingabe auch Beschwerden, die in den Lokalartikeln nicht auftauchen. Dazu gehört der 5. Artikel mit der Forderung, „nachdem vnd wir vnsher lang hoch beschwert worden seyen der dienst halbn, welhe von tag zu tag sich gemert vnd zugenommen haben, begern, das ain gnedig einsehen hierynn gebraucht werde, wie die eltern gedienet haben, allein nach laut des wort gotes etc"[95]. Der Rat reagierte, wie sich aus seiner ersten internen Stellungnahme ergibt, äußerst ungehalten, der Ton unterscheidet sich in seiner scharfen Zurückweisung deutlich von der Diktion der Stellungnahme insgesamt: „In dem nimpt ain Rat unpillich das seine Vnderthanen in dem ainich beschwernus haben hetten sich des zu den Iren nit versehen dan wan die Underthanen bedechten wie anderer Herrschafft Vnderthanen neben und umb Inen sitzen und wie etlich all Wochen ain [?] dienst thun muessen So hetten Sy solch Ir vormaintlich beschwernus billich erspart."[96] Die Dienste aber waren, wie der Rat anmerkte, weitestgehend in Geld umgewandelt: „Der diensten halb sein etlich derffer die 5 ß etlich 1 ß wiewol etlich mehr geben als nach ain ganzer hof 1 Pfd 4 ß ain halber hof 12 ß heller ain selden 6 ß."[97] Ist schon das gänzliche Fehlen der Dienstbeschwerden in den Ortsartikeln auffällig, so bestätigt eine Durchsicht der Lehenbriefe und Urbare, daß die Verärgerung des Rates berechtigt war. Sie ergibt nämlich eindeutig, daß Naturalfronen in Memmingen nicht mehr üblich waren und die gemessenen Dienste auf den Höfen, soweit diese überhaupt zu solchen verpflichtet waren, in fixierten Geldbeträgen abgegolten wurden[98]. Der Dienstar-

---

[92] Steinheim: „. . . weiter das man mit dem hofmaister [des Memminger Spitals] verschaff, das er in ain pletzen holtz eyngeb, wie von alter herkomen ist" (F. L. BAUMANN, Akten (wie Fußnote 50), S. 36 Nr. 58 b). Erkheim: „. . . vnd das alle heltzer frei sein sollen" (ebd. S. 38); Unter- und Oberholzgünz: „. . . beschwer und Insonders an holtz haben gar kains vnd messens erkauffen" (BayHStA [wie Fußnote 10]); unbekannter Ort: „Sy haben auch mangel an holtz Ist das Inen ain zimlich notturfft ain [?] holtz zugeben" (ebd.).

[93] Erkheim: „Der erst in der gilt sei er [Hans Mair von Erkheim] beschwert, wel die nit mer geben" (F. L. BAUMANN, Akten [wie Fußnote 50], S. 38 Nr. 58 b); Unter- und Oberholzgünz: „die gutter seien In vast beschwerd" (BayHStA [wie Fußnote 10]); unbekannter Ort: „Sy seien ouch beschwert an allen Iren guteren" (ebd.).

[94] F. L. BAUMANN, Akten (wie Fußnote 50), S. 124 f. Nr. 108.

[95] Ebd., S. 123 Nr. 108.

[96] StaAM (wie Fußnote 86).

[97] Ebd.

[98] Durchgesehen habe ich die Bestände StiAM (Stiftungsarchiv Memmingen) 29/2, 35/5, 38/1, 58/4 und Fol. Bd. 20. Damit sind nicht alle Höfe von 25 Memminger Dörfern überprüft, aber doch eine gewisse repräsentative Auswahl getroffen. Nur für einen Hof ließen sich 3 Dienste pro Jahr nachweisen (StiAM 35/5; zu Hart 1511).

tikel erweist sich damit in der Memminger Eingabe als ausgesprochene „Fremdbeschwerde", die aus einer anderen Vorlage bezogen sein muß.

Das gilt auch für den Pfarrerwahlartikel, der in der Memminger Eingabe an erster Stelle plaziert ist. Keine der Memminger Dorfbeschwerden kennt diese Forderung, es sei denn man würde den Wunsch nach Predigt des reinen Evangeliums, wie er in Steinheim und Unterholzgünz laut wird[99], in diese Richtung interpretieren, was angesichts der weiten Verbreitung dieser Forderung wohl nicht angeht.

SCHEMATISCHE REKONSTRUKTION DER HERKUNFT DER ZWÖLF ARTIKEL
UND DER MEMMINGER BUNDESORDNUNG

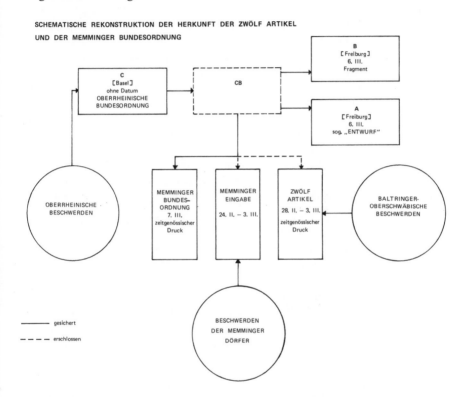

Damit ist die geläufige, aber nicht unbestrittene These, daß die Memminger Eingabe von den Zwölf Artikeln abhängt, nicht widerlegt. Denn die Zwölf Artikel haben den Pfarrerwahl- und den Dienstartikel (Art. 1 und 6). Es ist aber auch nicht auszuschließen, daß die Memminger Eingabe die Forderungen der Handschrift C weiterentwickelt. Schlösse man sich dieser Vermutung an, dann ergäbe sich daraus, daß Lotzer von einer oberrheinischen Vorlage aus die

---

99   Steinheim vgl. F. L. BAUMANN, Akten (wie Fußnote 50), S. 36 Nr. 58 b. – Unterholzgünz: „Sy haben ain grossen mangel ob dem pfarrer das Er das Evangelium nit verkund wie hinnen [in Memmingen]". BayHStA (wie Fußnote 10).

Memminger Eingabe und die Zwölf Artikel redigiert hätte. Diese Annahme empfiehlt sich weniger durch Stringenz als durch Plausibilität. Denn die letztlich offene Diskussion, ob die Memminger Eingabe von den Zwölf Artikeln abhängt oder umgekehrt die Zwölf Artikel von der Memminger Eingabe, wäre damit gegenstandslos. Insofern neige ich zu dem Fazit:

5. Die „Oberrheinische Bundesordnung" war Vorlage für die Memminger Eingabe und die Zwölf Artikel in dem Sinn, daß von ihr die prinzipiell neuen Forderungen von 1525 (Schrift als Norm für den innerweltlichen Bereich, Pfarrerwahl durch die Gemeinde, Aufhebung der Leibeigenschaft) übernommen und unter Berücksichtigung der regionalen Besonderheiten – hier die Lage der Dörfer der Reichsstadt Memmingen, dort die Situation der Baltringer Bauern – weitergeschrieben, abstrahiert und systematisiert wurden.

Damit werden die bisherigen Forschungsleistungen nicht entwertet; denn die verantwortliche redaktionelle Tätigkeit Lotzers (und Schappelers) bleibt von den hier vorgetragenen Argumenten unberührt. Seine Leistung besteht darin, die oberschwäbischen Lokal- und Regionalbeschwerden in eine summarische und konzise Form gebracht zu haben. Eine Ergänzung des bisherigen Forschungsstandes allerdings ist der hier versuchte Nachweis, daß die prinzipielleren Forderungen und ihre göttlich-rechtliche Begründung auf eine ältere bäuerliche Vorlage aus dem Oberrheingebiet zurückgeführt werden können.

III

Die Annahme, daß die Zwölf Artikel von einer oberrheinischen Vorlage ihre wesentlichen Impulse erhielten, hat meines Erachtens den unbestreitbaren Vorzug, zwei über 400 Jahre reichende Interpretationsstränge zu verknüpfen: In der geschichtlichen Tradition stehen die Überzeugungen neben- und gegeneinander, bei den Zwölf Artikeln handele es sich um „schwäbische" bzw. „schwarzwäldische" Artikel[100]. Schon die aufständischen Bauern des Jahres 1525 sprechen sowohl von „schwäbischen" wie von „schwarzwäldischen" Zwölf Artikeln[101]. Die Theologen der Zeit lokalisieren ihr Herkunftsgebiet gleichfalls unterschiedlich[102]: Müntzer[103] und Fabri[104] am Oberrhein, die

---

[100]   Belegsammlung bei G. FRANZ, Zwölf Artikel (wie Fußnote 3), S. 196 f.

[101]   Verbreiteter ist allerdings unter ihnen die Charakterisierung der Zwölf Artikel als solchen, „die im Druck ausgangen". Vgl. die zahlreichen Belege bei M. KREBS, Die Rechtfertigungsschriften der vorderösterreichischen Städte vom Jahre 1525. Dokumente zur Geschichte des Bauernkriegs am Oberrhein, in: Zeitschrift für die Geschichte des Oberrheins NF 54 (1941), S. 9–77, bes. S. 18, 22, 49, und in den sundgauischen und elsässischen Ortsbeschwerden im StAB (wie Fußnote 32), fol. 65 f., 67', 71, 81', 87.

[102]   Die Belege zusammengestellt bei H. BÖHMER, Urkunden zur Geschichte des Bauernkrieges und der Wiedertäufer (Kleine Texte für Vorlesungen und Übungen 50/51), 1933, S. 11–16.

[103]   Von einem Thüringer Haufen sagt Müntzer: „Aus etlichen artigkeln, so dye brueder bewogen, dye Ime nit wislich seyn, seyn dye zwelff artigkel der schwertzwelder

Wittenberger in Oberschwaben[105]. Schließlich haben in der Historiographie des 16. – 18. Jahrhunderts[106] wie in den wissenschaftlichen Kontroversen des 19. und 20. Jahrhunderts beide Lesarten engagierte, um nicht zu sagen fanatische Verteidiger gefunden[107].

Die Ausschließlichkeit der Positionen löst sich auf, wenn man der hier vorgetragenen Argumentation zu folgen bereit ist. Das als einziges Ergebnis auszuweisen, könnte freilich mit Fug und Recht als belanglos bezeichnet werden, könnte dem berechtigten Vorwurf ausgesetzt sein, in der schieren Faktensicherung das Hauptgeschäft des Historikers zu sehen. Ich glaube aber, daß die hier angebotene Rekonstruktion von Fakten auch Weiterungen für die Interpretation der Revolution von 1525 in einem sehr wichtigen Punkt hat. Mir scheint damit nämlich ein weiteres Mal nachgewiesen, daß die leitenden und aufstandsmotivierenden Ideen von den Aufständischen selbst entwickelt wurden, den Intellektuellen des Jahres 1525, soweit sie sich auf die Seite des Gemeinen Mannes schlugen, jedoch eher eine mäeutische Funktion zukommt.

---

baurn zum teyl gewest und andere". Druck bei G. FRANZ, Zwölf Artikel (wie Fußnote 3), S. 197 Fußnote 16. Es scheint mir wahrscheinlicher, daß Müntzer als guter Kenner der Beschwerden der Bauern am Hochrhein in den Zwölf Artikeln eben die wesentlichen Ideen dieser Region wiederkannte, als anzunehmen – wie dies Franz tut (ebd.) –, der Richter hätte diese Antwort vorgegeben durch die Frage: ‚Waren es die 12 Artikel der Schwarzwälder Bauern?'

[104] Fabris Auskunft, daß die Zwölf Artikel etwas mit den Hegauern und Klettgauern zu tun haben, wird man nur mit Unbehagen völlig aus der Diskussion ausscheiden können. Die einschlägigen Texte bei H. BÖHMER, Urkunden (wie Fußnote 102), S. 11–14. Vor allem scheint mir nach den obigen Darlegungen eine Passage aus der Urgicht Hubmayers in einem neuen Licht: „Item mehr hat er bekant/wie er der Bawern Artickel/ßo yhm von yhnen aus dem hoere zukomen seind/dieselben yhnen erweytert vnd außgelegt/und denselbigen solchs eingebildet/die antzunehmen als Christlich vnd billich" (ebd. S. 13). Unterwürfe man sich einem Konstruktionszwang, dieses Bekenntnis auf die Handschrift C oder eine verwandte Fassung zu beziehen? – Im übrigen wird man eine Diskussion der fraglichen Texte und der Bedeutung Hubmayers nur mit Erfolg dann aufnehmen können, wenn die Originale, die Fabri vorgelegen haben müssen, aufgefunden werden sollten. Für entsprechende, leider ergebnislose Recherchen in den Wiener Archiven danke ich Frau Kollegin G. Mecenseffy.

[105] Vgl. etwa Luthers „Ermanunge zum fride auff die zwelff artikel der Bawrschafft ynn Schwaben"; alle Drucke haben den Hinweis auf Schwaben, siehe dazu H. CLAUS, Druckschaffen (wie Fußnote 2), S. 45–49.

[106] Die wichtigsten Belege bei A. STERN, Über die zwölf Artikel aus dem Jahre 1525, 1868.

[107] Die oberrheinische Herkunft bzw. die Autorschaft Hubmayers vertrat zuletzt in zahlreichen Aufsätzen W. STOLZE. Vgl. als abschließenden Beleg zusammenfassend W. STOLZE, Bauernkrieg (wie Fußnote 5), S. 94–118. – Für die oberschwäbische Herkunft bzw. die Autorschaft Lotzers (und Schappelers) zuletzt G. FRANZ, Zwölf Artikel (wie Fußnote 3). Über beide Autoren läßt sich die gesamte ältere Diskussion erschließen, die generell unter der arbeitshypothetischen Annahme leidet, es müsse einen „Autor" der Zwölf Artikel geben.

Sie haben die Ziele der Insurgenten in eine klare Sprache und in eine konzise Form gebracht; aber sie sind nicht die „Vordenker" der Revolution. Entgegen der verbreiteten Überzeugung soziologisch und anthropologisch orientierter Historiker, bäuerliche Bewegungen erhielten generell ihr programmatisches Profil erst durch die Intellektuellen[108], zeigt die Geschichte der Zwölf Artikel, daß es eine „kollektive Vernunft des Gemeinen Mannes"[109] gegeben hat.

---

[108] Repräsentativ D. SABEAN, Markets, uprisings and leadership in peasant societies: Western Europe 1381–1789, in: Peasant Studies Newsletters 2 (1973) Nr. 3, S. 17 ff.
[109] Diese, wie mir scheint, äußerst glückliche Formulierung verdanke ich Dr. Erdmann Weyrauch, mit dem ich die hier vorgetragenen Überlegungen diskutieren konnte.

WOLFGANG VON HIPPEL

Bauernkrieg, Französische Revolution und aufgeklärte Humanität

Zum Geschichtsbild des deutschen Bürgertums am Ende des 18. Jahrhunderts im Spiegel von Georg Friedrich Sartorius' „Versuch einer Geschichte des Deutschen Bauernkriegs"

Daß Historiker Kinder ihrer Zeit sind, daß ihre Themenwahl und Arbeitsmethode nicht unbeeinflußt bleiben von gesellschaftlicher und weltanschaulicher Standortgebundenheit, ist eine Selbstverständlichkeit, die keiner näheren Erläuterung bedarf. Die Art und Weise aber, wie sich der Erkenntnisprozeß jeweils im Wechselspiel zwischen dem historischen Gegenstand, seinem Betrachter und dessen eigener Umwelt schließlich im Endprodukt von historischer Darstellung und Wertung niederschlägt, erweist sich am Einzelbeispiel immer wieder als höchst instruktiv, reflektiert sie doch in stets neuen und oft überraschenden Brechungen die ‚Weltanschauung' eines Autors und seiner Zeit im Spannungsfeld von Vergangenheitserforschung, Gegenwartserfahrung und Zukunftserwartung.

Es liegt nahe, in einer Festschrift für Günther Franz, der selbst einen nunmehr bereits fast 50 Jahre lang bestimmenden Beitrag zur Erforschung und Deutung des Bauernkriegs geliefert hat, dem Phänomen „Bauernkrieg" auch einen historiographischen Beitrag zu widmen. Denn wie alle Umbruchsereignisse, die eine bestehende Staats- und Gesellschaftsordnung in Frage stellten, provozierte der Bauernkrieg eine breite Skala weit auseinanderlaufender Einschätzungen. Vor allem während des 19. Jahrhunderts blieb das Urteil im Pro und Contra maßgeblich geprägt von dem Ereignis der Französischen Revolution und dem durch sie vermittelten neuen Erfahrungshorizont, daß man in einem Zeitalter der Revolution(en) lebe und daß Revolution ein universal wirksames Moment geschichtlicher „Bewegung" auch über die eigene Epoche hinaus in Vergangenheit und Zukunft darstelle[1]. Damit konnte der Bauernkrieg in eine bis dahin nicht verfügbare Dimension historischer Analyse und Wertung aufrücken; er stieß zunehmend auf breiteres Interesse und wurde zumal im Zeichen einer oft genug vordergründig politischen Geschichtsschreibung zum

---

[1] Zum neuartigen Revolutionsverständnis im Spiegel des Revolutionsbegriffs vgl. K. GRIEWANK, Der neuzeitliche Revolutionsbegriff. Entstehung und Geschichte, 1969², Suhrkamp Taschenbuch 1973, bes. S. 187 ff.; R. KOSELLECK, Der neuzeitliche Revolutionsbegriff als geschichtliche Kategorie, in: Studium Generale 22 (1969), S. 825–838.

historischen Kampffeld aktueller ideologischer Richtungskämpfe. Jeder der
großen politischen Strömungen des 19. Jahrhunderts lassen sich dementsprechend ‚angemessene' Interpretationsmuster des Bauernkriegs zuordnen, angefangen von konservativen Deutungen aus protestantischer oder katholischer
Sicht über solche liberaler und demokratischer Couleur bis hin zum sozialisti-
schen „Klassiker".

Die großen Entwicklungslinien der Bauernkriegshistoriographie sind bekannt;
im einzelnen bedürften sie sehr wohl noch genauerer Untersuchung[2]. Als ein
Baustein hierzu mag der vorliegende Beitrag verstanden werden. Er ist der
ersten „modernen" Darstellung des Bauernkriegs gewidmet. Der „Versuch
einer Geschichte des Deutschen Bauernkriegs oder der Empörung in Deutschland zu Anfang des Sechzehnten Jahrhunderts" von Georg Friedrich Sartorius erschien 1795[3], im Jahr des Basler Friedens, zu einem Zeitpunkt, als die
Französische Revolution ihre radikale Phase bereits durchlaufen hatte und
ihre Dauerwirkungen auch auf europäischer Ebene sich immer klarer abzeich-

---

[2]　Eine befriedigende Gesamtdarstellung der Bauernkriegshistoriographie liegt bisher
nicht vor. Die oberflächliche Dissertation von F. WINTERHAGER, Der Bauernkrieg in
der historischen Literatur. Positionen der Forschung vom Vormärz bis heute, FU Berlin
1979, wird ihrem Anspruch keinesfalls gerecht. Die Aufsätze von H. VAHLE, Der
deutsche Bauernkrieg als politische Bewegung im Urteil der Geschichtsschreibung, in:
Geschichte in Wissenschaft und Unterricht 23 (1972), S. 257–277, und von V. PRESS,
Der Bauernkrieg als Problem der deutschen Geschichte, in: Nassauische Annalen 86
(1975), S. 158–177, bes. S. 159–165, liefern wertvolle Ansatzpunkte für eine weitere
Analyse. Aus marxistischer Sicht mit Konzentration auf Thomas Müntzer sind wichtig
M. STEINMETZ, Das Müntzerbild von Martin Luther bis Friedrich Engels (Leipziger
Übersetzungen und Abhandlungen zum Mittelalter, Reihe B, 4), 1971, ferner, bezogen
auf die Geschichtsschreibung über Reformation und Bauernkrieg, DERS., Die Entstehung der marxistischen Auffassung von Reformation und Bauernkrieg als frühbürgerli-
che Revolution, in: Zeitschrift für Geschichtswissenschaft 15 (1967), S. 1171–1192;
vgl. auch G. VOGLER, Marx, Engels und die Konzeption der frühbürgerlichen Revolution in Deutschland, in: Zeitschrift für Geschichtswissenschaft 17 (1969), S. 704–717,
und DERS., Friedrich Engels zur internationalen Stellung der deutschen frühbürgerlichen Revolution, in: Zeitschrift für Geschichtswissenschaft 20 (1972), S. 444–457.
Über Wilhelm Zimmermann vgl. nach H. HAUSSHERR, Wilhelm Zimmermann als
Geschichtsschreiber des Bauernkriegs, in: Zeitschrift für württembergische Landesgeschichte 10 (1951), S. 166–181 und M. STEINMETZ, Müntzerbild, S. 401–417 in
weiterem Kontext vor allem zu Zimmermanns und Engels Bauernkriegsinterpretation
A. FRIESEN, Reformation and Utopia. The Marxist Interpretation of the Reformation
and Its Antecedents (Veröffentlichungen des Instituts für Europäische Geschichte
Mainz 71), 1974.
[3]　Vgl. außer kurzen Charakteristiken des Werks von Sartorius bei H. HAUSSHERR,
Zimmermann (wie Fußnote 2), S. 166 f. und A. FRIESEN, Reformation (wie Fußnote 2),
S. 10 die ausführlichere, freilich sehr deskriptiv gehaltene und vor allem auf Müntzer
abhebende Darstellung von M. STEINMETZ, Müntzerbild (wie Fußnote 2), S. 352–357.

neten. Das Buch belegt sehr deutlich, wie die zeitgeschichtliche Erfahrung zum bestimmenden Moment werden konnte, „Empörung" und „Aufstand" der Bauern im 16. Jahrhundert unter neuem Blickwinkel als Gesamtprozeß zu begreifen, und es erweist sich zugleich als Auseinandersetzung mit der eigenen Gegenwart durch das Medium der Geschichte und als Spiegel des Weltverständnisses seines Verfassers. Jenseits aller individuellen Motive und Ansichten aber kann es auch als Ausdruck des Geschichts- und Zeitbewußtseins eines großen Teils wenigstens des protestantischen deutschen Bildungsbürgertums am Ende des 18. Jahrhunderts interpretiert werden.

Georg Friedrich Sartorius[4], 1765 in Kassel geboren, entstammte wie nicht wenige deutsche Historiker einem evangelischen Pfarrhaus. Auch er sollte zunächst den geistlichen Beruf ergreifen, wandte sich aber während seines Studiums an der Universität Göttingen gegen anfänglichen Widerstand des Vaters von der Theologie ab der Geschichte zu, die damals gerade in Göttingen in enger Verbindung mit Staatsrecht, Nationalökonomie und Statistik durch weithin bekannte Gelehrte wie Johann Christoph Gatterer, Johann Stephan Pütter, August Ludwig Schlözer, Ludwig Timotheus Spittler und August Ludwig Heeren hervorragend vertreten war[5]. Neben seiner Tätigkeit an der Göttinger Universitätsbibliothek (1786 Akzessist, 1788 Sekretär, 1794 Kustos) begann Sartorius seit 1792 als Privatdozent der Philosophischen Fakultät mit Vorlesungen über Zeitgeschichte (18. Jahrhundert) und Politik. In Vorlesungen über die Staatswirtschaft trug er seit 1791 als einer der ersten an deutschen Universitäten die Lehre Adam Smith's vor[6]; in seinem „Handbuch der Staatswirtschaft zum Gebrauche der akademischen Vorlesungen, nach Adam Smith's Grundsätzen ausgearbeitet" (Berlin 1796, zweite neubearbeitete Auflage 1806) machte er sie in komprimiert-systematischer Form einem breiteren Publikum zugänglich, bei voller Einsicht in ihre grundsätzliche Bedeutung, doch ohne sie deshalb unkritisch zu verabsolutieren[7]. Seine

---

[4]   Zum folgenden vgl. Neues Vaterländisches Archiv des Königreichs Hannover I (1831), S. 185–217, F. FRENSDORFF, Georg Sartorius, in: Allg. Dt. Biographie, Band 30 (1890), S. 390–394, P. SCHMIDT, Georg Friedrich Sartorius, in: Handbuch der Staatswissenschaften, Band VII, 1911[3], S. 184 f., C. MEITZEL, Georg Friedrich Sartorius, in: Handbuch der Staatswissenschaften, Band VII, 1926[4], S. 156, ferner die Einleitung von E. V. MONROY (Hg.), Goethes Briefwechsel mit Georg und Caroline Sartorius (von 1801–1825), Weimar 1931, S. XIII ff.

[5]   Vgl. die kurze Charakteristik bei H. RITTER V. SRBIK, Geist und Geschichte vom deutschen Humanismus bis zur Gegenwart, Bd. 1, 1950, S. 122 ff.

[6]   Zur Rezeption von Adam Smith in Deutschland vgl. allg. W. ROSCHER, Geschichte der Nationalökonomik in Deutschland, 1874, S. 593 ff., speziell zu Sartorius S. 615 ff., ferner K. EPSTEIN, The Genesis of German Conservatism, Princeton N. J. 1966, S. 179 ff.

[7]   In Besprechungen deutscher Übersetzungen des Werks von Adam Smith in den Göttingischen Anzeigen von gelehrten Sachen, Göttingen 1793, S. 1660 ff. und 1794, S. 1901. ff. klagt Sartorius zwar darüber, daß man sich in Deutschland mit der Lehre von Smith aus Bequemlichkeit noch viel zu wenig auseinandergesetzt habe, betont aber

anfänglichen Sympathien für die Französische Revolution bewogen Sartorius 1791 sogar zu einem längeren Aufenthalt in Paris; dies hatte möglicherweise zur Folge, daß seine politische Zuverlässigkeit längere Zeit angezweifelt wurde[8]. Ob die Schrift über den Bauernkrieg auch dem Zweck diente, solchen Verdacht zu zerstreuen[9], sei dahingestellt. Jedenfalls wurde Sartorius 1797 zum außerordentlichen, 1802 zum ordentlichen Professor in der Göttinger Philosophischen Fakultät ernannt. Sein wissenschaftliches Ansehen, u. a. durch die dreibändige „Geschichte des Hanseatischen Bundes" (1802/08) und die allseits gerühmte Qualität als akademischer Lehrer im Bereich von Geschichte, Politik und Statistik gefördert[10], bewiesen Rufe nach Helmstedt (1803), Würzburg (1804), Berlin (1810) und Leipzig (1811), schließlich die Ernennung zum Professor der Politik als Nachfolger Schlözers in Göttingen (1814). Zeitweise Kontakte zu Benjamin Constant, dem später führenden Theoretiker der konstitutionellen Monarchie[11], und eine „warme Freundschaft"[12] mit Wilhelm August Rehberg[13], seitdem Sartorius dessen vielfach angefeindete Schrift „Über den deutschen Adel" (1803) in den Göttingischen Gelehrten Anzeigen günstig beurteilt hatte[14], lassen eine maßvoll liberale

---

auch, daß Smith sich durchsetzen werde, „denn die Vernunft behält am Ende ihr Recht" (Jg. 1793, S. 1662). In den „Abhandlungen, die Elemente des Nationalreichtums und die Staatswirtschaft betreffend" von 1806 setzte sich Sartorius seinerseits durchaus kritisch mit einigen Doktrinen von Smith auseinander; vgl. W. ROSCHER, Nationalökonomik (wie Fußnote 6), S. 617 f. und H. MOHRMANN, Über die Beziehungen des Dekabristen Nikolai Turgenev zu Georg Sartorius und dem Freiherrn vom Stein, in: Deutsch-slawische Wechselseitigkeit in sieben Jahrhunderten. Gesammelte Aufsätze, Ed. Winter zum 60. Geburtstag dargebracht, Berlin-O. 1956, S. 375–398, S. 383 f.

[8] So F. FRENSDORFF, Sartorius (wie Fußnote 4), S. 391.

[9] In diese Richtung argumentiert H. HAUSSHERR, Zimmermann (wie Fußnote 2), S. 166 f. und noch pointierter M. STEINMETZ, Müntzerbild (wie Fußnote 2), S. 353.

[10] Zu den positiven Urteilen bes. von J. Fr. Böhmer und H. Heine vgl. F. FRENSDORFF, Sartorius (wie Fußnote 2), S. 393 und E. V. MONROY, Goethes Briefwechsel (wie Fußnote 4) S. XVII f., XXXIX f.

[11] Vgl. L. GALL, Benjamin Constant. Seine politische Ideenwelt und der deutsche Vormärz, 1963; zu Constants Aufenthalt in Deutschland ebd., S. 19 ff.

[12] F. FRENSDORFF, Sartorius (wie Fußnote 2), S. 392.

[13] Zu den politischen Ansichten Rehbergs, der unter dem Einfluß von Edmund Burke zum grundsätzlichen Kritiker der Französischen Revolution geworden war, ohne deshalb die Notwendigkeit staatlicher und gesellschaftlicher Reform in Frage zu stellen, vgl. U. VOGEL, Konservative Kritik an der bürgerlichen Revolution (August Wilhelm Rehberg), 1972, bes. S. 196 ff.

[14] Zu Rehbergs Adelschrift vgl. ebd., S. 200 ff.; Sartorius' Rezension in den Göttingischen Gelehrten Anzeigen 1803, S. 811 f.; Sartorius lehnt in diesem Zusammenhang die Ansichten der „sogenannten demokratischen Partei" ebenso ab wie diejenigen der „Enragés" auf der anderen Seite.

Grundhaltung mit Blick für das Erfordernis ökonomischer und sozialer Reform erkennen, wie Sartorius sie 1806 in seinen „Abhandlungen, die Elemente des Nationalreichtums und die Staatswirtschaft betreffend" zumindest angedeutet hat[15]. Anfängliche Begeisterung für Napoleon scheint bald der Ernüchterung und dem Abscheu gegenüber dem „seelenlosen Despotismus" des Kaisers gewichen zu sein[16]; auch nationale Emotionen fielen hierbei zunehmend ins Gewicht, ja, Sartorius spielte seit 1805 sogar wiederholt mit dem Gedanken, in russische Dienste zu treten. Das Bedürfnis nach politischer Tätigkeit konzentrierte sich nach dem ersehnten Zusammenbruch des Empire auf die Neuordnung der deutschen Verhältnisse. 1814 legte er in Weimar einen Plan für eine deutsche Reichsverfassung vor, fungierte durch Vermittlung des ihm seit 1801 freundschaftlich verbundenen Ministers Goethe kurze Zeit als Beirat der sachsen-weimarischen Gesandtschaft auf dem Wiener Kongreß, trat als Abgeordneter der Stadt Einbeck auf der ersten hannoverschen Ständeversammlung entschieden für das Prinzip der Steuergleichheit gegen alle Privilegierungen ein und verband damit weitergehende Vorschläge für den Aufbau eines einheitlichen deutschen Zollsystems bei freiem deutschen Binnenverkehr und dem erforderlichen Zollschutz, um „gebührend den Mißhandlungen anderer Völker antworten zu können"[17]. Noch einmal meldete er sich 1820 in der Tagespolitik zu Wort: In seiner Schrift „Über die Gefahren, welche Deutschland bedrohen, und die Mittel, ihnen mit Glück zu begegnen" war er auf ausgleichenden Ratschlag bedacht zwischen den beiden „Parteien" der „Liberalen" und der „Ultras"[18], plädierte für wenngleich beschränkte Pressefreiheit, Erhaltung der Lehrfreiheit an den Universitäten und Ausgestaltung des Deutschen Bundes in der Hoffnung, daß die mangelnde Einheit der Form wenigstens durch die Gesinnung, „die Liebe zum gemeinsamen deutschen Vaterland" ersetzt werden könne[19]. In den Geruch eines „Demagogen" ist Sartorius bei alledem nie geraten. Adam Müller, der österreichische Generalkonsul in Leipzig, attestierte ihm 1821 gegenüber Metternich „ein in politischer wie in moralischer Hinsicht völlig schuldloses Betragen" und bewertete ihn als „ein Muster eines deutschen Lehrers der politischen Wissenschaften"[20]. Der Erwerb des Gutes Waltershausen in Unterfranken und die Erhebung in den erblichen Freiherrnstand durch Ludwig I. von Bayern 1827 mag schließlich Sartorius' angeblich früh bemerkbare „Hinneigung zu den

---

15   Vgl. H. MOHRMANN, Turgenev (wie Fußnote 7), S. 383 f.

16   Hierzu und zum folgenden vgl. E. v. MONROY, Goethes Briefwechsel (wie Fußnote 4), S. XXVIII ff.

17   H. MOHRMANN, Turgenev (wie Fußnote 7), S. 396.

18   „Nicht alles ist Torheit, was die Liberalen wollen, nicht alles ist wahr, was die Ultras behaupten, die Wahrheit liegt in der Mitte"; zitiert nach E. v. MONROY, Goethes Briefwechsel (wie Fußnote 4), S. XVII.

19   E. v. MONROY, Goethes Briefwechsel (wie Fußnote 4), S. XXIV f.

20   Ebd., S. XV.

höhern Ständen" und „der feinen Welt"[21] ein Jahr vor seinem Tod endgültig befriedigt haben.

Es steht zu erwarten, daß ein solcher Mann bei allem Bedürfnis nach einem Standpunkt der „Mitte" zwischen bzw. über den „Parteien"[22] auch das Studium der Geschichte nicht aus pur antiquarischem Interesse betrieb. Seine „Einleitungsblätter zu Vorlesungen über die Politik" von 1793[23] beweisen, daß Sartorius im Studium der Geschichte geradezu das Fundament der „Politik" als einer Erfahrungswissenschaft sah mit dem Ziel, zu ermitteln, unter welchen Verfassungen und Einrichtungen sich die Staaten am besten befunden hätten, während er naturrechtlich begründeten Konstruktionen des idealen Staates keinen praktischen Nutzen zuerkannte. Dies bedeutete keinesfalls eine quasiautomatische Legitimation des historisch Gewordenen oder gar des historischen Rechts, viel eher dokumentierte sich darin die montesquieuesche Einsicht in die vielfältige Bedingtheit menschlichen Lebens und die alte Überzeugung, die Geschichte sei Lehrmeisterin der Gegenwart.

Der „Versuch einer Geschichte des Deutschen Bauernkriegs" (künftig zitiert: Versuch), im Juni 1794 abgeschlossen und 1795 wenigstens in zwei Ausgaben erschienen[24], besaß darüberhinaus zeitgeschichtliche Aktualität wie keine von Sartorius' sonstigen historischen Arbeiten. Dabei mußte sie natürlich den anspruchsvollen Maßstäben der Göttinger Universitätsgelehrsamkeit gerecht werden. Es war selbstverständlich, daß Sartorius wenigstens die erreichbaren gedruckten Quellen zum Bauernkrieg mit großer Vollständigkeit und der erforderlichen Kritik nutzte[25]. Weiterführende Archivstudien hat er freilich nicht betrieben; es bleibt fraglich, ob er ernsthaft versucht hat, diesen Weg zu beschreiten, obwohl er ihn für wichtig hielt[26] und gegenüber Zuverlässigkeit und Aussagekraft zeitgenössischer Publizistik und Chronistik als Parteiprodukten von Seiten der Sieger berechtigte Skepsis zeigte[27].

Die Themenwahl erscheint daher auf den ersten Blick nur um so auffallender, zumal sich Sartorius' Lehrer Spittler und Heeren eher Themen der ‚großen' Politik widmeten, insbesondere der Entwicklung des europäischen Staatensystems; Sartorius selbst hat später Spittlers Entwurf einer Geschichte der europäischen Staaten mehrfach neu herausgegeben und bis 1822 fortgeführt[28].

---

[21]   So F. FRENSDORFF, Sartorius (wie Fußnote 4), S. 392; vgl. E. v. MONROY, Goethes Briefwechsel (wie Fußnote 4), S. XIV f.

[22]   Vgl. Fußnote 18.

[23]   Vgl. zum folgenden die knappen Inhaltshinweise bei W. Roscher, Nationalökonomik (wie Fußnote 6), S. 617.

[24]   Eine Ausgabe erschien in Berlin, eine weitere in Frankenthal. Die Belegstellen werden im folgenden nach der Frankenthaler Ausgabe angegeben.

[25]   Zu Quellennutzung und Quellenkritik vgl. bes. G. F. SARTORIUS, Versuch einer Geschichte des Deutschen Bauernkriegs, Frankenthal 1795, S. 4 ff., 393 ff.

[26]   Ebd., S. 6, 19.

[27]   Ebd., S. 7 f.

[28]   F. FRENSDORFF, Sartorius (wie Fußnote 4), S. 392.

Sartorius fühlt sich auch durchaus bemüßigt, die wissenschaftliche Beschäftigung mit dem Bauernkrieg ausführlicher zu begründen. Aus seiner kritischen
Haltung gegenüber der „unglücklichen", „elenden" und „ärmlichen Empörung"[29] und den mit ihr verbundenen Ausschreitungen macht er keinen Hehl,
dies aber nicht in der Absicht, den Bauernkrieg selbst als belang- und
folgenlosen Zwischenfall abzuwerten, selbst wenn er entschieden auf die
Diskrepanz zwischen Ziel und Ergebnis[30] und auf den „Mangel an allen
wichtigen in die Augen springenden Folgen"[31] der „Rebellion" abhebt.
Gerade diese beiden Umstände werden sich im Verlauf der weiteren Argumentation als wesentliche Gesichtspunkte für die Bedeutung erweisen, die Sartorius dem Bauernkrieg zumißt. Das leitende Motiv für seine Themenwahl ist
der bereits angesprochene Aktualitätsbezug, daß nämlich „in den Begebenheiten unserer Tage eine Art von Aufforderung dazu zu liegen schien. Das
sechszehnte Jahrhundert hat in Hinsicht auf die Ursachen, welche die politischen und religiösen Gärungen veranlaßten, die es erschütterten, in mancher
Hinsicht eine auffallende Ähnlichkeit mit denen, welche heutzutage ausgebrochen sind, so daß eine genauere Nachricht von jenen uns in mancher Hinsicht
einiges Vergnügen, vielleicht einigen Nutzen gewähren kann. Dies schien
deswegen um so mehr zu hoffen, da der Schauplatz jener unseligen Kriege und
Streitigkeiten in unserm Vaterlande war und die kostbaren Erfahrungen
unserer Vorfahren eine Ermahnung für ihre spätern Enkel abgeben können"[32].
Der „praktische Nutzen"[33] gilt als bestimmender Gesichtspunkt bei der
Beschäftigung mit der Vergangenheit; die Auseinandersetzung mit dem Bauernkrieg ist auch Auseinandersetzung mit der Französischen Revolution und
ihren möglichen Auswirkungen auf Deutschland[34], ja mit dem Phänomen der
„bürgerlichen Rebellion"[35] überhaupt, auch wenn Sartorius es ablehnt, ständig nach den „von selbst sich ergebenden Parallelen" „zu haschen"[36]; die
Erklärung einer historischen Krise soll gegenwärtige Krisen verstehen und
vermeiden helfen.

---

[29]   G. F. SARTORIUS, Versuch (wie Fußnote 25), z. B. S. 8 f., 11, 12, 20.

[30]   Ebd., S. 8 f.

[31]   Ebd.; vgl. S. 4, 355 f.

[32]   Ebd., S. 10 f.

[33]   Ebd., S. 18.

[34]   Zur Auseinandersetzung der deutschen Öffentlichkeit mit der Französischen Revolution vgl. als letzte große Zusammenfassung J. DROZ, L'Allemagne et la Révolution
Française, Paris 1949; speziell zum Problem der Bauernunruhen in Deutschland im
Zeichen der Französischen Revolution, die zur Rückerinnerung auch an den Bauernkrieg von 1525 reizen konnten, vgl. zusammenfassend mit weiterführenden Literaturhinweisen C. DIPPER, Die Bauernbefreiung in Deutschland 1790–1850, 1980,
S. 143 ff.

[35]   Z. B. G. F. SARTORIUS, Versuch (wie Fußnote 25), S. 55, 62.

[36]   Ebd., S. 19.

Sartorius liefert damit ein Stück pragmatischer Geschichtsschreibung, die in der Verbindung von „Nutzen, Belehrung und Interesse"[37] mit „Vergnügen"[38] gleichermaßen Exemplasammlung wie Lehrmeisterin der Vernunft sein will und durch historische Beispiele die „Versinnlichung" von „allgemein praktischen Wahrheiten" anstrebt, werde diesen doch durch das Vehikel der Geschichte „ein leichterer Eingang bei den Menschen verschafft"[39]. So zieht Sartorius aus der Geschichtsbetrachtung Lehren, die über die Vergangenheit und Gegenwart hinaus zeitlose Gültigkeit beanspruchen zu können scheinen, orientiert an dem Ziel, „Mäßigung und Billigkeit denen zu empfehlen, die im Besitz von Vorrechten und Vorteilen sind, welche bei veränderter Lage der Umstände vielleicht nicht mehr in aller Augen als ganz gerecht erscheinen, Achtung für rechtmäßig erworbenes Eigentum zu empfehlen, die Gefahren eines wütenden Fanatismus und eines niedrigen Egoismus zu zeigen, für Menschen und Bürgerwohl Hochachtung, wie überhaupt für Sittlichkeit einzuschärfen"[40]. „Mäßigung und Billigkeit", „Billigkeit, Mäßigung und Gerechtigkeit"[41], „Sittlichkeit", „Menschlichkeit" und „Vernunft", begriffen als „schlichter" und „gesunder Menschenverstand"[42], gegen „Leidenschaften", „wütenden Fanatismus", „Sophisterei", „niedrigen" und „platten Egoismus"[43], „Parteigeist" und „Parteihaß"[44] – derartige Maßstäbe für Erklärung und Wertung geschichtlicher Ereignisse entspringen dem Denken in Kategorien aufgeklärter „Humanität"[45] und Toleranz[46], die immer wieder in den Appell an individuelle und kollektive Vernunft und Menschlichkeit münden. Mit ihrer Hilfe lassen sich blutige Konflikte vermeiden, lassen sich die (unvermeidlichen?) Kosten geschichtlichen Fortschritts kleinhalten: „Um einen billigern Preis hätte man die Mißbräuche, die mit der Zeit unerträglich geworden waren und die von dem gesunden Menschenverstand als solche erkannt wurden, abstellen mögen, wenn man früher die Stimme der Vernunft, der Billigkeit und Mäßigung hätte anhören wollen"[47]. „Man hätte weit wohlfeilern Kaufs die Vorteile erhalten können, welche die Reformation uns gewährt hat; man hätte die traurigen Verwüstungen des Bauernkriegs gänzlich

---

[37] Ebd., S. 4.
[38] Z. B. ebd., S. 10, 19.
[39] Ebd., S. 14.
[40] Ebd., S. 13.
[41] Ebd., S. 17.
[42] Ebd., S. 15, 17.
[43] Ebd., S. 13, 372.
[44] Z. B. ebd., S. 17, 81, 83, 364 f., 366 f., 369 f., 377. Zum Begriff der „Partei", der im deutschen Sprachgebrauch zumal im politischen Bereich bis tief ins 19. Jh. hinein meist negativ aufgeladen war, vgl. jetzt K. V. BEYME, Partei, Faktion, in: Geschichtliche Grundbegriffe, Bd. 4, 1978, S. 677–733, bes. S. 687, 695 ff.
[45] G. F. SARTORIUS, Versuch (wie Fußnote 25), S. 364 f.
[46] Z. B. ebd., S. 368.
[47] Ebd., S. 17.

vermeiden können, wenn man menschlicher gedacht hätte, wenn man die unverbrüchlichen Gesetze der Moral mehr geachtet, Menschen als Menschen hätte behandeln und wenn man an die Abstellung der Mißbräuche hätte Hand anlegen wollen, bevor man die Waffen ergriff und ihre Abstellung zu erzwingen versuchte"[48].

Daß Fortschritt der letztlich bestimmende Zug der Geschichte ist, erscheint Sartorius unbestreitbar; er befindet sich hierin in vollem Einklang mit der Aufklärungshistorie eines A. L. Schlözer[49]. Anthropologischer Pessimismus, wie er zumal angesichts von Enttäuschung und Erschrecken über die Radikalisierung der Französischen Revolution gerade auch im deutschen Bildungsbürgertum um sich zu greifen drohte – „Menschen bleiben Menschen, mit allen Mängeln und Fehlern rafft der Tod die einen von der Bühne, um anderen nicht bessern Raum zu verschaffen" –, gilt ihm als durch die Erfahrung widerlegt und auch aus ethisch-pädagogischen Gründen als „ein trostloser Glaube", „gefahrbringend, schädlich und falsch": „Er ist gefährlich, weil durch ihn die edelsten Staatstugenden vernichtet werden, weil die Liebe zum Vaterland und Achtung und Liebe für die Menschen und die notwendigen Aufopferungen einzelner zum Wohl des Ganzen gänzlich aufhören. Es führt dieser Wahn zu einem platten Egoismus, der nur freilich leider zu häufig in unsern neuern Staaten gefunden wird; er führt zu einem Egoismus, den kein positives Gesetz abschaffen kann und der nur mit dem Wahr- oder Falschbefinden jenes Grundsatzes steht oder fällt. Aber er ist falsch, und seine Falschheit ist selbst aus der Erfahrung zu beweisen"[50]. Für Sartorius hängen demnach Erfahrung und Überzeugung vom geschichtlichen Fortschritt engstens mit seinen Staatsvorstellungen zusammen. Vaterlands- und Menschenliebe, die sich in der Verpflichtung auf das Gesamtwohl verbinden, sind die entscheidenden Träger der „Vervollkommnung der bürgerlichen Gesellschaft"[51]. Wie aber sieht die gut funktionierende und entsprechend entwicklungsfähige „bürgerliche Gesellschaft" aus[52]? Sie ist bestimmt durch das geregelte Miteinander von

---

[48]   Ebd., S. 370.

[49]   Zu Schlözer vgl. aus marxistischer Sicht G. SCHILFERT, August Ludwig von Schlözer, in: J. STREISAND (Hg.), Die deutsche Geschichtswissenschaft vom Beginn des 19. Jahrhunderts bis zur Reichseinigung von oben, Berlin-O. 1963, S. 81–92, und DERS., Schlözer als Historiker des Fortschritts, in E. Winter (Hg.), Lomonosov, Schlözer, Pallas, 1962, S. 115–131, ferner DERS., Betrachtungen über das aufklärerische Geschichtsdenken und seine Bedeutung, in: Ost und West in der Geschichte des Denkens und der kulturellen Beziehungen. Festschrift für Eduard Winter zum 70. Geburtstag, 1966, S. 229–237. Vgl. neuerdings den Beitrag von U. A. J. BECHER, August Ludwig von Schlözer, in: H.-U. Wehler (Hg.), Deutsche Historiker, Bd. VII, 1980, S. 7–23.

[50]   G. F. SARTORIUS, Versuch (wie Fußnote 25), S. 372 f.

[51]   Ebd., S. 371.

[52]   Zu dem gängigen Gebrauch des Begriffs „Bürgerliche Gesellschaft" für die Res Publica bis ins frühe 19. Jh. hinein vgl. M. RIEDEL, Bürgerliche Gesellschaft, in: Geschichtliche Grundbegriffe, Bd. 3, 1972, S. 738 ff.

„Regent" und „Volk" bzw. „Untertanen", „wo die Regenten und die Untertanen ihre Pflichten kennen und ehren": „O dreimal glückliches Volk, das seine
Rechte und Pflichten kennt und ehrt und Regenten hat, welche die ihrige
kennen und sie nie vorsätzlich verletzen!"[53] Sartorius deutet nirgends an, daß
dem Volk irgendwelche verfassungsmäßig festgelegten Kontroll- und Mitwir-
kungsbefugnisse im Staat eingeräumt werden sollten; vielmehr scheint er dies
nicht für erforderlich zu erachten, denn von der Öffentlichkeit, von der
„allgemein verbreiteten Kenntnis" der Pflichten und Rechte des Regenten und
des Volkes erwartet er „allein die Abstellung der Mißbräuche und die Vervollkommnung der bürgerlichen Gesellschaft"[54]. Jedem Menschen obliegt es,
diese Kenntnis und damit auch „eine allgemeinere Sittlichkeit zu verbreiten"[55],
gerade auch dem Schriftsteller[56]. So wird das verbreitete Wissen um beidersei-
tige Pflichten und Rechte zum besten Garanten einer wohlgeordneten „bürgerlichen Gesellschaft" und bedarf eigentlich kaum institutioneller Abstützung,
ist es doch die richtige Gesinnung, die an den Kantschen Kategorischen
Imperativ gemahnende Bereitschaft, „die unverbrüchlichen Sittengesetze
anzuerkennen und ihnen gemäß zu leben"[57], welche gegen „Leidenschaften",
„Parteigeist" und „Egoismus" schützen.
Über den Inhalt der beiderseitigen Pflichten und Rechte läßt sich Sartorius
freilich nicht genauer aus. Sein Ideal aber ist offensichtlich eine „weise
Regierung" im Geiste des aufgeklärten Absolutismus, unter der „die, welche
gehorchen", „glücklich leben" können[58], weil der Regent den Gebrauch des
„menschlichen Verstandes" gewährt und fördert und „die Mißbräuche, die
mit der Zeit unerträglich geworden waren und die von dem gesunden Menschenverstand als solche erkannt wurden"[59], abstellt. Keinerlei „Rebellion"
habe die Regierung zu befürchten, „wo die Liebe der Untertanen zu ihren
Vorgesetzten auf dem unerschütterlichen Grund beruht, daß die Regierung ihr
Bestes ernstlich wolle und daß sie dies nur zu ihrem ersten und einzigen Zweck
mache. [...] Die vernünftige Liebe ihrer freien Untertanen schließt einen
heiligen Kreis um sie"[60]. Das aus „freien Untertanen"[61] bestehende Volk hat
zwar die Möglichkeit, seine Meinung zu äußern, und die Regierung tut gut
daran, „die allgemeine Stimme des Volks"[62] zu achten; ansonsten aber liegt
die Leitung fest in der Hand der Regierung, denn das Volk, eine eher passive
Kraft im Staate, „ist seinem Herrn treu ergeben und willig, solang es ihm

---

[53] G. F. Sartorius, Versuch (wie Fußnote 25), S. 371.
[54] Ebd.
[55] Ebd., S. 377.
[56] Vgl. ebd., S. 17, 132 f.
[57] Ebd., S. 373.
[58] Ebd., S. 15.
[59] Ebd., S. 16 f.
[60] Ebd., S. 347 f.
[61] Ebd., S. 348.
[62] Ebd., S. 371.

wohlgeht", und nur im äußersten Fall zur „Empörung" bereit[63]. Auf der Regierung liegt damit aber auch besondere Verantwortung; sie kann verhindern, daß es zum äußersten kommt, und sie vor allem muß dafür sorgen, „Umstände und Bedingungen herbeizuleiten, welche die Bildung der Mehrheit befördern"[64], d. h. „Aufklärung" und „eine allgemeinere Sittlichkeit" zu verbreiten[65]. „Eine allgemein verbreitete sittliche Kultur" und „ein gebildetes Volk" aber sind letzlich die besten Garanten gegen „Rebellion"[66].

Sartorius' Vorstellungen über Aufbau und Funktionieren des Staates und über das Wechselspiel zwischen politischer Ordnung, Geistesfreiheit und „allgemeiner Vervollkommnung der Menschen"[67] ließen bereits in Ansätzen eine (freilich recht einfache) Revolutionstheorie und, damit verbunden, eine Lehre der Revolutionsvermeidung erkennen, wobei Sartorius übrigens noch durchaus einem älteren Sprachgebrauch verhaftet bleibt: Er spricht von „Aufstand", „(bürgerlicher) Empörung" oder „(bürgerlicher) Rebellion"[68] mit durchweg negativem Unterton und unterscheidet hiervon „Revolution" als erfolgreiche politische Umwälzung[69] oder im Sinne von Voltaires „révolution des esprits"[70] positiv als geistigen Umbruch. So gilt ihm die Reformation als „eine Revolution, die auf Meinungen gegründet ist und durch Überzeugung von der Wahrheit und Gerechtigkeit bei der größern Zahl nur Unterstützung erwarten kann"[71].

„Bürgerliche Rebellion" aber ist das Ergebnis von obrigkeitlicher Unterdrükkung, von „Tyrannei" und „Despotismus" in materieller wie geistiger und geistlicher Hinsicht; Despotismus und Rebellion hängen „wie Ursach und Wirkung zusammen"[72]. Eine Rebellion gegen eine gute Obrigkeit im bereits dargelegten Sinne ist für Sartorius ausgeschlossen, ist das Volk ihr doch jedenfalls treu und in Liebe ergeben. Nur wenn die Obrigkeit ihre Pflicht versäumt und, statt dem Fortschritt zu dienen, aus Egoismus Mißbrauch stützt und berechtigte Forderungen verwirft, entsteht die Gefahr einer Rebellion, doch selbst dann noch bedarf es ungewöhnlicher Steigerung des Drucks, um die Empörung auszulösen. Denn das Volk weiß um das hohe Risiko einer Erhebung: „Es muß weit kommen, bis das Volk zur Empörung greift; es weiß

---

[63]   Ebd., S. 68.

[64]   Ebd., S. 374.

[65]   Ebd., S. 376 f.

[66]   Ebd., S. 375 ff.

[67]   Ebd., S. 373.

[68]   Vgl. Fußnote 35, ferner G. F. SARTORIUS, Versuch (wie Fußnote 25), S. 61, 68.

[69]   So werden ebd., S. 11 f. „die Freiwerdung der Schweizer" und der „Kampf der ohnmächtigen Niederländer gegen einen Tyrannen, der so reich und mächtig war", als „denkwürdige Revolutionen" charakterisiert.

[70]   Zu Voltaires neuem Revolutionsbegriff und seiner Anwendung auch auf die Reformation vgl. K. GRIEWANK, Revolutionsbegriff (wie Fußnote 1), S. 161 ff.

[71]   G. F. SARTORIUS, Versuch (wie Fußnote 25), S. 58.

[72]   Ebd., S. 377.

es fürwahr besser, als wir es ihm je sagen können, daß es das letzte verzweif-
lungsvollste Hülfsmittel ist, wo es um Leben oder Tod gilt; allein das ist auch
nicht weniger wahr, daß es dies Spiel jedesmal wagen wird, wenn ihm alles
genommen ist, was ihm das Leben lieb und teuer macht"[73]. Jeder Druck von
oben erregt den Wunsch nach einem notfalls zu erzwingenden „bessern
Zustande"; die so ausgelöste „Gärung" schlägt schließlich in Rebellion um,
denn „es gibt einen Punkt, der verschieden bei verschiedenen Völkern und
Nationen ist, über den kein Despotismus hinausschreiten kann. Die Rebellion
wird nicht fehlen, und sie wird um so scheußlichere Folgen haben oder von so
scheußlichern Schandtaten begleitet werden, als dies Volk in der sittlichen
Bildung zurücksteht und als verworfen und elend sein voriger Zustand war"[74].
Die Regierung kann dem „grausenvollen Streite der entbundenen, losgelasse-
nen Leidenschaften aller Art"[75] durch rechtzeitige Zugeständnisse und Refor-
men vorbeugen und damit die Ruhe bewahren; zögert sie zu lange, ist das
Schwert bereits gezogen[76], dann ist jeder Appell der Vernunft und „parteiloser
Rat"[77] vergebens, Zugeständnisse werden nun als Schwäche ausgelegt und
reizen nur zu weitergehenden Forderungen[78]; „Leidenschaften" und „Parteigeist" schalten Vernunft und Menschlichkeit aus und machen „Übereilungen,
Grausamkeiten und Schandtaten" unvermeidlich[79]. Rebellionen mit ihren
Begleiterscheinungen sind daher nur mit „tödlicher Krankheit"[80] und „Fieber-
paroxysmus"[81] vergleichbar, und es bleibt jeweils abzuwarten, ob sie doch in
irgendeiner Hinsicht die Entwicklung der Menschheit weiterführen; im allgemeinen ist eher das Gegenteil der Fall.
„Bürgerliche Empörung" ist demnach für Sartorius stets vermeidbar, weil
grundlegende Konflikte im gut regierten Staat für ihn nicht denkbar sind und
etwa voneinander abweichende Interessen mit Blick auf das Gesamtwohl des
Staates und „die unverbrüchlichen Sittengesetze" integrierbar sein müssen.
Daß Regierungen sich der allgemeinen Vervollkommnung der Menschen zu
widmen haben, erscheint selbstverständlich; geschieht dies in hinreichendem
Maße, dann ist der Gleichklang zwischen Regierung und Volk gesichert, die
Gefahr von Rebellionen gebannt. Mit Nachdruck wendet sich Sartorius vor
allem gegen die damals aufkommende konservative Revolutionsansicht, daß
die Aufklärung „eine heillose Rebellion verbreite, die zur Anarchie führe und
in dem Umsturz aller Gesetze ihre Freude finde"[82]: „Weit entfernt, daß die

---

73 Ebd., S. 68; vgl. S. 359.
74 Ebd., S. 359.
75 Ebd.
76 Ebd., S. 17.
77 Ebd., S. 132.
78 Ebd., S. 174 f.
79 Ebd., S. 366.
80 Ebd., S. 58.
81 Ebd., S. 366.
82 Ebd., S. 375.

sogenannte Aufklärung Rebellion veranlassen wird, wird sie in den meisten Fällen *ganz allein* dagegen sicherstellen. Ein dummes, einfältiges, verworfenes Volk kann durch einen Enthusiasten, einen Lügenpropheten oder einen anderen Charlatan der Art zur Empörung gebracht werden, indes ein solcher mit allen seinen Künsten bei einem gebildeten Volk ausgelacht wird. Alle dumme Völker lassen sich leichter zu Rebellionen verleiten als andere [...]. Ein gebildetes Volk hört auf solche Gaukler nicht, es wird es selbst nie zugeben, daß es despotisch behandelt werde, die Regierung wird es nicht wagen dürfen, es wird den Despotismus zurückhalten *und eben damit Rebellion,* denn jener hängt mit dieser wie Ursach und Wirkung zusammen. Gedrückte Sklaven und Schwärmer und Narren sind zu Empörungen geneigt"[83].
Der institutionell nicht genauer definierte, offensichtlich durch Öffentlichkeit und Beratung abgestützte Interessenausgleich zwischen „Regenten" und „Volk" wird im wesentlichen von der Regierung gesteuert; deren „Weisheit" verschafft mit Blick auf das Gesamtwohl die Einsicht in die jeweiligen Erfordernisse der Zeit und ermöglicht die Anpassung bestehender Rechtsverhältnisse an die fortschreitenden Bedürfnisse[84]: In diesem eher statischen Modell politischer Beziehungen steht die obrigkeitlich-monarchische Regierungsform nicht zur Diskussion; sie erscheint geradezu als Bedingung zunehmender Volksbildung und menschlichen Fortschritts, vorausgesetzt, die Regierung achtet im Bewußtsein ihrer hohen Verantwortung auch auf die Wünsche des Volkes, die ihrerseits Ausdruck des Fortschritts sein können.
Diese allgemeinen Ansichten über Wesen, Ursachen und Vermeidbarkeit „bürgerlicher Empörung" verharren offensichtlich weithin im Schema älterer verfassungsrechtlicher Konfliktanalyse; von einer dynamischen Revolutionssicht sind sie noch ein gutes Stück entfernt. „Rebellionen" gelten im Kern als Produkt von „Despotismus" und „Tyrannei" und von Verzweiflung der durch sie Betroffenen. Sie sind grundsätzlich vermeidbar und keine Lokomotiven, sondern eher kostspielige Entgleisungen der Geschichte auf dem Weg zur menschlichen Vervollkommnung schon deshalb, weil sie die menschliche Vernunft außer Kraft setzen und niedrigen Leidenschaften freie Bahn eröffnen. Sie sind darin aber auch und vor allem Ausdruck für das Versagen der Obrigkeit.
Solche negativen Wertungen werden am Bauernkrieg exemplifiziert; sie treffen alle Beteiligten, die Bauern, weit mehr aber noch die Obrigkeiten und zwar in erster Linie den Adel und die katholische Geistlichkeit – Sartorius liefert mit seinem „Versuch" nicht zuletzt ein Stück Adels- und Kirchenkritik des ausgehenden 18. Jahrhunderts in historischem Gewande[85].

---

83 Ebd., S. 376 f.
84 Deutlich wird dies in der Beurteilung der Politik der Stadt Straßburg und der Kurpfalz: G. F. SARTORIUS, Versuch (wie Fußnote 25), S. 202, 356.
85 Zur „Adelskrise" und Adelskritik in Deutschland seit dem 18. Jh. vgl. W. CONZE, Adel, Aristokratie, in: Geschichtliche Grundbegriffe, Bd. 1, 1972, S. 1–48, 23 ff.

Bereits die einleitende Analyse der Ursachen des Bauernkriegs läßt Sartorius'
Grundpositionen deutlich erkennen. Daß „diese Empörung mit der Schnelle
eines Wetterstrahls sich von dem Fuß der Alpen bis an den Harz, von den
Grenzen Frankreichs bis an die Grenzen Ungarns verbreitete", beweist ihm,
„daß *eine* Ursache fest bestand, welche unsichtbarerweise diese Menschen
zusammen aufforderte, etwas zu wagen"[86]. Im einzelnen fällt die Ursachen-
analyse freilich nicht so undifferenziert aus, wie es die Revolutions‚theorie'
von Sartorius vielleicht erwarten ließe; es wird eine ganze Reihe von Faktoren
und Aspekten hervorgehoben, die das vorgestellte Grundkonzept anreichern.
Einerseits betont Sartorius die fast völlige Schutzlosigkeit der als Eigentum
und „Halbmenschen" betrachteten Bauern gegenüber der durch „ewiges
Saufen" gesteigerten „Brutalität", „Ungeschlachtheit und Barbarei des damaligen deutschen Adels"[87]; gerade dessen und der Geistlichkeit zu große Unabhängigkeit von den Fürsten[88] raubt den Bauern einen möglichen Schutz, die
Städte aber sind als Sachwalter der bäuerlichen Rechte ungeeignet, die Reichsgerichte dazu unfähig. Andererseits betont Sartorius, daß den Bauern durch
wenigstens lebenslanges Eigentum an ihren Gütern „größere Freiheit"
gewährt, diese größere Freiheit ihnen aber wiederum angesichts wachsenden
Luxusbedürfnisses der Herrschenden und „der veränderten Art, Krieg und
Fehden zu führen", durch steigende Abgabenlast vergällt wird[89]. Die wach-
sende Diskrepanz zwischen solcher Freiheit und ökonomischer Belastung
drängt zur Rebellion; sie wird gesteigert durch „die errungene Freiheit und
Unabhängigkeit der Schweizer", welche als anreizendes Vorbild die „Gärung
der Gemüter" erhöht[90]; die Verbreitung der Bibel durch Buchdruck und
Reformation macht die Empörung schließlich „unvermeidlich"[91].
Sartorius sieht also einen engen Zusammenhang zwischen Bauernkrieg und
Reformation, aber nicht in jenem antiprotestantischen Sinne, daß Luther und
die Reformation die eigentliche Ursache des Bauernkriegs gewesen seien, wie
dies seit der Zeit des Bauernkriegs von katholischer Seite als feststehende
Tatsache behauptet und von protestantischer Seite ebenso entschieden geleug-
net wurde[92]. Für den Sohn eines evangelischen Pastors verband sich vielmehr

---

[86] G. F. Sartorius, Versuch (wie Fußnote 25), S. 12 f.
[87] Ebd., S. 21 ff., bes. S. 27 f.
[88] Ebd., S. 23.
[89] Ebd., S. 28 ff.
[90] Ebd., S. 41 ff.
[91] Ebd., S. 33.
[92] Zum katholischen Bild von Reformation und Luther bis ins 18. Jh. vgl. A. Herte,
Das katholische Lutherbild im Bann der Lutherkommentare des Cochläus, Bd. 1–2,
1943, ferner mit neueren Literaturhinweisen A. Friesen, Reformation (wie Fußnote 2),
S. 53 ff. Zum protestantischen Lutherbild vgl. E. W. Zeeden, Martin Luther und die
Reformation im Urteil des deutschen Luthertums, 2 Bde., 1950/52; vgl. ferner
H. Bornkamm, Luther im Spiegel der deutschen Geistesgeschichte, 1970[2] und den

mit der materiellen die geistliche Unterdrückung, und diese trieb als „der letzte und wichtigste Grund vielleicht von allen"[93] zur Empörung; Bibel, Luthers Lehre und insbesondere die „zahllose Menge von Prädikanten", die „wie Schwämme in Einer Nacht"[94] „aus dem Schoß der Zeiten"[95] hervorwuchsen, konnten nur deshalb so wirksam werden, weil die Sittenverderbnis der damaligen Geistlichkeit aufs höchste gestiegen war, ohne daß man ernsthaft auf Abhilfe dachte[96]; Sartorius findet die härtesten Ausdrücke, um die ausbeuterischen Praktiken des „geistlichen Ungeziefers"[97] gegenüber dem absichtlich in Dummheit und Aberglauben gehaltenen Volk anzuprangern. Katholische Geistlichkeit und Adel werden damit – ähnlich wie in der Französischen Revolution – als Hauptschuldige markiert. Nur die Tatsache, daß die „mannichfaltigen Gebrechen in der bürgerlichen und kirchlichen Ordnung und das Widerstreben, diese zu mildern", allgemein verbreitet waren, erklären die schlagartige Ausweitung der „bürgerlichen Rebellion" über ganz Deutschland[98]. Als Beweis dafür, daß diese Ursachen schon längere Zeit wirksam waren, führt Sartorius die früheren Bauernunruhen[99] und städtische Unruhen[100] an; er ordnet damit den Bauernkrieg in eine längere Entwicklung ein und akzentuiert Verbindungslinien zwischen ländlichem und städtischem Bereich während der Erhebung von 1525, hat doch nach seiner Meinung das wachsende „Mißvergnügen in den deutschen Städten" infolge ihres Niedergangs von (höchst idealisierter) stolzer Höhe „Konvulsionen"[101] verursacht und die Bereitschaft der Bürger besonders in den kleineren „Landstädten"[102] geweckt, sich mit den Bauern zu verbünden. Bemerkenswert ist jedenfalls, daß Sartorius nicht ein simples kausales Erklärungsschema liefert, wonach absolute Unterdrückung und Verelendung direkt zur Empörung führen, sondern daß er es gleichsam sozialpsychologisch abstützt: Die Labilität der Situation von 1525 erklärt sich nicht zuletzt aus der mangelnden „Consequenz"[103] der bestehenden „Verfassung", daß nämlich „Menschen, denen man Eigentum läßt, die man aber durch ungemessene Fronen, Gefälle und stets neu vermehrte Abgaben zu Boden drückt, alle Mittel verlieren, ihrer Freiheit froh zu werden, und daß sie eben deswegen den Zustand der Sklaverei zurückwünschen oder –

---

neuen Überblick über die Geschichte der Lutherdeutung bei B. LOHSE, Martin Luther. Eine Einführung in sein Leben und sein Werk, 1981, S. 209 ff.

[93] G. F. SARTORIUS, Versuch (wie Fußnote 25), S. 51.

[94] Ebd., S. 53.

[95] Ebd., S. 63.

[96] Ebd., S. 51 ff.

[97] Ebd., S. 64; vgl. S. 54 f.

[98] Ebd., S. 70 f., 81 f.

[99] Ebd., S. 71 ff.

[100] Ebd., S. 43 ff.

[101] Ebd., S. 49.

[102] Ebd., S. 50 f.

[103] Ebd., S. 33.

eine Rebellion wagen werden"[104]. In dieser Situation konnten die Lehren Luthers und der Prädikanten als zündender Funke wirken – nicht weniger und nicht mehr. Die Frage nach der Bedeutung der Reformation und Luthers für den Ausbruch des Bauernkrieges ist Sartorius aber nicht aus konfessionellen Gründen wichtig, sondern wegen des Streits über das Gewicht, das „der geschimpften armen Aufklärung" für den Ausbruch der Französischen Revolution beigemessen wurde[105]. Dem aufgeklärten Protestanten des späten 18. Jahrhunderts ist jede Form konfessionellen Haders fremd geworden, und eigene theologische Studienerfahrungen mögen seine Abneigung gegen „Erbärmlichkeiten" wie die „scholastischen Zänkereien vom freien Willen und ähnliche Dogmen"[106] verstärkt haben. Auch sein Verhältnis zu „einem Mann von so violentem Charakter als Luther"[107] mit seiner „gellenden und schreienden" Stimme[108] ist durchaus distanziert und ermöglicht es ihm, dessen Rolle in der Reformation und während des Bauernkriegs nüchtern relativierend zu beurteilen[109]. Sartorius verwirft nachdrücklich jene konservative Verschwörertheorie, wonach „ein Mensch mit wenig Mitverschwornen" Rebellionen in Gang bringen könne[110]; er bestreitet aber auch, daß bestimmte Geistesbewegungen dafür verantwortlich zu machen seien, sei die Reformation doch selbst erst das Produkt der bestehenden Mißstände gewesen. Luther wird so bei aller Anerkennung seiner „wirklich patriotischen Gesinnungen" im vergeblichen Bemühen um einen Ausgleich zugunsten der Bauern[111] für Sartorius zur austauschbaren, ja geradezu wohlverzichtbaren Gestalt: „Gleichviel, ob Luther kam oder nicht, es hätte auf jeden Fall ein anderer sich gefunden; und weit entfernt, daß wir ihm alles zu verdanken hätten, würden wir wahrscheinlich einem andern leicht sehr viel mehr zu verdanken haben, wenn statt seiner ein anderer und ein Geschickterer sich zum Steuermann aufgeworfen hätte, der des Wegs kundiger gewesen wäre. Denn wie gesagt – Schiff und Schiffsvolk waren vorhanden, die brauchte man nicht zu schaffen. Luther kannte den Weg nicht, den er laufen sollte; darum stießen ihm immerhin Dinge auf, die er nicht erwartet hatte. Einen Plan, mit einem umfassenden Geist entworfen und mit Festigkeit ausgeführt, hat er gar nicht gekannt." Der Papst hätte durch geschicktere Maßnahmen den Streit beilegen können, „aber die Meinung des Volks würde bald einen andern Luther hervorgebracht haben"[112].

---

[104] Ebd., S. 32.
[105] Ebd., S. 56.
[106] Ebd., S. 361.
[107] Ebd., S. 145; vgl. S. 147 f.
[108] Ebd., S. 59; vgl. S. 133.
[109] Vgl. ebd., bes. S. 56 ff., 121 ff., 144 ff., 299 ff.
[110] Ebd., S. 58.
[111] Ebd., S. 127.
[112] Ebd., S. 60; vgl. S. 81.

Wie die Ursachen, so ist auch der Verlauf des Bauernkriegs im einzelnen durch mangelnde „Vernunft und Mäßigung" bestimmt. Nachdem die Herrschenden es verabsäumt hatten, rechtzeitig wenigstens die „gröbsten Mißbräuche" abzuschaffen und den „billigsten Forderungen des Volks" nachzugeben[113], ist das lange Zeit gutmütige Volk schließlich zum äußersten gereizt; dann aber „ist gütliche Handlung gewöhnlich vergebens"[114]. Im Kampf „rasender Parteigänger" überbieten sich beide Seiten in Grausamkeiten. Sartorius gibt jedoch deutlich genug zu erkennen, daß Landesherren, Adel und Geistlichkeit mit wenigen rühmlichen Ausnahmen weit schuldiger geworden sind, um so mehr als sie für die mangelnde Bildung des Volkes verantwortlich sind und als „man von edlern Menschen bessere Behandlung erwartet, indes man die brutale Grausamkeit eines eben freigewordenen Sklaven ganz natürlich und den Durst nach Privatrache sehr verzeihlich in einer so pöbelhaften Seele finden kann"[115]. So läßt sich Sartorius auch „oft in ein Detail von Strafen, Hinrichtungen und Treffen" ein, „weil dies geschickt schien, von den Sitten jener Zeit, der Erbitterung der Gemüter, dem Zustand der Justiz, der Intoleranz von Meinungen zu jener Zeit einige Kenntnis zu geben"[116]. Damit erhält Sartorius reichliche Gelegenheit, gerade auch das brutale und unredliche Vorgehen zahlreicher Herrschaften zu veranschaulichen und z. B. auf die intransigente Haltung des Schwäbischen Bundes gegenüber den an friedlichem Ausgleich interessierten Bauern[117], auf das „doppelartige Betragen" eines Götz von Berlichingen[118] und anderer Adliger[119], auf die fanatische Mordgier des Herzogs von Lothringen und seiner landfremden Truppen – ein „Heer von Scharfrichtern und Mordbrennern"[120] –, auf die geradezu sadistisch anmutende Freude des Würzburger Bischofs am Straffeldzug durch sein Territorium[121], auf die kalt berechnende Härte des außerordentlich negativ bewerteten Georg Truchseß von Waldburg[122] hinzuweisen, während er andererseits wiederholt betont, daß bei menschlichem und rechtzeitig verhandlungsbereitem Vorgehen der Obrigkeiten die Bauern weithin Ruhe wahrten oder für friedlichen Vertrag gewonnen werden konnten[123]. Und gerade die Weinsberger Bluttat des Odenwälder Haufens, die immer als besonders schwerwiegendes Verbrechen der bäuerlichen Seite dargestellt worden ist und die Stimmung gegen die Bauern maßgeblich angeheizt hat, rationalisiert Sartorius teilweise

---

[113]   Ebd., S. 65.
[114]   Ebd., S. 69.
[115]   Ebd., S. 241.
[116]   Ebd., S. 19 f.
[117]   Ebd., S. 92 ff., bes. S. 100 f., 103 ff., 222 ff.
[118]   Ebd., S. 27, 167 ff., 255 ff.
[119]   Ebd., S. 259.
[120]   Ebd., S. 204 ff., 214.
[121]   Ebd., S. 260 ff.
[122]   Ebd., S. 101, 224 ff., 239 ff., 272 ff.
[123]   Ebd., z. B. S. 151 ff., 154 ff., 200 ff., 221, 281 ff., 288 ff., 294 ff.

als Repressalie der Bauern gegen Bluttaten des Schwäbischen Bundes in
Oberschwaben mit dem Ziel, „den zukünftigen Gefangenen aus ihrem Mittel
Sicherheit zu schaffen", „gleiches Kriegsrecht" durchzusetzen und dadurch
„den Streit weniger grausam zu machen"[124]! Dies bedeutet aber keinesfalls
eine Parteinahme zugunsten der Bauern; auch sie sind in reichem Maß
schuldig geworden und erwiesen sich als unfähig, „eine politische Freiheit
einzuführen", weil „diese Elenden auch wirklich ihrer nicht wert waren"[125].
Vor allem aus solch „innern Gründen"[126], mehr noch als aus den „äußeren
Ursachen"[127], erklärt Sartorius den schnellen Mißerfolg der bäuerlichen
Sache; mangels brauchbarer Führer[128], erforderlicher Einheit und sittlicher
Bildung sei schließlich weiter nichts geblieben „als eine kleinliche, plumpe
Privatrache für erlittenes Unrecht und Schmach"[129].
Immerhin wird deutlich, daß Sartorius dem Bauernkrieg, so sehr er ihn
einerseits als Abwehr gegen wachsende Unterdrückung wertet, andererseits
doch auch weitergehende, eigentlich revolutionäre Ziele zuordnet, wenn er
meint, es sei abgesehen gewesen „auf eine gänzliche Veränderung der Deutschen Reichsverfassung" und auf eine Verbesserung der „Verhältnisse der
Bauern und Bürger zu den Fürsten, der Geistlichkeit und dem Adel"[130]. Dabei
zollt Sartorius dem „berüchtigten Manifest" der Zwölf Artikel hohe Anerkennung: Es herrsche in ihnen „im Ganzen eine Mäßigung" und „eine Achtung
für Privateigentum und Verträge", die unter den gegebenen Umständen überraschend sei und Bewunderung verdiene[131]. Sartorius sieht durchaus scharfsin-
nig, welch fundamentale Bedeutung dem hier propagierten Schriftprinzip für
die Wirkungskraft der Zwölf Artikel zukommt; er vergleicht es mit der
Bedeutung der allgemeinen Menschenrechte und des Naturrechts als Legitimationsbasis für die Französische Revolution und als „Schiboleth" zur Führung
des Volkes[132]. Über die Pläne der Bauern bzw. ihrer Führer läßt er sich
ansonsten im einzelnen nicht näher aus, in der Meinung, es lasse sich angesichts der kurzen Dauer der Rebellion „nur wenig oder nichts" darüber
entscheiden[133].
Die wohlwollende Bewertung erstreckt sich freilich nicht auf radikalere Tendenzen, insbesondere nicht auf Thomas Müntzer und seine Aktivitäten. So
sehr aufgeklärt-rationalistisches Denken und eigene Zeiterfahrung Sartorius
befähigt haben, Müntzers Persönlichkeit und Tun unter Abwehr überkomme-

---

[124]   Ebd., S. 141, 143.
[125]   Ebd., S. 361; vgl. S. 354.
[126]   Ebd., S. 353 ff.
[127]   Ebd., S. 349 ff.
[128]   Vgl. ebd., S. 12.
[129]   Ebd., S. 354 f.
[130]   Ebd., S. 8 f.
[131]   Ebd., S. 112 ff., 117 f.
[132]   Ebd., S. 119 f.
[133]   Ebd., S. 120.

ner Klischees zu entmythologisieren[134], so wenig war er in der Lage, dessen radikale Verquickung von Diesseits und Jenseits treffend zu diagnostizieren, so daß er Müntzer letztlich nur als unruhig-ehrgeizigen, machthungrigen und raffinierten Demagogen darstellt, der den Glauben anderer für seine eigenen politischen Zielsetzungen in durchtriebener Weise ausnutzt[135].

Und selbst die wohlwollende Bewertung des gemäßigten Programms der Zwölf Artikel läßt sich nicht zur Deckung bringen mit dem abwertenden Urteil über die Fähigkeit – bzw. Unfähigkeit – der Bauern, die erstrebten Ziele auch zu erreichen und zu behaupten. Die geradezu schmerzlich empfundene Spannung zwischen den angenommenen Zielen und den Mitteln reflektiert besonders deutlich das eigene Revolutionserlebnis:

„Wer sie (die Empörung. D. V.) für weiter nichts hält als für einen hier oder da entstandenen momentanen Auflauf eines tollen Pöbels, der nicht wußte, was er wollte; wer nicht glaubt, daß sie von der Bedeutung war, daß dem ganzen deutschen antiken Staatsgebäude der Untergang gedroht ward, der kennt fürwahr sie nicht genau. Man wird bei genauerer Kenntnis sich überzeugen, daß ein allgemeiner Wunsch, ein allgemeines Bestreben nach größerer politischer und religiöser Freiheit vorhanden war, daß ein großer Teil bereit war, alles zu wagen, um diese zu erringen – daß sie aber selbst keine deutliche Idee von einer gesetzmäßigen Freiheit hatten, daß sie sie nicht verdienten, weil sie roh und ungeschlacht ihrer nicht würdig waren, daß es ein jammervolles, bedauernerregendes Bestreben war und blieb, eine Freiheit zu erringen, die sie nach allem, was sie zeigten, selbst wenn sie sie errungen hätten, nie würden behauptet haben. Der Freiheit wert zu sein, das muß sich bei einem solchen Volk finden, sonst sind alle Bemühungen vergebens; wo diese sittliche Bildung und Vorbereitung noch fehlt, da ist jenes Bestreben ein ohnmächtiger und schmerzhafter Kampf. Ob dieses tausendjährige Reich einer verbreitetern, allgemeinern sittlichen Ausbildung einst auf Erden kommen werde, darüber sind die Meinungen immer geteilt gewesen – wahr ist es, daß diese goldene Zeit so wenig im sechszehnten Jahrhundert war als jetzt ist. Es ist ein wehmütiges Bild, das diese Empörung uns aufstellt, dies ohnmächtige Hinaufklimmen eines rohen Haufens nach einem Gute, das sie nicht wert sind; denn dies beweisen sie durch ihr Betragen gleich zu Anfang. Aber merkwürdig bleibt dies Bestreben nichtsdestoweniger; es verdient aufgezeichnet zu werden, und das besonders in Zeiten, wo ähnliche Gesinnungen wach werden"[136].

Die spürbare Ambivalenz in der Bewertung des Bauernkriegs wird schließlich erneut greifbar auch in dem gedämpft optimistischen Endurteil über den tatsächlichen, wenngleich nicht augenfälligen Effekt der „Rebellion". Sartorius glaubt nämlich feststellen zu können, daß die Reformation durch den Bauernkrieg gefördert und beschleunigt wurde. „Dies ist die einzig erfreuliche

---

134 So M. STEINMETZ, Müntzerbild (wie Fußnote 2), S. 357.
135 G. F. SARTORIUS, Versuch (wie Fußnote 25), S. 301 ff.
136 Ebd., S. 185 f.

Seite, der einzig reine Gewinn, den die Menschlichkeit (!) durch diese Empörung erhielt"[137]. Die dem Protestantismus zugeneigten Herrschaften seien besonders glimpflich mit den aufständischen Bauern umgegangen[138], und nicht wenige Fürsten hätten durch den Bauernkrieg den Anstoß erhalten, „dem Volke zu willfahren und seinen eifrigen Wunsch nach Verbesserung der Geistlichkeit und des Religionswesens zu befriedigen"[139]. Damit gelingt es Sartorius sogar, den Bauernkrieg wie auch „die nachfolgenden Religionskriege"[140] zu einem Teil doch noch als positiven Posten in seiner historischen Gewinn- und Verlustrechnung zu verbuchen und in das Fortschrittskonzept einzubinden, indem er ihn zum ersten Schritt auf dem Weg zum „Sieg über die Hierarchie" und zur „darauf zu gründenden religiösen Freiheit" deklariert: „Die Gärung, die in dem Volke durch ungemessenen Druck entstanden war, ging durch mancherlei Gestalten und Modifikationen anderthalb Jahrhunderte hindurch, bevor diese Frucht zur Reife kam, die von so unendlichem Preise für jeden ist, der sie zu schätzen weiß"[141]. Der nächste große Schritt auf diesem Wege war es, „daß die Vernunft des Menschen [...] als einzige Schiedsrichterin aller Streitigkeiten und Meinungen späterhin" eingeführt wurde[142]. „Aus namenlosem Elend und Jammer mußte endlich der Menschen Heil hervorgehen, das größte Unglück ward zum Segen geleitet; aus den Trümmern und dem Schutt zerstörter Städte, auf Bergen von Leichen und unglücklichen Schlachtopfern durfte endlich die himmlische Wahrheit sich zeigen"[143]. Fast wirkt es ein wenig gezwungen, wie Sartorius dem Bauernkrieg in pastoralem Tonfall zuguterletzt doch noch ein Stück Fortschrittsglauben abgewinnt, das sich mit seiner sonstigen Bewertung im einzelnen und ganzen nicht ohne weiteres vereinigen läßt. Gerade diese Ambivalenz im Urteil unter kurz- und unter langfristiger Perspektive erscheint aber symptomatisch für das Revolutionsverständnis derjenigen Teile des deutschen Bürgertums, die im Geiste aufgeklärter Humanität den Abscheu vor der Schreckensherrschaft durch Einordnung der grausamen Wirklichkeit in langfristige Sinnperspektiven aufzufangen suchten, um den Glauben an den menschlichen Fortschritt in der und durch die Geschichte zu bewahren. Mit welchen Schwierigkeiten dies

---

[137] Ebd., S. 357.

[138] Ebd., S. 282 f., 347.

[139] Ebd., S. 358.

[140] Ebd.; vgl. S. 7, wo Sartorius feststellt, „daß man jenen politischen Aufstand über diese vergaß, daß er sich unter diesen Religionskriegen verlor, obgleich im Grunde nur der Name verändert war"; ähnlich S. 288.

[141] Ebd., S. 359.

[142] Ebd., S. 362.

[143] Ebd., S. 363 f.

oft genug verbunden war, ist bekannt[144]. Auch Sartorius tut sich mit dem Problem nicht ganz leicht, sieht aber gerade aus dem Überblick über die Geschichte seit dem 16. Jahrhundert trotz Bedauern über die hohen Opfer seine Überzeugung von der kollektiven Vervollkommnung der Menschen auch empirisch bestätigt: „[...] er wünschte gerade unter den heutigen Stürmen, die uns so bekümmert machen, eine Hoffnung wach zu erhalten, daß, wenn auch auf einige Zeit zurückgeworfen, die Menschheit nicht im Fortschreiten zum Ziel ihres Daseins aufgehalten werden könne, daß dieser Trost auf guten Gründen, ja auf der Erfahrung beruhe, und daß alle Redliche ihre Pflicht nicht vergessen sollen, die als Menschen und Bürgern ihnen oblieget"[145].

Sartorius' Interpretation des Bauernkriegs ist letztlich weder Revolutionsapologie noch Revolutionsverdammung, sie enthält eher eine Entlastung des Bauernkriegs wie der Französischen Revolution durch Hinweis auf die eigentlich Schuldigen und durch den Versuch menschheitlich ausgelegter Sinngebung, die bereits wesentliche Aspekte des liberalen Bauernkriegs-, Reformations- und Revolutionsverständnisses vorzeichnet[146], und sie ordnet der „Rebellion" und Revolution darüber hinaus in vielem zeittypisch einen unmittelbaren praktischen Nutzen zu: als warnendes Beispiel zu dienen, um zwischen Pöbelherrschaft und Despotie hindurch[147] auf den Weg wohlgeplanten, vernünftigen Fortschritts und „gesetzmäßiger Freiheit"[148] durch Reform von oben zu verweisen.

---

[144] Sartorius selbst allerdings betonte ebd., S. 172: „Ohne Grausamkeiten, ohne Brutalitäten ist keine Revolution, sie seie selbst noch so gerecht, je angefangen worden." Zur Auseinandersetzung der deutschen Öffentlichkeit mit der Französischen Revolution nach J. DROZ zahlreiche Einzelstudien. Speziell für den „deutschen Frühkonservatismus" J. Garber (Hg.), Kritik der Revolution, Theorien des deutschen Frühkonservatismus, 1976; vgl. DERS., Politische Spätaufklärung und vorromantischer Frühkonservatismus. Aspekte der Forschung, in: F. VALJAVEC, Die Entstehung der politischen Strömungen in Deutschland 1770–1815, Nachdruck der Erstausgabe von 1951, 1978, S. 543 ff. mit zahlreichen Literaturhinweisen speziell zum Problem des deutschen Jakobinismus.

[145] G. F. SARTORIUS, Versuch (wie Fußnote 25), S. 377.

[146] Vgl. hierzu M. NEUMÜLLER, Liberalismus und Revolution. Das Problem der Revolution in der deutschen liberalen Geschichtsschreibung des 19. Jh., 1973, bes. S. 45 ff.

[147] G. F. SARTORIUS, Versuch (wie Fußnote 25), S. 371.

[148] Ebd., S. 185.

Anschriften der Mitarbeiter

Abel, Wilhelm, Prof. Dr. Dr. h. c.
Charlottenburger Str. 19
3400 Göttingen

Bierbrauer, Peter
Bächimattstraße 34
CH-3075 Rüfenacht

Blickle, Peter, Prof. Dr.
Historisches Institut der
Universität Bern
Engehaldenstraße 4
CH-3012 Bern

Blickle, Renate, Dr.
Ottweilerstraße 114
6600 Saarbrücken

Buszello, Horst, Prof. Dr.
Hinterhofstraße 52
7809 Denzlingen

Endres, Rudolf, Prof. Dr.
Institut für Geschichte
Kochstraße 4
8420 Erlangen

Goertz, Hans-Jürgen, Dr.
Institut für Sozial- und
Wirtschaftsgeschichte
Universität Hamburg
Von Melle Park 15
2000 Hamburg 13

Haushofer, Heinz, Prof. Dr.
Hartschimmelhof
8121 Pähl

Hippel, Wolfgang von, Prof. Dr.
Schröderstraße 45 a
6900 Heidelberg

Lienhard, Marc, Prof. Dr.
Faculté de Théologie Protestante
Palais Universitaire
F-67084 Strasbourg

Rott, Hans-Georg, Dr.
5, rue J. J. Rousseau
F-67000 Strasbourg

Schulze, Winfried, Prof. Dr.
Ruhr-Universität Bochum
Abteilung für Geschichts-
wissenschaft
Universitätsstraße 150 9A
4630 Bochum-Querenberg

Steinmetz, Max, Prof. Dr.
Störmthaler Str. 16
DDR-7027 Leipzig

Ulbrich, Claudia, Dr.
Forsthausstraße 54
6688 Wiebelskirchen

Wohlfeil, Rainer, Prof. Dr.
Haynstraße 8
2000 Hamburg 20

Wohlfeil, Trudl
Haynstraße 8
2000 Hamburg 20

Wunder, Heide, Prof. Dr.
Häußlerstr. 32 e
2050 Hamburg 80

Nachwort

Die Anmerkungsapparate der einzelnen Beiträge sind nach einheitlichen Richtlinien bearbeitet worden. Für alle Beiträge gilt, daß Erscheinungsorte nur bei ausländischen bzw. vor 1800 erschienenen Titeln beibehalten wurden. Für Hilfe bei der redaktionellen Überarbeitung der Beiträge danke ich meinem Assistenten, Herrn Peter Bierbrauer. P. B.

Aufständische Bauern unter der Dorflinde zu Schüpfheim 1478
(aus Deutsche Agrargeschichte IV)

DEUTSCHE AGRARGESCHICHTE

Herausgegeben von Prof. Dr. Günther Franz

VERLAG EUGEN ULMER STUTTGART